HET TONEEL VAN DE LIEFDE

Judith Michael

Het toneel van de liefde

Van Holkema & Warendorf

Voor Ann Patty

Oorspronkelijke titel: *Acts of Love*
Copyright © 1997 by JM Productions, Ltd.
Nederlandse vertaling: Piet Spek
Copyright Nederlandse vertaling:
© 1997 by Unieboek bv, Postbus 97, 3990 DB Houten
Omslagontwerp: Julie Bergen

ISBN 90 269 7477 9/NUGI 340/CIP

NEW YORK

1

Voor Jessica verdween, hadden zij en Luke elkaar maar een paar maal ontmoet. Het waren terloopse, korte contacten geweest en ze hadden zich niet tot elkaar aangetrokken gevoeld. 'Waaróm mag je haar niet?' had zijn grootmoeder op scherpe toon gevraagd. 'Verdorie, Luke, jij bent toneelregisseur en zij is actrice – een van de briljantste ter wereld zoals je heel goed weet en je weet ook dat ze mijn plaats zal innemen als ik me ooit terugtrek – en ze is een bijzondere schoonheid én een vriendin van me, hoewel ze jong genoeg is om mijn kleindochter te zijn... En je mag haar niet?! Je ként haar niet eens. Waar hebben jullie gisteravond over gepraat?'
'Over het stuk en hoe goed jullie op het toneel samenwerken. Over de gewone onderwerpen op een receptie na een première.'
'De gewone onderwerpen?! Jullie hebben gespreksstof te over! Jullie zijn allebei bij het theater; zij is warmhartig, intelligent, in alles geïnteresseerd...'
'Vooral in zichzelf.' Het viel hem zelf op hoe kregel hij klonk en hij probeerde op iets mildere toon te praten. 'Premièreavonden lenen zich niet voor gezellig gekeuvel, dat weet u. Het was háár avond, en de uwe en iedereen wilde met jullie beiden praten. Zij was niet geïnteresseerd in mij en ik was niet weg van haar. Behalve natuurlijk op het toneel; weet u hoe vaak ik haar agent opgebeld heb omdat ik haar voor een van mijn stukken wilde hebben? Ze had het altijd druk, of ze was in Londen... daar is ze heel vaak.'
'Ze vindt het daar fijn en het Londense publiek is dol op haar. O Luke, ik had gehoopt...' Ze streek met haar hand over zijn gezicht en zei na een korte pauze heel zacht: 'Was je misschien gisteravond niet op je best?'
'Vanwege Claudia bedoelt u. Dat had er niets mee te maken.' De kregeligheid was weer terug en zijnsondanks kwamen zijn woorden er hard en afgebeten uit. Om zijn wrevel te maskeren nam hij haar hand in de zijne en hij gaf haar een zoen op haar wang. 'We zouden allebei gelukkiger zijn als u mijn sociale leven aan mijzelf overliet.'
'Jij misschien,' zei zijn grootmoeder kortaf, 'maar ik zie niet in hoe dat iets tot míjn geluk zou kunnen bijdragen.'
Zoals bijna altijd wanneer hun opvattingen met elkaar botsten, had-

5

den ze er daarna samen om gelachen en waren op een ander onderwerp overgestapt. In de daarop volgende jaren had Constance nog een paar maal geprobeerd Luke en Jessica nader tot elkaar te brengen, maar hun propvolle agenda's hadden dat belet en zij hadden niet genoeg belangstelling voor elkaar om haar tegemoet te komen. En pas toen Constance jaren later overleed en Luke naar Italië ging om haar villa te sluiten, werd hij op een ongewone en onverwachte manier met Jessica geconfronteerd.

Hij zat in Constances frisse bibliotheek op de fluwelen oorfauteuil waarin ze in haar slaap gestorven was en streek met zijn vingers over de dingen die zij in de laatste uren van haar leven aangeraakt had: een met een damasten kleedje bedekte ronde tafel met een karaf en een glas wijn erop, een zilveren fotolijstje met foto's van hemzelf als zevenjarige jongen toen hij bij haar was komen wonen, als student op de middelbare school en op het college, als regisseur met het affiche van zijn eerste toneelstuk, en van de ceremonie toen hij zijn eerste Tony gewonnen had voor de regie van *Ah, Wilderness*, en het dichtst bij Constances hand een met goud en barnsteen ingelegd Italiaans kistje met kunstig houtsnijwerk en een zachte zwarte glans van het poetsen. Er zaten honderden brieven in, dicht tegen elkaar geperst, zo te zien met de oudste voorop. Toen Luke er met zijn hand over streek, maakte het een geluid als van een stok die over een afrastering gestreken wordt. Ze vertoonden allemaal hetzelfde handschrift. Hij haalde er willekeurig een uit en maakte die open.

Allerliefste Constance,
Ik wil je nogmaals bedanken (en nog eens en nog eens en nog eens als ik er verschillende manieren voor zou weten!) voor je zalige, hartverwarmende, onbaatzuchtige aanmoediging van gisteravond. Toen je zei dat ik mijn rol van Peggy mooi vertolkt had, wist ik dat ik echt een actrice was en er mijn verdere leven een zou blijven omdat Constance Bernhardt het gezegd had. Het is natuurlijk helemaal jouw stuk en waarschijnlijk heeft niemand mij zelfs maar opgemerkt, maar voor mij betekent het alles om met jou op het toneel te staan.
Mijn moeder zei dat 16 jaar te jong was voor repertoiretoneel, maar ik móest het proberen en ik ben o zo blij dat ik het gedaan heb. Dank, dank en nogmaals dank!
Je innig toegenegen,
Jessica

Jessica, dacht Luke. Een jonge Jessica Fontaine, bruisend van enthousiasme bij het allereerste begin van haar carrière. Hij keek naar de datum bovenaan de brief. Vierentwintig jaar geleden. Ze zou dus nu veertig zijn. Al die jaren heeft ze geschreven en dat betekent dat mijn grootmoeder ook schreef. Een lange vriendschap. Maar dat heeft Constance me zo vaak verteld dat ik me het aantal keren niet meer kan herinneren.
Hij pakte een willekeurige andere brief en vouwde die open.

Lieve Constance,
Je zult het niet geloven, maar Peter Calder heeft de mannelijke hoofdrol gekregen, hetgeen betekent dat ik twee liefdesscènes met hem moet spelen. Was het niet pas vorig jaar dat jij en ik bij hoog en bij laag beweerden dat we zelfs nooit in zijn nabijheid zouden komen? Ik ben nu zo ver en zo lang het stuk loopt, zal ik me tegen zijn glibberige handen verzetten.

Luke schoot in de lach. *Glibberig.* Dé typering van Peter Calder. Dat was de reden waarom Luke en vrijwel iedere andere regisseur hem al jaren geen rollen meer gaven. Maar Jessica had twee liefdesscènes met hem – wanneer? Hij keek naar de datum: zeventien jaar geleden. Na een bijrolletje in een stuk met zijn grootmoeder was ze nu tegenspeelster van Calder – die destijds een van de topacteurs was op Broadway en in films – en dat in maar zeven jaar tijds. Hij was vergeten hoe snel zij succes bereikt had. Hij herinnerde zich dat hij in dat jaar zijn eerste aanstelling op Broadway gekregen had. Hij was toen achtentwintig geweest en sinds zijn afstuderen had hij zes jaar lang op zolders, in vergaderzaaltjes van kerken en in vroegere bioscopen toneelstukken geregisseerd voor kleine, noodlijdende gezelschappen. Ze trokken maar weinig publiek, dat vaak de veertig of vijftig stoelen nog niet eens bezette, maar af en toe kwamen er recensenten en geleidelijk begon het uitgaande publiek over hen te praten. 'Lucas Camerons meesterlijke regie...' begon een recensie in *The New York Times*, en twee maanden later werd hem een baan aangeboden als assistent-regisseur voor een toneelstuk op Broadway. Dat was wat hij zich over dat jaar herinnerde.
O, en Claudia, dacht Luke. Het was het jaar dat wij trouwden.
Gedachteloos pakte hij een derde brief uit de kist, ongeveer halverwege. Er viel een krantenknipsel uit en hij vouwde het open. Het was een uit de *International Herald Tribune* in de *Vancouver Tribune* overgenomen bericht van Associated Press.

Maandagavond omstreeks half elf werden meer dan vijftig passagiers gedood en driehonderd gewond toen *The Canadian Flyer* ontspoorde in de Fraser River Canyon op tachtig mijl ten noordoosten van Vancouver. Met zoeklichten en reddingshonden doorzochten teams uit naburige plaatsen de wrakstukken de hele nacht bij temperaturen ver onder het vriespunt. Tot degenen die dinsdag vroeg in de ochtend gered werden, behoorde de beroemde film- en toneelspeelster Jessica Fontaine, die de afgelopen vier maanden in Vancouver geschitterd had in het stuk *The Heiress*. Haar toestand is kritiek. De trein met bestemming Toronto was 's avonds om acht uur uit Vancouver vertrokken. De oorzaak van dit ernstigste spoorwegongeluk in de Canadese geschiedenis is niet bekend.

Luke herinnerde zich de gebeurtenis. Er waren geruchten geweest dat Jessica Fontaine op sterven lag, dat zij een, twee of drie jaar niet zou kunnen optreden, dat zij geen ernstig letsel had opgelopen en over een of twee weken of een maand weer terug zou zijn. Er was geen zekerheid omdat ze voor niemand bereikbaar was. Haar vrienden, haar agent, haar collega's en verslaggevers van televisie en van de pers belden allemaal naar het ziekenhuis in Toronto waarheen zij overgebracht was, maar allemaal kregen ze dezelfde mededeling: dat Miss Fontaine geen bezoek kon ontvangen en geen telefoontjes wilde aannemen. Haar vrienden bleven opbellen en haar agent ging naar het ziekenhuis, maar de weken verstreken zonder dat iemand haar mocht spreken of bezoeken. Zes maanden na het ongeluk kregen de belangstellenden ten slotte te horen dat zij vertrokken was zonder achterlating van een adres of telefoonnummer of enige aanwijzing waar zij te bereiken was. Daarna werd het stil. Jessica Fontaine was in Amerika en Londen de meest gevraagde actrice geweest; ze was opgetreden in minstens twee films waar Luke van wist, en plotseling na achttien jaar was zij verdwenen. Een komeet, dacht Luke, die lichtend aan de hemel te zien was en abrupt onzichtbaar werd in het duister.

Hij zette de brieven en het krantenknipsel weer terug en streek over het kistje. Constance had een van haar mooiste eigendommen uitgekozen om Jessica's brieven in te bewaren en had het kistje naast haar favoriete stoel in de bibliotheek geplaatst. Ze moest veel van Jessica gehouden hebben, dacht Luke. Wat moesten ze van elkaar gehouden hebben! Hoe zou het zijn om zo'n vriendin te hebben? Ik heb er geen idee van.

De telefoon rinkelde en hij nam op. 'Met het huis van Signora Bernhardt.'

'Luke,' klonk de gebiedende stem van Claudia, 'waarom heb je me niet verteld dat je naar Italië ging? Ik moest Martin vragen waar je was... en je weet dat ik er een hekel aan heb butlers te vragen waar mensen zijn.'

Hij hield de telefoon weg van zijn oor en staarde door de openslaande deuren naar de zacht glooiende heuvels en dalen van Umbrië die de villa van zijn grootmoeder omgaven. 'Claudia, deze trip heeft niets met jou te maken.'

'Dat heeft hij wel; dat weet je heel goed. We hadden voor gisteravond een afspraak om te gaan dineren.'

'Dat spijt me. Sorry. Je hebt gelijk dat ik had moeten opbellen. Constance is overleden, Claudia, en zodra ik dat hoorde, ben ik vertrokken. Ik heb aan niets anders gedacht.'

'O. Neem me niet kwalijk.' Er volgde een pauze en hij kon bijna horen dat Claudia haar gedachten herschikte. 'Dat is triest, Luke. Je was erg intiem met haar. Mij heeft ze nooit gemogen, daarover liet ze geen misverstand bestaan... O, sorry, dat had ik niet moeten zeggen. Het spijt me, Luke, maar het is een nare week voor me geweest en toen jij niet kwam opdagen en ik Martin moest opbellen om te horen waar je was... maar ik had dat over Constance niet moeten zeggen. Ik bedoel dat het nu eigenlijk niets meer uitmaakt of zij me mocht of niet. Maar ik was helemaal van streek toen jij hier niet was. Ik verlaat me op jou, Luke, voor een beetje begrip en een beetje steun. Ik geloof niet dat dat te veel gevraagd is.'

Luke zat onbehaaglijk op zijn stoel te schuiven alsof hij op het punt stond weg te rennen. Vierduizend mijl van Claudia verwijderd zat hij in de warme middagzon in de luchtige bibliotheek van zijn grootmoeder en toch had hij het gevoel te zullen stikken. Precies zo had hij zich na twee maanden huwelijk met Claudia gevoeld, maar het had vijf jaar geduurd voor hij echtscheiding aangevraagd had.

Nu, elf jaar nadat de scheiding uitgesproken was, herkende hij vrijwel ieder woord van hun gesprek: het was net een slecht script, dacht hij, dat geen enkele tekstschrijver kon verbeteren. Maar toch kon hij haar niet opzijschuiven. 'Ik ben over een week terug. Daarna gaan we samen dineren.'

'Welke avond? Wanneer ben je terug?'

'Dat weet ik nog niet zeker. Woensdag of donderdag. Ik bel je nog wel.'

'Misschien ben ik bezet.'

'We vinden wel een tijdstip waarop je vrij bent.'
'Bel me op voor je uit Italië vertrekt.'
'Ik bel je na aankomst in New York. Ik moet afbreken, Claudia; ik heb nog een massa werk te doen.'
'Wat voor werk? Waar ben je mee bezig? De begrafenis moet nu toch achter de rug zijn.'
'Ik ben haar huis aan het ontruimen. En ik treur om haar.' Hij smeet de hoorn op de haak, boos op Claudia, boos op zichzelf omdat hij boos op haar geworden was. Hij wist beter; waarom liet hij zich door haar benaderen?

Het komt door dit huis, dacht hij. De vrouw des huizes, de enige vrouw van wie ik ooit gehouden heb, is dood en dit huis is even doods. Waar ik ook heenga, ze is in elk vertrek... en toch is zij nergens. Ik kan haar afwezigheid niet doorgronden; mijn hele leven is zij mijn moeder, mijn mentrix en mijn beste vriendin geweest. Hoe kan ze dan weg zijn?

Hij was geschokt van het verlies. Zijn herinneringen aan haar waren zo levendig dat hij nog steeds haar krachtige stem hoorde – diep, bijna hees en zo boeiend dat het publiek gespannen had zitten luisteren om maar geen woord te missen – haar stem die hem prees toen hij opgroeide en verlangde naar aanmoediging, die hem riep om samen te genieten van de schoonheid van een zonsondergang of van een schilderij of die zijn aandacht vestigde op de eigenaardigheden van iemands spraak of gang, die hem prikkelde zijn mening te verdedigen, die hem een doordenker maakte en een veel betere toneelregisseur. Haar opinie was voor hem belangrijker dan die van enige leraar, basketbalcoach of vriend. Bij de herinnering aan haar hoorde hij haar nog lachen bij zijn laatste bezoek aan haar, voelde hij haar hand nog op zijn arm bij hun wandeling door haar tuin en voelde hij de adem van haar afscheidskus nog op zijn wang toen ze zei: 'Ik ben erg trots op je en ik hou van je, lieve Luke.' Dat was de laatste keer dat hij haar gezien had en bijna de laatste keer dat zij elkaar gesproken hadden. Nog geen week later was zij gestorven.

Tranen welden op in zijn ogen. Hij veronderstelde dat niemand in New York hem daartoe in staat zou achten, hem, Lucas Cameron, wiens emoties alleen zichtbaar werden in het theater waar hij pas echt tot leven kwam. Door het waas van zijn tranen heen bewogen de cipressen en olijfbomen, die de bloemperken van zijn grootmoeder beschaduwden, zich alsof zij vervaagden. Met een ruk richtte hij zich op en perste de tranen weg. Ik heb te veel te doen, dacht hij; verdriet is een doekje voor het bloeden.

Hij liep terug naar de grote salon, maar de herinneringen bleven terugkomen, ditmaal naar acht jaar geleden toen zijn grootmoeder van haar artsen te horen kreeg dat haar hart zwakker werd en dat doorgaan met optreden haar dood zou zijn. 'Dan zal ik op de planken sterven,' had ze tegen Luke gezegd. 'Ik ben pas zevenenzeventig en niemand neemt zo vroeg afscheid van het toneel. Ik heb altijd verwacht op het toneel te sterven: daar hoor ik thuis. Waar zou ik anders willen sterven? Alleen een dwaas zou zijn thuis verlaten om op een vreemde plek te sterven.'

'En de andere acteurs dan?' had Luke gevraagd. 'Als u tijdens hun mooiste scène sterft, zullen ze het u nooit vergeven.'

Na een lange stilte had ze een kort, schril lachje laten horen en een paar maanden later had ze toegegeven. Maar ze wilde niet in New York blijven. Ze had een witmarmeren villa gekocht die in verheven majesteit op de top van een heuvel lag temidden van het bekoorlijke landschap van Umbrië. Die had ze ingericht met een tijdens een leven van rondreizen verzamelde collectie meubelen en ze had zichzelf herschapen alsof ze een figuur op het toneel uitbeeldde. Elke middag voerde ze telefoongesprekken met Amerikaanse vrienden en ontving alleen bezoekers als ze lang van tevoren een afspraak gemaakt hadden, maar Luke was altijd welkom. Elke ochtend hadden zij en haar huishoudster lange discussies over de maaltijden van die dag en hoe ze het best bereid konden worden. Bij regen en zonneschijn wandelde ze in haar grote tuinen, overlegde met haar hoveniers in haar gebrekkige Italiaans met veel gebarentaal en gelach, rustte veelvuldig uit op de rand van de tientallen fonteinen die ze her en der in Italië verworven had en die allemaal een zuil hadden in het midden van een stil vijvertje dat de mythologische marmeren en granieten beelden weerspiegelde. Als ze uitgerust was, vervolgde ze haar tocht door de doolhof van keurig geknipte heggen die een van de redenen geweest was waarom zij de villa gekocht had: om haar gasten te foppen, zei ze.

Omdat ze niet meer dan twee of drie uur achter elkaar kon slapen, lag ze tot diep in de nacht te lezen en verslond de boeken die ze tijdens haar leven als actrice opzijgelegd had. In de stilte van haar bibliotheek las ze vaak hardop de scripts en toneelstukken die toneelschrijvers en regisseurs uit de hele wereld haar toestuurden en dicteerde haar secretaresse de volgende dag of week haar opmerkingen om die uit te tikken en te verzenden.

En ze correspondeerde met Jessica Fontaine zonder er met mij ooit over te reppen, dacht Luke. Ik vraag me af waarom.

In de grote salon ging hij verder met het inventariseren en organiseren

11

van Constances bezittingen. Een deel ervan behield hij voor zichzelf; een ander deel zou voor opslag naar New York gestuurd worden en veel ervan zou volgens de bepalingen in Constances testament weggegeven worden. *Mijn salonmeubilair is voor mijn huishoudster, plus de hele inventaris van de keuken die zij door overvloedig en uitstekend gebruik tot de hare gemaakt heeft; mijn kaptafel met spiegel en al mijn kleren zijn voor de dochter van mijn huishoudster die er verlangend naar gekeken heeft, maar nooit zo onbeleefd was om te vragen of zij ze hebben mocht; mijn schilderijen en sculptures zijn voor jou, Luke, en ook al mijn juwelen, in de hoop dat je een vrouw zult vinden aan wie je ze zult willen geven; mijn verzameling toneelstukken is voor Jessica Fontaine.*

De toneelstukken lagen op een tafel bij de piano. Luke had de verzameling zeldzame eerste drukken in de loop der jaren zien groeien naarmate Constance ze ontdekte in de bibliotheken van theaters en opera's en antiquariaten over de hele wereld. Luke wist dat ze vele duizenden dollars waard waren, maar ze waren vooral kostbaar omdat de meeste ervan aantekeningen bevatten in het handschrift van hun schrijvers en hun eerste regisseurs – George Bernhard Shaw, Henrik Ibsen, Corneille, Racine en Tsjechov, die vaak zelf de regisseurs geweest waren. Onschatbaar, dacht Luke; Constance moest Jessica verteld hebben dat zij ze aan haar naliet. Maar er stond geen adres in het testament. *Hoe verwacht ze in vredesnaam dat ik Jessica Fontaine zal vinden?*

Hij pakte de toneelstukken in een grote kartonnen doos die hij neerzette bij de andere die hij naar zijn appartement in New York zou laten opsturen. Hij legde er vloeipapier tussen, pakte de kwetsbaarste exemplaren dubbel of driedubbel in, plakte daarna de doos dicht en markeerde hem aan de buitenkant met 'JF' om hem later naar Jessica te kunnen doorsturen als hij haar adres had.

Zijn lunch bestond uit een koude omelet met gemengde sla die voor hem klaargezet was door de huishoudster die erop gestaan had eens per dag langs te komen om voor hem te zorgen. Hij nuttigde zijn maaltijd op het brede terras dat zich over de hele lengte van de villa uitstrekte en uitzicht gaf op heuvels en wijngaarden, een kronkelende rivier en verderop gelegen villa's die door de omringende bomen nauwelijks zichtbaar waren. Zijn grootmoeder had daar talloze uren zitten lezen, schrijven en mijmeren. 'Als ik hier zit, neemt mijn hele wezen de wonderen van dit weelderige, serene landschap in zich op,' had ze Luke in de laatste week van haar leven geschreven, 'en dan voel ik me de hoedster ervan. Maar dat zijn we natuurlijk allemaal, nietwaar?

Ons allemaal is een wereld geschonken met zoveel rijkdom en schoonheid en overvloed. Wij zijn de hoeders ervan, en ook elkaars hoeders, en er zou niets dan dankbaarheid in onze harten moeten zijn. Ik ben dankbaar voor jou, beste Luke.'

Hij had opgebeld met de mededeling dat hij over een maand terug zou komen, vlak voor hij aan de rolverdeling van zijn nieuwe stuk begon. Maar vier dagen later, op de stoel in de bibliotheek waar ze altijd tot diep in de nacht zat te lezen, was Constance gestorven met een boek in de hand en het kistje met Jessica's brieven naast haar.

Rusteloos zwierf Luke door de villa tot hij weer in de bibliotheek terechtkwam en bleef staan naast de stoel waarin zij gestorven was. De zon stond lager en haar lange stralen vielen in de tuin precies voorbij het terras op het Griekse standbeeld van een jongen. De jongen was lenig en alert, maar een en al vastberadenheid en Constance had gezegd dat hij haar deed denken aan Luke op zevenjarige leeftijd toen zijn ouders stierven. 'Op de begrafenis stond ik naast je,' had ze hem verteld, 'en we kenden elkaar nauwelijks, maar je boog je steeds verder naar me toe tot je magere lichaam tegen het mijne rustte, en toen ik mijn arm om je schouder sloeg, beefde je zo hevig dat het was alsof je nooit tot bedaren zou komen. Ik zag je vol afgrijzen naar de kist kijken – je moeder, mijn dochter, zo vroeg, zo vreselijk jong gestorven – en toen keek je me uiterst wanhopig aan omdat je dacht dat er niemand was om voor je te zorgen. En toen ik die radeloosheid en dat afgrijzen zag, en je lichaam drukte intussen zo hard tegen het mijne dat ik dacht dat je ons allebei omver zou gooien, welnu, vanaf dat moment hield ik van je. Je was voor mij mijn kind en mijn kleinkind. Ik kan me geen leven zonder jou voorstellen.'

Daarna was hij altijd bij haar gebleven. Hij groeide op in haar kleedkamers en achter de coulissen in elk theater waar zij optrad, kreeg les van huisleraren en leerde even veel of nog meer van de hele schare acteurs en technici die zich steeds om zijn grootmoeder heen bewoog. Ze behandelden hem als een mascotte en leerden hem alles wat zij wisten over ieder onderdeel van het toneelspel, op het toneel en achter de schermen. Tegen de tijd dat hij een lange, slungelige tiener was en zijn haviksgezicht en strakke blik hem ouder deden lijken dan hij was, wist hij meer over toneel en theater dan enige school hem had kunnen leren. Omdat Constance erop stond ging hij naar de middelbare school, maar in elke vakantie keerde hij als een jojo naar haar terug. Constance wees hem er echter op dat zij niet de enige attractie was: hij kwam ook terug om in het theater te zijn. Want toen was het hun allebei duidelijk dat hij er nooit lang van weg zou kunnen blijven.

Luke ging op Constances stoel zitten en boog zijn hoofd achterover. Ik moet eigenlijk weer aan het werk, dacht hij, maar toch bleef hij zitten en hij voelde haar aanwezigheid. Het kistje met brieven van Jessica Fontaine had hij binnen handbereik; hij had het weer precies op de plek neergezet waar zijn grootmoeder het had staan. Hij deed het open en streek weer met zijn vinger over de bovenste randen. *Ik ben benieuwd wat er met haar gebeurd is. Ze kan geen actrice meer zijn; ik heb haar naam al jaren niet meer gehoord. Zo maar verdwijnen, op het hoogtepunt van de briljantste carrière sinds die van Constance... hoe kwam ze daartoe? Waarom zou ze het gedaan hebben?* Iets meer dan halverwege het kistje veranderde het briefpapier van kleur: het was lichtblauw geweest en was verder ivoorkleurig. Luke pakte de eerste brief op het ivoorkleurige papier. Het was maar één velletje en het handschrift was van iemand anders.

Lieve Constance,
Ik heb niet geschreven omdat ik een vreselijk ongeluk gehad heb. Je hebt er misschien van gehoord of over gelezen, maar ik weet dat het nieuws je vaak niet interesseert. Hoe het zij, je zult je herinneren dat ik je schreef dat ik een treinreis dwars door Canada ging maken en dat ik erg enthousiast was omdat het me de kans zou geven me te ontspannen en me van alles los te maken. Maar het was vreselijk. De trein stortte in een canyon, de Fraser River Canyon. Elke nacht heb ik er nachtmerries van en overdag ook. Ik heb erg veel geslapen. Ik was vier weken praktisch buiten kennis. Het spijt me als jij je bezorgd gemaakt heb omdat ik niet schreef. Ik ben ik weet niet hoeveel keer geopereerd en tot nu toe kon ik totaal niets doen. Ik wil geen telefoongesprek voeren en dus dicteer ik deze brief aan een schattige jonge verpleegster die al die tijd mijn hand heeft vastgehouden en me gezegd heeft dat ik er weer bovenop zou komen. Ze fantaseert zo overtuigend dat ik haar gezegd heb dat zij een even goed toneelspeelster is als Constance Bernhardt ooit geweest is, maar vandaag voel ik een paar zwakke trillingen van leven en dus steekt er misschien iets van waarheid in wat zij vertelde. Dat is genoeg, ik ben te moe. Het spijt me, Constance, lieve Constance, ik mis je zo... Maar dat is geen klacht en het is geen hint; ik wil niet dat je hierheen komt, dat zou te veel voor je zijn en je moet aan je eigen gezondheid denken. Ik wil je alleen laten weten dat ik aan je denk en ik beloof je dat ik weer zal schrijven.
Heel veel liefs,
Jessica

Een dappere vrouw, dacht Luke, om aan Constance te denken terwijl zij zelf door de hel ging. Een andere Jessica dan degene die hij gekend meende te hebben.

Hij borg de brief weer weg en stond op om terug te keren naar de salon. Maar ditmaal nam hij het kistje met brieven mee. Als ik tijd heb, lees ik er misschien nog een paar, dacht hij.

In de loop van die lange dag, terwijl hij sorteerde en inpakte, werd de salon langzaamaan leeg. Het witte marmer glom koud en hard in het laatste licht van de lange juniavond; de van schilderijen ontdane wanden schenen terug te trekken in de ruimte, zodat de salon geen vertrek leek om in te wonen, maar niets dan een ruimte om doorheen te lopen. Hier ben ik klaar, dacht Luke, verlangend om de ontruiming te voltooien en te vertrekken. Zijn voetstappen weergalmden in de salon en zijn schaduw onder de brandende wandarmaturen was lang en dun met een scherpe knik waar de wand de vloer raakte, alsof zijn schaduw hem vooruitijlde. *Constances slaapkamer en haar schrijfbureau in de bibliotheek en dan zit het erop. Over hoogstens twee dagen kan ik vertrekken. Om nooit meer terug te komen.*

Hij had zijn huurauto voor de villa geparkeerd en reed naar het dorp voor een bespreking met de makelaar. In de *trattoria* had hij juist plaatsgenomen aan een tafeltje bij de ingang toen de deur openging en de makelaar binnenkwam en tegenover hem ging zitten. Hij wuifde de kelner weg. 'Wij drinken onze eigen wijn.' Hij hief zijn glas op. 'Signore, hebt u erover nagedacht? Wilt u werkelijk verkopen?' De makelaar was een ongelukkig man. Het was goed om Amerikaanse huiseigenaren in deze omgeving te hebben: dat dreef de prijzen op en verschafte werk aan huispersoneel, tuinlieden en oppassers... Als hij geweten had dat dit de reden was waarom Signor Cameron hem te eten uitgenodigd had in de beste *trattoria* ter plaatse, zou hij weggebleven en een campagne tegen de verkoop begonnen zijn. Maar nu zat hij hier en de tijd drong. Hij sprak langzaam en met hoopvolle pauzes om Luke gelegenheid te geven van gedachten te veranderen. 'Hebt u overwogen het pand zelf te houden? Voor uzelf en uw gezin? Dit is een heel mooie plek om met kinderen de vakantie door te brengen.'

'Ik heb geen kinderen. En ik wil inderdaad verkopen.'

'Maar voor uzelf, signore! Het is hier heel goed om na hard werken op verhaal te komen. En ik wil u eerlijk bekennen, signore, dat de markt op het ogenblik uiterst slecht is. Misschien zou u de villa gemeubileerd en voor eigen gebruik gereed kunnen houden zolang u hem in de verkoop hebt. Wij kunnen onmogelijk zeggen hoe lang het zal duren om een uitstekende prijs te bedingen...'

'Een redelijke prijs. Bel me op voor ieder bod dat u krijgt. Ik kom niet terug.'

De makelaar zuchtte diep. 'Zoals u wilt, signore.' Het was onmogelijk, dacht hij: de man had geen kinderen en was regisseur van toneelstukken; er was niets in zijn leven dat hem menselijk maakte. Indrukwekkend was hij wel: groot en breedgeschouderd, niet echt knap, met een te scherp getekend gezicht, zware wenkbrauwen en zwarte ogen met een borende blik, en een zo zware bos iets grijzend zwart haar dat hij erom benijd zou worden door mensen als de makelaar die elke morgen de op zijn glimmende schedel overgebleven paar lokken kunstig moest arrangeren om redelijk voor den dag te komen. Een imponerend man, die signor Cameron, maar met onverzettelijke ideeën.

'Vertel me nu eens iets meer over het dorp,' zei Luke toen er schotels ossobuco voor hen neergezet werden. Hij brak een stuk van het midden op de tafel staande brood af en schonk nog wat Brunello in. 'Vertel me iets over de bevolking.'

Overal waar hij kwam vroeg hij naar de bevolking. Claudia verfoeide het. Op een keer had ze hem een voyeur genoemd omdat ze dacht dat zijn interesse voor andere mensen hem ertoe gebracht had haar te verwaarlozen. Maar zo was het helemaal niet. Luke verzamelde mensen. Thuis maakte hij aantekeningen over hun hebbelijkheden en onhebbelijkheden, hun moeilijkheden en verlangens en hartstochten, hun persoonlijke belevenissen en hun gedrag in het openbaar, hun unieke vocabulaire en hun wijze van spreken, de verschillende manieren waarop zij lachten en over de blik in hun ogen als er iets geweldigs of iets vreselijks gebeurde. Ze werden een bron van kennis die hij benutte om zijn acteurs en actrices te helpen hun karakters te ontwikkelen. En hij benutte die ook in zijn persoonlijke wereldje waarin hij probeerde zijn eigen toneelstukken te schrijven, en in zijn vrije tijd worstelde om de kunst van het schrijven onder de knie te krijgen: hoe een verhaal te vertellen, dialogen te schrijven, karakters te ontwikkelen en spanning te creëren. Hij had twee voltooide scripts op zijn bureau liggen, maar had ze tot nu toe door niemand laten lezen.

Na de maaltijd keerde hij terug naar de villa, installeerde zich in de bibliotheek en maakte aantekeningen over het relaas van de makelaar over het dorp dat hij zag zoals hij wist dat zijn grootmoeder het gedaan had. Hoe sterker hij de geest van zijn grootmoeder wist op te roepen, hoe aanvaardbaarder Jessica Fontaine hem voorkwam: een echte vrouw, wier leven verstrengeld was met dat van Constance, een vrouw van wie hij nu besefte dat hij vrijwel niets wist, maar wier verhaal hier lag, naar hij veronderstelde door Constance voor hem achtergelaten. Want dat had ze natuurlijk opzettelijk gedaan. In plaats van de brieven te vernietigen had zij ze achtergelaten zodat hij ze vinden zou, zo overtuigd van zijn nieuwsgierigheid en zijn honger naar verhalen van mensen, dat ze wist dat hij de verleiding niet zou kunnen weerstaan om de brieven in te kijken en zich er daarna in zou gaan verdiepen om misschien evenveel over zijn grootmoeder te weten te komen als over Jessica. Terwijl hij in de lege villa aan Constance zat te denken, leek het of Jessica er ook was en dat hij hen niet van elkaar kon scheiden en zij ook niet wilden dat hij het doen zou. Veel te ver gezocht, dacht Luke hoofdschuddend. Jessica was daar veel te nuchter voor, nietwaar?

Lieve Constance,

begon de tweede brief in het kistje met inlegwerk.

Ik ben erg blij dat je de rozen mooi vond... Ik wist niet eens zeker of je wel van rozen hield, maar ik vond ze heel mooi en ik kon je verjaardag niet voorbij laten gaan zonder iets moois te sturen. Maar elke dag is mooi, nietwaar? Ik sta op en help mijn moeder met het huishouden en dat is heel alledaags, maar dan denk ik aan de toneelschool en op het toneel jou te zien optreden en van jou te leren en dan is alles weer mooi. O, ik ben zo blij! Dank je dat jij bent die je bent. Een heel, heel fijne verjaardag.

Jessica

De volgende morgen waren het die brief en de verhalen van de makelaar over de dorpsbewoners waar Luke aan dacht als middel tegen de indruk van een grafkelder die de villa opwekte. Hij ging naar zijn grootmoeders slaapkamer. Dat had hij uitgesteld in de wetenschap dat hij daarmee aan het moeilijkste deel kwam – het laatste jaar van haar leven had zij grotendeels in haar slaapkamer en de bibliotheek doorgebracht – en zonder te pauzeren om te eten ruimde hij beide vertrekken leeg. Hij sloot zijn geest af voor beelden van Constance met de broze parfumflesjes van geblazen glas in de handen en voor de gouden handspiegel en kam op haar kaptafel, of terwijl zij de glimmende Italiaanse schoenen aantrok waar ze zo op gesteld was, of terwijl ze half zittend om gemakkelijker te kunnen ademhalen tegen de met kant afgezette kussens op haar bed geleund lag te lezen tot ze moe werd om dan de vergulde lamp uit te doen en te gaan slapen. De hele dag werkte hij door, pakte zonder te huilen alles in wat zijn groot-

17

moeder gebruikt had, etiketteerde en organiseerde alles om een dag eerder te kunnen vertrekken dan hij van plan geweest was.

De laatste morgen liep hij met de expediteur voor de laatste keer de kamers door om meubelen, kisten en dozen van labels te voorzien en verzendinstructies te geven.

'En dit, signore?' vroeg de expediteur en tilde het kistje met brieven op.

'Dat neem ik zelf mee.'

'Het is te zwaar om het te dragen. Ik kan het samen met de schilderijen en de kisten verzenden.'

'Nee, ik neem het zelf mee.' Hij wist dat het dwaasheid was om geen afstand van het kistje te willen doen, maar hij wilde niet riskeren dat het zoek zou raken. Die middag pakte hij zijn meegebrachte kleren in zijn koffers en perste het kistje ertussen.

Hij sloot de deur en maakte zich gereed om Constances villa voor de laatste keer te verlaten. Even keek hij om naar de geblindeerde vensters, naar de tuinen zonder hoveniers en zonder Constance en voelde zich bevangen door een golf van weemoed. Maar toen dacht hij aan Jessica's brieven. Honderden brieven: intrigerend en nu al belangrijk genoeg om ze dicht bij de hand te hebben, zij het om redenen die hij zelfs niet analyseren kon. Om mijn nieuwsgierigheid te bevredigen. Om een vrouw te begrijpen die nu al bijna een mysterie lijkt. En om wat voor andere redenen ook waar ik bij het lezen ervan ook op mag stuiten: redenen waaraan Constance, zelfs aan het eind van haar leven, gedacht heeft toen zij ze achterliet zodat ik ze vinden... en lezen zou.

18

2

De airconditioning had de lucht ijskoud gemaakt en Luke trok zijn colbert aan toen hij van de drukkende hitte buiten zijn kantoor binnenkwam. Hij was pas een maand terug, maar de herinnering aan de groene heuvels en het koele marmer van zijn grootmoeders villa was versmolten in de verstikkende hitte van New York en weggevaagd door zijn overvolle agenda. Geen tijd voor mijmeringen, dacht hij met een blik op de foto van zijn grootmoeder op zijn bureau. En alsof ze naast hem stond, hoorde hij haar zeggen: 'Maar Luke, beste Luke, wanneer heb jij je overgegeven aan bespiegelingen? Jij staat altijd weer aan het begin van... een nieuw toneelstuk, een nieuwe vriendin, een nieuw leven... Ben ik echt de enige aan wie je trouw blijft?'

'Ja,' mompelde Luke in de stilte van zijn kantoor. 'De enige.'

Hij liep langs zijn bureau, bleef staan bij de lage bank die zich langs een hele muur uitstrekte en keek neer op het script van De Tovenares. Hij had er de vorige avond tot in de kleine uurtjes aan gewerkt en de bladzijden ongeordend op de koffietafel laten liggen, even kleurig als een plattegrond met lijntjes en pijlen, haakjes en sterretjes van verschillende kleuren, een voor elke medespeler, met aanwijzingen voor elke scène, elke verandering van emotie of plotselinge wijziging van verhoudingen. Nu, drie maanden nadat de toneelschrijver hem de tekst toegestuurd had, kende hij die woord voor woord van buiten en waren de personages hem even vertrouwd als jarenlange kennissen; ze beheersten zijn gedachten en zelfs zijn dromen. Hij stortte zich in een wereld die hij de komende weken en maanden naar zijn eigen visie vorm zou geven, een wereld die spannend genoeg was om zijn leven te vullen en voldoende boeiend om hem ervan te overtuigen dat dit genoeg intimiteiten voor hem waren. Hij had geen andere nodig.

Hij raapte de bladzijden bij elkaar, streek de randen op de tafel glad, stopte het manuscript toen in zijn aktentas en stapte weer naar buiten in de muur van hitte die New York midden juli was. Toen het stoplicht op de kruising van 59th Street en Madison Avenue op groen sprong, stroomden de voetgangers naar de overkant, klagend over de hitte, de luchtvochtigheid en de regering alsof die allemaal met elkaar verband hielden, en Luke stelde zich een scène op het toneel voor met net zo'n horde zwetende, grommende mensen die precies dezelfde opmerkingen lanceerden. Niet erg waarschijnlijk, dacht hij toen er een taxi voor hem stopte. Te veel mensen en veel te duur voor iets anders dan een musical.

'Heet hè?' zei de taxichauffeur die in de achteruitkijkspiegel Lukes blik opving. 'In Pakistan is het net zo heet als hier. Waarom zijn we dan hier? zegt mijn vrouw. Waarom niet op een plek die verschilt van Pakistan? Hier is het anders, zeg ik haar. Hier is baan, hier is geld.' Hij wachtte op een reactie. 'Waar of niet?' vroeg hij.

'Heel juist,' zei Luke en herhaalde het in zichzelf: Hier is baan, hier is geld. Daarom zijn we allemaal hier en niet in een koele villa op een heuveltop in Italië.

Maar elke dag is mooi, nietwaar?

De gedachte scheen uit het niets te komen. Luke fronste zijn wenkbrauwen en probeerde zich te herinneren waar hij dat gehoord had. Nee, niet gehoord: het was iets dat hij gelezen had. *Ik sta op en help mijn moeder met het huishouden en dat is heel alledaags, maar dan denk ik aan de toneelschool en jou op het toneel te zien optreden en van jou te leren en dan is alles weer mooi.*

Jessica. Hij was van plan geweest haar brieven in het vliegtuig te lezen of bij zijn thuiskomst, maar hij had het kistje niet eens geopend. Op het moment dat hij in het vliegtuig plaatsnam, had New York zijn aandacht opgeëist en was hij de brieven en Jessica en zelfs het verdriet van zijn galmende voetstappen in de lege villa vergeten. Het was alsof hij op de terugweg daar al aangekomen was, in beslag genomen door het nieuwe toneelstuk, de afspraak met Claudia, een paar uur na de landing met Tricia Delacorte naar een diner te gaan, het maken van een afspraak met de producer van *De Tovenares*, Monte Gerhart, de casting manager, Tommy Webb, en de toneelmeester, Fritz Palfrey, en daarna met alle anderen die achter de coulissen en aan de straatzijde zouden werken aan de première van het stuk eind september – over iets meer dan twee maanden.

In Madison Park stopte de taxi voor een roodbruin kantoorgebouw van rond de eeuwwisseling, een van de eerste wolkenkrabbers van de stad met gebeeldhouwde slingers en bladeren en mythologische figuren in de deurstijlen en het portiek. Luke trok zijn colbert weer aan toen hij in de airconditioned lift stapte naar het kantoor van Monte Gerhart en bedacht dat het een van Montes eigenaardigheden was om dit bepaalde gebouw te kiezen en zijn enorme kantoor daarna in te richten met meubilair van staal en glas, een geometrisch geruit tapijt en kolossale moderne schilderijen die het vensterloze vertrek tot een gecapitonneerde cocon van donkere kleuren maakten, als schijnwerpers op een toneel doorpriemd door lichtbundels van verzonken plafondlampen.

Een van de schijnwerpers creëerde een halo om Gerhart aan zijn bureau. Hij was een boom van een kerel met een volle grijze baard die zijn hals verborg, vierkante brillenglazen in een metalen montuur en lang grijs haar dat over zijn oren tot op zijn schouders afhing. Zijn mouwen waren tot boven zijn ellebogen opgestroopt en onthulden een zwaar gouden polshorloge en twee gouden schakelarmbanden; zijn loshangende das was versierd met kleurige vlinders en aan zijn ovale bureau zat hij in een schetsboek wulpse naakte vrouwen te tekenen. 'Luke! Ga zitten en bedien je.' Hij bleef op zijn stoel zitten, maar gebaarde met zijn hand. 'Koffie en ijsthee in de hoek; koekjes, muffins, waar je maar trek in hebt.'

Luke schonk koffie in een glas met ijsblokjes. 'Wil jij soms ook iets?'

'Ik ben op dieet. Zegt mijn vrouw.'

Luke trok zijn wenkbrauwen op.

'Akkoord, het is onzin. Ik neem een paar koekjes of wat er is; koffie heb ik hier staan. En ga nu maar zitten. Ik heb het stuk gisteravond nog eens doorgelezen. Een prima stuk, maar zoals ik je al zei heb ik problemen met Lena. Ze is te oud. Het publiek geeft geen snars om vrouwen van boven de tachtig; het wil niet denken aan oud worden, dat herinnert ze eraan dat zij een dezer dagen zullen sterven.'

Lamstraal, dacht Luke. Je hebt het stuk al een maand en er met geen woord over gerept. Maar al wat hij zei was: 'Hoe oud had je haar willen hebben?'

'Dat weet ik niet zeker. Misschien vijftig. Veertig is waarschijnlijk te jong.'

'En de drie achterkleinkinderen?'

'Dat kan natuurlijk niet. Misschien kleinkinderen. Als ze vijftig is en jong trouwde... toen zij twintig was...? Eenentwintig...? iets van dien aard. Het is geen al te groot probleem; Kent kan het in misschien een week herschrijven; het kan grotendeels hetzelfde blijven. Lena en haar kleinzoon... dat zou haar zoon moeten worden. Maar het belangrijkste is hoe ze hem verandert, nietwaar? Dan doet het er niet toe of hij haar zoon of haar kleinzoon is. En de liefdesgeschiedenis kan onveranderd blijven, die is geweldig. Kent kan het wel aan. Hij is over een paar minuten hier; als we hem ertoe kunnen overhalen, kunnen we aan de slag. Het zal soepel kunnen verlopen, nietwaar? Jij en ik zijn geen vreemden voor elkaar; we hebben al eens eerder samen een toneelstuk gebracht, was het niet een van je eerste?'

21

'Het allereerste.' Luke hield zijn toon effen en geamuseerd. 'Bijna op de dag af dertien jaar geleden en jij bent nog precies dezelfde, Monte. Nog altijd probeer je de toneelschrijver naar je hand te zetten.' Gerhart tekende twee grote cirkels voor borsten en begon de tepels erin te arceren. 'Iedereen heeft hulp nodig, weet je, zelfs toneelschrijvers. We hebben het hier toch over gehad, Luke? Een maand geleden of zoiets.'

Luke leunde achterover en strekte zijn benen. Hij maakte een ontspannen indruk, maar degenen die hem goed kenden, zou de spanning in zijn lichaam en zijn ogen niet ontgaan. 'Hou maar op, Monte. We hebben het nooit over Lena's leeftijd gehad, dat verzin je maar. Het hele verhaal draait om haar en haar kleinzoon en we gaan haar geen jaar jonger maken. En ook geen jaar ouder.'

Gerhart zette zijn vierkante bril af en bestudeerde Luke met bleke ogen die zonder de beschermende glazen klein en pas gewassen leken. 'Niemand houdt van oude vrouwen.'

'Wie vertelde je dat?'

'Dat hoeft niemand me te vertellen. Ik houd niet van oude vrouwen.'

'Het spijt me dat te horen. Het publiek houdt er merendeels wel van. Hoe verklaar je anders het succes van Jessica Tandy en Ethel Barrymore en Constance Bernhardt?'

'Constance – je grootmoeder. Daarom ben je zo gebrand op dit stuk!'

'Lena doet me aan Constance denken. Maar dat zou niet voldoende zijn. Dit is een geweldig toneelstuk, Monte, dat weet je heel goed. Het is haast niet te geloven dat Kent het schreef – dat hij zoveel over die leeftijd weet – maar het is hem uitstekend gelukt: het is een boeiend verhaal met prachtige dialogen en de hoofdpersonen zijn absoluut...'

Hij hield op toen de zoemer op Gerharts bureau overging.

'Daar hebben we de grote toneelschrijver,' zei Gerhart. 'We zullen eens horen wat hij te zeggen heeft.'

'Het zal hem niet aanstaan,' zei Luke vlakweg.

Er volgde een stroom lucht alsof er een windhoos in de koffie terechtgekomen was. Kent Horne was jong, groot en mager en bijzonder knap van voorkomen met een dikke bos zwart haar, donkerblauwe ogen die vergroot werden door een stalen bril en een lange hals die zijn hoofd een soort draaitol deed lijken. Hij droeg een fletse blauwe spijkerbroek, een riem met een gesp van zilver en turkoois, en een wit poloshirt, en hij begon al te praten toen hij nog geen twee stappen binnen de deur was. 'Ik heb een geweldig idee voor de tweede akte, geen echte verandering, maar een prima manier om Daniel iets eerder sterker te doen lijken, en dan hoeven we minder lang te wachten voor we weten uit wat voor hout hij gesneden is. Ik had er al eerder aan gedacht, maar...'

'Goeiemorgen,' zei Monte en stond op achter zijn bureau. Kent keek naar de uitgestoken hand. 'Tamelijk formeel, Monte. We zijn zo goed als aan elkaar verwant, nietwaar? Als je een toneelstuk brengt...' Hij keek naar Luke. 'Hallo.'

'Monte vindt beleefdheid niet ongepast,' zei Luke lachend en schouderophalend liep Kent naar het bureau om Monte de hand te schudden.

'Een goede morgen,' zei hij met veel nadruk. 'Ik ben blij dat je er zo goed uitziet. Blij dat iedereen er zo goed uitziet. Heerlijk koel is het hier. Ik ben komen lopen van mijn appartement en voelde mezelf smelten en vanaf mijn voeten wegzakken in een waterplas als de boze heks uit het sprookje...'

'We hadden het over herschrijven van Lena tot een vrouw van vijftig,' zei Monte en ging weer zitten. 'Dat is beter voor de publieksidentifi...'

'Vijftig? Vijftig jaar oud in plaats van tweeëntachtig? Dat meen je niet.'

'Als we erover praten, menen we het.'

'Onmogelijk. Je bent niet goed bij je hoofd. Luke?' Kent draaide zich naar hem om. 'Meen jij het serieus?'

'Ik zou er niet aan denken.'

'Waaarom praten we er dan over?'

'Omdat ik het wil,' gromde Gerhart. Hij tekende brede heupen, overgaand in kolossale dijen en gooide toen zijn tekenpen neer. 'Luister verdomme. Ik heb vijftien toneelstukken geproduceerd en twaalf ervan waren winstgevend. Twaalf! Vier leveren nog steeds geld op. Dat is een verdomd goed resultaat en bij elk van die stukken had ik een stem in het kapittel. Dat ik mijn tijd besteedde met geld verdienen in plaats van naar de toneelschool te gaan, betekent nog niet dat ik niet weet wat er aan het toneel mankeert. Jullie soort praat te veel met elkaar; jullie vergeten de gewone man. En de gewone man houdt van jong; die houdt niet van oud.'

'Onzin.' Kent had in het vertrek rondgestapt en stond nu met gespreide benen middenin het kantoor. '*De Tovenares* gaat over Lena, dat wéét je, Monte, die is de echte tovenaar door de manier waarop ze contacten tussen mensen weet te bewerkstelligen en dat komt gedeeltelijk door haar leeftijd. Als je jong bent, heb je al die wijsheid nog niet.'

'Jij bent jong.'

'Ik ben anders. Ik ben een genie. Wat bliksem, dit stuk gaat over echte mensen en over een vrouw die níet jong is!'

'Vijftig is niet jong.'

'Je zei zojuist van wel; je zei dat je om die reden haar leeftijd wilt veranderen.'

'Niet piepjong. Maar niet oud. Oud is taboe. Ik ben niet van plan een stuk te produceren over een oud wijf waarvan het publiek denkt dat ze een heks is in plaats van een tovenares.'

Even was het stil. Lamstraal, dacht Luke weer, ziedend van woede. Niemand zou hem voorschrijven hoe hij *De Tovenares* moest regisseren; hij had zich drie maanden in het script verdiept en het was inmiddels veel meer van hem dan van iemand anders. Maar toch moest hij deze poppenkast volhouden om te komen waar hij dacht te zijn toen hij twintig minuten geleden hier binnenkwam. Zij zijn dwergen als het op regisseren aankomt en met een blik op Gerharts reusachtige gestalte begon hij te grinniken. *Dwergen.*

'Wat valt er te lachen?' vroeg Kent gebiedend.

'Niet veel.' Hij stond op. 'Ik ben hier niet gekomen om aan te horen hoe jullie elkaar afkraken. We praten over de manier waarop dit stuk geproduceerd wordt of we laten het hele project vallen en dan stel ik een nieuw team samen.'

'Lena's leeftijd blijft zoals ik die geschreven heb,' zei Kent kortaf. 'Die verandert geen jaar. Zelfs geen enkele dag!'

Luke knikte. 'Dat begrijpen we.'

'Hoor eens, het is geen halszaak,' zei Gerhart. 'Maak een concept, Kent, geef ons iets te bespreken. Het kost een paar dagen, een week misschien. Zonder iets voor ons te hebben liggen kunnen we immers niets bespreken?'

'Nee. Verdomme, Monte, hoe vaak moet ik het herhalen? Nee, nee en nog eens nee.'

Luke leunde naar voren met zijn handen op Gerharts bureau. 'Monte, lees het stuk nog eens helemaal door. Ik ben niet van plan deze discussie nog eens te voeren, maar denk hier eens over na...' hij trok een schrijfbloc naar zich toe, krabbelde er drie regels op, scheurde het blad af en legde het voor Gerharts neus neer. 'Ten eerste weet je wie tegenwoordig de meeste theaters vullen: oudere mensen die zich de prijs van een kaartje kunnen permitteren. Denk jij dat zij Lena niet zullen begrijpen en bewonderen en zich niet meer met haar zullen identificeren? Ten tweede: als er jongeren onder het publiek zijn, naar wie zal hun voorkeur dan uitgaan? We weten dat ze zich zullen identificeren met de geliefden, maar wat te zeggen van Lena die hen aan hun grootmoeder zal doen denken... of hen zal doen wensen dat zij een grootmoeder hadden zoals zij? Ten derde: als Lena's kleinzoon verliefd wordt, komt dat sterk overeen met de liefdesverhouding die Lena zelf had toen zij jong was; ze staat er welwillender tegenover, juist omdat zij in de tachtig is – zestig jaar verwijderd van die passie. Een vrouw van vijftig zou kunnen uitzien naar een nieuwe liefdesverhouding, maar Lena niet. Ik heb over al die punten aantekeningen gemaakt, maar voor ik je die laat zien wil ik dat je het script nog eens van begin tot eind doorleest zonder te onderbreken voor afzonderlijke zinnen of zelfs scènes. Je moet het geheel op je laten inwerken.' Hij wachtte even. 'Ik veronderstel dat je daar tijd voor zult hebben,' zei hij op effen toon.

Gerhart zat weer te tekenen en concentreerde zich op dikke kuiten die in slanke enkels overgingen. Even later keek hij op en grinnikte: 'Je bent een taaie rakker, Luke. Dat vind ik niet erg; daarom ben je de beste regisseur die er te vinden is.

Ik heb over die punten nagedacht: je hebt gelijk wat het percentage ouderen onder het publiek betreft en misschien heb je over al het andere ook gelijk. Weten doe ik het niet, maar ik heb over dat alles nagedacht en het is in zijn huidige vorm een verdraaid goed stuk. Dat wist ik gisteravond al. Ik zou haar beslist liever jonger hebben – met een beetje herschrijven denk ik dat ons dat zou lukken – en je weet dat ik altijd probeer en zal blijven proberen mijn zin te krijgen. Wees gewaarschuwd, Luke, ik probeer altijd mijn zin te krijgen, maar in dit geval met Lena heb je een goed argument en dus, akkoord, we zullen haar met rust laten.'

Kent staarde hem aan. 'Akkoord? Spelen we een spelletje? Monte, ik heb wel wat beters te doen dan jouw spelletjes te spelen.'

'Ik betaal voor úw spel, meneer Horne, en als ik af en toe een spelletje wil spelen, speel ik het en dat zult u ook doen. Maar dit was geen spel, dit was volle ernst. Ik had haar jonger willen hebben. Ik vecht voor mijn overtuiging, begrijp je dat niet? Jij staat daar als Clint Eastwood, klaar om me voor mijn je-weet-wel te schieten. Ik probeerde en ik verloor. Jij zult ook wel eens proberen en verliezen. Zo gaat het nu eenmaal in het leven.'

'Ik verlies niet.'

'Maak dat de kat wijs. Denk daar liever nog maar eens over na.'

'Hou alsjeblieft op,' zei Luke. 'Het zullen twee zware maanden van samenwerking worden als jullie niet kunnen leren elkaar te verdragen. Dat is een opdracht voor jullie allebei.' Hij deed de deur open. 'Monte, morgenochtend om tien uur? Dan beginnen we opnieuw. Tommy komt dan ook.'

'Tommy?' vroeg Kent.

'Webb,' zei Monte. 'De casting manager. Om tien uur, Luke?'

'Dan ben ik ook hier,' zei Kent agressief.

'Vanzelfsprekend,' zei Luke. 'Het is jouw geesteskind. Maar ik zal je niet hoeven te vertellen dat dit geen one man show is, de jouwe niet, de mijne niet en niet die van Monte. Het theater, mijn theater althans, is geen plaats voor tirannie. Er is van jou nog nooit een stuk geproduceerd, maar al was dat zo, hier gebeurt het op onze manier. Sommige zinnen en soms hele scènes moeten altijd herschreven worden; zodra de repetities beginnen hoor je dat zinnen die op papier geweldig lijken, geen effect hebben als ze uitgesproken worden. Ik zal nooit opzettelijk jouw integriteit als schrijver in twijfel trekken, maar ik kan je nu al vertellen dat je zult herschrijven naarmate wij vorderen.'

'Ik herschrijf niet. Het stuk is volmaakt zoals het nu is.'

'Ik heb nog nooit een volmaakt toneelstuk gezien. En jij ook niet. *De Tovenares* is een prachtig stuk, maar ik kan je niet beloven dat ik niet om veranderingen zal vragen en als dat je niet aanstaat, kun jij je beter nu terugtrekken.'

Er viel een stilte. 'Je weet dat ik dat niet doen zal.'

'Ik ben blij dat te horen. Morgenochtend om tien uur?'

Kent knikte. Monte tekende schoenen aan zijn naakte vrouw. Luke vertrok. Hij had nog heel wat te plannen en het zouden twee verdraaid lange maanden worden.

'Het lijkt niet lang genoeg om een belangrijk stuk uit te brengen,' zei Marian Lodge toen zij een uur later op Lukes kantoor zaten. Ze was lang en slank met naar achteren gekamd haar en gouden hoepels als oorringen en ze droeg een linnen pakje en een zijden das. Ze zat kaarsrecht op een stoel met een balpen van malachiet in haar hand op een blocnote van geel gelinieerd papier op haar schoot en een kleine bandrecorder die zacht ruiste op de armleuning van Lukes stoel. 'Lezers van de voorbesprekingen in *The New Yorker* verlangen aannemelijkheid en dus moet ik alle details hebben. Hoe krijgt u alles in twee maanden klaar? Hebben acteurs niet meer tijd nodig om hun tekst te leren en zich in te leven in de karakters en daarna te repeteren? En dan alles wat er bij komt: kostuums, decors, belichting, rekwisieten... Het theater fascineert me, ziet u, ik zou er eindeloos over kunnen doorpraten.'

'Erg veel tijd heb ik niet,' zei Luke met een glimlach die opgevangen werd door de fotograaf die in het kantoor rondsloop en wiens automatische sluiter een snel staccato liet horen terwijl hij opnamen maakte van Luke, van de paar opvallende abstracte sculpturen, het meubilair van leer en suède en van de gesigneerde foto's die de muren bedekten. Luke bleef glimlachen en maskeerde zijn ongeduld. Hij had alleen maar toegestemd in het interview omdat Tina Brown hem erom gevraagd had als onderdeel van een dubbel nummer over de kunst en hij had er nu al spijt van. 'Laten we eens kijken hoeveel we in een uur kunnen doen. Wat die twee maanden betreft, de voorbereidingen van een productie kunnen te lang duren, want ze bereiken niet alleen een hoogtepunt, maar ze kunnen terugglijden en de frisheid verliezen die ze...'

'Hoe besluit u hoe lang er gerepeteerd wordt?'

'Dat hangt van de complexiteit van het stuk en het aantal medespelers af. Maar ik geloof dat het glad fout zou zijn als een stuk meer dan zes weken repetitietijd zou vergen.'

Ze knikte. 'Ik weet dat u en Claudia gescheiden zijn, maar hebt u kinderen?'

Inwendig haalde Luke zijn schouders op. Hij wist alles van dit slag interviewers.

Ze zou oppervlakkig blijven en af en toe op de echte details van haar werk ingaan, maar nooit genoeg om af te dwalen van de persoonlijke bijzonderheden waar ze werkelijk op uit was. 'Nee,' zei hij. 'Zou u kinderen willen hebben... of gaan uw toneelstukken over kinderen?'

'Toneelstukken zijn net kinderen: ze moeten verzorgd en gevormd worden; ze hebben een creatieve sfeer nodig om tot volle ontplooiing te komen, ze...'

'Jawel, maar hoe staat het met uzelf, meneer Cameron? U hebt ongetwijfeld over eigen kinderen gedacht... U bent – ik heb hier ergens staan hoe oud u bent...'

'Vijfenveertig. Natuurlijk heb ik aan kinderen gedacht; mijn grootmoeder had graag achterkleinkinderen gehad. Ze heeft het er tot de dag van haar dood over gehad. Ik was zeven toen ik bij haar kwam wonen – mijn ouders waren binnen twee maanden na elkaar vrij plotseling gestorven – en Constance nam mij op. Ik groeide op achter de coulissen, met huisleraren en diverse toneelgezelschappen en technici die mij alles leerden wat huisleraren niet wisten. Ik herinner me dat we op een tournee toen ik tien was *Hoe groen was mijn dal* opvoerden in San Francisco en dat iedereen het over Haight Ashbury had. Dat klonk als onvervalste romantiek en opwinding – seksuele opwinding, hoewel ik het als jongen van tien waarschijnlijk nauwelijks had kunnen omschrijven of onderkennen – en op een dag toen mijn leraar ziek was, trok ik er in mijn eentje op uit. Ik had wat geld en kocht een plattegrond, een reep en een blikje prik en ik kwam tot dichtbij waar ik dacht heen te gaan toen een van de leden van het gezelschap, Terry Evans me op het trottoir oppikte. Constance had iedereen opgetrommeld – spelers, technici en zelfs de schoonmakers – en de stad in gestuurd om mij op te sporen. Maar Terry bracht me niet meteen terug. Hij belde Constance op met de mededeling dat hij me gevonden had en nam me toen mee voor een tocht door de Haight, een echte, met inbegrip van een etentje in een klein eethuis dat inmiddels allang verdwenen is. Hij vertelde erover op een manier die zelfs een tienjarige kon begrijpen, zodat ik zag dat daar werkelijk romantiek en opwinding bestond, en ook een soort onschuld die tegenwoordig zeldzaam is. Maar Terry wees me ook op de jongelui die zich overgaven aan drugs en fantasieën en die bloot stonden aan uitbuiting. Dat was precies waarvan hij me die dag doordrong: hoe wreed sommige mensen de onnozelen uitbuiten. Er was seksuele en financiële uitbuiting door winkeliers en huisbazen die deze kinderen van hun laatste cent beroofden, en door zwendelaars die hen gebruikten om een grijpstuiver te verdienen door rondritten door de Haight te organiseren, de wijk te filmen voor de televisie en er onzinnige, geïllustreerde artikelen over te schrijven met vermelding van ware namen en omstandigheden. Van alle voorbeelden van menselijke onmenselijkheid tegenover mensen was de Haight onder Terry's leiding waarschijnlijk het schrijnendste. Dat is me steeds bijgebleven: in de wijze waarop ik regisseer, in mijn opvatting over de onderstroom van verhoudingen en de onderlinge machtsstrijd. Ik geloof dat ik er behoorlijk door geschokt was, want ik weet nog dat toen ik die avond terugkwam in het theater, het mij opluchtte te weten dat er nieuwe regels bestonden waarom ik er niet alleen op uit mocht trekken en van toen af maakte Constance tijd vrij om met mij op ontdekkingstochten te gaan. Samen verkenden we drie dozijn steden voor ik naar de middelbare school en daarna naar het college ging. We waren een geweldig team.'

'Een leuk verhaal.' Marian Lodge lachte opgewekt. 'Maar over ontdekken gesproken, ik wil uw opvattingen ontdekken over uw huwelijk en het huwelijk in het algemeen, over uw vrienden en natuurlijk over kinderen.'

'Miss Lodge.' Ze keek hem vol verwachting aan met haar pen in de hand. 'Ik dacht dat u de reden zou kunnen begrijpen waarom ik dat verhaal vertelde. Ik dacht duidelijk gemaakt te hebben dat ik niet van plan ben over mijn huwelijk of mijn vrienden of mijn opvatting over kinderen te praten. Ik wil met plezier met u praten over mijn grootmoeder en over de toneelstukken die ik geregisseerd heb en degene die ik van plan ben te regisseren en over wat ik probeer met mijn regie te bereiken. Ik wil u het voordeel van de twijfel gunnen in de veronderstelling dat u daarvoor gekomen bent.'

'O juist. Vertelt u interviewers altijd wat voor soort interview zij kunnen afnemen?'

'Altijd.'

'U regisseert dus het interview op dezelfde manier als een toneelstuk. Regisseerde u uw huwelijk ook zo? Gunst, neem me niet kwalijk,' zei ze haastig toen Luke opstond. 'Dat ontglipte me. Mijn excuus. Mag ik het anders formuleren? Regisseert u gebeurtenissen in uw leven op dezelfde manier?'

Hij glimlachte. 'Nee.'

'Wilt u alstublieft weer gaan zitten? Het spijt me oprecht. De kwestie is alleen dat ik erom bekend sta' – ze glimlachte weer, een vertrouwelijk lachje – 'allerlei intieme details los te peuteren waar niemand anders in slaagt. Die brengen iemand op de gedrukte bladzijde tot leven, zoals u ongetwijfeld zult weten.'

'Een goed schrijver brengt mensen door taalgebruik en uitbeelding tot leven, niet door uitlokken.'

Ze bloosde. 'Inderdaad. Maar ik denk aan onze lezers, ziet u; zij verwachten iets te lezen over u persoonlijk; ze willen u leren kennen.'

'Ze zullen me door mijn werk leren kennen. Volgens mij zullen de lezers van *The New Yorker* daar het meest in geïnteresseerd zijn.' Hij bleef staan en leunde achteloos tegen de muur achter zijn bureau. 'Vanaf mijn zevende tot mijn dertiende verjaardag, toen Constance besloot dat ik naar de gewone middelbare school moest, en daarna de zomervakanties bracht ik achter de coulissen door. Ik keek, luisterde, stelde vragen en zeurde bij de technici om mij te laten helpen bij de decorbouw, de belichting, de requisieten en alles wat aan een productie vastzit. Toen ik vijftien was, wist ik dat ik regisseur zou willen worden en toen al had ik kritiek op de manier waarop toneelstukken geënsceneerd werden. Ik was een onuitstaanbaar arrogante tiener, er vast van overtuigd dat ik alles al geleerd had wat ik diende te weten. Constance hoorde mij met veel geduld en niet weinig humor aan en vertelde me toen dat ik toch nog het een en ander leren moest en daarom naar het college zou gaan, of dat nu deel uitmaakte van mijn levensplan of niet.'

Toen hij goed en wel op gang was, praatte hij vlot over zijn eerste jaren bij het theater en daarna over alle fasen van het theaterleven. Hij kruidde zijn verhaal met anekdotes, beroemde namen, een snufje technische termen, uiteenzettingen over schandalen uit het verleden en vertelde over zijn eigen stijl van regisseren, vooral van de toneelstukken en films die zijn naam tot een van de beroemdste op Broadway gemaakt hadden.

Daarna kwam hij met de cijfers waar uitgevers van tijdschriften dol op zijn: hoeveel stukken hij geregisseerd had, waar ze in première waren gegaan en later opgevoerd waren, aantallen verkochte kaartjes, hoeveel mensen er betrokken zijn bij de productie van een toneelstuk en hoeveel mensen bij het toneel er een dikke boterham aan verdienden (heel weinig).

Toen hij uitverteld was, waren er bijna twee uur verstreken: de fotograaf was allang vertrokken en Marian Lodge had tweemaal een nieuw bandje opgezet en haar blocnote volgepend. Niet slecht, dacht Luke na haar vertrek. Hij had er geen behoefte aan zijn foto of zijn uitspraken in nog een tijdschrift te zien, maar als voorbeschouwingen zoals deze leidden tot meer bezoekers, langere looptijden van zijn stukken, meer goede scripts die hem van bekende en onbekende toneelschrijvers toegestuurd werden, dan waren deze twee uren goed besteed. Hij zou alles doen wat in zijn vermogen lag om zijn stukken en het toneel in het algemeen te pousseren.

Ik sta op en help mijn moeder met het huishouden... maar dan denk ik aan de toneelschool en jou op het toneel te zien optreden... en dan is alles weer mooi.

Jessica weer. Merkwaardig dat haar woorden uit de paar brieven die hij gelezen had, door zijn hoofd bleven zweven. Maar de woorden pasten bij zijn leven en sloten moeiteloos aan bij wat hij deed. We zijn allebei zo volkomen een deel van het theater, dacht hij. Zij was het althans. Lieve hemel, wat moet ze het missen. Net zoals mijn grootmoeder zich voelde toen ze naar Italië verhuisde. Jessica moet daarover geschreven hebben. Een dezer dagen zal ik daar wel achter komen als ik me weer met haar brieven kan bezighouden.

Hij at een broodje aan zijn bureau en werkte de hele middag door. Hij hield van zijn kantoor, van de serene rust die geaccentueerd werd door zwakke geluiden van het verkeer op straat tien verdiepingen lager, van het koele zwarte, grijze en blauwe interieur dat zijn binnenhuisarchitect uitgekozen had; een wand bedekt met boekenkasten en twee met foto's van de sterren met wie hij gewerkt had en van presidenten, senatoren, premiers, koningen en koninginnen die allemaal naast hem stonden te glimlachen in de camera of zijn hand schudden, of hem een medaille of een lintje opspeldden of hem een cadeau aanboden nadat hij een land bezocht had om toezicht te houden op de enscenering van een toneelstuk. Hij wist dat het een beetje kinderach-

30

tig was om die foto's op te hangen en overal op de muren zijn belangrijkheid ten toon te spreiden, maar hij maakte zich wijs dat hij het deed om indruk te maken op bezoekers en dus werd de collectie na ieder seizoen uitgebreid met nieuwe aanwinsten. De hele middag werkte hij tevreden en meestal ongestoord door, liet binnenkomende gesprekken door zijn secretaresse opvangen tot Claudia belde toen hij op het punt stond te vertrekken. 'Morgenavond dineren?' vroeg ze opgewekt. 'Ik heb je in geen eeuwen gezien.'

'Je zult me vanavond zien op de liefdadigheidsvoorstelling.'

'Met vijfhonderd andere mensen in de balzaal van het St. Regis. Luke, wees niet zo terughoudend. Ik bedoelde met ons tweeën.'

Hij raadpleegde zijn agenda. 'Ik ga morgenavond naar de cocktailparty van Joe en Ilene en daarna naar Monte Gerhart. Als je zin hebt, kunnen we voordien een borreltje drinken.'

'Luke, ik moet je spreken; er zijn een paar dingen waar ik niet uit kom. Waarom doe je me dit aan?'

'Goed dan, morgenavond, maar geen diner; we borrelen in de Pompeii. Om elf uur. Daar kom ik naar je toe.'

'Je zou me kunnen ophalen.'

'Claudia, het is vlak bij je huis. Wacht me daar op, dan breng ik je daarna thuis. Maak een lijstje van wat je me vragen wilt; je vergeet altijd iets.'

'Een lijstje maken? Ik deel mijn afspraken niet in alsof het directievergaderingen zijn; het leven moet spontaan zijn. Ik zal het trouwens niet vergeten; het gaat hoofdzakelijk om geld.'

En Claudia vergeet nooit iets als het om geld gaat, dacht Luke toen hij ophing; ze haalt nog altijd die ene keer op toen zij in het Terrace de lunch moest betalen omdat ik mijn portefeuille op kantoor had laten liggen. Dat was voor ons trouwen en toen was ze op haar best en dus betaalde ze met een glimlach en een grapje over verstrooide regisseurs, maar ze is het nooit vergeten.

Zijn limousine stond beneden te wachten en toen hij in de airconditioned auto op de achterbank plaatsnam, draaide de chauffeur zich om en nam hem nauwkeurig op. Hij was dertig jaar Constances chauffeur geweest en had Luke zien opgroeien voor hij bij hem in dienst kwam toen Constance naar Italië vertrok. Met al zijn Ierse overgave nam hij het heft in handen als Constances plaatsvervanger, paste op Luke, maakte zich zorgen over hem en bood advies aan. Hij bestudeerde Lukes gezicht een ogenblik voor hij de wagen startte en zich in de verkeersstroom mengde. 'Een kwaaie dag, meneer Cameron? Of is het alleen maar de hitte? Moordend, die hitte, God straft

31

beslist de een of ander, maar ik zou niet weten waarom wij er ook onder moeten lijden.'
Luke glimlachte. 'Ik denk niet dat er iemand gestraft wordt. En ik had geen kwaaie dag, het was zelfs een vrij goeie, de middag althans.' Hij verviel in stilzwijgen en dacht na over zijn dag. Hij was de hele dag binnen geweest, had zitten bekvechten met Monte Gerhart, Kent Horne de les gelezen over het theater – waarschijnlijk de eerste les van vele – had een vasthoudende interviewster afgeweerd, met zijn ex geargumenteerd die het per se als een avondje uit wilde beschouwen toen Luke toezegde een borreltje met haar te gaan drinken, en heel normale gesprekken gevoerd met een taxichauffeur uit Pakistan en een privé-chauffeur uit Dublin. Hij voelde zich opeens stikken en verlangen om weg te rennen. Waarheen? Hij wist het niet. Ergens heen. Om iets te vinden. Maar het was hem niet duidelijk waar hij naar verlangde of waar hij het zoeken moest.
Vijfenveertig jaar, dacht hij. Gezond, financieel onafhankelijk, internationaal bekend, bewonderd en misschien zelfs benijd. Ongetrouwd. Ongebonden.
'Zal ik wachten, meneer Cameron?' vroeg de chauffeur toen hij Fifth Avenue opreed.
'Ja. Ik blijf ongeveer een half uur weg.' Ik ben gehecht aan Arlen, dacht hij met spottend zelfbeklag: de enige die altijd op mij wacht. Lieve hemel, dat klinkt melodramatisch. Het zal de hitte zijn zoals iedereen beweert. Of de aanzet voor een nieuw toneelstuk; voor mij is het altijd de moeilijkste tijd wanneer nog niets vorm heeft, als ik een script heb maar geen acteurs, geen karakters die tot leven komen en er nog niets te vormen valt. Bij het begin van een project ben ik altijd gespannen; het heeft niets te betekenen.
Maar de waarheid was dat hij iets anders verlangde, iets dat hij niet bereikt had en hoewel hij het niet kon definiëren, voelde hij zich vaak bekropen door een verlangen dat hem bij verrassing overviel, zoals ook nu. Het ging altijd over, maar het kwam altijd terug.
Tegenover het Metropolitan Museum stopte Arlen bij een kalkstenen gebouw, versierd met stenen waterspuwers, opgerichte draken en smeedijzeren balkons die zich op iedere verdieping over de hele breedte van het gebouw uitstrekten. Een conciërge reikte naar het portier toen Luke uitstapte. 'Het is een hete dag vandaag, meneer Cameron, en morgen wordt volgens de radio nog heter.' Luke vroeg zich af hoeveel keer de man die dag hetzelfde gezegd had tegen andere huurders van het gebouw, en hoeveel keer hij zijn hoofd naar binnen gestoken had voor een beetje koele lucht en een slokje van iets

kouds, hoeveel keer hij zijn gezicht afgedroogd en andere witte hand-schoenen aangetrokken had om ze smetteloos te houden. Het zijn voor ons allemaal verstikkende dagen, dacht hij, maar zijn eigen rus-teloosheid, een soort dwang, hield hem nog steeds in haar greep en toen de tweede conciërge hem naar zijn penthouse begeleidde in de zelfbedieningslift waarvan de bewoners eisten dat hij door een con-ciërge bediend zou worden, wenste hij dat hij die avond thuis kon blijven om met zichzelf in het reine te komen over wat er met hem aan de hand was.

Maar er waren vrijwel geen avonden waarop hij thuis kon blijven en dus begroette hij zijn butler, die hem vertelde dat het buiten overma-tig heet was, maar dat het appartement heerlijk koel was, nam een haastige douche, schoor zich, trok zijn smoking aan en ging weer naar buiten. Juist toen hij het pand verliet, kwam Arlen aanrijden en reed eigener beweging naar de torenflat van staal en glas waar Tricia Dela-corte hem vanuit de lobby tegemoet kwam. Ze gaf Luke een vluchtige kus terwijl haar conciërge het autoportier achter haar sloot. 'Sjonge, je ziet er knap uit, je haar zit anders.'

'Het is nog nat van het douchen.' Met welgevallen keek hij haar aan, bewonderde haar gecultiveerde schoonheid en de perfectie van haar dure baljapon die een goed deel van haar roomkleurige huid bloot liet tussen de pofmouwen met een waterval van kleuren. Ze was aan de westkant van Chicago geboren als Teresa Pshevorski, maar op zeven-tienjarige leeftijd en pas aangekomen in Los Angeles kreeg ze haar eerste baan als dienstmeisje en noemde zich Tricia Delacorte, een naam uit een al lang vergeten roman. Ze had zich voorgenomen te trouwen met een beroemde acteur of regisseur die ze hoopte aan de haak te slaan op party's waar ze hors d'oeuvres serveerde, maar de ja-ren verstreken en het gebeurde nooit. Verveeld en nijdig schreef ze op een dag een artikel voor een buurtblad waarin ze de schandalen van fictieve personen beschreef alsof het grote namen waren in Holly-wood: de hoog verhevenen die aten en dronken, maar het dienstmeis-je negeerden. Haar levendige en geestige stijl trok de aandacht van de uitgever van *The Los Angeles Times* die haar ontbood.

Ze had toen twee facelifts achter de rug en kon praten als een insider, waarbij ze putte uit het reservoir van roddelpraatjes en legenden uit de filmstudio's die zij jarenlang als serveerster opgevangen had. Ze wist een column te verwerven in *The Los Angeles Times* die al spoedig werd overgenomen door een nationaal syndicaat, waarna haar een co-lumn werd aangeboden in *The Sophisticate*, een magazine in hoog-glans voor degenen die zichzelf verfijnd noemden, ook al vonden anderen van niet. Het duurde niet lang of ze had niet langer fictieve namen nodig, want ze werd overal uitgenodigd en haar telefoon rinkelde voorturend met tips over aanstaande huwelijken, echtscheidingen, geboorten, het eind of het begin van verhoudingen, een drugsverslaafde zoon of dochter, een verloren of verkregen fortuin, een verbroken verloving of een in de lucht hangende aanklacht. De opzienbarendste verschenen in haar column met vet gedrukte namen. Af en toe publiceerde ze in den blinde een stukje als: 'Wie smeerde hem onlangs uit Spago in plaats van vragen te beantwoorden over de op handen zijnde overeenkomst inzake zijn vrouw, zijn maîtresse en zijn twee schoolgaande kinderen?' Alleen zijzelf beoordeelde of zulke vragen ooit beantwoord werden of dat ze in de lucht bleven hangen.

Toen Luke haar leerde kennen, verdeelde ze haar week tussen appartementen in Los Angeles en New York, verzamelde nieuwtjes over acteurs en actrices, regisseurs en producers uit alle delen van het land, van Aspen in de Rocky Mountains tot de vlakten van Montana en Sharon in Connecticut. Ze had nog nooit iets over Luke geschreven.

'Het was weer raak met die twee,' zei ze tegen hem in de limousine en schoof over de leren bank tot haar dij tegen de zijne drukte. 'Je zou toch verwachten dat ze iets van verantwoordelijkheidsgevoel bezaten.'

'Mag ik weten over wie je het hebt?' vroeg hij.

'Dat heb ik je verteld. Joe en Ilene Fassbrough kibbelden al op de luchthaven van LA toen ze terugkeerden uit Europa en bleven bekvechten tot ze door de douane waren. Gisteravond hadden ze hooglopende ruzie op het diner van Freddy Parkington – ze belemmerden het opdienen van het voorgerecht meer dan tien minuten – en toen zei Joe zowaar dat ik het hele geval moest negeren, dat hij griep had en koortsig was en nog veel meer waar hij niets van meende. Maar mensen als zij dragen een zekere verantwoordelijkheid: de rest van de wereld kijkt tegen hen op en ziekte is geen reden om je gedragsnormen volkomen uit het oog te verliezen – áls hij al ziek was. Ik vond hem er patent uitzien. Maar in smoking zien mannen er altijd geweldig goed uit.'

'Heb je in je column vandaag geschreven dat hij ziek was?'

'Natuurlijk niet; ik schreef dat hij en Ilene het opdienen van het voorgerecht vertraagd hadden. Dat is veel pakkender, Luke, het zou een prachtige scène zijn in een toneelstuk. Ik had iets willen zeggen over mensen die door wangedrag hun stand te schande maken, maar dat paste niet in de column. Misschien in *The Sophisticate* van volgende maand.'

Luke leunde achterover met zijn arm tegen de rugleuning achter haar schouders. 'Welke stand is dat?'

'De onze. Doe toch niet zo vermoeiend, Luke, je weet wat ik bedoel.'

'Je bedoelt dat Joe en Ilene Fassbrough, twee van de stompzinnigste en bovendien saaiste mensen die ik ken, schoolvoorbeelden zijn van een hogere stand.'

'Ze geven veel geld uit; mensen herkennen hen en willen graag met hen gezien worden en ze worden overal uitgenodigd. Het is meer dan een hogere stand, Luke, het is zoveel als een vorstenhuis als wij dat hier zouden hebben. Dat hebben we niet, maar Amerikanen zouden het heerlijk vinden als we er een hadden – waarom denk je anders dat elk tijdschrift met Charles en Di op de omslag binnen vijf minuten uitverkocht is? In plaats daarvan hebben we Joe en Ilene die filmsterren zijn en allerlei vorstelijke handelingen verrichten zoals het sponsoren van liefdadigheidsacties en afgebeeld worden in de krant en veel kunst kopen. Het publiek leest graag over hen. En als jij hen stompzinnig en saai vindt, waarom ga je dan morgenavond naar hen toe?'

'Een goeie vraag. Ze hebben een toneelschrijver uit ex-Joegoslavië uitgenodigd van wie ik gehoord heb en met wie ik kennis wil maken.'

'Vraag hem bij je thuis te eten.'

'Het is gemakkelijker om hem bij de Fassbroughs te ontmoeten en te zien of wij gezamenlijke gespreksstof hebben.'

'Waarom vind je hen stompzinnig en saai?'

'Omdat zij altijd wauwelen over geld en mensen beoordelen naar hun geld en omdat zij exhibitionisten zijn, wat ik kinderachtig vind.'

'Maar ze zijn beroemd.'

'En jij schrijft over beroemdheden, dus moet je beslist over hen schrijven. Maar alsof ze van vorstelijken bloede zijn? Dat geloof je echt niet.'

'Ik geloof dat zij even belangrijk zijn als vorsten en dat geeft de doorslag.'

Hij haalde zijn schouders op. Hij wist dat Tricia's enorme succes voor een groot deel te danken was aan precies dat soort serieuze naïviteit, aan haar overtuiging dat de mensen waarover zij schreef – die merendeels oppervlakkig en onbelangrijk waren – even vermeldenswaard waren als vorsten en dat hun doen en laten voor haar lezeressen even boeiend was als de kuiperijen van presidenten, generaals en oplichters.

En hij wist dat dat precies was wat hij van zijn publiek verwachtte: dat het zijn ongeloof opschortte en zich liet meevoeren naar de werelden die hij schiep. Al zijn werk als regisseur was daarop gericht: het

35

werk van de toneelschrijver zodanig tot leven brengen dat de bezoekers erop reageerden met een oprecht geloof in de werkelijkheid en betekenis ervan. Dat was de reden waarom hij Tricia begreep en zelfs met haar sympathiseerde. Zij had het soort geloof dat kinderen hebben in sprookjes en volwassenen in fantasieën die hun leven draaglijk maken door alles oppervlakkig te houden en diepzinnigheid en ingewikkeldheid te vermijden. Samen met haar blonde schoonheid en haar onuitputtelijke voorraad anekdotes had dat hem bijna vier maanden geamuseerd en geïnteresseerd.

Haar roem stond hem ook wel aan. Hij verkoos altijd samen te zijn met mooie, bekende vrouwen en hij was eraan gewend de aandacht van fotografen te trekken en daar was de avond in het St. Regis geen uitzondering op. Voor Luke scheen de hele avond – de verkoping om geld in te zamelen voor een doel waar hij niet eens op gelet had, het diner en het dansen, de flarden van gesprekken die hij opving als groepjes zich verzamelden, uiteenvielen en herenigden – te drijven op de aandacht die hem en Tricia omgaf. Het was een manier om de avond door te komen zonder zich verveeld of ongeduldig te voelen. *Zonder iets te voelen.* De woorden doken op en vervaagden, maar lieten het gevoel bij hem achter dat hij eerder op die lange dag in zijn auto gehad had: verstikkend, wachtend op iets en proberend te ontraadselen waarop.

Hij danste met Tricia, voerde gesprekken, bood op, en verwierf drie kavels in de zwijgende veiling en voerde in de openbare veiling een fel gevecht om een sculptuur die hij beslist in zijn bezit wilde krijgen. Ook dat lukte hem en het publiek begon te applaudisseren. In de limousine gaf hij Tricia het halssnoer dat hij op de zwijgende veiling gekocht had en ze kroelde tegen hem aan. 'Wordt het je ernst met mij, Luke?'

'Even ernstig als jij met mij,' zei hij luchtig.

Ze keek bedenkelijk en zei na een korte pauze. 'Ik denk dat ik misschien nog eens met je zal willen trouwen. Ik weet het nog niet zeker. Ik vermoed dat je een moeilijke man bent om mee te leven.'

'Waarschijnlijk heb je gelijk.' De limousine stopte bij haar voordeur. Luke stuurde Arlen naar huis en ging met Tricia naar boven.

'Wat betekent het?' vroeg ze. 'Dat ik waarschijnlijk gelijk heb, wat betekent dat?'

'Dat ik hoogstwaarschijnlijk een erg moeilijke man ben om mee te leven.' Heel ongedwongen liep hij door de zitkamer, een groot, modern ingericht, vierkant vertrek met groepjes glazen tafels op houten poten, witte banken en fauteuils, marmeren vloeren met geometrische vloerkleden van Stark, en een verzameling minimalistische schilderijen aan de witte muren. Luke kon niets ervan bewonderen en vond alles net zo min mooi als comfortabel, maar een vooraanstaand interieurontwerper had het gedaan voor een honorarium dat zelfs Tricia absurd vond en dus verdedigde ze het in alle toonaarden en droeg felle kleuren die haar deden opvallen als een schitterende bloem op een zwart-wit foto. Luke ging naar de bar en mixte een cocktail voor Tricia waar ze van nipte terwijl hij er een voor zichzelf klaarmaakte. Toen kwam hij bij haar op de bank zitten en nam haar in zijn armen. 'Het is niet iets waar we nu over hoeven te praten.'

Ze hield zich een klein stukje van hem af. 'Wil je hertrouwen?'

'Waarschijnlijk niet.'

'Luke, je gebruikt steeds dezelfde woorden: Misschien. Hoogstwaarschijnlijk. Weet je het niet zeker?'

'Waarschijnlijk niet,' zei hij glimlachend, kuste haar, trok haar in zijn armen en voelde haar soepel bewegen onder zijn handen. Haar tong smaakte naar de martini die hij voor haar gemixt had en haar huid begon te gloeien onder zijn handen, even kneedbaar als zachte caramel. Ze ging Luke voor naar de slaapkamer en toen ze op de zijden sprei van haar bed lagen, schoof ze zich onder hem met golvende bewegingen die een uitvloeisel waren van haar ervaring en haar vertrouwdheid met hem. Ze was zo geroutineerd dat ze oploste in anonimiteit. Tijdens de seks en ook in de tijden dat ze niet bij elkaar waren noemde Luke nooit haar naam. Dan dacht hij zelfs nauwelijks aan haar. Hij dacht er niet over na of dat goed of slecht was; het was alsof hun bewegingen voorgeschreven waren – ze hadden elk willekeurig stel in bed kunnen zijn na een avondje uit – maar hij was zich bewust van Tricia's bedrevenheid om hem het gevoel te geven dat wat hij wilde zij deed: kronkelen en zwaaien en zich uitstrekken en voor hem openen zoals hij wenste, want op dit moment was niets ter wereld voor haar zo belangrijk als hem behagen. En dat was genoeg om hun conversatie te staken, en als Tricia er in de komende uren aan dacht, repte ze er met geen woord over tegen Luke. Wat hem betrof was een huwelijk even ver van zijn gedachten verwijderd als van de hare.

Maar toen hij even voor het aanbreken van de dag door de ongewoon stille straten naar huis liep, keerde zijn rusteloosheid terug. Eenmaal binnen in zijn stille appartement, ging hij in zijn werkkamer aan zijn bureau zitten en overwoog een half uurtje te gaan lezen voor hij ging slapen: een paar scènes uit *De Tovenares* of een nieuwe roman. Hij deed geen van beide, maar pakte in plaats daarvan Constances kistje met brieven en haalde er willekeurig een uit.

Liefste Constance,
Ik kan nauwelijks geloven dat we weer samen in een stuk optre-
den! Weet je dat het precies twee jaar geleden is dat we elkaar leer-
den kennen? En ik voel me net als toen: Ik word wakker en de we-
reld is zonnig en spannend alsof hij de adem inhoudt in afwachting
van de avond als ik bij je zal zijn. Ik heb erg hard gewerkt – ik heb
nauwelijks iemand gezien omdat ik probeer alles te doen wat jij me
gezegd hebt. Ik neem spraaklessen en ik studeer ballet en moderne
dans.
Toen je schreef: 'Je moet alles leren over je eigen lichaam en over
elke beweging die je maakt, en over hoe je stem op anderen over-
komt, hoe je haar kunt beheersen en buigen, hoe de vorm van je
mond verandert als je woedend of vrolijk praat of met een accent...
als je dat alles leert, zul je het beheersen als je op de planken staat.'
Ik huiverde toen ik dat las; het idee van iets te beheersen... Hoe het
zij, ik doe ook aan yoga – ik veronderstel dat het discipline is van
geest en lichaam zoals jij zei, maar het is vooral erg leuk – en ik lees
massa's biografieën en autobiografieën wat je ook gezegd had dat
ik doen moest om allerlei mensen in allerlei situaties te leren begrij-
pen. Door dat alles bij elkaar ben ik veel beter dan twee jaar gele-
den, dat kan ik voelen en het is de compensatie voor veel alleen te
zijn. Ik hoop dat jij me ook beter vindt. Als ik het ben, is het hele-
maal dankzij jou.

Ze zal achttien geweest zijn, dacht Luke. Constance moest drieënzes-
tig geweest zijn, berekende hij snel. Twee jaar waren verstreken zonder een brief – er zat er althans niet een in het kistje – maar in die tijd
had Jessica alles gedaan wat Constance gesuggereerd had. Hij was geroerd door het beeld van een eenzame, jonge vrouw die vastberaden
de raad opvolgde van iemand die zij vereerde, maar die zij twee jaar
lang niet gezien of gesproken had. En ze moest inderdaad vorderingen gemaakt hebben, want nu trad ze opnieuw op met Constance. Hij
was benieuwd of Constance haar geholpen had die rol te krijgen.
Hij zette de brief weer terug in de kist en pakte een andere, veel verder naar achteren.

Ik weet het, Constance, je hebt natuurlijk gelijk, maar ik ben zo
woedend dat ik niet nuchter kan denken. Het is niet genoeg te zeg-
gen dat ik leef en dat het leven zo veel te bieden heeft – ik weet dat
het zo is, maar het is niet genoeg!
Ik wil hebben wat ik had... o God, ik wil het terug hebben en het

38

vreet aan me dat ik het niet krijgen kan. Het spijt me, liefste Con-
stance, ik zou dit alles niet over je moeten uitstorten, maar ik weet
dat je het zult begrijpen, want jij woont op je berg in Italië en dat is
voor jou ook niet genoeg, nietwaar?

Dat moet na het treinongeluk geweest zijn, dacht Luke. *Het vreet aan*
me dat ik het niet krijgen kan. Ze bedoelde natuurlijk het theater,
maar waarom was dat voor haar onbereikbaar? Wat was haar overkomen?

Met de brief in de hand staarde hij door zijn grote ramen naar de lich-
tende hemel en bedacht dat Jessica Fontaine veel boeiender bleek te
zijn dan hij ooit gedacht had en veel interessanter dan wie ook van
zijn huidige kennissen. Een opvallende, geheimzinnige vrouw. Iets
trok hem tot haar aan: misschien de tragedie van haar leven en haar
verdwijning, misschien haar beroemdheid voordien, misschien haar
vriendschap met Constance. Hij kende de reden niet; hij wist alleen
dat het kistje met brieven hem overal waar hij was als een magneet
aantrok. Ik heb een rustige avond nodig, dacht hij, om bij het begin te
beginnen en ze door te lezen in de volgorde waarin zij ze schreef. Hij
raadpleegde zijn agenda voor die avond. Cocktails bij Joe en Ilene.
Dineren bij Monte. Een laat souper met Claudia. Hij sloeg de bladen
om voor de rest van de week en de volgende. Wat hij nodig had was
een avond thuis. Morgenavond dan maar. Hij maakte een aantekening
om zich te excuseren bij Joe en Ilene en ook bij Monte, en schoof Jessica's brief toen weer terug in het kistje. Hij kon nog een paar uur slapen voor hij bij Monte op kantoor moest zijn. En die avond zou hij
terugkeren naar Jessica en uitvissen wat er met haar gebeurd was:
waarom ze van het toneel verdwenen was, waar ze nu was en of ze
wist van Constance. Wat ze over hem wist.

Toen hij naar zijn slaapkamer liep, besefte hij dat hij al liep te overwegen dat hij haar weer zou willen zien. Niet om een of andere speciale
reden, dacht hij, maar uit louter nieuwsgierigheid. En toen ging hij
eindelijk slapen.

Liefste Constance, het lijkt bijna eng om terug te zijn op school en mijn tijd door te brengen met al die lui die geen idee hebben van wat ik de hele zomer voelde, hoeveel ik leerde en hoe anders ik ben. Een jongen met wie ik vorig jaar kennis maakte, Wesley Minturn, heel lang, mager en voorovergebogen (als een ooievaar die zijn hals buigt om te zien wat wij van plan zijn) nodigde me uit voor een bioscoopje. Hij zei dat hij zijn vaders auto mocht gebruiken en vertelde me zelfs wat voor een: een zescilinder Alfa Romeo convertible, rood, met zwart leren banken. Waarschijnlijk dacht hij dat ik dat onweerstaanbaar zou vinden, maar ik vond het nogal bedroevend dat hij niet genoeg zelfvertrouwen had om de belangrijkste attractie van de avond te zijn. Hij gaf me het gevoel oud te zijn... althans ouder dan hij, want ik heb zelfvertrouwen, misschien voor het eerst in mijn leven. Ik denk dat ik geen afspraakjes meer zal maken voor de rest van het schooljaar; ik verschil te veel van ieder ander hier, ik heb te veel van de wereld gezien, ik ben wereldmoe (ik geloof zeker te weten wat dat betekent) en hoewel ik toneelspeelster ben, zal ik geen toneel spelen zoals alle andere zeventienjarigen in mijn klas. Ik zal beslist eenzaam zijn, maar dat is de prijs die je moet betalen om kunstenares te zijn. Als we niet lijden, hoe kunnen we dan ooit groot worden? Ik hoop dat je het goed maakt en me zult schrijven.
Veel liefs,
Jessica

Luke glimlachte. *Wereldmoe.* Onwaarschijnlijk. Ze was jong, charmant, vol energie en hoop, en zo theatraal als alleen een zeventienjarige zijn kan: zelfs bij het schrijven van een brief toneelspelen. In die brief had Constance misschien zichzelf als zeventienjarige gezien. Geen wonder dat zij vriendinnen geworden waren.

Hij schoof Jessica's brief weer op zijn plaats, leunde achterover en liet zijn blik door de bibliotheek dwalen. Die was groot en vierkant met een donkergroene holle kroonlijst langs de rand van het plafond, drie wanden met mahoniehouten boekenplanken en een gebeeldhouwde mahonie schoorsteen met een sierlijst van groen marmer. De vloer was bedekt met een rood, groen en bruin Bessarabisch tapijt en de lange banken hadden dezelfde rode kleur, dat dramatisch afstak bij de donkergroene fluwelen overgordijnen. 'Net een toneeldecor,' had zijn grootmoeder tevreden gezegd. Als een koningin had ze midden op een van de banken plaatsgenomen en omhooggekeken naar het plafond met de smeedijzeren hanglamp en omlaag naar de grote koffietafel vol stapels boeken, waarvan de meeste wemelden van de bladwijzers. Ik mis haar, dacht Luke, onze wekelijkse telefoongesprekken, onze bezoeken en de wetenschap dat zij er was als een deel van mijn leven.

De telefoon rinkelde en hij nam op. 'Luke,' zei Tricia op een toon die het midden hield tussen ergernis en ongerustheid, 'ik ben bij Joe en Ilene; waarom ben jij niet hier?'

'Ik besloot thuis te blijven om te lezen.'

'Thuis te blijven? Jij blijft nooit thuis! En die toneelschrijver met wie je kennis wilde maken...'

'Ik heb hem opgebeld. We hebben afgesproken volgende week samen te gaan lunchen.'

'Er is iets mis. Vanwege afgelopen nacht? Omdat ik over trouwen praatte? Dat was me geen ernst, dat weet je en ik zei trouwens dat ik het niet wilde en dus...'

'Het heeft niets met jou te maken. Ik vind het fijn om thuis te blijven en doe het niet vaak genoeg.'

Even was het stil. 'Ga je naar het diner van Monte?'

'Nee.'

'Luke, hij is je producer!'

'Hij krijgt zestig mensen te eten en zal mij niet missen. Het spijt me dat ik niet met jou samen ben, maar je zult genoeg schandaaltjes horen voor je column van morgen en dat is toch de werkelijke reden waarom jij daar bent, nietwaar?'

'En ook om bij jou te zijn.'

'Ik bel je morgen. Dan bedenken we iets voor vrijdag als je dan vrij bent. Maar nu ga ik weer verder lezen.'

Toen hij opgehangen had, schonk hij zich weer een glas whisky in uit de fles die Martin eerder die avond voor hem klaargezet had en deed er ijsblokjes bij uit de ijsemmer. 'Eet u vanavond thuis?' had Martin gevraagd. 'Om een uur of acht,' had Luke geantwoord. 'Iets lichts.'

Toen hij een volgende brief wilde pakken, was er weer telefoon. 'Verdomme,' mompelde hij en overwoog Martin te laten opnemen, maar deed het toch zelf.

'Luke!' riep Claudia. 'Waarom ben je thuis? Je zei dat je naar Joe en

41

Ilene zou gaan, vervolgens naar Monte en daarna hadden wij een afspraak!'
Allejezus, dacht hij toen hij het zich herinnerde en hij voelde zich geërgerd en boos omdat hij zijn ongestoorde avond in rook zag opgaan. Maar hij zag er ook iets vermakelijks in: het was net een farce, met twee vrouwen die probeerden hem van huis weg te trekken terwijl hij niets anders wilde dan alleen zijn met de brieven van een derde vrouw.

'Omdat je me niet wilt zien, hè? Je blijft nooit thuis; je zoekt alleen maar een uitvlucht!'
'Het heeft niets met jou te maken.' Het was verbazingwekkend hoe mensen zichzelf centraal plaatsen in elk drama, dacht hij, en zichzelf zien als de oorzaak van wat andere mensen doen. Hij dronk zijn glas leeg en haalde in gedachten zijn schouders op. 'Ik ga met je souperen, maar maak het niet laat. Om negen uur in het Italia. Dan zie ik je daar.'

Hij vertelde Martin dat hij bij nader inzien toch niet thuis zou eten en vroeg hem het restaurant op te bellen en een tafel te reserveren. Hij schonk zich nog een whisky in en haalde de volgende brief uit het kistje. Hij had nog een uur de tijd.

O, wat een prachtig cadeau! Je bent een schat, liefste Constance, het collier is absoluut het mooiste cadeau dat ik ooit gekregen heb. De camee ziet er erg apart en kostbaar uit en ik vind de zilveren ketting prachtig. Ik ga hem voortaan altijd dragen, te beginnen morgenmiddag met de diploma-uitreiking en daarna het bal. Ik heb je een vorige keer geschreven dat ik tot het eind van het schooljaar geen afspraakjes meer dacht te maken en jij zei dat ik me zou voelen alsof ik in een toneelstuk optreed en door ziekte uitval en dat mijn vervangster de rol overneemt en dat niemand me mist. Je had volkomen gelijk en dus ben ik na een tijdje naar party's en zo gegaan en ik heb het zelfs fijn gevonden. Soms althans, want heb je er een idee van hoe jóng jongens van de middelbare school zijn? Ze weten maar drie of vier dingen om over te praten en dan beginnen ze handtastelijk te worden. Je zult het niet geloven: het ene ogenblik praten ze over het schoolelftal of iets anders dat me totaal niet interesseert en dan opeens voel je hun handen overal tasten, wrijven en grijpen... ongelooflijk onbeschaafd! En smerig! Ze hebben absoluut geen manieren... het zijn net hondjes die niets anders doen dan hijgen en snuffelen. Het probleem is dat ik de laatste tijd af en toe begon te reageren – nou ja, mijn lichaam

dan en dan denk ik: och, waarom ook niet? – en dat vind ik vrese-
lijk gênant omdat er niets romantisch gebeurt en dan lijkt het alle-
maal zo stom en dan zeg ik die slome me naar huis te brengen.
Maar voor het afscheidsbal wil het geval dat een echt knappe jon-
gen, een heel beschaafde met keurige manieren, me meevroeg en ik
dacht: heel wat anders en dus ga ik met hem... hij belde zojuist op
en vroeg wat ik zou dragen zodat hij een bijpassende orchidee kon
kiezen. Een zwartzijden japon, zei ik. De kanten bies bedekt nog
net mijn boezem, héél verfijnd – en kun jij je voorstellen hoe de ca-
mee zal afsteken tegen zwarte zijde? Meer daarover later, en dan
heel gedetailleerd.

Onbeschaafd en smerig, dacht Luke. Hij dacht aan zichzelf op de
middelbare school, enkel armen en benen, zodra er een meisje aankwam onbeholpen en stuntelig, onzeker van stem, met een weerbar-
stig opspringende penis die aan zichzelf als enige meester gehoor-
zaamde. Ze weten van toeten noch blazen, gromde hij. Maar toen begon hij te grinniken en bedacht dat de brief ongeveer drieëntwintig
jaar geleden geschreven was. Verleden tijd, dacht hij; ze heeft sindsdien heel wat geleerd – en ik ook. Hij pakte de volgende brief en keek
die oppervlakkig in, niet geïnteresseerd in beschrijvingen van een abi-
turiëntenbal, tot een bepaalde zin hem opviel.

Ik schaam me zo voor de brieven die ik je gestuurd heb; ze zijn zo
ongelooflijk kinderachtig.

Er is iets gebeurd, dacht hij. Ze is veranderd. En het schijnt dat er een
hele tijd verstreken is sinds haar laatste brief. Hij keerde terug naar
het begin.

Lieve Constance,
Je brief werd me hierheen doorgestuurd, naar Yale, waar ik mijn
eerste jaar bijna achter de rug heb. Neem me niet kwalijk dat ik
niet geschreven heb; ik denk voortdurend aan je, maar ik kon ge-
woon niet schrijven. Ik schaam me zo voor de brieven die ik je ge-
stuurd heb; ze zijn zo ongelooflijk kinderachtig. Ik kan niet gelo-
ven dat ík de schrijfster geweest ben, zo jong en onachtzaam, zon-
der me ooit af te vragen of jij in je leven tijd had voor een kwette-
rende tiener die zich steeds aan je opdrong en verlangde dat je van
haar zou houden. Ik verlangde om allerlei redenen dat je van me
zou houden, maar gedeeltelijk omdat ik dacht dat mijn ouders het

niet deden. Maar nu zijn ze dood en ik weet nu zeker dat ik hen nooit echt gekend heb en dat maakte me zo wanhopig dat ik bang ben eraan kapot te zullen gaan omdat ik er machteloos tegenover sta. Ik betwijfel of ik hen ooit goed aangekeken heb; ik heb het idee dat ik altijd een andere kant uitkeek als zij in de kamer waren en nooit echt gezien heb wie zij werkelijk waren. Ze zeiden dat ze van me hielden en me wilden beschermen, maar dat betekende me veilig getrouwd in ons dorp te houden en iets te doen met mijn aanleg voor tekenen en schilderen – als interieurontwerpster of zoiets – maar ik heb hun uitentreuren verteld dat dat alleen maar een hobby was. Ze hebben nooit begrepen dat New York voor mij het toneel betekent en jou en leven, en ik wil niets anders dan daar zijn en daar kibbelden we over en nu denk ik aan dingen die ik had moeten zeggen of anders had moeten zeggen of helemaal niet had moeten zeggen. Ik weet dat ze van me hielden en echt niet slecht waren... o, het is waanzinnig en beangstigend dat ik hen nooit meer zal zien of hun alles zó zal kunnen vertellen als ik het nu bedacht heb. Ze reden naar een bioscoop en stopten voor een rood licht waar een auto hen van achteren ramde en onder een rijdende truck duwde. Ik heb er maanden nachtmerries van gehad, zelfs nadat ik naar Yale verhuisde en toen ben ik ziek geworden en in het ziekenhuis opgenomen. Ik kwam onder behandeling van een psychiater, dokter Leppard, een geweldige man die me aan mijn vader doet denken en maandenlang praatten we drie maal per week en na verloop van tijd kon ik weer slapen. Maar niets interesseerde me; ik voelde me als een mechanische pop die al de juiste handelingen verricht en tentamens haalt en met mensen praat – iedereen was erg aardig voor me, maar het was alsof ze heel uit de verte tegen me praatten – ik voelde me inwendig volkomen leeg, niet levend. Maar op een dag vroeg dokter Leppard me waarom ik me niet opgaf voor de toneelvereniging. Dat was grappig, want dat was juist de reden waarom ik naar Yale gegaan was en ik had er niet eens aan gedacht. Dus ging ik naar het theater. Ze waren een stuk aan het voorbereiden en ik kreeg meteen een rol. Het was maar een bijrolletje, maar het bracht me weer op de planken. Toen ik naar de eerste repetitie ging en naar al die lege stoelen voor me keek en naar de andere medespelers om me heen en naar de regisseur die met het script in zijn hand opzij op het toneel zat, begon ik te huilen. Want op dat moment geloofde ik voor de allereerste keer dat mijn ouders werkelijk dood waren en dat ik nooit meer bij hen zou zijn en het was alsof ik een lange neus tegen hen getrokken had op het moment dat ik het toneel opkwam. Ik bedoel dat ik gekozen had voor die andere wereld waar zij het niet mee eens waren en dat was zoiets als verraad. Natuurlijk zullen ze het nooit weten, maar toch... och, ik weet het niet, het was de verwarrendste tijd in mijn leven. Iedereen schoot te hulp en ten slotte hield ik op met huilen en daarna was het of ik iemand anders geworden was. Ik was niet meer de dochter van mijn ouders en zou het nooit, nooit meer worden. En ik stond alleen. Er was niemand die wachtte tot ik thuis zou komen, die mijn slaapkamer op orde hield en de voordeur niet op de knip deed en de huiskamerlamp liet branden. Maar na een tijdje bedacht ik dat ik jou heb om aan te schrijven en jouw brieven om te lezen – ik heb ze honderden keren gelezen, heb ik je dat wel eens verteld? – en ik wist dat ik wél familie en een thuis had en dat is het theater. Dat is de enige plaats waarvan ik weet dat ik er thuishoor. Ik zal werken zo hard ik kan en de beste van allemaal worden – op jou na natuurlijk, maar misschien word ik ooit even goed als jij – want dat wil ik meer dan wat ook ter wereld. Ik wil geen gezin of kinderen of een van die alledaagse dingen die zo'n warboel worden en zoveel pijn doen. Ik wil alleen maar acteren. Ik heb ooit gedacht dat het toneel alles was wat ik verlang, maar nu weet ik dat het alles is wat ik krijgen kan. Ik mis mijn ouders; ik mis de wetenschap dat zij thuis zijn en praten over wat we doen zullen als ik hen bezoek. Ik mis de wetenschap dat zij mij missen.

Ik hoop dat jij het goed maakt en mij weer zult schijven, ook al heb ik het de hele tijd over mijzelf gehad. Maak je het goed? In welk stuk treed je nu op?

Veel liefs,
Jessica

'Luke, wat is er in vredesnaam met jou aan de hand?' riep Claudia. 'We zitten op je te wachten!'

Luke keek op en ving de geduldige blik op van de sommelier die er even tijdloos uitzag als de fresco's van Pompeii en Herculaneum op de muren en de antieke gordijnen voor de ramen. 'Sorry.' Hij bestudeerde de wijnkaart waar hij met nietsziende ogen naar had zitten staren. 'We nemen de Conterno Poderi Barolo als u de jaargang '90 nog hebt. En vraag onze ober ons als voorgerecht een portie calamari te brengen.'

'Waaraan zat je te denken? Of moet ik zeggen aan wie?'

'Aan een achttienjarig meisje wier ouders bij een auto-ongeluk omkwamen.'

45

Ze staarde hem verbluft aan. 'Wie is dat? Ik wist niet dat jij meisjes van achttien kende. Gaat het soms over het nieuwe toneelstuk dat je aan het voorbereiden bent? Je hebt me er niets over verteld.'

'Nee.' De sommelier bracht de wijn. Luke leunde achterover en keek Claudia aan. Ze droeg een donkerblauwe smoking met kraaltjes op de manchetten en de kraag en zo geraffineerd gesneden dat het een kostuum leek. Ze droeg hem met stijl en mensen keken naar haar. Maar dat duurde maar even, want haar schoonheid was van het genre dat mensen onzeker maakte, zodat zij zich afvroegen waarom zij zich niet aangetrokken voelden door die perfectie. Haar gezicht was een volmaakt ovaal, omlijst door glad zwart haar dat soepel zwaaide als ze haar hoofd omdraaide; haar zwarte ogen stonden op de ideale afstand van elkaar en haar jukbeenderen wierpen zwakke schaduwen op haar gladde, licht gepoederde huid. Haar mond... tja, dat was een van de problemen, dacht Luke. Haar mond zou volmaakt geweest zijn zonder dat trekje van ontevredenheid om haar mondhoeken als een voortdurende klacht dat de wereld niet voldeed aan Claudia Camerons verwachtingen. En er haperde ook iets aan haar volmaaktheid zelf: ze zag er altijd een beetje uit alsof ze gelakt was, zodat er geen enkele warmte van haar gezicht afstraalde. Zelfs als ze glimlachte, keek ze waakzaam en een beetje achterdochtig uit haar ogen.

Luke was indertijd verblind geweest door haar schoonheid, toen hij nog jong was en begon op te vallen. Hij wist dat zij ertoe zou bijdragen dat hij opviel, en dat deed ze: ze waren zo'n opvallend paar dat hun foto's vaker in tijdschriften verschenen dan die van beroemder echtparen met indrukwekkender reputaties. En Claudia hielp hem ook op andere manieren. Ze was een beminnelijke gastvrouw die zich stipt aan Lukes aanwijzingen hield inzake het aantrekken van caterers, bloemisten en bedienend personeel; ze verwelkomde ongenode gasten met een innemende glimlach, en ze kon een hele avond luchtig en onderhoudend praten op party's van tien of honderd mensen zonder een woord van enige betekenis te zeggen of een opmerking te maken die door iemand als aanstootgevend beschouwd kon worden.

'Waar denk je aan?' vroeg ze nadat ze zich minutenlang niet verroerd had zodat hij haar ononderbroken kon observeren.

Luke knikte de sommelier toe dat hij de wijn kon inschenken. 'Aan wat een goede gastvrouw jij bent.'

'Dat was ik. Ik ontvang niet meer. Het schijnt geen zin meer te hebben. Is die achttienjarige een bestaande of een toneelfiguur?'

'Ze bestaat.'

'Wie is ze?'

'Een actrice?
'Op haar achttiende?'
'Bij de toneelvereniging van Yale.'
'En een en al ambitie? Dat is wat je zo aantrekkelijk aan haar vindt.'
'Vind ik haar aantrekkelijk?'
'Genoeg om je te doen vergeten dat ik hier zit.'
'Dat vergeet ik niet; ik was verward. Waar wilde je me over spreken?'
Claudia wenkte de ober. *Ravioli alle quattro funghi,* zei ze. 'En om
te beginnen de *insalata tre colori* met de dressing apart. Wat neem jij,
Luke? Hetzelfde? Je hield altijd erg van paddestoelen.'
Het oude trucje, dacht Luke bij de herinnering aan de talloze manie-
ren waarop Claudia geprobeerd had hen te verenigen toen het duide-
lijk was dat hun huwelijk daar niet toe in staat geweest was. 'Risotto
met kreeft,' zei hij tegen de ober, 'en dezelfde salade als de dame.' Hij
wendde zich tot Claudia. 'Gaat het weer om geld?'
'Luke, wat ben je toch harteloos.'
'Je hebt gelijk. Het spijt me. Maar je hébt gezegd dat je me moest
spreken.'
'Dat moet ik ook.' Hij maakte een ongeduldig gebaar dat zij herkende
en ze zei haastig: 'Het is gewoon dat ik er behoefte aan heb om te praten. Dat weet je, Luke. In al die jaren heb ik niemand gevonden die
mij zo goed begrijpt als jij. Je weet dat ik meer in me heb dan men
denkt. Ik wás een goede gastvrouw, nietwaar? Er werd altijd over onze party's gepraat; sommige mensen zouden een moord hebben willen plegen om uitgenodigd te worden. Ik vond het heerlijk om jouw
gastvrouw te zijn; ik herinner me iedere party nog die wij gegeven
hebben. Weet je nog die keer dat Prins, die kleine, hoe heet hij ook
weer...'
Luke dronk zijn wijn op toen de salade en daarna hun diner opgediend werden. Het werd steeds duidelijker dat Claudia niets speciaals
had om met hem te bespreken, of als ze het had, dat ze het uitstelde
tot een volgende keer om er zeker van te zijn dat er inderdaad een
volgende keer kwam.
'... en natuurlijk was het leuk al die mensen je te horen vertellen hoe
geweldig je was, en daar deelde ik in mee. Nu merkt niemand me
meer op, weet je hoe vreselijk dat is? Nee natuurlijk, hoe zou je dat
kunnen weten? Het is het afschuwelijkste wat er bestaat, het is alsof
ik verdwenen ben.'
'Je hebt minstens vijfhonderd vrienden en je bent elke avond bezet.'
'Goddank houdt dat me in leven. Maar weet je, Luke, het zijn kennissen, geen echte vrienden die werkelijk iets om me geven. Ze denken dat

47

ik iemand ben omdat ik met jou getrouwd geweest ben en je nog steeds zie, ik bedoel dat we af en toe nog een afspraak maken, maar als puntje bij paaltje komt, zit er absoluut niemand op me te wachten als ik 's avonds thuiskom. Er is alleen dat lege appartement.' *Er was niemand die wachtte tot ik thuis zou komen, die mijn slaapkamer op orde hield en de voordeur niet op de knip deed en de huiskamerlamp liet branden.* Luke voelde een zweem van medelijden. Dat verbaasde hem en even wist hij niets te zeggen. Hij voelde zelden medelijden, want hij geloofde dat de meeste mensen zelf de oorzaak waren van hun moeilijkheden en bij machte waren ze op te lossen als zij dat verkozen. Claudia vooral: mooi, verwend en egoïstisch, had hun huwelijk ondergraven door van het begin af te weigeren het samen met hem op te bouwen. Ze had zich voor alles aan hem vastgeklampt: voor de roem die hij haar bezorgde, hun gezamenlijke reizen, hun vrienden, hun sociale leven en voor de manier waarop hij haar dagen indeelde door van hem te verlangen haar te vertellen hoe ze haar tijd moest besteden. 'Je hebt gevoel voor ontwerpen,' had hij gezegd en ze was tekenlessen gaan nemen tot ze er genoeg van kreeg. 'Ik word toneelspeelster,' had ze verklaard, ongevoelig voor de ongelovige blik in Lukes ogen, en ze was naar de toneelschool gegaan tot ook zij zelf had moeten toegeven dat ze er geen talent voor had en ook geen werkelijke belangstelling. Telkens en telkens weer had ze hem gedwongen hun huwelijk te regisseren zoals hij met toneelstukken deed, maar als iets haar van streek bracht, noemde ze hem een tiran. Ze zwelgde in de aandacht die zij kregen als ze samen uitgingen, maar zat bij thuiskomst te mokken omdat de mensen met Luke wilden praten en niet met haar. 'Wat wil je precies?' had hij op scherpe toon gevraagd toen ze bijna vijf jaar getrouwd waren.
'Ik wil dat je me helpt!' had ze hem in het gezicht geslingerd.
'Ik heb je vijf jaar geholpen,' had hij bedaard geantwoord.
'Niet genoeg!'
Maar toen kon het hem al niet meer schelen of het genoeg was of niet. Wat zij verlangde was meer dan hij haar geven kon en hij was haar eindeloze eisen zat.
Hij zei dat hij wilde scheiden en ze stemde ermee in, verstijfd van woede en angst voor het alleenzijn. Ze verliet New York en Luke zag haar een jaar lang niet. Maar toen begon ze hem op te bellen, eerst uit Europa om hem te vertellen dat zij naar huis kwam en daarna op onregelmatige tijden bedelend hem te mogen spreken. En meestal maakte Luke tijd voor haar vrij.
'Je had niet met haar moeten trouwen,' had Constance gezegd. 'Je

weet deksels goed dat je geen afhankelijke mensen kunt verdragen en vanaf je eerste kennismaking met Claudia wist je dat zij voor alles op jou zou steunen. Maar je kunt haar niet zo maar uit je leven bannen; je bent nog altijd een beetje voor haar verantwoordelijk.'
'Luke, je dwaalt weer af met je gedachten,' mopperde Claudia. 'Ik wou dat jij je voor één keer eens op mij concentreerde. Als je daartoe bereid geweest was zouden we nog steeds getrouwd zijn.' Luke glimlachte en ze keek hem uitdagend aan. 'Ik zie niet in wat daar voor amusants aan is.'
'Wat mij amuseert zijn de bochten waarin mensen zich wringen om het verleden te verklaren. Dat geldt niet alleen voor jou, maar voor iedereen, mijzelf incluis. Bochten om manieren te vinden onze ijdelheid te koesteren.'
'Wil je zeggen dat ik lieg?'
'Ik zeg dat jij je eigen script geschreven hebt en er tevreden over bent, zodat het in het minst niet op het mijne hoeft te lijken.' Zijn medelijden was verdwenen en hij was precies even ver als altijd wanneer hij bij Claudia was: verlangend te vertrekken. En nu kon hij dat; ze hadden hun koffie op en geen reden om nog te blijven plakken. 'Kom mee. Ik breng je naar huis.'
'Nu al? Ben je nerveus? Je wordt altijd nerveus als ik over ons huwelijk praat.'
'Ik herken niets van ons huwelijk als jij erover praat. En ik ben niet nerveus, maar ik wil naar huis. Ik moet nog aan het werk; we beginnen volgende week met de rolverdeling.'
'Mag ik de repetities bijwonen?'
'Je weet dat ik dat aan de acteurs overlaat.' Hij wenkte om de rekening.
'Ik ben vorige week bij de Phelans geweest,' zei Claudia heel terloops en toen wist Luke wat de bedoeling van dit etentje was en hij wist dat ze gewacht had met erover te praten tot het duidelijk was dat ze er anders geen gelegenheid meer voor zou krijgen.
Hij leunde achterover zonder op de rekening te letten die de ober naast hem had neergelegd. 'Hoeveel heb je verloren?'
'Je zou me het voordeel van de twijfel kunnen gunnen. Ik had gewonnen kunnen hebben.' Hij keek haar strak aan en ze kreeg een kleur. 'Iets meer dan vijf mille.'
'Je had me beloofd er nooit meer naar toe te zullen gaan.'
'Ik was eenzaam.'
'Waarschijnlijker is dat jij je verveelde.'
'Dat gaat samen met eenzaamheid. Toen ze opbelden en zeiden dat ze

me misten en dat er een paar echt interessante lui waren en dat ze een nieuwe roulettetafel hadden met een fantastische, nieuwe croupier – ik voelde me blij en God weet hoe ík hén gemist heb – hoe het zij, ik heb ja gezegd. Ze gaven me de slaapkamer voor, de blauw met zilverkleurige, je weet wel, en ik had een heerlijke tijd. Het zijn geweldige lui, Luke, ze deden me voelen dat ik gemist werd.'

'Ze wilden je geld hebben.'

'Ze wilden míj hebben! Ze kunnen massa's mensen met geld krijgen, maar ze bellen altijd mij het eerst op. Waarom kun je niet geloven dat ze mensen zoals mij graag mogen?'

'Ik ken die mensen zoals jij. En de Phelans ken ik ook.' Vluchtig bekeek hij de rekening en legde die toen met zijn credit card in het leren mapje. 'Hoeveel meer dan vijfduizend?'

Even was ze stil. 'Het was eigenlijk dichter bij de tien.'

'Hoeveel dichter?'

'Iets boven de negen. Iets maar. Negenduizend driehonderd. Maar die heb ik, Luke, maak je over mij maar geen zorgen.'

'Die heb je niet. De Phelans weten dat je geen geld hebt, maar dat je het kunt krijgen. Waarom zouden ze je anders alleen in goed vertrouwen op je handtekening het hele weekend laten spelen?'

'Hoe weet jij...'

'Ik zei je al: ik ken hen. Je hebt geen cent bij hen uitgegeven, hè? Dat hebben ze je niet gevraagd. En welk bewijs van genegenheid gaven ze je bij je vertrek? Oorringen? Een sjaal van Hermes? Een armband?'

Claudia gaf geen antwoord. 'Wat kreeg je?'

'Een doekspeld,' fluisterde ze.

'Drieënnegentighonderd dollar voor een doekspeld,' zei hij verachtelijk.

'Het was een cadeau! Omdat ze mij graag mogen. En als ik dat wil geloven, wie ben jij dan wel om me te vertellen dat ik het mis heb?'

'Je bankier,' zei hij droogjes.

Haar schouders zakten af. Ze staarde in de leegte en streek met haar vinger over de rand van haar wijnglas. 'Ik heb tot overmorgen respijt.'

De ober haalde het leren mapje weg en verdween terwijl Luke zijn chequeboek voor de dag haalde. Een duur etentje, dacht hij, en geen enkel teken van spoedige verandering. *Waarom kan ze verdomme geen andere man vinden?* Maar hij kende het antwoord op die vraag: omdat zij zich vastklampte aan de illusie dat zij weer tot elkaar zouden komen. Net als een kind geloofde zij dat iets zeggen of denken het niet zelden tot werkelijkheid maakt. In één opzicht had ze gelijk: hij bleef haar speelschulden vereffenen.

Hij schreef de cheque uit en hield haar die voor tot zij hem met een gefluisterd 'Dank je wel' aannam en in haar tasje stopte. Daarna tekende hij het reçu voor het diner en schoof toen eindelijk zijn stoel achteruit en stond op. 'Ik breng je naar huis,' zei hij, draaide zich om naar de uitgang van het restaurant en liet Claudia achter hem aan komen.

'Dank je wel,' zei ze nog eens toen ze voor haar deur stonden. 'Ik stel het erg op prijs, Luke; je hulp en je nabijheid... betekenen alles voor mij. Ik zal niet meer naar de Phelans gaan als jij erop tegen bent.'

'Ik wilde de laatste keer al niet dat je ging. Dat wist je.'

'Maar ik was er al een hele tijd niet geweest... Het zíjn mijn vrienden, dat weet je.'

'Als je weer wilt gaan, bel mij dan vooraf op.'

'Net als de AA.' Ze lachte blij. 'Ik weet niemand die ik liever als buddy zou willen hebben.' Ze legde haar hand op zijn arm. 'Kom je mee naar boven voor een borreltje? Ik heb je favoriete cognac gekocht.'

Hij vertelde me zelfs wat voor auto... Waarschijnlijk dacht hij dat ik dat onweerstaanbaar zou vinden, maar ik vond het nogal bedroevend dat hij niet genoeg zelfvertrouwen had om de belangrijkste attractie van de avond te zijn.

'Nee, dank je,' zei Luke. 'Welterusten.' Hij liep weg en liet Claudia bij haar conciërge staan die geduldig de deur openhield en zijn blik afwendde, maar geen woord miste.

Liefste Constance,
Hoe kan ik je ooit genoeg danken voor je heerlijke brief? Ik vind het heel erg dat je dochter stierf. Ik weet dat het jaren geleden is, maar ik kreeg tranen in mijn ogen van de manier waarop jij het beschreef. Het was erg triest en ik moet er niet aan denken hoe je geleden hebt, hoewel je schreef dat het je veel hielp je dochters kleine jongen bij je te hebben. Wetende wat je doorgemaakt hebt, hielp het mij ook en het belangrijkste was natuurlijk waar je schreef: 'Ik heb haar niet vaak genoeg verteld hoeveel ik van haar hield en wat een goed mens en een goede moeder ik haar vond; ik vond het logisch dat zij dat alles wist. Maar in familieverhoudingen kan niets als logisch aangenomen, verbeterd of hersteld worden als alle mogelijkheden je ontnomen zijn.' Ik liet dat aan dokter Leppard lezen en die zei dat je een heel wijze vrouw bent (en dat ben je) en hoe fijn het is dat je kleinzoon bij jou opgroeit. Lucas Cameron, wat een leuke naam; hij moet een fijne kerel zijn. En hij wil regisseur worden, wat spannend voor jou! Het spijt me dat hij in Euro-

pa was toen ik in de zomervakantie bij je was en nu is hij aan zijn
laatste studiejaar bezig, maar ik weet dat ik hem nog weleens tegen
zal komen, want ik ben ervan overtuigd dat hij beroemd zal wor-
den omdat jij hem grootgebracht hebt en misschien zal hij ons alle-
bei nog eens regisseren in een toneelstuk, zou dat niet geweldig
zijn? Vertel me eens hoe jij Miss Moffat gaat uitbeelden. Ik heb
mijn hele leven van The corn is green *gehouden en overdacht hoe*
ik haar zou spelen en ik ben er zeker van dat zij diep van binnen
erg onzeker is en vecht om te ontdekken wie zij is en wat zij zijn
kan. Zie jij haar ook zo? Nogmaals bedankt, heel erg bedankt voor
je brief en bovenal voor je vriendschap. Ik hou van je.
Jessica

Luke las de laatste zinnen nog eens over. Hij herinnerde zich dat hij
het met Constance over *The corn is green* gehad had. Ze was naar zijn
afstuderen gekomen toen hij zijn graad gehaald had en ze hadden
over het stuk gepraat en over de repetities die spoedig zouden beginnen. Constance had gezegd dat Miss Moffat volgens een vriendin van
haar onzeker was en wat vond Luke daarvan? 'Je hebt een intelligente
vriendin,' had Luke gezegd. En dat was Jessica, dacht hij toen hij de
brief weer dichtvouwde. Een jaar of negentien oud had zij Constance
voor het eerst haar opvattingen voorgelegd als een gelijke: de ene actrice tegen de andere.
Hij schoof de brief weer in het kistje. Als negentienjarige even zeker
van zichzelf als ik toen was, peinsde hij. En ze dacht dat ik nog eens
beroemd zou worden. Hij glimlachte in zichzelf. *Wat een verbazing-*
wekkend inzicht.
Hij dronk zijn glas leeg en keek op zijn horloge. Even na middernacht; tijd voor nog een paar brieven. Hij haalde er een handvol uit,
allemaal uit Yale, waarin ze haar colleges beschreef, haar parttime
baantjes en haar acteren. In haar derde studiejaar trad ze regelmatig
op in het Yale Repertoiretheater, een van de beroemdste in het hele
land, en halverwege haar laatste jaar bleek uit haar brieven dat zij met
elke rol die zij speelde zelfverzekerder werd, nooit achteloos, maar
vaak achteloos zelfverzekerd. Ze was niet langer een naïeve ingenue,
maar een professional die ieder toneelstuk benaderde als een reeks op
te lossen problemen, een uitdaging waarop ingegaan moest worden,
een zalige tijd van ontdekkingen over haarzelf en de wereld.
Hij keek op toen zijn butler de deur binnenkwam. 'Nog wakker?
Martin, het is bijna één uur.'
'Meneer Cameron, ik vond zojuist een boodschap die de conciërge

52

opgenomen heeft toen ik uit was. Van meneer Kent Horne, die zegt
bezorgd te zijn over Montes aandringen om Lena jonger te maken –
dat waren letterlijk zijn woorden – en hij wil u spreken, ook al komt
u pas laat thuis.'
'Dank je, Martin.'
'Zijn stem klonk erg dringend volgens de conciërge.'
'Zijn stem klinkt altijd dringend. Als hij weer opbelt, zeg hem dan dat
we het er morgenochtend over zullen hebben. Of nog beter: zet de telefoon af en ga naar bed.'
Martins gezicht werd ernstig. 'Dat kan ik onmogelijk doen. Er kunnen noodtoestanden ontstaan of rampen gebeuren. We mogen ons
nooit afsluiten voor het tumult om ons heen, al lijkt het tijdelijk ook
nog zo wenselijk.'
Geamuseerd schudde Luke zijn hoofd toen Martin vertrok. Ik ben
omringd door drama. Misschien creëer ik zelf de sfeer en haakt iedereen erop in. Hij keek naar de laatste alinea van de brief in zijn hand.
Jessica inbegrepen.

*Ik weet dat je aan mijn geluk denkt als je steeds maar blijft vragen
of ik verkering heb, maar, allerliefste Constance, ik heb je talloze
keren geschreven dat ik die niet heb en ook niet wil hebben. Misschien verandert dat ooit nog eens, maar neem van mij aan dat ik
me niet misdeeld voel door geen afspraakjes te maken en niet in
bed te liggen kroelen zoals vrijwel ieder ander doet. Dat ligt te ver
van wat ook waar ik echt om geef. Misschien als ik een echt bijzondere man leerde kennen... maar dat heb ik niet en dus is het dwaasheid om daarover te speculeren. Ik denk liever aan de kans dat jij
over twee weken naar New Haven zult komen voor mijn afstuderen. Dat zou geweldig zijn! Laat het me alsjeblieft weten zodra je
beslist hebt. Ik heb bij voorbaat al een kamer voor je gereserveerd
en het mooiste tafeltje in het beste restaurant voor het diner. En
dan nu HET ALLERGROOTSTE NIEUWS. (Ik heb het voor het laatst
bewaard en het gekoesterd als een kostbaar geheim waarvan ik nu
jou alleen deelgenoot maak.) Twee dagen na mijn afstuderen ga ik
naar Chicago voor een auditie bij John Malkovich in de Steppenwolf! De directeur van het theater belde me op en nodigde mij uit!
Het is een mij onbekend stuk van Sam Shepherd – het script wordt
me opgestuurd; over een paar dagen zal ik het wel hebben – maar
het kan me niet schelen waar het over gaat; zeker jij zult weten dat
het een bewaarheid geworden droom is: werken met Malkovich en
Gary Sinise en Joan Allen en Glen Headley... o, Constance, ik roep*

alle theatergoden aan te vragen dat ik in het gezelschap opgeno-
men word. Kom alsjeblíeft naar mijn afstuderen; ik wil je zien, in
levenden lijve, niet het beeld van jou in mijn hoofd als ik zit te
schrijven of jouw brieven lees. Ik brand van verlangen.
Veel liefs,
Jessica

Luke las de laatste lange alinea nog eens over en deelde Jessica's opwinding, de uitgelatenheid die samengaat met de eerste ontsluiting
van een deur naar de toekomst. Hij had hetzelfde gevoel gehad toen
hij zijn eerste aanstelling kreeg als assistent van een van de beroemdste regisseurs op Broadway, toen hij geweten had dat hij op weg was
naar de top en dat niets hem zou tegenhouden. En dat gold ook voor
Jessica, dacht hij. Ik vraag me af of Constance naar haar afstuderen
gegaan is.

Hij had graag meer willen lezen, nog iets langer bij haar blijven en
vernemen wat er daarna gebeurde, maar het was laat en hij had een
vroege bespreking. Met tegenzin sloot hij het kistje en draaide de bu-
reaulamp uit. Morgenavond, dacht hij, dan keer ik naar haar terug.
Maar ik weet nu tenminste dat zij op weg is.

4

Kent belde de volgende morgen al vroeg. Luke zat te ontbijten in een beschaduwd hoekje van zijn terras, waar twee rieten stoelen een laag houten kastje flankeerden met daarop de telefoon, een stapel kranten en een serveerblad met zijn ontbijt. Het met bakstenen geplaveide terras was diep en lang en liep door om de hoek van het gebouw. Klimrozen groeiden langs de lage stenen balustrade, sierappel- en pruimenboompjes groeiden in diepe houten tonnen en dempten het licht dat op het met kussens bedekte smeedijzeren meubilair viel, en in aardewerk potten en plantenbakken bloeiden gaillardia's, cosmea's, campanula's en dahlia's. In de bladstille lucht soesde de stad slaperig in de hitte en de ramen van de wolkenkrabbers weerkaatsten als vellen folie het witte licht. In de verte hing de George Washingtonbrug in de zwoele lucht onder vleugjes wolken die tegen de bleke hemel nauwelijks zichtbaar waren. Zonder van zijn krant op te kijken nam hij de rinkelende telefoon op.

'Luke, de kwestie is dat ik Monte niet vertrouw.' Kents diepe stem barstte los in een spervuur van woorden. 'Ik moet je spreken, we moeten dit afhandelen voor Monte keihard wordt, ik bedoel voor hij het in zijn hoofd krijgt dingen te willen veranderen of op ons uit te proberen of wat hij dacht te doen met al die kolder over Lena jonger te willen maken. Dat kan hij niet elke keer maken als hij een lumineus idee krijgt, hij kan niet...'

'Dat kan hij doen wanneer hij maar wil,' zei Luke. 'Allemaal hebben we ideeën over het stuk en die praten we uit en daar zul je aan moeten wennen.'

'Allemaal? Wie allemaal?'

'Hoofdzakelijk Monte en ik en de acteurs. Maar je zult ontdekken dat Fritz...'

'Wie is Fritz?'

'De toneelmeester. Fritz zal ideeën hebben, evenals de man van de rekwisieten en de decorbouwer en zo ongeveer iedereen die bij de repetities aanwezig is. De meeste ervan zijn vrij bijkomstig en vergen niet veel tijd, maar als acteurs meningen hebben over hun tekst of op de manier waarop hun karakters vorm krijgen, vatten wij die ernstig op.'

'Verdomme, Luke, toneelstukken worden niet door commissies geschreven. Ze komen niet voort uit gezellige bijeenkomsten waarop iedereen zegt: "Luister eens, ik heb het beste idee..." en dan op de proppen komt met lulkoek uit een of ander jeugdtrauma of zoiets. Toneelstukken worden door alléén werkende toneelschrijvers geschreven. Dat kun jij niet begrijpen, want je bent er geen, maar...'
'Ik heb het een en ander geschreven,' zei Luke koeltjes, 'en ik werk met toneelschrijvers. Ik weet dat het geen makkie is, maar jij hebt ervoor gekozen.'
'Boven het bedienen van een benzinepomp, inderdaad. Het is wat ik doe en ik ben er goed in, het is iets van mezelf en als jullie denken dat ik ook maar één scène – wat zeg ik? één woord – zal veranderen omdat de een of andere halve gare acteur denkt dat hij het beter weet...'
'Dat zullen we onder de lunch bespreken,' zei Luke. 'Op dit moment moet ik nog een paar telefoontjes plegen. Ik zie je wel op Montes kantoor.'
'Je kunt niet zomaar ophangen!'
'Ik hang op omdat ik nog werk te doen heb voor we aan de rolverdeling voor jouw stuk beginnen. Ik zei je dat we dat onder de lunch zullen bespreken en ik neem aan dat je me dat hebt horen zeggen.'
'Ja, maar...'
'Dan kun je me al je problemen vertellen. Tot straks.' Hij hing op en begon over het terras te ijsberen om zijn spieren te strekken. *God behoede ons voor genieën die op een of andere wonderbaarlijke wijze een briljant toneelstuk schrijven, maar toch nog heel wat moeten leren en allereerst moeten wij hen dus in het gareel brengen.*
De telefoon rinkelde en hij nam niet op in de overtuiging dat het Kent was. Maar even later kwam Martin hem vertellen dat Monte Gerhart aan de lijn was. Luke nam de hoorn op en ging op de rand van zijn stoel zitten. 'Luke, met Monte. Ik wilde je even vertellen dat ik de ideale Lena gevonden heb. Ik breng haar mee naar de auditie. Ik wilde je niet met haar overvallen, maar zij is het summum, Abigail Deming, je kent haar, wacht maar eens tot je haar hoort. Ik ben wég van haar; ze ís Lena helemaal, wacht maar tot...'
Lukes nog ziedende frustratie barstte los. 'Idioot die je bent, je hebt haar de rol beloofd, hè?'
'Staak je driften, je hebt me niet horen zeggen...'
'Heb je haar de rol beloofd?'
'Allemachtig, wat mankeert jou vanmorgen? Nee, niet precies. Ik heb haar gezegd dat ik haar er geknipt voor vond en dat jij het er beslist

mee eens zult zijn. Dat had ik misschien niet moeten zeggen...'
'Je weet drommels goed dat je dat niet had moeten zeggen. We hebben erover gesproken, weet je nog? We waren het erover eens dat...'
'Ik weet het, ik weet het, maar verdorie, Luke, ik heb haar gisteravond mee uit eten genomen en ze heeft iets over zich dat je niet zou geloven van een zo oude vrouw.'
'Je had gedronken.'
'Nee, dat is het niet. Ze is lastig en ze is geen schoonheid, maar ze kan haar hand op je arm leggen, heel licht aanraken en je strak aankijken en dan is ze opeens onweerstaanbaar en bezwijk je voor haar. Ik weet dat het idioot klinkt, maar dat speelt ze werkelijk klaar en ik weet ook dat ze een overtuigende Lena zal kunnen neerzetten.'
'Hou alsjeblieft op. Ik zie je om tien uur wel.' Hij smeet de hoorn op de haak en leunde tegen de balustrade van zijn terras in een poging zijn woede te beheersen. Ver beneden hem wurmde het verkeer zich door smalle straten op heet asfalt, voetgangers schoten tussen de auto's door en stapten vaak op twee bumpers die zo dicht bij elkaar waren dat ze aaneengeklonken leken en de schrille kakofonie van toeterende claxons steeg met woedende sterkte op naar Lukes hoogverheven terras. Iedereen is woedend, dacht hij. Hij stelde zich de bezorgdheid van de voetgangers voor die zich afmatten om op tijd op vergaderingen te zijn waar verwacht werd dat zij er kwiek en fris zouden uitzien, en de frustratie en woede van chauffeurs die ongeduldig op hun stuur trommelden terwijl zij stapvoets telkens een paar meter vooruitkwamen, en zijn eigen woede begon over te gaan in humor. *Het zou erger kunnen zijn: in plaats van met Monte en Kent te kibbelen zou ik taxichauffeur kunnen zijn.*
Martin verscheen in de deuropening met een stapeltje telefonische boodschappen in de hand. 'Ze leken me geen van alle dringend en dus heb ik u maar niet gestoord.'
Luke bladerde de berichtjes door. 'Bel Miss Delacorte op en zeg haar dat ik haar even over zevenen zal afhalen voor een toneelvoorstelling en daarna een dinertje.
Zeg de Neals dat ik niet kom; ik ga nooit naar gekostumeerde party's. En deze van Rinaldi over de verkoop van de villa...' Hij dacht even na. 'Vraag hem mij omstreeks middernacht New Yorkse tijd op te bellen om over de gegadigde te praten.' Vluchtig bekeek hij de resterende briefjes. De laatste was van Fritz Palfrey, de toneelmeester voor *De Tovenares*. 'Ik moet Luke spreken; decorontwerper heeft eigenaardige ideeën, niet uitvoerbaar. Bel me op.'
Opeens verlangde Luke ernaar in zijn bibliotheek te zitten en de stilte

te delen met Jessica's brieven, ver van het gekrakeel van technici en de botsingen van ego's, de onvolwassen uitbarstingen van Kent Horne en van de talloze beslissingen en bemiddelingspogingen die hem wachtten. Toen haalde hij zijn schouders op. Wat had hij tegen Kent gezegd? *Jij hebt ervoor gekozen.* Dat was zijn werk, zijn lust en zijn leven en iets anders wilde hij niet. Als hij tijd voor haar had, was Jessica Fontaine hoogstens een beetje afleiding.

En hij vergat Jessica Fontaine en bijna alles wat er verder nog was zodra de audities begonnen in een theater waarover Monte die dag kon beschikken. Luke hield van dit beginstadium van een toneelopvoering waar de teksten voor het eerst hardop uitgesproken werden en zich eindelijk losmaakten van het getypte script. Het theater was zo stil en verlaten als een spookstad, met één enkele schijnwerper die het midden van het toneel verlichtte en het voor het stuk van die avond ingerichte deel bijna onzichtbaar maakte. In de lichtkring stonden de acteurs alleen of getweeën stukken tekst te lezen, en op de zesde rij in de zaal voelde Luke zich innig tevreden. Alles wat hij was en alles wat hij deed, spitste zich op dit ogenblik en de momenten daarna toe op dat ene moment waarop het toneel op de openingsavond tot leven zou komen.

'God,' steunde Kent die bij de anderen zat, 'God, moet je dat horen!' Luke hoorde hem nauwelijks. Monte Gerhart zat links van hem en Tommy Webb, de castingmanager, rechts. In de coulissen keken Fritz Palfrey, een paar toneelknechts en de technische regisseur op krukjes toe. Achter in de zaal sloop de bedrijfsleider binnen en ging ergens op de achterste rij zitten.

Luke wierp een blik op het script op zijn schoot en keek daarna naar Abigail Deming, die midden op het toneel Lena's afscheidstoespraak tot haar kleinzoon reciteerde. Ze was klein, maar handhaafde zich goed: haar gebaren waren beheerst en haar verbleekte en als oud linnen verkreukelde gezicht was minder expressief dan Luke graag gewild had, maar ze had een krachtige stem met een heldere intonatie, niet van het niveau van Constance Bernhardt, maar beter dan het gemiddelde en ze had vijftig jaar ervaring... en de reputatie een kreng te zijn als ze het niet eens was met de gang van zaken. Daarom had Luke haar niet opgeroepen voor een auditie.

Maar zoals ze nu voordroeg, wist hij dat ze goed was. De andere acteurs en de naast hem zittende Tommy Webb wisten dat allemaal ook, en toen ze aan het eind van haar voordracht was en Daniel de slotregels van het stuk declameerde, hoorde Luke dat Kent na een lange zucht zei: 'Het is of ik overleden en naar de hemel gegaan ben.'

'Wat vind jij?' vroeg Luke aan Tommy Webb.

'Topklasse, allebei; Abby en dinges, Cort Hastings. Cort! Hoe komen ze aan die namen? Ik had gehoord dat hij pas goed wordt na een maand repeteren, maar hij klinkt nu al aardig goed.'

Luke wendde zich tot Monte. 'Ze is heel goed. Tommy en ik denken dat ze allebei prima zullen zijn.'

'Dat vind ik ook. Bedankt, Luke, ik dacht dat je zo kwaad op me zou zijn dat je haar zou laten vallen. Maar ze is goed, nietwaar? Innerlijk moeilijk, maar als ze je aankijkt... nou ja, je begrijpt me wel.'

'En dan moeten we nu het meisje hebben,' zei Tommy. 'Ik heb hier twee kandidaten; ik mag ze allebei wel. De ene is misschien te knap, dat kan afleiden. Wanneer wil je ze hebben, Luke?'

'Na de lunch. Akkoord, Monte? Jij ook, Kent?' Toen ze knikten, zei hij tegen Tommy: 'Hoe staat het met de drie bijrolletjes?'

'Ik heb een voorlopige keuze gemaakt. Er liggen beeldbanden voor je op mijn kantoor.'

'Nadat we het meisje gekozen hebben. Zeg tussen drie en vier uur. Fritz wil me spreken over de decoropbouw. Weet jij daar iets van?'

'Marilyn Marks staat hem niet aan; hij vindt haar te extravagant. Hij houdt van decors die eruitzien als de huiskamer van je overgrootmoeder, de kamer waar niemand ooit naar binnen gaat. Wat kan ik dan zeggen? Hij is een geweldig toneelmeester en een geweldige lastpost.'

Luke grinnikte. 'Ik zal met hem praten nadat ik de video's bekeken heb. Ik ga nu met Abby en Cort overleggen en daarna lunchen. Om twee uur weer hier?'

'Prima.'

Opzij van het toneel stond een klein groepje zacht met elkaar te praten en Luke voegde zich bij hen. 'Fritz, jij krijgt vanmiddag een borreltje van me. Wacht me op in de Orso; om een uur of vijf ben ik daar. Abby en Cort, dat was heel goed. We denken dat het een plezier zal zijn om met jullie samen te werken.'

Abigail knikte voldaan. 'Ik kijk ernaar uit.'

Geamuseerd ving Luke de hooghartigheid in haar stem op – de majesteit die zich verwaardigde met hem samen te werken – maar hij zei alleen maar: 'Net als wij allemaal. Het is een spannend stuk.'

Cort knikte heftig. 'Ik mag die Daniel wel en ik had een grootmoeder zoals Lena waar ik dol op was.'

'Wie is het meisje?' vroeg Abigail.

'Dat weten we na de lunch. Jullie drieën...'

'Ik behoor bij de audities te zijn, Luke; ze speelt haar belangrijkste scènes samen met mij.'

'Aan mijn zolen,' zei Cort. 'Dit is een liefdesverhaal, nietwaar? Lena speelt er een belangrijke rol in, maar het publiek komt om liefdesverhalen te zien en dit meisje – Martha, is het niet? – Martha en ik spelen een paar erg zwoele scènes en dus ben ik de aangewezene om haar te helpen uitkiezen.'

'Tommy en ik kiezen de spelers,' zei Luke, 'maar we staan altijd open voor jullie ideeën. Overmorgen om tien uur wil ik de eerste repetitie; Fritz heeft het adres waar we repeteren. Kom met vragen, ideeën en wat je maar wilt. We zijn hier voor de visie van de toneelschrijver, maar ik wil van het begin af aan jullie bijdrage ook horen.' Hij kuste Abby op beide wangen. 'Je zult een voortreffelijke Lena worden en jij een prima Daniel, Cort. En het zal een geweldige productie worden.'

Cort knikte. 'Ik heb een paar ideeën over Daniel, weet je; ik weet echt wat voor type hij is.'

'Schrijf ze op. We zullen ze allemaal doornemen.'

'Laten we meteen beginnen,' zei Abigail energiek. 'Waarom zouden we wachten?' Ze gaf Cort een arm en reikte naar Luke. 'Laten we gaan lunchen, dan kunnen we uren praten.'

'Tommy en ik hebben vanmiddag nog een paar audities en ik lunch met onze toneelschrijver. Vraag Fritz om mijn telefoon- en faxnummer en neem contact met me op wanneer jullie een vraag, een idee, een suggestie, een probleem of wat ook hebben. Als ik niet thuis ben, laat ik zo spoedig mogelijk iets van me horen. Van nu af zijn we een familie en staan niet op formaliteiten. Ik moet nu gaan; tot over een paar dagen.'

Hij draaide zich om naar de zaal. 'Kent?'

Kent ontwaakte uit zijn trance en volgde Luke door de coulissen en een gang naar een stalen deur die uitkwam op een steeg en vandaar naar een klein, onopvallend restaurant een straat verderop met een anker als uithangbord.

Ze namen plaats in een box met hoge zijschotten voor de privacy. De boxen en de vloer waren van donker hout en aan de donkere wanden hingen zeegezichten, elk binnen een eigen lichtkring. Kent bekeek het menu en bestelde wat Luke als drie maaltijden voorkwam. Opkijkend zag Kent zijn verbaasde gelaatsuitdrukking.

'Ik ben nog in de groei,' zei hij grinnikend en toen Luke besteld had, leunde hij achterover en zuchtte. 'Geen problemen, Luke. Ik zou niet weten wat we te bespreken hebben. Ik ben een gelukkig man.'

'Zet het op schrift,' zei Luke, 'zodat ik je er over een maand aan kan herinneren.'

'Nergens voor nodig. Ik zal in de wolken zijn, dat weet ik nu al. Ze zullen mijn stuk tot léven brengen. Je hebt hen gehoord – ze hebben een paar kleinigheden nodig waar ik hen op zal wijzen, klemtoon, gebaren en zo – maar we zijn zo goed als klaar voor de première. Man, ze zijn zo goed!'

Luke keek hem strak aan. 'Waarom ben je er zo zeker van dat ze bij de première ook zo goed zullen zijn?'

Kent deinsde terug toen de kelner salades en brood bracht. 'Natuurlijk zullen ze bij de première even goed zijn! Nadat ik hen een paar aanwijzingen gegeven heb. Maar ik zeg je, Luke, het was zo goed als volmaakt.'

'Dat vind ik niet.'

Kents ogen vernauwden zich. 'Wil je me zeggen dat ik mijn eigen stuk niet ken?'

'Door jouw ogen gezien tot en met. Maar niet in die van het publiek en niet in de mijne, en ik ben de regisseur.' Hij schoof zijn salade opzij en vouwde zijn armen op de tafel. 'Weet je wat een regisseur doet, Kent?'

'Allejezus, Luke, iedereen weet...'

'Laat ik je vertellen hoe ik een stuk regisseer. Om te beginnen schreef jij dat stuk ergens vanuit je binnenste en een groot deel van de tijd heb je naar je eigen woorden zitten kijken en je afgevraagd waar ze vandaan kwamen, hoe die zin zo maar opwelde...'

'Hoe weet je dat?'

'Het is mogelijk dat ik veel meer weet dan jij me toeschrijft. Jij komt dus met een script dat uit je binnenste voortkwam, uit je onderbewustzijn of hoe je het noemen wilt. Het is mijn taak om de diepste betekenissen erin op te sporen, de rijkste ontplooiingen van karakter, facetten waar jij je misschien niet eens bewust van bent, en om die door middel van de acteurs aan het publiek te openbaren. Alles wat de acteurs doen, heeft betekenis en een van mijn taken is hen te helpen de details te vinden waardoor elk deel van dit stuk – elk stukje dialoog, elke handbeweging of het opnemen van een glas – een speciale betekenis krijgt die de speciale betekenis van het stuk belicht en zó bereiken we het publiek. Een regisseur in Chicago noemt het rock 'n roll theater, omdat elke productie versterkt en explosief en evenzeer op het publiek afgestemd moet worden als een rock 'n roll band. Daar ben ik het grotendeels mee eens. Anders zouden we net zo goed toneelstukken voor onszelf kunnen brengen in kleine, donkere zaaltjes.'

Kent keek hem verbluft aan. 'Ik ken geen regisseurs die er net zo over praten als jij.'

'Hindert niet. Bedenk alleen dat het doel van dit alles is jouw verhaal verrassend levendig te maken en zo veel van jouw visie te realiseren als we kunnen. We zullen discussiëren en argumenteren en hartstochtelijk worden over onze ideeën – hoe hartstochtelijker, hoe beter de productie zal worden – en jij zult in het heetst van de strijd zitten. En zo hoort het ook, zolang jij jezelf maar ziet als deel van een samenwerkingsverband, niet als God de Almachtige die ons een wet schenkt die wij met religieuze eerbied dienen te aanvaarden.'

'Ik heb nooit gezegd dat ik God was.'

'Ik meen me te herinneren dat jij het over volmaaktheid had.'

Na een korte stilte begon Kent te lachen. 'Ja, dat is waar, maar ik bedoelde dat ik de tekst vijftig of honderd keer doorgenomen, bijgewerkt en herschreven heb, en toen ik jou die toestuurde was die, nou ja, toen vond ik hem vrij goed.'

'Hij is geweldig. Eet je bord leeg. We moeten terug.'

Ze kwamen het theater binnen juist toen Tommy Webb naar hen rondkeek. Een jonge vrouw stond op het toneel met Cort Hastings en Abigail Deming. 'Klaar, Tommy,' zei Luke, en het drietal op het toneel begon voor te dragen toen hij en Kent de rij bereikten waar Tommy en Monte zaten.

Ze hoorden de voordracht van twee vrouwen aan, riepen toen de eerste terug en vroegen haar Martha's lange monoloog uit de tweede akte voor te dragen. Stijf stond ze op het toneel en declameerde zorgvuldig, alsof ze ieder woord afwoog.

Maar geleidelijk werd haar tempo sneller en soepeler. Ze begon op het toneel heen en weer te lopen en haar bewegingen af te stemmen op haar woorden. Beter, dacht Luke. Nog niet helemaal goed, maar er valt met haar te werken. En qua lichaamsbouw is ze geschikt voor Martha.

Opeens zag hij Jessica in de rol van Laura in *Glazen speelgoed*. Dat was vijftien jaar geleden geweest, maar hij herinnerde zich haar vertolking nog tot in de finesses: een actrice van buitengewone gratie en schoonheid die zich veranderde in een alledaags, invalide en uitermate verlegen jong meisje. En zij zou zich in Martha transformeren, dacht hij. Ik wou dat zij hier was. Zij zou Martha meer diepte geven dan zelfs Kent zich kon voorstellen.

Maar Jessica was er niet en hij concentreerde zich op de jonge vrouw op het toneel. Ze heette Rachel Ilsberg en hij wist dat zij met haar konden werken. Hij keek Tommy aan, die knikte, en daarna Monte. 'Ja, ze is geweldig,' zei Monte.

'Ze is echt Martha,' zei Kent.

'Nog niet helemaal,' mompelde Tommy, 'maar ze zal het goed doen.

Niet al te knap. Groot, maar niet te groot voor Cort. Goede houding. Een leuke stem.'

Luke keek op zijn horloge. 'Tommy, laten we morgen die video's bekijken; het is bijna vijf uur en ik moet naar Fritz. En zou jij met Rachel willen praten? Zeg haar dat we onder de indruk zijn en...'

'Enthousiast en verlangend om te beginnen,' maakte Tommy de zin af. 'En overmorgen een proefopname. Dan heb ik voor iedereen de contracten klaar. Om tien uur de video's?'

'Kun je er negen uur van maken?'

'Negen? Jazeker, maar maak er geen gewoonte van. Schikt het jou ook, Kent?'

'Jawel. Om negen uur heb ik mijn trainingsrondje in het park achter de rug en dan is de ochtend al half om.'

Luke wendde zich tot Rachel op het toneel. 'Dank u. We vonden het heel goed. Tommy zal het verder met u bespreken.' Hij liep naar het zijpad, beklom de vijf treden van het trapje dat naar het toneel leidde en liep door de coulissen naar de artiesteningang. Buiten knipperde hij met zijn oogleden tegen het zonlicht. *Daglicht. We vergeten wat dat is.*

Fritz Palfrey zat in de Orso bij een tafeltje aan het raam te wachten. 'Ik neem wijn, rode maar. En jij?'

'Hetzelfde.'

Fritz wenkte de serveerster. 'Hoor eens, Luke, ik weet dat zij nu prima is, maar met haar kan ik niet werken.'

'Heb je het over Marilyn Marks?'

'Over wie anders? Ik heb net zo'n grootmoeder als Lena, een vrouw van in de tachtig en ik weet van wat voor behuizing zij houdt en het decor dat Marilyn ontworpen heeft, is geen appartement van een grootmoeder.'

'Niet van jouw grootmoeder, bedoel je,' zei Luke vriendelijk.

'Oma's van in de tachtig houden van een normale entourage... een beetje saai. Niet theatraal. Ik wéét hoe Lena is, Luke, geloof me. Ze is net als mijn oma.'

En dat is een van de briljantste aspecten van Kents stuk: iedereen ziet Lena als zijn of haar grootmoeder. Maar geen enkel toneelstuk is een echte afspiegeling van het werkelijke leven; het theater comprimeert het werkelijke leven en vervormt het tot een eigen universum. En Fritz weet dat.

De serveerster bracht hun wijn en Fritz hield zijn glas omhoog tegen het licht. 'Een mooie kleur. Wat denk jij ervan?'

'Heb je Marilyns definitieve ontwerpen gezien?'

'Hoe kan dat nou? Ze heeft alleen maar voorlopige schetsen gemaakt. Ik wil haar de pas afsnijden.'

'Niet doen. Ik doe geen uitspraak voor ik de tekeningen en een maquette gezien heb.'

'Luke, met dat decor kan ik niet werken.'

'Laten we wachten tot we de maquette gezien hebben.' Hij schoof zijn stoel achteruit. 'Volgende week hebben we een bespreking met Marilyn, rekwisieten en kostuums, donderdag of vrijdag om een uur of drie, laat me weten of dat iedereen schikt. En Fritz...' Hij legde zijn hand op Fritz' schouder. 'Ik apprecieer je ideeën. Je bent de beste toneelmeester in de theaterwereld en ik beloof je dat we dit varkentje samen zullen wassen.'

'Nou ja, dan zien we wel wat er gebeurt. Je hebt je glas niet leeggedronken.'

'Ik ga vanavond naar de kostuumrepetitie van een kennis. Ik moet wakker blijven.'

Hij baande zich een weg door de drukte naar Fifth Avenue, sloeg die in en voelde de lichte verkoeling van schaduwrijke bomen toen hij op het klinkerpad kwam parallel aan de lage stenen muur die Central Park begrensde. Hij ontweek rolschaatsers en vrouwen met wandelwagentjes en probeerde er de pas in te houden tussen mensen die bleven staan voor een geanimeerd debat, verliefde paartjes die voor niemand opzij gingen, mensen die tweedehands boeken op klaptafeltjes doorbladerden en kinderen die achter een verdwaalde bal aanholden. Ten slotte stak hij maar over naar de overkant van de weg langs de huizen waar geen drommen mensen liepen. Toen hij zijn huisdeur bereikte, was hij bezweet en geërgerd – buiten de deur had hij nooit genoeg tijd en als hij tegenwoordig op straat kwam, leek dat meestal onprettig te zijn – en hij liep langs zijn werkkamer rechtstreeks naar zijn slaapkamer, kleedde zich uit en ging onder de douche.

Het was rond middernacht toen hij eindelijk op de leren bank in zijn werkkamer neerzakte en zijn benen strekte. Hij had twee telefoontjes gehad van Kent, een van Marilyn Marks en een van Monte, was met Tricia naar de kostuumrepetitie gegaan van zijn kennis, was daarna gaan dineren met de toneelschrijver, de regisseur en het gezelschap en had Tricia gedeeltelijk naar waarheid gezegd, dat hij nog werk had liggen en bovendien doodmoe was en dus niet met haar mee naar boven kon gaan toen hij haar thuisgebracht had. Maar waar hij werkelijk behoefte aan had, was precies wat hij eindelijk had: rust, de beslotenheid van zijn werkkamer en een door Martin klaargezet presenteerblad met een sandwich voor het geval hij honger had, cognac, koffie en een schaaltje pistachenoten.

Hij bleef een poosje zitten genieten van de stilte. Hij keek naar een tv-journaal en genoot opnieuw van de stilte, terwijl hij het verloop van de dag in gedachten als een film afdraaide, versnellend, vertragend en terugspoelend.

Ze hadden een rolbezetting voor *De Tovenares* of zouden er morgen een hebben als zij de bijrollen indeelden. Marilyn werkte aan de decors; Fritz martelde zich af zoals hij altijd deed; het theater was geboekt, de repetitieruimte gehuurd en de eerste repetitie zou donderdag plaatsvinden. Alles ging volgens schema.

Hij dronk zijn cognac op en boog zich voorover om het glas op het blad te zetten toen zijn oog op het kistje met Jessica's brieven viel dat op het tafeltje naast zijn bureaustoel stond. *Vanavond niet. Ik ben te moe.* Maar hij bleef naar het kistje staren. *Nou ja, eentje dan.*

Beste Constance,
Sorry dat ik je al zo lang niet geschreven heb; ik miste het brieven schrijven hoewel we elkaar nu telefonisch spreken. Het is echt heerlijk je stem te horen (maar nog heerlijker om bij jou te zijn; dat is al weer zo lang geleden... hadden we geen zalige dag samen bij mijn afstuderen?), maar brieven hebben iets eigens en dus besloot ik ditmaal te schrijven in plaats van op te bellen.
Ik vond het jammer om de Steppenwolf te verlaten – het waren de heerlijkste twee jaren van mijn leven en ik heb nog nooit zó veel zó snel geleerd – maar je had gelijk: Anna Christie op Broadway is veel belangrijker. Heb ik je verteld wat Phil Ballan zei toen hij opbelde? Het gesprek verliep ongeveer zó: Met een heel diepe stem: "Miss Fontaine, ik was vorige week in Chicago en bezocht de laatste voorstelling in de Steppenwolf." Toen zweeg hij en het kostte me een minuut om te begrijpen dat hij erop wachtte dat ik iets zou zeggen. "Heus?" zei ik, een beetje ademloos. Zijn stem werd dieper. "Ik moet u zeggen dat ik nog nooit zo onder de indruk van een voorstelling in de Steppenwolf ben geweest als van de uwe." Hij zweeg weer afwachtend en ik zei: "O, dank u wel" – zo onuitsprekelijk afgezaagd – waarom wist ik niets verstandigs te bedenken? Maar ik kon mezelf niet goed beheersen, want behalve jij heeft nog nooit iemand van Broadway tegen me gezegd dat ik echt goed ben. "Enne," zei hij en rekte zijn zin uit als Sinterklaas bij het uitdelen van zijn pakjes, "we willen graag dat u naar New York komt voor een auditie van Anna Christie. Ik denk dat u een voortreffelijke

Anna zult zijn. En ik zit er nooit naast met mijn oordeel." Bij een andere gelegenheid zou ik gelachen hebben, maar ditmaal niet: hij had kunnen hinniken als een paard en dan zou ik het nog een mooi geluid gevonden hebben. En toen vroeg hij: "Bent u er nog? Komt u naar New York?" en "Ja!" gooide ik eruit en bood toen mijn excuses aan omdat ik dacht dat ik het oor van de arme man er door de telefoon afgeblazen had.

En dus ben ik nu hier terug in New York – overweldigend en hectisch na Chicago en mijn 'familie' in de Steppenwolf, maar in een ander opzicht heel plezierig: alsof ik binnenkom bij een groot gezelschap waarvan ik niemand ken, maar waarvan iedereen me bekend voorkomt. Ik heb een klein appartementje gevonden in Soho; het is nauwelijks groot genoeg om me om te draaien, maar het heeft een raam en veertig minuten per dag zonneschijn. Natuurlijk ben ik die veertig minuten vrijwel nooit thuis, maar het is prettig te weten dat de zon er schijnt. Is het niet verrassend hoe weinig zonneschijn we zien als we met een toneelstuk bezig zijn? Het is alsof we vergeten hoe daglicht eruitziet. Ik heb twee lange gesprekken met de regisseur gehad over hoe Anna gespeeld moet worden; hij heeft een paar ideeën waarvan ik nooit gedacht had dat ze te verwezenlijken zouden zijn. Het fijnste is dat hij geeft om wat ik denk en sinds dat telefoongesprek heb ik aan niets anders gedacht dan aan Anna en dus heb ik een paar heel eigen ideeën. Vind jij dat we gewoon moeten doen wat de regisseur ons zegt, of vind je dat we erop moeten staan een rol te spelen zoals we die innerlijk aanvoelen? We hebben daar nooit zoveel over gepraat als ik zou willen. Zou jij me willen vertellen hoe jij erover denkt?

Er is een probleem met het optreden in Anna: *een van de producers schijnt een oogje op me te hebben – wat een ouderwetse uitdrukking! – en nu hangt hij steeds in het theater rond en zwerft door de coulissen als een kleine jongen die in een onbekende buurt terechtgekomen is, doet of hij me 'toevallig tegenkomt' en zegt dan: 'Nu we elkaar hier toch treffen, waarom kunnen we niet samen gaan dineren?' Maar hij komt te hartelijk en te gretig over – hij wil zich kennelijk voordoen als een bon-vivant – ongedwongen, wellevend en onweerstaanbaar. Er mankeert niet echt iets aan hem en waarschijnlijk is hij erg aardig, maar ik treed op in* Anna Christie! *In New York! Hoe kan ik aan iets anders denken? Ik ben zo zenuwachtig dat ik niets anders wil dan met rust gelaten worden. Hij zegt dat ik beter af zou zijn met gezelschap om me te ontspannen. Misschien heeft hij gelijk, maar hij schijnt zo absoluut zeker van zijn opvatting dat het me achterdochtig maakt. Heel veel mensen hier zijn zo; die zeggen altijd dingen als 'Je móet dit doen,' of 'Ik zal die zin níet uitspreken,' of 'Daar heb ik de ideale persoon voor,' of 'Ik zal deze belichting absolúút niet tolereren' of... och, je kent dat wel, jij hebt datzelfde gehoord. Zou het niet volkomen nieuw zijn als iemand eens één keer zei: 'Dat lijkt een onvoorstelbaar idioot idee, maar ze zijn hier om te experimenteren en te leren, dus waarom zouden we het niet eens proberen?' Iedereen zou waarschijnlijk met onkarakteristieke stomheid geslagen zijn, maar het zou de sfeer beslist verhelderen.*

Luke grinnikte. Glimlachend herlas hij de laatste regel en toen was het hem alsof Jessica de hele dag bij hem geweest was, met haar levendige, jonge stem veinzerij en theatraal gedoe aan de kaak gesteld en melodrama's weggevaagd had en hem deelgenoot gemaakt had van haar observaties toen zij alleen waren. Hij keek op van haar brief en staarde door de kamer naar een reproductie van een danseres van Picasso. Hij herinnerde zich Jessica Fontaines stem van de keren dat hij haar op het toneel gezien had: een magische stem, vol en muzikaal, met een timbre dat heel in de verte aan een buitenlands accent deed denken. Hij stelde zich voor dat hij haar nu hoorde, haar frisheid en oprechtheid, de naar een lach zwemende ondertoon van haar woorden, de onverwachte gezegden die haar zinnen kruidden. Hij genoot van haar indirecte gezelschap en aan het eind van zijn werkdag vond hij het fijn haar opmerkingen te horen.

Zijn vermoeidheid was verdwenen. Het was laat, maar hij voelde zich patent. Tijd zat voor nog een paar, dacht hij, pakte een handvol brieven uit het kistje en ging er op zijn gemak bij zitten om ze te lezen.

Jessica Fontaine als *Anna Christie* fascineerde het publiek gisteravond bij de première in het Helen Hayestheater zoals geen enkele
actrice het gekund heeft sinds Constance Bernhardt bijna veertig
jaar geleden Anna speelde.

Het krantenknipsel viel uit de brief en Luke las het eerst.

Het is een zeldzaamheid dat een acteur zo volkomen de omvang
van een karakter weergeeft: een verleden, hints naar een toekomst,
spitsvondigheden en excentrieke trekjes en hebbelijkheden, een
manier om zich over het toneel te bewegen alsof dat de hele wereld
is. Grote acteurs en actrices doen dat zonder verstandelijke bere-
denering, ze treden buiten zichzelf zo u wilt en putten uit die geheimzinnige bron van het instinct die voortkomt uit een soort innerlijke magie en levenslange ervaring. Jessica Fontaine is te jong
om veel ervaring te hebben – de week voor de première van *Anna
Christie* is zij vijfentwintig geworden – en veel rollen heeft ze nog
niet gespeeld, maar ze bezit die innerlijke gedrevenheid en het is
een genot om haar te zien. Ik voorspel dat we haar van nu af aan
heel vaak zullen zien.

Lieve Constance,
Wat geweldig van je om gisteravond op te bellen; de première-
avond! Ik voelde je naast me terwijl ik zat te wachten om op te ko-
men; ik was zo bang dat ik ervan beefde en mijn benen leken lood-
zwaar en onvast, maar ik begon telkens en telkens weer te herha-
len wat jij aan de telefoon gezegd had: dat jij zo zenuwachtig bent
dat jij je elke keer voor je eerste optreden ziek voelt, en ik herhaal-
de zonder ophouden: Constance wordt ook zenuwachtig, Constan-
ce wordt ook zenuwachtig, tot ik mezelf er bijna mee hypnotiseer-
de en me zowaar beter begon te voelen. Ik kon je werkelijk tegen
me horen praten en je hand op mijn arm voelen en je was tot het
eind van het stuk toe bij me, zelfs bij de open doekjes... het waren
er veertien, onvoorstelbaar! Ik heb je erg veel te vertellen, maar ik
kan vandaag geen lange brief schrijven omdat we moeten werken

aan het comprimeren van de tweede acte, maar ik beloof je te zullen schrijven zodra het een beetje kalmer wordt. Ik wil je alleen laten weten dat ik je altijd erg dankbaar ben en van je houd.
Jessica

Wanneer heb ik haar in dat stuk gezien? peinsde Luke. In gedachten ging hij terug in de tijd. Zij was vijfentwintig en dus was ik dertig, en in dat jaar waren Claudia en ik in San Francisco waar ik het Berkeley Repertoiretoneel regisseerde.
We zagen Constance in Los Angeles optreden in *The Visit* en gedrieën maakten we een paar weekendtrips tot het Claudia verveelde en Constance en ik er samen op uittrokken, noordwaarts helemaal naar het schiereiland Olympic en zuidwaarts tot Baja. We waren bijna twee jaar uit New York weg; ik ging naar Los Angeles om een ander stuk te regisseren en daarna gingen Claudia en ik naar Londen om Constance te zien optreden in *Oedipus*, en vervolgens naar Parijs. Jessica beleefde haar triomf dus zonder Constance. Maar Constance belde op. Een liefhebbende vriendin.

Lieve Constance,
Hartelijk bedankt voor je telefoontje van gisteravond. Hoe kon ik vier maanden voorbij laten gaan zonder je te schrijven? Misschien omdat ik voortdurend aan je denk en inwendig met je praat, waardoor ik denk je geschreven te hebben terwijl ik het niet gedaan heb. Maar ik ben nu onderweg naar Londen; en naar jou! Weet je dat ik ervan gedroomd heb om weer in een stuk met jou op te treden, met jou te werken en van jou te leren... ik ben zo vreselijk opgewonden dat ik er geen woorden voor heb. Ik noem het maar het paradijs, mijn paradijs: Vivie Warren te vertolken tegenover jouw Kitty Warren. Jouw dochter te spelen, hoewel er uit het hele stuk niet veel dochterlijke gevoelens blijken. Wat zullen we een heerlijke tijd hebben! En nog iets: in Londen zul je kennismaken met Terence. Ik heb je over hem geschreven; hij is de producer die steeds rondzwierf door de coulissen. Sinds de laatste opvoering van Anna *gaan we met elkaar om en hij is echt erg aardig. Hij heet Terence Alban (en wee degene die hem Terry noemt!) en hij komt uit Dublin en Londen en Kaapstad, maar zelfs na al dat reizen en een tamelijk verfijnd leven is hij ten aanzien van veel dingen nog ongelooflijk timide, ook tegenover mij. Ik moet hem nu en dan opporren, zelfs (en vooral!) op intieme momenten. Niet dat hij niet weet wat te doen of hoe hij het moet doen; hij kan gewoon niet geloven*

dat iemand zich echt tot hem aangetrokken voelt en hij denkt wer-
kelijk dat het beter is niet te proberen dan tot de ontdekking te ko-
men dat iemand hem niet mag. Na een tijdje gaf ik hém dus maar
een kus en maakte zijn das los (wat een merkwaardige rolverwisse-
ling; het gaf me over alles een heel ander gevoel) en daarna deed ik
terloops een paar suggesties en uiteindelijk verhuisden we naar zijn
slaapkamer (we waren tot dan toe in zijn zitkamer met uitzicht
over heel Central Park bij volle maan... bijzonder mooi, maar ik
dacht dat als ik er iets over zou zeggen, Terence zou denken dat hij
een mislukking was omdat mijn gedachten afdwaalden en dus zei
ik maar niets)... neem me die rare zin maar niet kwalijk; ik schijn
van de hak op de tak te springen... en we gingen dus naar zijn
slaapkamer...

Luke keek op van de brief. Hij voelde zich onbehaaglijk, een soort
voyeur die in brieven snuffelde die alleen voor de ogen van zijn
grootmoeder bestemd geweest waren. Maar hij was ook boos. Waarom kon ze Terence Alban niet doorzien? Luke kende hem al een hele
tijd; Monte Gerhart had hen aan elkaar voorgesteld en Alban had geld
gestoken in twee van Lukes producties. Hij had al jaren bij het theater
rondgehangen: te veel geld, te veel vrije tijd, niets anders te doen dat
hem stimuleerde dan zich aan beroemdheden vast te klitten. Hij was
niet goed genoeg voor Jessica; het enige wat hij had was een gemaak-
te, walgelijke onzekerheid die vrouwen deed verlangen hem te strelen
en te ondersteunen. Moederlijke gevoelens bij hen allemaal wakker te
maken, dacht Luke verachtelijk; je zou haar toch te verstandig wanen
om zich daardoor te laten bedotten.
Tijd om naar bed te gaan, dacht hij en stopte de brieven weer in het
kistje. Maar het verfrommelde stapeltje bezorgde hem schuldgevoe-
lens toen hij dacht aan de zorg waarmee zijn grootmoeder ze allemaal
opgevouwen en keurig op volgorde bij alle andere opgeborgen had.
Dus haalde hij ze weer te voorschijn en streek ze glad op zijn knie. Er
vielen er een paar op de grond die hij opraapte en uitspreidde op de
koffietafel. Zodoende begon hij weer te lezen.

Het enige ontbrekende aan het afgelopen jaar, lieve Constance,
was dat jij en ik elkaar niet geschreven hebben. Maar in elk ander
opzicht was het absoluut het meest volmaakte jaar van mijn leven.
Allereerst door samen met jou op de planken te staan, het wonder
te zien van jouw transformatie in Mrs. Warren en mijn eigen
kracht te voelen toenemen vanwege de jouwe. Ik denk dat doch-

ters in het werkelijke leven zich zo moeten voelen als hun moeders mensen zijn zoals de dochters oprecht verlangen te worden. Ik vraag me af hoe vaak dat gebeurt. Ik hield van mijn moeder, maar heb nooit haar willen zijn, terwijl ik jou heb willen zijn vanaf de eerste dag dat wij elkaar ontmoetten. Als jij en ik samen op het toneel zijn, heb ik het gevoel grote kracht te bezitten... dat heb ik eigenlijk altijd als ik optreed, maar samen met jou is het nog sterker. We hebben er samen over gepraat, maar nu begin ik het echt te begrijpen: het gevoel dat wij alles kunnen als wij in een personage overgaan en dan weer in een ander – van jong meisje in vrouw van middelbare leeftijd in oud besje, van prostituée in matrone uit een provinciestadje, van schoolmeisje in prinses – en dan, als we teruggeroepen worden en het applaus horen en al die glimlachjes en blijde gezichten van het publiek zien, weten we dat we hen tot ons gebracht hebben, we hebben hen in ons doen geloven. Meer kracht dan die kan ik me niet voorstellen en niets ter wereld schenkt me zoveel vreugde, zoveel gevoel van vrijheid, alsof ik vleugels gekregen heb en nu boven alles zweef en er niets is waar ik niet heen kan gaan of wat ik niet doen kan.

Maar daar ben jij een deel van en het volmaakste moment van dit volmaakte jaar was het laatste open doekje van onze laatste voorstelling toen jij mijn hand nam en wij tweeën alleen op het toneel stonden en alle bezoekers opstonden en hun applaus ons omvatte als een enorme daverende omhelzing, en toen het doek eindelijk viel en gesloten bleef, zei jij: 'Jij en ik, lieve Jessica, zijn samen veel meer dan elk van ons afzonderlijk; wij verheffen elkaar.' Maar ík ben het die dankbaar is en ik dank je uit het diepst van mijn hart voor die woorden. Ik zal ze nooit vergeten.

Een deel van wat mij in Londen gelukkig maakte, was natuurlijk Larry, zolang het duurde. Het was erg vreemd in een stuk op te treden tegenover iemand met wie ik een verhouding had, en ik was erg verdrietig toen er een eind aan kwam – ik mocht hem erg graag en we hadden samen veel plezier en ik kon maar niet begrijpen waarom hij erop bleef aandringen dat we zouden trouwen. Waarom kon hij geen fijne tijd hebben en gelukkig zijn zoals ik het was? Gunst, wat hadden we een ruzies terwijl we hadden kunnen zitten vrijen en lachen. Wat jammer.

Toen Terence terugkwam uit New York, hield ik hem zo lang mogelijk aan het lijntje, maar na een maand had ik geen argumenten meer om niet met hem uit te gaan en we begonnen opnieuw, maar ik kon niet met hem naar bed gaan omdat ik in zekere zin nog

treurde om Larry en hem miste, en dat maakte Terence woedend.
Hij begon zich weer te verbeelden dat hij niets waard was en na
een poosje werd ik doodmoe van al het aaien, het opmonteren en
bemoederen dat hij nodig had en dus kapte ik daar ook mee.
Dat gebeurde allemaal vorige week nadat jij naar Sydney vertrok-
ken was en ik wenste dat ik me in je bagage had kunnen verstop-
pen. In plaats daarvan ga ik naar Hollywood voor de opnamen
van een film en als je weer van me hoort, zal ik in een of ander huis
in Malibu (daar ben ik nooit geweest, maar de studio huurde het
voor me) jou zitten missen en het toneel ook. Ik kan me niet inden-
ken te werken zonder de stimulerende energie van een publiek. Je
zei dat jij gewend raakte aan het acteren voor de camera en aan de
andere acteurs. Was dat werkelijk zo, of zei je het om mij aan te
moedigen het te proberen? Binnenkort meer. Ik hou van je.
Jessica

Luke bladerde de volgende brieven door.

Lieve Constance,
Ik weet dat je gelijk hebt en dat ik dankbaar moet zijn dat de re-
censies over mij allemaal goed waren, maar je weet even goed als
ik dat het ergste ter wereld is deel uit te maken van iets dat ieder-
een verafschuwt. Je weet hoezeer ík het verafschuw; je bent waar-
schijnlijk misselijk geworden van mijn gejammer. Ik ben ook zó
boos! Ik ben nog nooit betrokken geweest bij een flop en het doet
er niet toe dat ik volgens de recensies goed was; ik voel me be-
smeurd door die film.

Het is nu een uur later. Wat is alles fantastisch! Eén telefoontje was
genoeg om alles te veranderen. Zojuist belde Edward Courier op!
De grote Edward Courier die me vroeg of ik belangstelling had
voor een rol in Wie is bang voor Virginia Woolf als tegenspeelster
van Constance Bernhardt! En óf! Lieve hemel, wat een vraag! Als
mijn proefspel hun bevalt, zullen we dus weer samen zijn, in New
York, over een maand of zes – o, ik zou het wel kunnen uitjubelen!
In die tussentijd ben ik gevraagd voor een repertoiregezelschap in
Los Angeles en dat is een geweldige ervaring, dus blijf ik in het huis
in Malibu dat erg mooi is en ik vind het heerlijk om aan de oceaan-
kust te wonen.
Apropos, onlangs kwam Larry weer opduiken en we hadden een
erg romantische hereniging. Het verbaasde me zelfs dat ik zo blij

was hem weer te zien en hij zegt dat hij niet meer over trouwen zal praten en misschien zullen we hier dus een even fijne tijd hebben als we in Londen hadden. Misschien begrijpt hij eindelijk wat ik geprobeerd heb hem duidelijk te maken: dat ik – wie ik ben en wat ik ben en wat ik over tien, twintig of dertig jaar wil zijn – me niet los kan maken van het theater. Ik wil de allerbeste zijn, maar ik wil meer dan dat: ik wil goeddoen in het theater. Ik heb die gave, die kracht die jij en ik op het toneel voelen, om mensen te kunnen helpen door toneelstukken tot leven te brengen, zodat zij misschien voordien onbegrijpelijke dingen gaan begrijpen. Ik las onlangs dat het toneel onze innerlijke gevoelens blootlegt, zodat wij ze kunnen zíen in plaats van ze in ons binnenste gewoon te laten rondfladderen. Als ik mensen kan helpen hun gevoelens te begrijpen, is dat beter dan wat ook, nietwaar: goeddoen terwijl je doet wat je het liefste doet.

Ik heb geprobeerd dat aan Larry uit te leggen. Ik geloof dat hij het eindelijk begrijpt, hoewel hij nu en dan beweert dat we er nooit over gesproken hebben.

Hij woont bij mij in het huis in Malibu en dat is vreemd, want ik ben gewend alleen te wonen, maar hij wilde hier zijn en ik heb gezegd dat we wel zullen zien hoe het uitpakt. Tot dusverre gaat het best en een groot deel van de tijd is het zelfs wel prettig.

Larry, dacht Luke, wie is dat verdomme? Van de boekenplanken aan het andere eind van zijn werkkamer pakte hij een groot foliant en raadpleegde de index. Ze zijn samen opgetreden in *Mrs. Warren's profession*, peinsde hij en dus moet hij Frank Gardner gespeeld hebben, Vivie Warrens vrijer. Hij sloeg de bladzijde op met de vermelding van de opvoeringen van het stuk. In die in New York van vijftien jaar geleden was Mrs. Warren vertolkt door Constance Bernhardt, Vivie Warren door Jessica Fontaine en Frank Gardner door Lawrence Swain.

Allemachtig, Larry Swain! Hij deugt niet voor haar.

Larry Swain. Gespierd, knap, met de klassieke gestalte die meer in boeken over de Griekse beeldhouwkunst scheen thuis te horen dan in de moderne wereld. Een goed acteur, niet buitengewoon, maar goed genoeg voor de televisie, wat hij dan ook de laatste tien jaar of langer gedaan had. En hij stond erom bekend ad rem te zijn en tamelijk intelligent, maar niet buitengewoon ad rem of buitengewoon intelligent. Eigenlijk, dacht Luke, blonk hij nergens in uit. En Jessica Fontaine verdiende iemand die in alle opzichten uitblonk. *Waarom kiest ze steeds mannen die niet half zo goed zijn als zij?*

73

Hij keek naar de brief onder degene die hij had zitten lezen. Te lang voor nu, dacht hij, en stond op het punt hem weer in het kistje te doen toen hij op de tweede bladzijde zijn eigen naam zag staan. Hij kon met geen mogelijkheid de drang weerstaan over zichzelf te lezen. Hij schonk nog een glas cognac in en ging weer verder met lezen, maar begon ditmaal op de tweede bladzijde.

... het publiek op de openingsreceptie was erg amusant. Allemaal zagen ze er gespannen uit en volhardden in talloze achtlettergrepige woorden – hoe meer hoe liever! – om duidelijk uit te drukken wat het stuk werkelijk inhield. Ik wou dat de mensen zich eens gewoon konden ontspannen en eruit lichten wat voor hen belangrijk is zonder het altijd te moeten analyseren. Ik was blij eindelijk eens kennis te maken met je kleinzoon – ik had over hem gelezen. Zijn voorkomen beviel me wel: niet bijzonder knap en hij doet me denken aan een arend die kilometers hoog rondzweeft en niet speciaal zin heeft om lager te dalen voor een nauwkeuriger kijkje. Sterk, taai en intelligent en zijn ogen zijn erg sexy of zouden het vermoedelijk zijn als hun blik warmer zou worden. Hij en ik waren niet lang bij elkaar; er waren te veel mensen die met mij over het stuk wilden praten en iedereen wachtte gespannen op de eerste recensies...

Hoe het zij, ik had het gevoel dat Luke erg... prikkelbaar vermoedelijk was... komt hij op jou ook zo over? Hij leek niet warm of enigszins geïnteresseerd in mij; ik heb zelfs even gedacht dat hij de naarste regisseur was die ik gekend heb: uit de hoogte, iedereen observerend, kritisch – daar heb je de arend weer! Maar toen dacht ik dat er inwendig meer in hem omging: hij leek nijdig of gefrustreerd of misschien alleen maar op zijn hoede. Hij was niet openhartig en mededeelzaam, althans niet tegen mij, niet zoals jij het bent en ik had waarschijnlijk verwacht dat hij in alle opzichten meer zou zijn zoals jij. Hij kwam vast alleen maar voor jou naar de receptie; ik zou geen andere reden voor zijn aanwezigheid weten.

Misschien is zijn probleem de echtscheiding. Ik behoor er niet van te weten, maar de kranten stonden er vol van – waarom laten mensen hun fiasco's toch breed uitmeten in de kranten? Persoonlijk zou ik alleen mijn successen wereldkundig maken – en het klonk zo smerig; als het mij overkomen was zou ik op recepties waarschijnlijk ook woedend kijken. Ik weet dat die praatjes uit Claudia's koker kwamen, maar toch hadden ze iets kunnen afspreken om er geen ruchtbaarheid aan te geven. Ze hadden het daarover vast wel eens kunnen worden en misschien zelfs getrouwd kunnen blijven. Ik realiseer me vaak dat mijn ouders hun huwelijk duurzaam maakten door als het ware op hun tenen de knelpunten te ontwijken waarvan zij wisten dat die de aanleiding konden zijn voor een uitbarsting van een ruzie waarbij mensen onvergeeflijke dingen zeggen. Ik veronderstel dat Luke en Claudia niet het slag zijn dat knelpunten ontwijkt.

Om kort te gaan: het spijt me dat ik hem niet sympathieker vond, want hij is jouw kleinzoon en je houdt van hem, maar het was duidelijk dat ik hem ook niet aanstond. Waar hij me aan deed denken, meer nog dan aan een arend, was een eenzame vuurtoren op een rots, die kaarsrecht uitkijkt over de zee, afgekeerd van steden en mensen en de samenleving, die iedereen de juiste weg daarheen wijst maar zich nooit bij hen aansluit. Ik zou wel eens onder zijn regie willen werken, maar hij schijnt niet de minste interesse in mij te hebben en dus lijkt het nogal onwaarschijnlijk.

Met nietsziende ogen staarde Luke naar de donkere schouw. Hij herinnerde zich die premièrereceptie; hij herinnerde zich thuisgekomen te zijn en hier net zo naar de schouw te hebben zitten staren als hij nu deed, zichzelf verwensend dat hij zo kil en grof geweest was tijdens de triomf van zijn grootmoeder. Martin had die avond de haard voor hem aangestoken, wanneer ook weer? Hij dacht terug. Elf jaar geleden, in oktober. Een koude, mistige oktoberavond, een paar maanden na zijn scheiding van Claudia. Hij was vroeg thuisgekomen, ontevreden over zichzelf, rusteloos en onzeker. Ik regisseerde toen niet, herinnerde hij zich; ik voelde geen band met het theater, met niets of niemand.

Hij leek nijdig of gefrustreerd, of alleen maar op zijn hoede.

Op zijn hoede. Daarmee sloeg ze de spijker op zijn kop. Het was niet alleen dat hij op dat moment geen toneelstuk in productie had, maar dat hij met de grootst mogelijke ophef gescheiden was. Claudia had tien miljoen dollar van hem geëist – die hij niet had – naar zij beweerde ter compensatie van wat hij haar beloofd had, en haar hele aanhang getuigde dat Luke beloofd had voor haar te zorgen en haar grote rijkdom te brengen, om nog maar te zwijgen van roem, bewieroking en de wereld aan haar voeten.

Datzelfde jaar had hij *Vigilance* geregisseerd, een nieuw stuk over de geschiedenis van een stadje dat zichzelf vernietigde door naijver over het bezit van een nieuw olieveld, en over een huwelijk dat hechter werd naarmate het stadje uiteenviel. Het stuk was de hit van het seizoen, een machtige productie die Luke meedogenloos opjoeg vanaf het moment waarop het olieveld ontdekt werd, door het crescendo van hebzucht en gewelddadigheid dat families verscheurde, tot de tederheid van de slotscène waarin weer hoop ontsproot uit de chaos.

Het huwelijk van Luke en Claudia was toen al gestrand en Luke wist waarom: het had niets van de kracht, het vertrouwen en de hoop van dat huwelijk in *Vigilance.*

'Lieve Luke,' had zijn grootmoeder gezegd, 'je bent in de val gelopen je eigen leven te verwarren met het leven dat je op het toneel creëert.'

'Ik vergelijk ideeën over het huwelijk,' had hij vinnig geantwoord. 'Meer niet.'

'Kijk me niet zo nijdig aan, beste jongen. En ontspan je; je bent de laatste tijd erg stug en ongenaakbaar. Als je huwelijken vergelijkt, kies er dan een dat iets gemeen heeft met het jouwe. Ken je iemand die een huwelijk heeft zoals dat in *Vigilance?* Natuurlijk niet, want zo kan er geen zijn: het had de ondergang van een stadje nodig om tot ontwikkeling te komen en je zult niet veel stadjes vinden die zichzelf vernietigen als een deel van het dagelijks leven. Beste jongen, je hebt een beeld van de werkelijkheid geschapen, niet de werkelijkheid zelf, maar dat hoef ik je niet te vertellen, want het is de definitie van toneel. Je weet heel goed dat, al zoek je nog zo hard naar een huwelijk zoals dat, je er geen zult vinden.'

'Ik ben niet op zoek naar een huwelijk.'

'Natuurlijk niet, dat zou te gauw zijn. Maar als je het doet...'

Hij schudde zijn hoofd. 'Niet na dit huwelijk. Ik blijf het ontleden en het levert niets op. Hoe kon ik zo verblind zijn? En zo stom. Ik ben veel beter in het kopen van een auto dan in het aangaan van een huwelijk. Wat is er in godsnaam met me gebeurd?'

'Je wilde getrouwd zijn. Je dacht dat ik een vrij inhoudsloos leven leidde en meende het er beter van te kunnen afbrengen.'

'Dat heb ik nooit gedacht. Mijn huwelijk had niets met jou te maken.'

'Toch wel. Je verlangde een leven dat verschilde van het mijne. Daar is niets op tegen; het betekent niet dat je minder van me houdt. Maar ik denk dat er ergens in je binnenste een vonkje woede smeult omdat ik niet trouwde en je geen vader gegeven heb. Ik heb dat overwogen; ik heb de pretendenten overzien en niet een ervan zou de vader geworden zijn die ik voor jou wenste, laat staan een echtgenoot voor mij. Maar jij wist dat niet, en dus was je boos en toen je opgroeide, besloot je mij te bewijzen dat iemand veel succes kon hebben op het toneel en ook een gelukkig huwelijk en een druk leven. Een heel mooi doel, waarde Luke, ik juich het toe. Het is nog steeds een mooi doel. Eén mislukking is geen reden om het overboord te gooien. Beste jongen, je bent vierendertig en inmiddels de gevierdste en meest besproken regisseur in Amerika geworden. Gun jezelf de tijd om vast te stellen wat je van jezelf verwacht en wat je van anderen verlangt. Woon alleen, dat is goed voor je. Maar meng je ook in het uitgaansleven, wees voor de verandering eens een bon-vivant. Je bent altijd veel te serieus. Na een poosje zal ik je misschien aan iemand voorstellen, een jonge vrouw met wie ik een heerlijke briefwisseling voer. Je hebt haar ooit ontmoet, maar kennen doe je haar niet en ik denk dat jullie beiden misschien heel goed bij elkaar passen.'

'Ik vind zelf mijn vrouwen wel,' zei Luke hard, van zijn stuk gebracht door het inzicht van zijn grootmoeder. Hij had het haar inderdaad aangerekend dat ze hem geen vader verschafte, maar hij had niet gedacht dat ze dat wist. Nu voelde hij zich kronkelen als een betrapte schooljongen en dat deed hem nog woedender uitvallen. 'Ik zal mijn eigen weg wel vinden; ik heb geen advies of duwtjes vanuit de coulissen nodig.'

'O, ben jij even stug? Je hebt advies én hulp nodig; je zult nog het een en ander moeten leren over het vinden van een vrouw die goed voor je zal zijn in plaats van...'

'Daar spreekt een expert in huwelijksaangelegenheden.'

'In relaties,' had ze kortaf gezegd. 'Ik weet heel wat over relaties; meer dan jij waarschijnlijk. En waarom val je me aan, Luke? Het verandert niets aan de feiten.'

'Je weet niets over de feiten uit mijn leven. Ik pak ze op mijn eigen manier aan; laat mij dus met rust.' En een beetje beschaamd had hij eraan toegevoegd: 'Maak je over mij maar geen zorgen. Ik weet dat je piekert, maar ik zal me wel redden.'

'Dan hoop ik alleen maar dat je leert vertrouwelijk met anderen te worden en leert te spelen. Ik vrees dat ik je dat niet geleerd heb, althans niet erg goed.'

Op zijn werkkamer met Jessica's brief in de hand herinnerde Luke zich ieder woord van dat gesprek, en voor het eerst drong het tot hem door dat Constance geprobeerd had hem over Jessica te vertellen. *Maar ik was er niet klaar voor en daarna heeft ze het niet meer geprobeerd.*

Hij had met haar niet geredewist over trouwen – wat voor zin zou dat gehad hebben? – maar hij nam haar advies over uitgaan ter harte en al spoedig was hij een van de vrijgezellen die door gastvrouwen uitgenodigd werden aan hun diners voor symmetrie en de prikkeling van beschikbaarheid.

Hij had het ook drukker dan ooit: hij regisseerde het ene toneelstuk na het andere, nam de ene vrouw na de andere mee uit, werkte zes dagen per week, ging 's morgens om zeven uur tennissen (de enige tijd die hij ervoor vrij kon houden) en bracht de zondagen door met een groepje theatermensen die hun paarden in New Jersey hadden staan, en reed vanaf het ontbijt tot een vroeg souper voor hij naar de stad terugkeerde.

'Ik zei: "Leer te spelen", ' voegde Constance hem toe. Zes maanden tevoren had haar dokter haar bevolen afscheid te nemen van het toneel en nu had ze een afscheidsdiner met Luke alvorens naar Italië te vertrekken. 'Zeg nou zelf: je bent altijd aan het werk, zelfs als je gaat paardrijden. Jij en je vrienden maken er een wedstrijd van of een race alsof de een of andere hengst je achtervolgt. Wanneer zul je leren je te ontspannen, Luke? Je hebt nog jaren van werken en leven voor je, maar je gunt jezelf nog geen tijd om je kachel op te stoken.'

Hij grinnikte. 'Als ik zoveel kan doen, moet mijn kachel al flink opgestookt zijn.'

'Nee,' zei ze ernstig. 'Je teert je reserves op. Ik hef het glas, dierbare Luke, op heel veel bezoeken aan Italië – ik wil dat je komt wanneer je maar even kunt, al is het maar voor een paar dagen – op succesvolle toneelstukken en op een leven waarin plaats is voor liefde en blijdschap.'

Met zijn glas tikte hij het hare aan. 'Ik hou van je' en allebei wisten ze dat zij de enige was tegen wie hij dat zei.

Luke sloeg zijn ogen op en besefte dat hij op zijn stoel in slaap gevallen was en van Constance gedroomd had. Hij hierinnerde zich bijna alles wat zij ooit tegen hem gezegd had – dat kon niet waar zijn, dat wist hij, maar zijn herinneringen waren zo levendig dat ze waar leken – en hij miste haar het meest wanneer hij dacht aan al haar goede raadgevingen, vaak afgewezen maar nooit vergeten. Hij stond op om naar bed te gaan, maar merkte dat hij Jessica's brief nog steeds in zijn hand had zonder die uitgelezen te hebben. Naast zijn stoel staande las hij de laatste bladzijde.

Ik geloof niet dat ik je ooit behoorlijk bedankt heb voor je advies inzake Harold. Je was erg wijs; je doorzag hem veel beter dan ik. (Ik schijn wat mannen betreft een blinde vlek te hebben; ik heb heel lang nodig om hoogte van hen te krijgen. Daar zal ik iets aan moeten doen.) Harold is misschien wel de charmantste man die ik ooit ontmoet heb, maar je had gelijk: hij heeft een heel verderfelijke aanleg om mensen onder zijn invloed te krijgen. Ik had het ge-

voel dat ik in een web gevangen was, maar het was zo bekoorlijk
en onuitwarbaar mooi dat ik niet besefte dat ik datgene zei wat hij
wilde dat ik zeggen zou en misschien begon ik zelfs te worden wat
hij wilde dat ik zijn zou. Dat heb jij me doen inzien en daar ben ik
erg dankbaar voor.
Ik hoop je spoedig te zien als ik je in mijn nieuwe appartement mag
ontvangen. Het is zo mooi dat ik zit te springen het je te laten zien.
Zodra ik het betrek en het ingericht heb, ga ik massa's diners geven
en ik nodig je bij voorbaat uit voor elk ervan: mijn deur staat voor
jou altijd wagenwijd open.
Heel veel liefs,
Jessica

De dag brak al bijna aan toen Luke het kistje sloot en naar bed ging.
Ik had haar graag leren kennen zoals Constance haar kende, peinsde
hij dromerig en viel toen in slaap.
Toen hij vier uur later op zijn terras zat te ontbijten ging de telefoon.
'Luke,' zei Kent, 'waarom heeft niemand me verteld waar en wanneer
de première is?'
'Dat was geen opzet. We starten in de derde week van september in
het Vivian Beaumont. Je had me dat kunnen vragen als we op Tom-
my's kantoor zijn.'
'Ik kon niet wachten. Ik heb geen geduld om te wachten. Waar wordt
er gerepeteerd?'
'In een gehuurde studio op 45th Street. Daar repeteren we tot de kos-
tuumrepetitie elders.'
'Waar?'
'In Philadelphia. Een mooie stad voor zo'n opvoering. Nog meer vragen?'
'Ik had dit allemaal behoren te weten!'
'Dat is zo. Misschien hoorde je het en ben je het in de opwinding van
de rolverdeling weer vergeten.'
'Ik vergeet nooit iets. Ik had bijvoorbeeld nog een idee voor het decor
toen ik vanmorgen aan het joggen was...'
Een straalvliegtuig liet een lange condensatiestreep na die bleek afstak
tegen de heldere hemel, dwars door Lukes gezichtsveld. Hij concentreerde zich erop. 'Waarom wacht je daarmee niet tot we Marilyn
spreken?' vroeg hij ten slotte toen hij eindelijk het gesprek kon beëindigen.
Het zou weer een even hete dag worden als de vorige. Even, en zinloos, vroeg Luke zich af waarom een van 's werelds grootste centra

van handel en kunst niet in een weldadiger klimaat gebouwd had kunnen worden en bepaalde zich toen weer tot zijn krant en zijn ontbijt in een voor hem behaaglijke en rustgevende stilte. Een bezoeker van buiten zou zich verbaasd hebben over zijn idee van stilte, verstoord als die werd door de kakofonie van claxons, gierende banden, remmen en pneumatische boren die van de straat opklonk. Maar Luke hoorde die geen van alle, of hoorde ze alleen als bestanddelen van stilte in de stad. Als ze allemaal opgehouden waren, zou het ongewone vacuüm hem verontrust en ervan overtuigd hebben dat zich een ramp had voltrokken.

De geluiden van de stad begeleidden zijn dag in een ritme dat steeg en daalde naar gelang hij gebouwen verliet of betrad. Laat in de middag, toen hij en Kent terugkeerden naar zijn kantoor na de zesde bespreking van die dag, hadden al die geluiden zich vermengd: verkeer, gesprekken, muziek in de liften, het geklik van computertoetsen en de begroetingen van secretaressen en portiers. 'God, wat een agenda!' kreunde Kent en zakte op Lukes kantoor neer op een stoel. 'Hoe kun je een stuk op de planken brengen als je de hele dag besprekingen hebt?'

'Producties beginnen met besprekingen.' Luke schonk twee glazen ijswater in en gaf er een aan Kent terwijl hij om hem heen liep naar zijn eigen bureaustoel.

'Er komt er nog één: Marilyn Marks komt met een model van haar decorontwerp. Haar ideeën staan Fritz niet aan, maar hij heeft de maquette niet gezien en dus heb ik hem gevraagd om half zes te komen. Dat geeft Marilyn een half uur zonder interrupties.'

'Wat staat Fritz niet aan?'

'Dat horen we wel als hij hier komt.'

'Het zal gaan spannen, Luke.'

'Iedereen krijgt een gelijke kans,' zei Luke bedaard toen Marilyn binnenkwam met haar maquette. Ze was klein en frêle, met een smal gezicht omlijst door een bruine haardos, dicht bij elkaar staande bruine ogen boven een smalle, spitse neus en dunne lippen die zich nog vaster sloten als ze zich concentreerde op haar werk. 'Hallo, Luke, hier is ie,' zei ze en deponeerde de maquette op de ronde conferentietafel. Luke stelde haar aan Kent voor en ze schaarden zich om de tafel.

Marilyn boog zich over de maquette en wees met een potlood de verschillende onderdelen aan van het in schuimrubber en karton uitgevoerde modeldecor. 'Lena's zitkamer: alles een beetje excentrisch. Ik zie haar als een vrouw aan het eind van haar leven die niet bevatten kan, waarom die kleinzoon waar ze zo verzot op is, niet van haar schijnt te houden. Natuurlijk doet hij dat uiteindelijk wel, maar voor het zover is, piekert ze er erg over. Het is alsof ze slaapwandelt. Ik weet dat Fritz het verafschuwt, maar Fritz wijst alles af wat onconventioneel is.'

'Het is daverend!' riep Kent juichend. Luke was terughoudender en vond dat het decor te ver van de realiteit afweek, maar hij wilde de maquette nauwkeuriger bestuderen en beoordelen, en dus hield hij vooralsnog zijn mond.

De telefoon rinkelde. Zijn secretaresse en assistente waren allang naar huis en dus nam hij zelf op. 'Luke,' zei Tricia, 'ik heb een etentje klaargemaakt. Kom alsjeblieft. Om half acht. Ik heb je gemist.'

Ik zou graag een avond rustig thuisblijven, dacht Luke, om alles door te nemen. En als ik er dan niet meer over na kan denken, zou ik kunnen pauzeren en Jessica's brieven lezen. Maar dat heeft geen zin. Zoals mijn grootmoeder zou zeggen, geeft het voor een gezonde opgroeiende jongen geen pas om zijn avonden zo door te brengen. 'Uitstekend,' zei hij. 'Is rode wijn goed?'

'Heerlijk. En, Luke, heel gewoon gekleed. We zijn maar met ons tweetjes.'

'Prima.'

Pratend over het decor verlieten Kent en Marilyn gezamenlijk zijn kantoor. Luke wandelde naar huis, zich nauwelijks bewust van de drukte, maar des te meer van de drukkende hitte op de New Yorkse straten. In de rustige koelte van zijn appartement nam hij een douche, keek zijn post door en wandelde toen naar Tricia's appartement, waar hij klokslag half acht aankwam.

'Ik vind het heerlijk dat je altijd op tijd bent,' zei ze terwijl ze hem omhelsde. 'Ik ben blij jou te zien. Zeg me dat jij blij bent mij te zien.'

'Ik ben blij jou te zien.' En dat was zo. Ze had niets te maken met *De Tovenares*, en feitelijk ook niets met het theater, en ze was koel en fris en knap. Ze droeg een lange japon van blauwe zijde, goudkleurige ballerina's en een witte schort met een gouden bies. Haar haar was perfect gekamd en een paar lokken vielen met kunstige ongedwongenheid over haar voorhoofd. 'Je ziet er schattig uit,' zei Luke, 'maar niet alsof je veel tijd in de keuken doorgebracht hebt.'

'Dat heb ik eerder gedaan. Ik streef ernaar mijn man gezelschap te houden en niet te staan roeren en bakken terwijl hij alleen in de huiskamer zit.'

'Ik zou kunnen helpen roeren en bakken.'

'Doe je dat vaak?'

'Nooit. Niemand heeft me ooit gevraagd het te proberen.'

'Misschien heeft niemand zich bij jou ooit erg huisvrouw gevoeld. Lees intussen mijn column voor morgen maar even. Whisky?' vroeg ze over haar schouder terwijl ze naar de bar liep.

'Graag.' De column lag op de koffietafel en hij ging erbij zitten om hem te lezen. Haar foto stond erboven, klein en korrelig maar herkenbaar en haar gezicht stond somber, alsof het nieuws dat zij te melden had te ernstig was voor een glimlach. De titel van de column was 'Achter gesloten deuren' en Luke zag de ene vet gedrukte naam na de andere tot hij bij een naamloos berichtje kwam. 'Welke ex-vrouw van New Yorks bekendste regisseur vertrekt morgen voor een cruise met Edwin Peruggia, Hollywoods favoriete jurist, die tevergeefs probeerde geld te investeren in het nieuwe stuk van haar gewezen echtgenoot?'

'Wat moet dat betekenen?' vroeg hij toen Tricia met hun drankjes terugkeerde van de bar.

'Daarom vroeg ik je het te lezen. Je hebt me nooit verteld dat je financiers afwees.'

'Dat doen we niet. Monte zou het me verteld hebben. Waar heb je dit vandaan?'

'Luke, je weet dat ik nooit mijn bronnen onthul.'

'Iemand van Peruggia's kantoor, denk ik. Het kan geen personeelslid van Monte geweest zijn. Wie was het?'

'Mijn lippen zijn verzegeld.'

'Dit is uit de lucht gegrepen, Trish. Stoort je dat niet? Van wie heb je het?'

'God, wat ben jij koppig. Van een medewerker van Ed, een pas afgestudeerde jurist. Hij zegt dat hij het weet van Eds secretaresse.'

'En je hebt het niet geverifieerd.'

'Ik heb geen tijd om alles te verifiëren. Zou het je echt schaden als het verscheen? Het is gratis publiciteit.'

'Schrap het. Het dient nergens toe.'

'Het prikkelt, Luke, zoals de bedoeling is.'

'Het levert niets op. Het is als roeren in een pan zonder er soep of hutspot of saus van te maken.'

'Het wekt belangstelling op. Vermaak, nieuwsgierigheid, jaloezie, minachting... emoties. Mensen voelen zich leven als ze emoties hebben. Wek jij in het theater soms iets anders op? Je bent zo hoogverheven, maar je doet precies hetzelfde als ik. Alleen bereik ik elke dag meer mensen dan jij in vijf jaar.'

'Je liet begrip weg.'

'Lieve hemel, Luke, niemand leest een roddelrubriek voor begrip, maar om zich verheven te voelen boven mensen die rijker en beroemder en knapper zijn dan zij. Ik probeer niet de onomstotelijke waarheid te vermelden; ik geef de lezeressen wat zij verlangen. Kunnen we nu op een ander onderwerp overstappen? Diepzinnige filosofische discussies voor het diner zijn niet goed voor de spijsvertering. Heb je hem echt niet afgewezen? Je had het kunnen doen omdat zijn moraal je niet aanstaat. Of het duidelijk ontbreken ervan. Of je hoorde dat hij je ex het hof maakte en jij... Nee, ik zie aan je gezicht dat die vlieger niet opgaat. Vertel me dan alleen maar of hij ooit geld in een van jouw stukken heeft willen steken.'

'Dat deed hij niet.'

'Ik geloof jou eerder dan een van Eds loopjongens.' Ze geleidde hem terug naar de bank, ging naast hem zitten en gaf hem een vluchtige kus. 'Vertel me maar over het stuk. Ik hoorde dat Abby Deming de hoofdrol gaat spelen; dat wordt klinkende munt voor jou, nietwaar? Ze is een enorme trekpleister, heel verrassend op haar leeftijd, en voor zover ik weet heeft ze nooit een facelift gehad. En het is extra goed omdat je een onbekende toneelschrijver hebt, hè? Hoe heet hij? Vertel me iets over hem.'

'De tafel is gedekt, Miss Delacorte.' In de eethoek stak Tricia's hulp de kaarsen aan op de kleine ronde tafel, vulde de wijnglazen en verdween in de keuken.

Tricia gaf Luke een arm en liep de kamer door. 'We kunnen er onder mijn uitstekende diner over praten.' Luke schoof haar stoel bij toen zij ging zitten. 'Welnu, Luke,' vroeg ze toen hij tegenover haar plaatsgenomen had. 'Hoe heet ons nieuwste genie? Vertel me alles wat je over hem weet.'

Luke keek langs haar heen door de brede ramen naar duizenden andere verlichte vensters die zijn gezichtsveld vulden. Het waren dezelfde verlichte ramen die hij onder een iets andere hoek vanuit zijn eigen eetkamer zag en hij bedacht dat zijn wereldje maar erg beperkt was, zonder scènewisseling of, naar het scheen, zonder verandering van onderwerp, zelfs niet als hij uit eten ging.

'Luke!'

'Kent Horne,' zei hij. 'Erg jong, briljant, af en toe charmant en helaas ook onrijp en hyperactief.' Hij legde zijn hand op de hare. 'Zet geen item in je artikel dat Lucas Camerons nieuwe toneelstuk geschreven is door een onvolwassen, jonge kerel die moeilijk in toom te houden zal zijn.'

'Hoe kom je op de gedachte...?

'Je was het van plan. Zet het uit je hoofd, Trish. Geen woord hierover of ik kan niet met je praten, dat weet je.'

'We hebben het over mijn broodwinning.'

'Jouw broodwinning staat of valt niet met artikeltjes over Kent die nog geen naam gemaakt heeft.'

'Zal hem dat lukken?'

'Ja.'

'Dan zal ik over hem schrijven als het zover is.'

De huishoudelijke hulp haalde de soepborden weg en diende kreeft op en een salade van wilde rijst. Luke schonk hun glazen weer vol. Langzaam brandden de kaarsen op en de rest van de avond tot na middernacht praatten ze over het gemeenschappelijke werkterrein New York en zijn beroemdheden die hen samengebracht hadden.

Maar veel later, toen Tricia zich slaperig uitstrekte op haar zijden lakens terwijl hij opstond om zich aan te kleden en zij hem vroeg die nacht bij haar te blijven, schudde hij zijn hoofd. 'Ik moet nog een paar uur aan het werk. Bedankt voor alles; het was precies wat ik nodig had.'

Hij gaf haar een kus en verliet het appartement, het meubilair ontwijkend dat als vage spoken opdoemde in het zwakke licht van een nog maar half slapende stad, en nam de lift naar beneden. Het was nauwelijks koeler dan bij zijn aankomst, maar in plaats van uit te kijken naar een taxi wandelde hij de anderhalve kilometer naar huis langs in portieken ineengedoken slapende gestalten alsof het winter was, langs verliefden die bleven staan om elkaar te kussen of een extra grote stap namen om in gelijke pas te komen, langs een vrouw met een versleten halfwollen mantel aan achter een boodschappenwagentje dat afgeladen was met haar spulletjes, langs een ruziemakend echtpaar dat elkaar verwijten naar het hoofd slingerde zonder naar elkaar te luisteren, langs twee met elkaar fluisterende jongens die steelse blikken om zich heen wierpen, langs een meisje dat lachte om iets dat haar metgezel gezegd had en langs een die huilde om wat haar metgezel gezegd had.

Zo erg klein is de wereld toch ook weer niet, dacht Luke toen de conciërge de buitendeur voor hem opende. Als ik appartementen en theaters verlaat en gewoon over straat loop, zie ik alles.

Martin had briefjes op zijn bureau gelegd: Tommy Webb had opgebeld, evenals Monte Gerhart, Kent Horne, Marian Lodge – *wie is Marian Lodge ook weer? O ja, die journaliste van* The New Yorker. *Ik weet niet eens meer wat ik tegen haar gezegd heb* – Fritz Palfrey en Cort Hastings die liet weten dat hij *De Tovenares* doorgelezen had en dat hij Daniel minder sympathiek vond dan hij aanvankelijk gedacht had en dat hij Luke daarom morgen moest spreken en ook de schrijver van het stuk wiens naam hij zich niet meer herinnerde. *Slapen die mensen nooit? En nemen ze nooit vrijaf?* Luke schoof de briefjes bij elkaar en legde ze bij de telefoon. Hij keek op zijn horloge. *Niet al te laat. Tijd voor een of twee brieven.* En toen drong het tot hem door dat hij op dit ogenblik gewacht had en net zo naar de brieven uitgekeken had als een kind naar het verhaaltje voor het slapen gaan: een beloning voor een goede dag en een verrassing voor het uur waarop al het overige verricht is. Hij was enigszins verrast van zijn gretigheid... maar waarom ook niet? dacht hij. Jessica was de vriendin van Constance en het is logisch dat ik meer over haar wil weten. Hij liep naar zijn bureau en zag dat Martin ook nu weer een serveerblad voor hem neergezet had, ditmaal met een schaal chocoladekoekjes naast de thermosfles met koffie en de fles cognac. Hij maakte het zich gemakkelijk, schonk cognac en koffie in, knabbelde een koekje op. Toen opende hij het kistje en haalde er een stapeltje brieven uit.

... kan niet geloven dat er een theater kan zijn zonder...

De bladzijden lagen door elkaar en Luke legde ze op volgorde. Het was een korte, haastig geschreven brief.

Lieve Constance,
Zojuist ontving ik je brief. Vreselijk dat ik aan Londen gebonden ben terwijl ik bij jou zou moeten zijn. Wist je dit al lang? Dat moet wel. Hemeltjelief, als je hart zo zwak is dat je afscheid moet nemen van het toneel, moet je er al maanden last van gehad hebben... jaren... En je hebt er met geen woord tegen mij over gerept. Elke keer als ik zei dat je er bleek of moe uitzag – en achteraf besef ik dat ik dat heel vaak gezegd heb, vooral bij ons laatste optreden in Los Angeles – maakte jij je er altijd met een jantje-van-leiden vanaf: te vaak laat naar bed, een lichte verkoudheid, een griepje. In je brief schreef je dat je mij niet ongerust wilde maken, maar we zijn toch heel innig samen? Ik dacht dat je me op de hoogte gebracht zou hebben... Je deed het niet en ik wou dat je het gedaan had, maar de kwestie is wat nu te doen. Ik zou naar New York kunnen overwippen om bij je te zijn voor je vertrekt, zou je dat prettig vinden? Of – nog een veel beter idee – zou je een tussenstop in Londen kunnen maken op weg naar Italië? Mijn hotelsuite heeft een extra slaapkamer en we zouden een paar dagen bij elkaar kunnen zijn.

Je zou mij kunnen zien in A doll's house – *ik zou dolgraag horen wat jij ervan vindt – en ik heb een nieuwe vriend aan wie ik je graag wil voorstellen. Maar meestentijds zouden wij samen zijn. We zouden het zo druk of zo rustig kunnen maken als je maar wilt, maar we zouden ten minste bij elkaar zijn voor je naar dat vreemde verbanningsoord gaat dat je uitgekozen hebt. Laat me alsjeblieft je reisschema weten. Je kunt te allen tijde opbellen of schrijven. Liefs,*
Jessica

Liefste Constance,
Vier volmaakte dagen in Londen (en telkens als je moest uitrusten hadden we de kans een andere pub te proberen!), maar dat is al weer twee maanden geleden en nu ben ik terug in New York, terwijl jij in Italië bent. Ik heb het gevoel dat we op verschillende planeten zitten. Ik heb me nooit gerealiseerd hoezeer ik erop rekende dat jij ergens optrad – daardoor voelde ik me minder alleen. Ik wist tot nu toe niet eens dat ik me alleen voelde. Je zei gisteren aan de telefoon dat het jou net zo vergaat en ik heb de hele nacht aan je moeten denken. Dit moet zowat het moeilijkste zijn wat je ooit gedaan hebt, hè? Ik begrijp al je argumenten: dat je ver van New York wilde zijn, dat jij je een ander mens voelt als je niet op de planken staat en daarom een drastisch besluit nam en een nieuw leven opbouwde met de nieuwe mens die je nu bent. Ik begrijp dat, maar het verbaast me nog steeds dat je er de moed toe had.
Jouw eenzaamheid is veel grimmiger dan de mijne – ik schaam me bijna over de mijne te praten, maar aan de telefoon vroeg je ernaar. De kwestie is dat ik behalve jou nooit een intieme vriendin gehad heb. Ik heb geen man om wie ik geef en geen familie. Jij was dat allemaal voor mij – tot nu toe. En als zovele malen eerder heb ik alleen nog het theater over. En daar vind ik nieuwe spanning, want schrijvers beginnen me plotseling teksten te sturen of ze sturen ze naar mijn agent en ik krijg het gevoel dat ik nu een deel ben van het begin van een stuk. Niet direct van de schepping ervan, maar toch dicht erbij.
Toch wou ik dat je bij me was. The New York Times *schreef onlangs: 'Nu Constance Bernhardt zich teruggetrokken heeft, is Jessica Fontaine de dominante actrice op het Amerikaanse toneel.' Indrukwekkende woorden... maar ik zou de lof liever met jou delen; ik wou dat we samen domineerden. Ik mis je heel erg.*
Maar ik heb je foto's. Dank je voor de toezending; ik stel me je

graag voor in je villa als ik je schrijf. En ja, zodra ik kan kom ik je bezoeken. Schattig van jou om een oude brief van mij te citeren: 'Mijn deur staat voor jou altijd wagenwijd open.' Dat betekent alles voor mij. Houd je goed. Ik hou van je.
Jessica

Luke boog zijn hoofd achterover en sloot zijn ogen. *Behalve jou heb ik nooit een intieme vriendin gehad. Ik heb geen man om wie ik geef en geen familie. Jij was dat allemaal voor mij.* Twee van één soort, dacht hij: Jessica en ik. Constance vervulde voor ons allebei al die rollen en nu is ze er niet meer. Ik vraag me af of Jessica een plaatsvervangster voor haar gevonden heeft.

Even later keek hij de andere brieven door die hij uit het kistje gehaald, maar nog niet gelezen had. Daarin noemde ze de stukken waarin zij opgetreden was en weer een film, ditmaal een Merchant-Ivory productie die daverende kritieken kreeg, evenals Jessica. En daarna schreef ze dat ze verhuisd was naar een huis op 10th Avenue bij de Grace Church.

Ik zag het op een maandag en kocht het diezelfde middag. Twee weken later was de overdracht en vrijdags had ik arbeiders aan het werk om het te renoveren. In die twee weken had ik tekeningen gemaakt van wat ik wilde en ik brand van verlangen om het te betrekken. Ik hoop er op een heel nieuw leven. Er zijn nog zoveel rollen die ik wil vertolken – mijn agenda is voor de komende drie jaar volgeboekt – maar nu ik dit huis heb, zal ik nieuwe uitzichten hebben vanuit mijn ramen, nieuwe vrienden, nieuwe wandelingen die ik kan maken, en nieuwe kamers waarnaar ik zal terugkeren na tournees en bezoeken aan jou. Misschien zul jij mij zelfs nog eens hier komen bezoeken: ik heb een slaapkamer die geknipt voor je is. Wat een heerlijk vooruitzicht!

Luke keek de volgende brieven met beschrijvingen van de nieuwe inrichting oppervlakkig door en kwam toen bij de laatste brief in zijn hand. Er zat een krantenknipsel bij uit de Vancouver *Tribune* met de aankondiging van het nieuwe theaterseizoen met als hoogtepunt het langverwachte eerste optreden van Jessica Fontaine in Canada. Ze zou de hoofdrol vertolken in *De Erfgename.* Vanaf 1 februari zou het stuk zes weken opgevoerd worden en alle voorstellingen waren al uitverkocht. Luke vouwde de brief open.

Liefste Constance,

Ik ben erg blij dat jij je weer beter voelt en genoten hebt van Lukes bezoek. Het is zalig voor jou dat hij zo vaak komt. Is hij er in maart soms ook? Dan ben ik van plan te komen! Ik ga in februari naar Vancouver voor De Erfgename en half maart ga ik een treinreis maken door Canada om uit te blazen. Na aankomst in Toronto neem ik het eerste het beste vliegtuig naar Italië en hoop een paar weken – als dat voor jou niet te lang is – te luieren op je terras, je zuivere Italiaanse berglucht in te ademen, te wandelen in de heuvels en velden rondom je villa waar ik de vorige keer zo van genoten heb, en heerlijk bij jou zijn. Lijkt je dat goed? Ik verlang er erg naar je te zien. Ik zal vanuit Toronto opbellen, maar ik ben van plan in de trein lange brieven te schrijven propvol bijzinnen en uitroeptekens. Ik heb gehoord dat het een prachtige tocht is, vooral door de Fraser River Canyon en de Rocky Mountains. Ik verheug me erop.

Spoedig meer. Ik hou van je.

Jessica

6

De repetities voor *De Tovenares* begonnen op een dag die door de weerkundigen de heetste dag van het decennium genoemd zou worden. Mensen die hun hond uitlieten, bleven in de schaduw en dwongen hun keffertjes nieuwe aanlegplaatsen te zoeken; wafelbakkers stonden op armsafstand van de uitstralende gloed van hun kraampjes, en zelfs de kinderen die brandkranen opendraaiden, schenen zich vertraagd te bewegen. Toen de acteurs van *De Tovenares* zich verzamelden in de studio op 45th Street die Monte gehuurd had, leverden ze allemaal uitgebreid commentaar op de hitte, en aan een tafeltje op enige afstand ving Luke iets van trots in hun stemmen op, alsof zij meenden dat de hitte in New York – net als de koude, de drukte en de crises – veel feller was dan in andere steden, maar omdat zij vindingrijker en slimmer waren, zouden zij die uitstekend doorstaan.

'Een rotstad om in te wonen,' mompelde Monte Gerhart toen hij naast Luke kwam zitten. 'Elke dag van het jaar een vuurproef. In andere steden hebben ze normaal weer en leiden ze een normaal leven, saai maar normaal. Ze zouden een zware dobber hebben om het hier een uur uit te houden, laat staan een leven lang. Ik heb Tracy's begroting van de kosten die me voor sommige posten erg hoog lijkt. Een kwart miljoen dollar voor publiciteit?'

'Daar doe je tegenwoordig niet veel mee. We zullen het nog eens nader bekijken. Welke andere posten?'

'Kostuums. Rekwisieten. Wij brengen geen *Phantom of the Opera*; het behoort vrij eenvoudig te zijn.'

'Daar ben ik het mee eens; ik vond die bedragen ook vrij hoog. We zullen Tracy om toelichting vragen als ze hier komt; ze moet er een reden voor hebben. Anders nog iets?'

'Nee, dat is het. Het geld komt al binnen, Luke; het kwam los zodra ik een paar mensen schreef dat wij Abby Deming hadden én ik Abby er een p.s. aan toe liet voegen dat zij enthousiast is over Rachel en Cort. Die twee hebben alleen nog maar wat voor de tv gedaan en op hun namen zou ik geen stuiver loskrijgen, maar als Abby applaudisseert, pakken heel wat mensen hun chequeboek. Maar dat betekent niet dat wij de begroting niet in de gaten houden; je weet nooit voor wat voor verrassingen je nog komt te staan.'

Luke knikte. Hij herinnerde zich van de vorige keer dat zij samengewerkt hadden dat hij pas na een paar weken gewend geraakt was aan
Montes schijnbare grofheid en gemompel waaronder een van de beste
producers in het vak schuilging. Slim van hem om Abby een post
scriptum aan zijn brief te laten toevoegen; dat was waarschijnlijk genoeg geweest om de balans te hunnen gunste te laten doorslaan bij
potentiële investeerders die huiverig waren voor Abby's reputatie als
lastpost. Maak ik me zorgen over die reputatie? vroeg Luke zich af
toen hij opstond om Abby en de overige medespelers te begroeten die
in een groepje aan het ene eind van de studio stonden. Nou en of!
De ruimte op de bovenverdieping van een oude loods was omgebouwd tot een dansschool. Eén wand was geheel bedekt met spiegels
en een barre in de lengte ervan, terwijl hoge ramen langs de tegenoverliggende muur zich van het ene eind van de ruimte tot het andere
uitstrekten. Aan het plafond hingen schijnwerpers, waarvan Luke er
een paar aangedraaid had om het gedeelte van de vloer te verlichten
dat hij met plakband afgetekend had om het toneel voor te stellen.
Overal stonden klapstoeltjes en pakkisten die als meubelen moesten
dienen, want decors, meubilair en rekwisieten zouden pas over zes
weken bij de kostuumrepetitie in Philadelphia opgesteld worden. Dat
was een gezamenlijke beslissing van Luke en Monte geweest om niet
te maken te krijgen met de vakbond van toneelknechts die in actie gekomen zou zijn als er ook maar iets van rekwisieten op het geïmproviseerde toneel gestaan had. Drie ventilatoren in de ramen zwoegden
tegen de hitte met het gesteun van astmalijders die een trap op klom-
men.
'Goedemorgen. Ik ben blij jullie allemaal te zien,' zei Luke. 'Ik kijk
uit naar de komende weken; we hebben een buitengewone rolbezetting en een buitengewoon stuk en een mooie tijd om er een harmonisch geheel van te maken. De meesten van jullie hebben nog niet eerder met mij samengewerkt. Ik kom niet met een waslijst van mijn eigenaardigheden, maar zeg alleen dat ik geen bevelen geef en dat "behoort te" geen prominente term in mijn vocabulaire is, hoewel ik
weet wanneer ik er gebruik van moet maken. Repetities zijn een gezamenlijk overleg om de emoties en betekenissen in ieders tekst uit te
drukken en de kracht van het stuk te accentueren. Nog vragen of opmerkingen? Goed, dan zou ik willen beginnen met de eerste akte helemaal door te nemen. Kent heeft ons een paar aanwijzingen gegeven
waar jullie je eventueel aan kunnen houden, maar meestentijds kunnen jullie doen wat je wilt. Als je zin hebt om te gaan zitten, pak je
een stoel en zet die ergens neer. De handeling komt voort uit woor-

den en gevoelens en ik ga jullie niet voorschrijven wat te doen; jullie merken het zelf wel als het gebeurt. Want gebeuren zal het, en dan kunnen jullie naar believen veranderen naarmate jullie opvatting over de tekst verandert en jullie de manier perfectioneren waarop jullie je rol spelen. Als jullie vragen hebben die absoluut niet kunnen wachten, zullen we onderbreken, maar ik hoop dat jullie de meeste ervan kunnen opsparen tot we door de hele akte heen zijn. En laten we dan nu beginnen.'

Hij keerde terug naar de tafel. 'Waar is Kent verdomme?' vroeg Monte hoorbaar fluisterend.

'Hij zei dat hij zou komen. Je zou verwachten dat hij hier het eerst zou zijn.' Luke maakte een beetje ruimte vrij op de tafel tussen halflege kartonnen bekertjes met koffie, thermosflessen met koffie en thee, broodjes, blikjes soft drinks, extra exemplaren van het script, jampotten met scherpgepunte potloden en een stapel blocnotes, en legde een blocnote en drie potloden op de vrijgemaakte ruimte voor hem.

'Spreek je over de duvel, dan trap je op zijn staart,' zei Monte toen Kent binnenkwam. 'Wij beginnen altijd op tijd,' hield hij hem voor.

'Sorry.' Kent zette een met touw dichtgebonden pak op de tafel en begon aan de knoop te peuteren. 'Kijk dit eens even, zeg, het is werkelijk...'

'Straks,' zei Luke met zijn ogen op de acteurs gericht.

Kent draaide zich om. Hij bleef stokstijf staan en toen boog zijn lichaam zich gespannen naar voren alsof hij weggetrokken werd tot hij tussen de acteurs stond... wat ook zo was, dacht Luke met een blik op hem. Kent hoorde zijn dialogen – allemaal, het hele stuk – voor het eerst door professionals uitspreken en Luke wist dat ze in zijn oren nog onbekender klonken dan bij de rolverdeling. Met glinsterende ogen draaide hij zich om naar Luke. 'Het klinkt in orde,' fluisterde hij. 'Het klinkt goed, bedoel ik.'

Luke glimlachte en begon hem voor het eerst aardig te vinden. Maar hij wendde zijn ogen niet van de acteurs af, en net als hij keken Kent en Monte hoe de eerste akte van het stuk verliep. Luke was gespannen en alert, maar ook opgetogen. Dit was een van de beste tijden: alles in het beginstadium, alles nog vormeloos, een wereld die erop wachtte geschapen te worden. De voorafgaande week waren de acteurs op Montes kantoor gekomen en hadden aan een ovale tafel de tekst van het stuk tweemaal hardop voorgelezen zonder enige poging tot dramatiseren. Dat was voor hen een mogelijkheid hun eigen dialogen te horen in samenhang met alle andere en om het stuk als geheel te horen. Nu, op een kale zolder op een geïmproviseerd toneel onder felle lampen boven het gezoem van de ventilatoren uit declamerend, namen ze de eerste stappen op weg naar het creëren van hun personages en van een lopend verhaal, zodat het voorlezen van de teksten vergezeld ging van gevoelens en gelach en bewegingen, waarbij ze elkaar aankeken als vreemden die kennis met elkaar maakten, aanraakten, gingen zitten of staan om hun eigen ritme en hun eigen positie te bepalen die hen duidelijk van de anderen onderscheidde, terwijl ze altijd een deel bleven van het geheel.

Allemaal ervoeren ze dezelfde opgetogenheid als Luke en de onderstroom van verwachting werd sterker naarmate hun stemmen krachtiger werden en de vorm en de kracht van het verhaal duidelijk werden. Na afloop van de eerste akte viel er een korte stilte als van voldane eters na een goede maaltijd. Langzaam liepen ze weg van het toneel, ontspanden zich en bereidden zich voor op de volgende akte. Cort kwam aan de tafel zitten waar Monte een zak croissants openmaakte. 'Wat is dat?' vroeg hij en wees op het grote pak dat Kent meegebracht had.

'Ik wil dit aan Luke laten zien,' zei Kent en maakte het bindtouw los. 'Marilyn heeft een ander decor ontworpen. Ik zei haar het grootscheeps aan te pakken en echt dramatisch te worden. Hier is het resultaat.' Hij verwijderde het pakpapier.

Er volgde een lange stilte.

'Al die donkere, kleine kamertjes,' zei Abigail. 'Het lijkt wel een bordeel.'

Kent kreeg een kleur. 'Nee, het is...'

'Heeft Marilyn dit ontworpen?' vroeg Monte scherp. 'Wil zij dít decor bouwen?'

'Ze zei dat dat van u allemaal afhing.'

'Wanneer heeft ze dit gemaakt?' vroeg Luke.

'Ik was in haar studio en ze liet me dit zien... ze had het bij wijze van experiment voor een ander toneelstuk ontworpen en nooit gebruikt...'

'Om voor de hand liggende redenen,' zei Abigail.

'En ik vond... al die kamertjes, allemaal een deel van Lena's psyche... het zou zoiets zijn als een kijkje in haar hoofd. In dit stuk gaat het erom hoe we leren genoeg vertrouwen te hebben in onszelf om aan te nemen dat anderen van ons zullen houden om wat wij werkelijk zijn, niet een soort voorstelling die zij van ons hebben en ik dacht dat die kamertjes een metafoor konden zijn voor al Lena's denken en doen...' Hij zweeg verlegen.

'Metafoor!' zei Monte. 'Fritz zal er een hartaanval van krijgen.'

'Fritz krijgt dit niet te zien,' zei Luke. 'Kent, dit gebruiken we niet. Het zegt jou misschien iets bijzonders, maar het publiek niet en dat moeten we voor ogen houden. Ik heb Marilyn al gevraagd het andere ontwerp te vereenvoudigen en zij...'

'Vereenvoudigen? Daar heeft ze me niets van verteld! Ik was het hele weekend bij haar...'

'... en dat zouden we niemand vertellen,' zei Marilyn die juist binnenkwam. 'Wat ben jij een gentleman, Kent.'

Kent deinsde terug. 'Ik wist niet dat jij vanmorgen zou komen.'

'Ik heb schetsen meegebracht voor Luke.' Ze keerde Kent de rug toe en rolde een groot vel papier uit. 'Wat vind je ervan?'

Luke en Monte bogen zich erover. 'Het staat mij wel aan,' zei Luke. 'En jou, Monte?'

'Een aardig idee. Zitkamer, slaapkamer, afgeschutte veranda. En net als eerst heb je ramen en deuren excentrisch geplaatst, maar niet zoveel. Mij bevalt het wel. Luke?'

'Mij ook. Heb je een maquette, Marilyn?'

'Ik ben eraan begonnen. Over een paar dagen kun je hem hebben.'

'Breng hem mee zodra het klaar is. We kunnen pas definitief beslissen als we het zien, maar ik geloof dat we heel dicht in de buurt zijn. Bedankt, Marilyn. Dit is goed werk.'

'Het is een goed stuk,' zei ze rustig. Ze keek om zich heen. 'Ik dacht dat jullie aan het repeteren waren.'

'Dat was wel de bedoeling,' zei Luke droogjes. 'We gaan zo dadelijk opnieuw beginnen; heb je zin om te blijven?'

'Als niemand er bezwaar tegen heeft. Ik houd erg van de eerste aanzet.'

'Neem plaats.' Monte schoof een stoel bij naast de zijne.

Luke liep naar het toneel. 'Ik zou graag van voren af aan beginnen en alle drie de akten zonder onderbreking doornemen. Om één uur pauzeren we voor de lunch. Als iemand opmerkingen of vragen heeft, bewaar ze dan tot vanmiddag. Klaar? Vanaf het begin.'

Kent kwam naast Marilyns stoel staan. 'Kunnen wij straks samen weggaan? Lunchen, koffie drinken of wat je maar wilt. Toe.'

Ze draaide zich niet om. 'Ik zal erover nadenken.'

'Kent,' zei Luke. 'We gaan beginnen.'

'Tot straks,' zei Kent en raakte Marilyns schouder aan terwijl hij naar een stoel bij het toneel liep.

Aan het eind van de eerste akte wachtte Luke op opmerkingen of klachten, maar die waren er niet. 'Tweede akte,' zei hij en pakte zijn potlood. Zijn lijst met aantekeningen besloeg al verschillende bladzij-

den en hij wist hoeveel uren hem op zijn kantoor en thuis nog wachtten om alles punt voor punt door te nemen en te overdenken hoe hij
zijn ideeën aan de acteurs kon verduidelijken, zo mogelijk hun suggesties te verwerken en de scènes een voor een zodanig vorm te geven
dat ze leidden tot een eindresultaat dat op het publiek als onvermijdelijk en juist zou overkomen.
'Luke,' zei Abigail, 'ik kom aan het begin van de akte op in plaats van
later.'
Kents hoofd schoot omhoog. 'Maar...'
'Ga je gang en probeer het maar,' zei Luke. 'En ga daarna gewoon
verder, Abby, net zoals jij het prettig vindt.'
Ze verdiepten zich in het stuk en repeteerden de rest van de dag met
een korte onderbreking voor de lunch waarin Marilyn en Kent verdwenen en hij een kwartier later alleen terugkwam. ('Het wordt uitgewerkt, of misschien ook niet,' zei hij cryptisch tegen Luke). Aan
het eind van de dag stuurde Luke zijn acteurs naar huis met de belof-
te de volgende dag hun rollen te bespreken. 'We zullen alles doornemen: vragen, problemen, eventueel onbehagen over jullie teksten. Het
zal waarschijnlijk de enige dag zijn die we uitsluitend daaraan wijden.
Overmorgen gaan we weer repeteren.'
Een paar minuten later verscheen de man van de belichting. 'Ik weet
dat het eerder is dan ik gewoonlijk begin met een toneelstuk,' zei hij,
'maar ik zag net Marilyns maquette en ik zou graag aanwezig zijn bij
een paar repetities. Ik kreeg een paar ideeën toen ik de maquette
zag...'
Hij en Luke bespraken de schetsen in zijn blocnote tot Kent zich begon te vervelen. 'Ik denk dat ik er maar vandoor ga,' zei hij tegen Luke en Monte. Ze knikten en praatten verder over de belichting.
Toen de belichter vertrok, schoof Monte zijn stoel achteruit en rekte
zich uit.
'Ik voel me ernstig te kort gedaan: vandaag maar één maaltijd. Gladys
zal opgetogen zijn. Ik zal haar vertellen dat ik het zo gepland had.
Ben je aan een borreltje toe?'
'Zo dadelijk. Marilyn wil de kostuums verzorgen, Monte. Ik heb haar
gezegd dat ik het best vond.'
'Dat vind ik ook. Ze heeft het al voor heel wat toneelstukken gedaan.
Ze is goed. En ook elegant.'
Luke keek in zijn agenda. 'Eind volgende week schetsen van kostuums. Marilyn zal dan de nieuwe maquette naar Sprowell gestuurd
hebben voor de decorbouw. Hij is traag; ik wil hem graag ruim de tijd
geven. Wanneer zie je Aiken?'

'Morgenochtend voor ik hier kom. Heeft hij wel eens een theater bestuurd, Luke?'

'In San Francisco. Hoezo?'

'Hij is te bezadigd. Hij maakt me nerveus.'

'Als jij nerveus genoeg bent, zul je hem infecteren en dan zul jij je beter voelen. Hij is goed, Monte. Als je een schema hebt voor kaartverkoop en affiches, geef mij dan een kopie. En praat jij met hem over party's?'

'Dat zal ik doen.'

'En dan nu de begroting. Heb je Tracy gesproken?'

'Ik dacht dat jij dat doen zou. Hindert niet, ik had het moeten doen. Als ik thuis kom, zal ik haar opbellen. Morgenmiddag om vijf uur, als het haar schikt?'

'Prima.'

'Anders nog iets?'

'Nee, ik ben erdoor.' Luke liep rond over de zolder, keek naar zijn plakband op de vloer, naar de stoelen en kisten die de acteurs gebruikten als meubilair, en naar de tafel waaraan hij en Monte zaten die bedolven was met kopjes, etensrestjes en schuimplastic bakken die allemaal opgeruimd zouden zijn voor zij de volgende morgen aankwamen.

'Laten we gaan, Luke.'

Luke knikte en dwong zich weg te lopen. Als de repetities eenmaal begonnen waren, ging hij altijd met tegenzin weg. Zo ging het hun allemaal als het stuk voor hen begon te leven. Over een maand zou het hun zijn alsof er geen stad was, geen klimaat, geen familie: niets dan het theater. Maar Monte stond te wachten met zijn ene hand op de deurknop. 'Ik wil je niet opjagen, maar ik heb iemand uitgenodigd om samen met ons iets te drinken en zij is altijd op tijd.'

Luke keek hem aan. Het was een lange, zware dag geweest. 'Waarom?'

'Waarom ik haar uitnodigde? Omdat jij altijd tuk bent op nieuwe ideeën en zij een paar fantastische heeft. Omdat je haar sympathiek zult vinden. Omdat ík haar sympathiek vind.'

'Ik ben niet gebrand op nieuwe ideeën als ik juist aan een nieuw stuk begin.'

'Ik ontmoette haar toevallig, Luke, en ik werd enthousiast. Doe me een plezier.'

Luke liep voorop en de hijgende Monte kon hem maar met moeite bijhouden toen zij de stad doorliepen over 44th Street. Toen ze het Algonquin naderden, begon Luke eindelijk langzamer te lopen. 'Eén snel borreltje,' zei hij. 'Dat kan ik je toestaan.'

'Het zal geen straf zijn, Luke, ze zal je wel meevallen.'

Temidden van de groepjes fluwelen banken en fauteuils in de lobby van het Algonquin stond een aantrekkelijke vrouw te wachten. 'Luke Cameron en Sondra Murphy,' introduceerde Monte. 'Heb je nog niet besteld?'

'Ik heb op jou gewacht.'

Monte wenkte een kelner en nadat ze besteld hadden, bleven ze een ogenblik zwijgend zitten. Sereen en zelfverzekerd scheen Sondra bereid eindeloos te blijven wachten, maar Monte kreeg de kriebels. 'Ik heb in mijn hoofd om enkele van Sondra's boeken voor het toneel te bewerken,' zei hij tegen Luke. 'Kinderboeken over een beertje dat Abbey heet. Die naam zouden we natuurlijk moeten veranderen.'

Sondra bestudeerde Lukes uitdrukkingsloze gezicht. 'Ik geloof niet dat het iets zal worden,' zei ze tegen hem. 'Toen ik op een diner met Monte kennis maakte, leek het me wreed een domper te zetten op zijn heerlijk verfrissende enthousiasme, maar ik geloof niet dat mijn boeken iets bevatten voor volwassenen, en zeer zeker niet voor het theater.'

Geïnteresseerd keek Luke haar aan. Ze was blond en aantrekkelijk, evenwichtig, zelfbewust, maar niet geboeid door Montes opvatting. 'Waarom denkt Monte dat het geschikt zou zijn voor volwassenen?'

'Ik spreek niet graag uit zijn naam...'

'Geneer je niet,' zei Monte.

'Abbey weet door zijn ervaringen veel over de wereld te vertellen. Hij maakt een rondreis door Japan, ontmoet de Amerikaanse president op diens installatiebal, gaat naar Parijs voor de receptie op de Amerikaanse ambassade ter gelegenheid van Onafhankelijkheidsdag en levert voortdurend commentaar op mensen en politiek. Monte dacht dat het de basis kon vormen voor een toneelstuk of een musical.'

'Je hebt gelijk, het zou niets worden,' zei Luke en ze glimlachten allebei alsof Monte tijdelijk verdwenen was. 'Maar komt dat allemaal uit de eerste hand?' vroeg hij. 'Hebt u zelf alles gedaan wat uw beertje gedaan heeft?'

'Alles. Ik houd me al heel lang met politiek bezig. Maar ik schrijf geen politieke boeken; dit waren verzetjes voor mijn dochter.'

Met Monte als toehoorder praatten ze nog een poosje door en toen ze afscheid namen, zei Luke te hopen haar nog eens te ontmoeten. Dat zou waarschijnlijk wel niet gebeuren: ze hadden het allebei te druk en leidden een te verschillend leven, maar hij voelde zich tot haar aangetrokken, deels vanwege haar aantrekkelijke verschijning en de eerlijke manier waarop ze over zichzelf sprak en over de politieke en sociale

96

kringen waarin ze verkeerde, maar ook omdat ze hem aan Jessica deed denken. Allebei waren het vrouwen die hun eigen werkelijkheid schiepen zonder te wachten tot anderen het voor hen zouden doen. *Het type vrouw bij wie ik zou kunnen blijven. Het type vrouw dat de goedkeuring van mijn grootmoeder zou krijgen.*

'Je had gelijk,' gromde Monte toen zij Seventh Avenue inliepen. 'Tijd-verspilling.'

Luke lachte. 'Ik had een prettiger tijd dan jij. Maar kom pas aan met ideeën over nieuwe stukken als we dit achter de rug hebben. Houd een dagboek bij. Over een paar maanden zal ik het lezen.'

Met luchtige schreden liep hij naar huis. Sondra Murphy was een goede remedie geweest: iemand die niets te maken had met de wereld van schijn of roddel; iemand wier leven wortelde in nuchter realisme. Misschien was dat de reden waarom Jessica het toneel vaarwel gezegd had, dacht hij. Nee, natuurlijk niet. Sondra en Jessica leken niet echt op elkaar. Maar zijn gedachtengang, waar die ook begonnen was, scheen altijd bij Jessica terecht te komen.

En ik moet haar brieven weer verder gaan lezen; ik heb ze al een hele tijd niet meer ingekeken.

Maar de repetities van *De Tovenares* waren al vier weken aan de gang voor Luke gelegenheid vond om naar haar brieven terug te keren. Als hij 's avonds thuiskwam van een avondje uit, ging hij aan zijn bureau zitten werken aan zijn aantekeningen voor het stuk en aan het script zelf. En vaak werd hij laat in de avond door Claudia opgebeld. 'Ik mis je, Luke. Hoe gaat het met je? Vertel me over het toneelstuk.'

'Wat heb jij gedaan?'

'Niets.'

'Monte vertelde me dat hij je onlangs gesproken had en hij zei dat je Gladys eens moest opbellen omdat die wel iets voor je te doen zou vinden.'

'Zij is onverdraaglijk saai, Luke, ook al is ze Montes vrouw. En ik betwijfel of hij wel van haar houdt. Weet je hoe hij haar noemt? De kampioen vrijwilliger van de Oostkust die zich altijd het vuur uit de sloffen loopt voor een of ander goed doel. Kun jij je voorstellen dat iemand míj zo zou beschrijven?'

Luke ging daar niet op in. 'Waarom bel je haar niet op? Je weet geen raad met je vrije tijd en zij heeft werk dat gedaan moet worden.'

'De voeten van arme mensen wassen.'

'De enige die dat nog doet is de paus. Verdorie, zij en haar vriendinnen doen heel wat goede dingen die zonder hen niet aangepakt zouden worden. En dat geeft hun voldoening. Het zou jou misschien ook voldoening geven. Bel haar op, Claudia. Probeer het eens.'

'Misschien zal ik het een dezer dagen eens doen. Erg enthousiast ben ik niet, Luke, ik geloof niet dat ik het type ben voor goede werken.'

Daar scheen geen reactie op mogelijk te zijn en dus gaf Luke er geen. Hij keek naar de uitgespreide bladen met Marilyns aquarellen; een van de japonnen voor Lena stond hem niet aan en hij probeerde vast te stellen wat er niet aan deugde.

'Luke, vertel me iets over het toneelstuk,' zei Claudia. 'Toe, je weet dat ik er graag iets over hoor. Klaagt Cort nog steeds?'

Het was tegen zijn zin, maar het scheen haar gelukkig te maken en weg te houden van de repetities en dus vertelde hij haar meer dan hij enige buitenstaander ooit vertelde over de gang van zaken binnen hun kleine groepje. 'Niet meer zo luidruchtig. Hij heeft in de gaten hoe belangrijk zijn bijdrage is in de derde akte.'

'Maar je zei dat Kent het een of ander voor hem herschreef. Liet je hem dat doen?'

'Ik vroeg hem het te proberen. Ik zei dat niets in steen gehouwen is en dat we het altijd nog kunnen laten zoals het is. Daar stemde hij mee in, maar wat hij echt dacht was dat steen te ordinair was; hij denkt dat zijn teksten in brons gegoten en tot in de perfectie uitgebeiteld zijn voor het nageslacht, en dus waren mijn opmerkingen niet bepaald welkom.'

Claudia schoot in de lach, een lang aangehouden vrolijke lach die hem omving en opeens verlangde Luke ernaar haar te omhelzen; hij voelde zijn armen om haar heen. Hij had behoefte aan iemand van buiten de toneelwereld die naar hem luisterde, met hem mee lachte en die hij deelgenoot kon maken van de grote en kleine gebeurtenissen die zijn leven beheersten. Maar toen hield hij zich in.

Claudia niet. Nooit meer.

Maar hij werkte te hard. Hij had Tricia de afgelopen maand maar drie keer gezien en als ze bij elkaar waren, waren zijn gedachten afgedwaald. Claudia's stem was warm en haar lach vertrouwelijk.

En ik ben eenzaam.

Nee. Hij deinsde ervoor terug; het was strijdig met zijn beeld van zichzelf. *Niet eenzaam, alleen maar wat neerslachtig. En moe.*

'En wat gebeurde er toen?' vroeg Claudia.

Met zijn kin in zijn hand keek Luke naar de aquarellen en stelde zich Claudia voor aan de telefoon, met haar rechtervoet kringetjes beschrijvend zoals zij altijd deed, een lok haar om haar vinger wikkelend, weer loslatend en opnieuw omwikkelend terwijl ze in de ruimte staarde.

'Kent herschreef inderdaad enkele delen van de eerste en tweede akte, maar Abby viel met haar kin vooruit aan als een cavalerist – ik weet niet hoe een cavalerist zijn kin vooruitsteekt, maar als iemand het weet is het Abby wel – en zei dan: "Dat déugt niet, Luke; ik accepteer dit niet... het is verkeerd, verkeerd, verkéérd!"'

'O, prachtig,' lachte Claudia weer. 'Ik hoor het haar al zeggen. En zodra ze dat doet, houdt iedereen zijn mond.'

'Precies. Zelfs Cort. Maar de eerste akte is zwak omdat hij zich er niet in kan herkennen; hij heeft er iets op tegen...'

'Luke, kan ik niet naar je toe komen? Gewoon op bezoek, dat is veel gezelliger dan een telefoongesprek. Je zou me zelfs een drankje kunnen aanbieden. Toe, Luke, zou je dat niet leuk vinden?'

Dat zou hij wel. Hij verlangde naar gezelschap, en in tegenstelling tot Tricia kende Claudia de wereld en het jargon van het theater; dat was één ding – misschien zelfs het enige – dat zij in hun huwelijk geleerd had. Maar niet weer Claudia, dacht hij opnieuw. Dat werd nooit iets. Binnen een uur zou ze van metgezellin veranderen in een afhankelijke vrouw die van hem verwachtte dat hij haar bezigheden verschafte om haar tijd te vullen, ideeën om haar gedachten bezig te houden en een fundament voor haar leven. Luke wist dat er mensen waren die niet in staat schenen hun leven op een zinnige en productieve manier te organiseren, maar hij had geen zin om zijn tijd met hen door te brengen. Zelfs niet – en helemaal niet – met een ex.

Dus kon het Claudia niet zijn die hij als gezelschap zou uitzoeken.

Maar wie dan wel? Wie zal er verschijnen om die leegte op te vullen die groter en opvallender schijnt te worden dan ooit tevoren?

'Luke, hoorde je wat ik zei?'

Waarschijnlijk niemand. Als het nog niet gebeurd is, is de kans groot...

'Luke!'

'Nee, je kunt niet langskomen. Ik ben uitgeput, Claudia; ik moet nog een paar aantekeningen uitwerken en dan ga ik naar bed. Ik bel je nog wel.'

'Wanneer?'

'Als ik tijd heb.'

'Dat is een dooddoener, je moet concreter zijn. Waarom laat je me dit elke keer weer doormaken? Ik heb je nodig, Luke. Jij bent de enige met wie ik praten kan, de enige die mij begrijpt. Ik moet weten wanneer ik je weer zal ontmoeten. Als ik weet dat we dinsdag of maandag of wanneer dan ook samen zullen gaan dineren, zal ik me beter voelen.'

'Je hebt honderden vrienden. Ik heb je nooit zonder een sliert mannen gekend die klaarstaan om je mee uit te nemen waarheen je wilt of te doen wat jij...'

'Ik heb kénnissen bij honderden. De stad is vol kennissen die niet willen luisteren, maar die alleen willen praten en pronken omdat ze in gezelschap zijn van een knappe vrouw. De Phelans zijn mijn enige echte vrienden die echt naar mij luisteren, maar jij wilt niet dat ik hen opzoek.'

'Het zijn vrienden zolang jij geld uitgeeft aan hun speeltafels. Snap je dat niet?'

'Het zijn vrienden omdat ze om mij geven!'

'Verdomme, het is telkens weer het oude liedje. Kun je hen niet aankijken en doorzien wat zij zijn?'

'Als ik niet weet wanneer ik jou zal zien, zal ik hen heel vaak aankijken!'

'Dan ben je aan je lot overgelaten. Je weet hoe ik erover denk.' Nijdig en gefrustreerd smeet hij de hoorn op de haak. Wat doet haar denken dat hij haar kinderachtigheid aantrekkelijk of begeerlijk zal vinden? Waarschijnlijk het feit dat hij ooit met haar getrouwd en vijf jaar bij haar gebleven was. En er nog steeds in toestemde haar te zien, nog steeds haar gokschulden betaalde en nog steeds af en toe opbelde om te horen hoe het met haar was. En hoewel hij nu spinnijdig was, wist hij dat hij haar een dezer dagen zou opbellen, haar mee uit eten zou nemen en naar haar klaagliederen zou luisteren en dat hij het zo vaak zou doen als zij verlangde omdat – hoewel niemand het wist – Constance het hem bevolen had.

Echter niet met zoveel woorden. Maar na begrijpend geluisterd te hebben bij de zeldzame gelegenheden dat hij zijn frustraties inzake Claudia aan haar voorlegde, had zij geknikt toen hij haar vertelde dat hij ging scheiden en toen gezegd: 'Dus ben je nu van plan de deur voor haar neus dicht te gooien en haar in de steek te laten. Kun je dat over je hart verkrijgen?'

Zwijgend had hij erbij gezeten en zich weer een jongen gevoeld, bevangen door dat gevoel klem gezet te zijn dat adolescente jongens hebben op de drempel van volwassenheid als ze zich niet langer achter onbeholpenheid kunnen verbergen. 'Waarschijnlijk niet. Ik zal voor haar doen wat ik kan.'

Vergeet het maar, dacht Luke. Hij probeerde zich op Marilyns schetsen te concentreren, maar besefte vrijwel meteen dat hij te moe was om te analyseren wat het precies was dat hem daaraan niet beviel. Hij liep naar zijn fauteuil. Op de ronde tafel had Martin een thermoskan koffie en een fles bourgogne neergezet en onder een glazen stolp broodjes en plakjes chocoladecake, en een zilveren schaal met ge-glaceerde abrikozen. Martin heeft een overdreven opvatting van mijn eetlust, dacht Luke, maar toen hij een abrikoos in zijn mond stak, re-aliseerde hij zich wat een honger hij had en schoot het hem te binnen dat hij niet gegeten had. Hij had een afspraak met Monte en Gladys afgezegd om thuis te blijven en aantekeningen voor Kent te maken over het laatste bedrijf van het toneelstuk en hij had Martin gezegd iets voor hem neer te zetten. Dat stond er nu en hij rammelde van de honger. Hij zette een journaal op de tv aan, schonk zich een glas wijn in en verorberde twee broodjes terwijl zijn gedachten van de nieuws-berichten afdwaalden naar zijn zojuist voltooide aantekeningen en vervolgens naar Claudia, naar zijn grootmoeder en toen naar Jessica. Er was een maand verstreken waarin hij geen van haar brieven gele-zen en zelfs niet aan haar gedacht had. Misschien was het geen vrou-welijk gezelschap dat ik miste, maar haar brieven.

Hij had een bladwijzer in het kistje gestoken tot waar hij de brieven gelezen had en haalde er een aansluitend stapeltje uit. Opgevouwen in de eerste brief zat een uitgescheurd krantenartikel dat hem confron-teerde met Tricia's naam en haar foto onder de kop ACHTER GESLO-TEN DEUREN. In het tweede item viel de vet gedrukte naam van Jessica hem meteen op.

De beroemde toneelspeelster en filmactrice **Jessica Fontaine** is in het ziekenhuis opgenomen met zware verwondingen door een treinontsporing in Canada. Volgens ingewijden is zij een invalide die niet meer kan spreken. Haar agent heeft geen commentaar.

Met beverige hand was er in de marge bijgeschreven: 'Niet waar.'
Dat is me ontgaan, dacht Luke, maar voor ik Tricia ontmoette, las ik haar roddelpraat nooit. Hij vouwde de brief open. Hij was geschre-ven op hetzelfde blauwe postpapier en met dezelfde hand als toen hij de eerste brief aan Constance uit het kistje gelezen had waarin mel-ding gemaakt werd over het treinongeluk. Die was door een verpleeg-ster geschreven en deze schijnbaar ook.

Lieve Constance,
Ik denk niet dat je dit in Italië gezien zult hebben, maar wie weet welke kranten deze roddel overnemen en misschien heb je het gele-zen en daarom stuur ik je een knipsel met mijn commentaar Niet waar. *Ik heb mijn spraakvermogen niet verloren; ik ben niet inva-lide en de dokters zeggen dat ik het ook niet worden zal. Ik heb*

*een paar gebroken botten en gescheurde pezen en zo... en dat lijkt
me niet dramatisch genoeg voor de schrijfster van een roddelrubriek. Ik kan me niet voorstellen hoe iemand haar brood kan verdienen met het publiceren van geruchten en pure leugens in kranten waarvan de lezeressen zullen veronderstellen dat ze waar zijn.
Wat een afschuwelijk bestaan!*

Luke dacht aan al de keren dat hij door Tricia onderhoudend ontvangen was en niet de moeite genomen had naar de bron van haar stukjes
te vragen. Beschaamd vouwde hij de brief op en borg die weg, alsof
hij zich afwendde van Jessica's beschuldigende stem. De volgende
brief was ook weer door de verpleegster geschreven.

Allerliefste Constance,
*Ik mis je en het is pas een paar dagen geleden dat je nog aan mijn
bed zat. Het was zalig je te zien en uiteraard volkomen onverwacht,
aangezien ik je (naar ik meen in heel duidelijke bewoordingen) geschreven had dat je niet moest komen omdat je niet sterk genoeg was
voor zo'n reis. Maar wanneer heb jij ooit bevelen opgevolgd?*

Luke stelde zich de scène voor: twee vrouwen in de schemering in een
kamer: de ene voorover leunend op een stoel die de hand vasthield
van de andere, ondersteund door kussens, helemaal in het verband,
met de ogen gesloten of die zij misschien juist opsloeg. Al het andere
viel weg: alle conflicten en genoegens van zijn dag in het theater, Tricia, Claudia, alles verdween naar de achtergrond. Hij had het gevoel
in de ziekenkamer te zijn met zijn grootmoeder en Jessica, en toen hij
de brief weer opnam was het bijna alsof Jessica het zowel tegen hem
had als tegen Constance.

*We hebben heel wat afgepraat, hè? Heel veel ervan kan ik me niet
meer herinneren. Het kost me moeite me kleine dagelijkse dingen
te herinneren... ze zweven door mijn hoofd als snippertjes confetti,
een vluchtig ogenblik hier, dan weer weg en dan misschien een
paar dagen later weer terug met andere ronddwarrelende beelden
die elkaar overlappen en in elkaar overvloeien... lieve hemel, ik
ben aan het zwetsen. Mijn verpleegster schrijft dit – dat zag je natuurlijk al aan het handschrift – en ze is zo schattig dat ze alles op-
schrijft wat ik zeg, zelfs de woorden die zo maar opkomen en weer
verdwijnen als mensen die proberen de weg te vinden in een onbekende wijk. Nog meer gezwets, neem me niet kwalijk.*

*Hoewel ik je mis, ben ik blij dat je teruggekeerd bent naar Italië;
die laatste middag dat we bij elkaar waren, was je zo bleek, en op
een moment toen je dacht dat ik slaap, sloeg ik je gade en zag dat je
geanimeerdheid en levenslust maar schijn waren – nog steeds aan
het acteren, lieve Constance, en wat ben je er goed in! – terwijl je in
werkelijkheid uitgeput was en thuis behoorde te zijn.
Zodoende waren er heel wat onderwerpen waarover we niet gepraat hebben en een daarvan was het spoorwegongeluk. Het was
vreemd en erg beangstigend dat ik telkens als ik erover wilde vertellen, begon te beven. Gisteren, waarom weet ik niet, roerde ik het
aan en de zuster bracht me kranten met verslagen en foto's van de
ontsporing. Ik kan me haast niet voorstellen dat ik het overleefd
heb. Heel velen hadden dat geluk niet, las ik... meer dan vijftig.
Nooit zal ik het mysterie kunnen doorgronden waarom ik in leven
bleef en anderen niet.
Er waren nog andere mysteries: dat de politie en de eerste hulp en
honderden anderen waar ik nooit van zal weten zo snel ter plaatse
waren; de liefde en toewijding en onverzettelijkheid van de dokters en verpleegsters die bij al mijn operaties bleven proberen mijn
gebroken botten en ontwrichtingen en beschadigde zenuwen (ja, er
was meer loos dan de drie fracturen waarover ik in mijn vorige
brief schreef) te herstellen. Maar iedereen zegt dat ik er weer bovenop zal komen; dat vertellen ze me telkens weer. Met een beetje
geluk, zeggen ze, word ik weer helemaal de oude. Ik probeer hen
te geloven. Als ik te eniger tijd weer terugkom op het toneel, zal ik
hen allemaal in het openbaar bedanken, elke dokter, elke zuster en
elke verpleeghulp. Tot zolang bedank ik hen innerlijk elke ochtend
als ik wakker word en het zonlicht zie. Maar op het ogenblik, lieve
Constance, ben ik erg moe en dus wens ik je goedenacht. Ik hou
van je en dank je uit de grond van mijn hart voor je bezoek. Het
betekende alles voor me, zoals ik je steeds weer zei tot je me beval
ermee op te houden omdat je het begreep. Maar het was zo... het
betekende... alles.
Jessica*

Luke keek op van de brief en herhaalde de zinnen bij zichzelf. Het
was alsof hij Jessica's stem hoorde, de stem van een actrice. *Als ik terugkom op het toneel, zal ik hen allemaal in het openbaar bedanken...*
Maar ze keerde niet terug op het toneel. Vergeten werd ze niet – re-
prises van haar films en video's van veel van haar toneelrollen die op
de tv vertoond werden, hielden haar naam levend en werden op de to-

neelscholen nog altijd gebruikt – maar de wereld van het toneel sloot zich om de leegte die zij achtergelaten had en na een periode van schok en een gevoel van verlies ging voor iedereen, net als voor Luke, het leven verder. Jessica Fontaine was verdwenen.

Waarom? Wat was er met haar gebeurd? Zes jaar geleden, na de treinramp, had iedereen zich die vraag gesteld, Luke ook. Maar nu leek het belangrijker dan ooit tevoren dat hij het antwoord vernam.

Hij opende de volgende brief uit het stapeltje dat hij uit het kistje gehaald had.

Het was papier met het in opliggende letters gedrukte briefhoofd van een appartementencomplex in Scottsdale, een voorstad van Phoenix in Arizona. Het handschrift was weer van Jessica, maar iets schuiner en houteriger, alsof het neerschrijven van elke letter de uiterste aandacht gevergd had.

Liefste Constance,
Neem me niet kwalijk en vergeef het me... je schreef en belde herhaaldelijk en ik negeerde je. Ik huilde bij het lezen van je brieven en als ze me vertelden dat jij aan de telefoon was, maar ik kon met niemand praten omdat ik niets wist te bedenken dat het vertellen waard was; het leek allemaal zo'n tijdverspilling. Ik deed wat men mij in het ziekenhuis voorschreef, ik at en sliep, ging tweemaal per dag zeven dagen per week naar fysiotherapie, maar sprak alleen als het absoluut moest. Mijn hele leven ben ik afhankelijk geweest van woorden en ik hield ervan, maar in het ziekenhuis leken ze zinloos en stom.
Aanvankelijk probeerde ik te schertsen over het ongeluk en er luchthartig over te doen, maar hoe meer ik dat deed, hoe donkerder alles werd en ten slotte was er helemaal geen licht meer, geen warmte en geen hoop, want het viel niet te loochenen wat er met mij gebeurd was. Ik wil je niet vervelen met medisch jargon, maar je hebt er zo vaak naar geïnformeerd dat ik het je zal vertellen. Ik had een shock toen ik gered werd, een hersenschudding en drie botbreuken. Een ervan is een breuk en ontwrichting van mijn heup en tot nu toe heb ik drie operaties achter de rug om het heupgewricht te repareren en alles weer aan elkaar te passen. De dokters zeggen dat ik waarschijnlijk een nieuwe heup zal moeten hebben vanwege degeneratie van de botten; dat is één vooruitzicht dat ik heb. De twee andere breuken betreffen mijn dijbeen en opperarmbeen plus een gescheurde draaispier en zelfs na twee operaties schijnen ze niet goed te genezen. Ik had snijwonden in mijn gezicht en

op mijn lichaam van rondvliegende glasscherven en ik had veel bloed verloren. Ik ben zo mager dat ik een vluchteling voor een hongersnood lijk en ik weet dat mijn gezicht bewijzen vertoont van alle pijn en pijnstillers die ik ingenomen heb. Ik kan het niet met zekerheid zeggen, want ik durf niet in een spiegel te kijken.

Ik heb allerlei therapeutische behandelingen ondergaan, waaronder één waarbij ik op een tafel moet liggen en een therapeut mijn totaal gevoelloze arm en been buigt en strekt. Dat moet voorkomen dat alles verstijft terwijl de peesbanden genezen. Als ik de oefeningen zelf zou doen voordat de pezen herstellen en ik mijn spieren zou 'opjutten', zouden de hechtingen los kunnen schieten. En dus lig ik daar dag aan dag en kijk hoe mijn broodmagere arm en been onder handen genomen worden door een sterke, jonge vrouw die haar hele leven nog voor zich heeft terwijl het mijne achter mij ligt. Ik kan me niet indenken waarom ze zich om mij bekommert. Waarom geeft iemand iets om dit omhulsel en besteedt er tijd aan? Waarom pretenderen ze dat al dit duwen en trekken iets zal uithalen?

O, Constance, wie ben ik? Ik ben altijd zo trots geweest op mijn lichaam, zo sterk en flexibel, en op mijn uiterlijk en mijn energie en mijn macht over mijn leven – ik dacht dat ik alles kon – en nu kijk ik naar mijn stakerige lichaam dat de lakens op mijn bed nauwelijks beroert en ik herken het niet meer. Ik weet niet wiens lichaam het is! En ik weet niet waar ik thuishoor. De wereld is zo saai, zonder kleuren of bochten of hoeken, niets dan een dikke klodder rommel... zinloos en waardeloos. Ik zou willen wegrennen, maar ik kan niet rennen. Ik zou mezelf voorgoed willen laten inslapen, maar dat schijn ik niet te kunnen. Daarom bid ik elke avond als ik naar bed ga voor de twee of drie uur slaap die ik kan genieten voor de pijn of afschuwelijke dromen mij opschrikken, dat ik niet zal ontwaken. Maar ik word altijd weer wakker. Waarom blijft zo'n wrak van een lichaam voortleven?

Ik krijg therapie in de Landorkliniek, naar men zegt de beste ter wereld op dat gebied – alsof mij dat iets kan schelen – en ik kwam hier in een rolstoel die in en uit het vliegtuig geduwd werd en daarna naar deze villa die ik ongezien gekocht heb omdat het er niet toe deed waar ik woonde. Het belangrijkste is dat de grote badkamer gelijkvloers is zodat ik geen trappen op hoef.

De dokters praten over twee jaar therapie en dan word ik verondersteld opgelapt, gerenoveerd, gerestaureerd, herbouwd, gerehabiliteerd en van een nieuw loopvlak voorzien te zijn, zoiets als een

autoband, denk ik, klaar om weer te gaan rollen. Natuurlijk liegen
ze, om me gemotiveerd te houden – dat is hun bewering – de the-
rapie te ondergaan, te eten en te slapen en al die belangrijke dingen
meer. Maar ik weet dat er niets belangrijk is, ook al weten zij het
niet.
Het spijt me dat ik dit allemaal over je uitstort – ik probeerde het
niet te doen – maar ik heb niemand anders en ik kan de eenzaam-
heid en duisternis niet verdragen zonder althans op papier met jou
te praten. Ik kijk naar de pen in mijn hand en voel dat die jou aan-
raakt. Daar heb ik grote behoefte aan en ik druk hem tegen mij
aan. De volgende keer zal ik proberen opgewekter te zijn.
Veel liefs van
Jessica

Geschokt en bijna tot tranen geroerd keek Luke op. Hij was zo gewend geraakt aan haar optimisme, haar levensblijheid, haar droge humor en scherpe inzicht – hij was er feitelijk bijna afhankelijk van geworden – dat hij niet geloven kon dat dit dezelfde vrouw was. Ver-
pletterd, dacht hij. Gebroken. En zonder familie of vrienden om te
voorkomen dat zij ten onder zou gaan. Geen wonder dat zij uit New
York verdween. Maar... wat gebeurde er na die twee jaar? Patiënten
herstellen zelfs van de ergste ongevallen en hervatten hun leven. Wat
hield haar weg?

Beste Constance,
Ik ben niet in staat om te telefoneren; misschien binnenkort, maar
nu nog niet. De zuster was te abrupt en ik heb haar een standje ge-
geven, maar dring alsjeblieft niet aan. Kunnen wij niet een poosje
corresponderen, net als vroeger? Ik zal al je vragen beantwoorden,
hoewel ik niets interessanters heb om over te schrijven dan mijn
strikte dagindeling – en die is zo strikt dat het is alsof ik stipt ieder
uur de prikklok moet afstempelen.
Mijn verpleegster – Prudence Etheridge, een scuba-duiker uit Syd-
ney die al werkende de wereld rondtrekt en in elke stad een jaar
blijft – duwt twee keer per dag mijn rolstoel naar de auto om mij
naar therapie te brengen en daarna terug naar huis. Onderweg
stopt ze bij de supermarkt, bij de apotheek voor weer een nieuw re-
cept of bij een boekwinkel. Ze wil ook met me naar de bioscoop,
maar ik word ziek van de gedachte een film te moeten zien. Twee-
maal per dag ondersteunt ze me terwijl ik de grote kamer rond-
schuifel die zitkamer, eetkamer en keuken is, en als ze haar greep

verslapt, raak ik in paniek en grijp haar beet en dan zegt ze met haar zware Australische accent: 'Miss Fontaine, u bent oneindig veel beter dan u denkt.' Natuurlijk is ze ervoor opgeleid om dat soort dingen te zeggen.

Sinds kort heeft ze er bij mij op aangedrongen een avondcursus tekenen te gaan volgen in een gemeenschapscentrum en gisteravond heb ik me daarheen laten brengen. Ik heb wat geschetst en ben begonnen aan een aquarel – dat deed ik als hobby in een vroeger leven – en het was de eerste avond dat de tijd zich niet eindeloos scheen voort te slepen. Vanmorgen heb ik thuis een aquarel gemaakt van een kind in een tuin en weer vloog de tijd om. Ik wil daarom weer naar die cursus gaan en ermee doorgaan zolang het interessant is en de tijd vult.

Iets waar ik me geen zorgen over hoef te maken is geld. In mijn jaren als actrice heb ik heel wat weg kunnen leggen dat door een beleggingsadviseur efficiënt ondergebracht is in aandelen, obligaties en vastgoed. En dan is er het smartegeld van de Canadese spoorwegmaatschappij, een enorm bedrag. Ik zou er niet om geprocedeerd hebben, maar ze deden hun aanbod en ondanks de bezwaren van mijn juridisch adviseur (hij dacht dat ik veel meer zou kunnen krijgen) heb ik het geaccepteerd.

Maar afgezien van het geld is al het andere... voorbij. Het theater, New York, de lange wandelingen die ik maakte, de mensen die ik kende, het huis dat ik pas gekocht en zo mooi opgeknapt had, de toekomst. Mijn leven. Ik begin te beven nu ik dat schrijf, ik zou wel willen gillen. Wat doe ik hier? Dit ben ik niet, hier hoor ik niet thuis, zo besteed ik mijn dagen en nachten niet. Waar is mijn leven?

Prudence gaf me een geborduurde spreuk, ingelijst en klaar om opgehangen te worden. Er staat op: Het enige antwoord op 'Waarom ik?' luidt: 'Waarom ik niet?'

Geloof jij dat? Ik wil het niet geloven. Een willekeurige wereld, onbegrijpelijk, bitter, gruwelijk onverschillig... zonder wat voor patroon dan ook voor de nare dingen die ons overkomen en evenmin voor de mooie. Tenzij... De laatste tijd ben ik begonnen mij af te vragen, in de lange nachten waarin ik niet slapen kan, of ik een te gemakkelijk leven gehad heb. Ik heb nooit een slechte recensie gehad (zelfs niet in die dweil van een film die iedereen afkeurde); ik ben nooit een poosje zonder werk geweest omdat niemand me wilde hebben. Als alles zo op rolletjes gaat, gebeurt er misschien iets naars, als het ware om het evenwicht te herstellen. Welnu, ik ben quitte. Ze hebben het ergste gedaan wat zij konden, die hogere machten die erop uit zijn ons te laten betalen voor ons geluk en ik neem aan dat zij me nu met rust zullen laten. Nu, nu het er niet meer toe doet.

Ik beloof je een dezer dagen de telefoon te zullen pakken en je op te bellen; bel me tot zolang alsjeblieft niet meer op. Er gaat zoveel om in mijn hoofd, angst en boosheid en verwarring en woede dat ik vrees te zullen gaan gillen als ik mijn mond open doe om te praten. Toen ik in het ziekenhuis lag, fantaseerde ik over wegkruipen in jouw doolhof waar niemand me zou kunnen vinden en dat ik nooit zou verlaten. Heb jij dat gevoel ook wel eens gehad?

Ik denk voortdurend aan je en ik hou van je.

Jessica

Twee keer las Luke de brief en daarna nog een derde keer. Jessica's wanhoop vervulde hem met verbittering. *Al het andere is voorbij.* Waarom? Omdat het twee jaar zou duren voor zij weer zou kunnen optreden? Er moest nog iets anders zijn. Hij pakte de volgende brief. Die verschilde van alle vroegere. Het zacht ivoorkleurige papier had in de linker bovenhoek in reliëf een fontein en daaronder drie opliggende regels: The Fountain, Lopez Island, staat Washington.

Lopez Island. Luke had er nooit van gehoord. Maar als het in de staat Washington lag, lag het waarschijnlijk in de Puget Sound. Hij pakte een atlas en zocht het op. Puget Sound. Een brede zeearm die begrensd werd door de staat Washington, Vancouver Island en Brits Columbia, bezaaid met tientallen kleine eilandjes. Een groep ten noorden van Seattle heette de San Juan eilanden en in die groep lag Lopez Island. Een stipje op de kaart, een minuscuul eilandje drieduizend mijl van New York. Het was alsof ze zo ver mogelijk westwaarts getrokken was – en toen van de rand van het continent gevallen was.

Beste Constance,

Ik heb al je brieven bewaard en ze meegenomen om ze in de donkerste nachten te lezen en te herlezen. Bedankt dat je bleef schrijven zonder antwoorden te verlangen, bedankt dat je me niet weer uitschold, dank je voor je geduld in de afgelopen twintig maanden. Twintig eindeloze maanden, maar het werden geen twee jaar zoals oorspronkelijk voorspeld was en dus behoor ik dankbaar te zijn. En natuurlijk ben ik dat. Ik heb mijn gezondheid terug en mijn

energie, en ik heb geen pijn meer, wat een wonder mag heten na er
zo lang mee geleefd te hebben. De littekens en schrammen en de
zwellingen op mijn gezicht van al de plastische chirurgie zijn ver-
dwenen en ik ben hier een nieuw leven begonnen op dit allervre-
digste en wondermooie eiland. Je zult zeggen dat het een heel eind
van New York is en dat is het ook, maar dat is gedeeltelijk de beko-
ring. Zie je, ik heb alle belangstelling voor het toneel verloren en
waar kan ik dan beter zijn dan op een klein eilandje waar theater
zoals wij het kennen niet bestaat?

Luke wierp een afkeurende blik op die woorden. De logica ontbrak
er aan. Hersteld, verlost van pijn, weer als vanouds... waarom jubelde
ze het dan niet uit van blijdschap, vervuld van uitgelatenheid en opwinding en hoop? Ze schreef over leven, maar klonk even gedepri-
meerd als in haar brieven uit het ziekenhuis. En waar had ze het over
met haar uitlating dat ze geen belangstelling had voor het toneel? Het
was ondenkbaar dat Jessica Fontaine haar belangstelling voor het toneel verloren had. Het theater was haar leven.

Kort nadat ik naar Arizona verhuisde maakte ik kennis met een
schrijfster van kinderboeken die me vroeg een manuscript te illu-
streren dat zij wilde gaan uitgeven. Het was een schattig verhaal
en ik kon kinderen tekenen (mijn nieuwe specialiteit) en dus stem-
de ik toe en dat bezorgde me zo'n heerlijke tijd dat het me speet
dat ik er zo gauw mee klaar was. Ik stuur je een exemplaar; je kunt
het binnenkort verwachten.
Het was mijn eerste werkstuk en opeens kreeg ik van overal aan-
biedingen, waaronder uit Frankrijk, Engeland, Italië en Holland.
Ik heb nu boeken geïllustreerd in vrijwel elke stijl, vanaf negen-
tiende-eeuws Russisch tot Amerikaanse folklore, en dat heeft me op
de been gehouden gedurende twintig maanden van herstel, nog
vier operaties en geestdodende therapie op eng uitziende toestellen
die zich verzetten als je eraan trekt, duwt, ze optilt, laat zakken,
draaien, als je je strekt of kromt. Je zult niet geloven hoeveel ma-
nieren er zijn om je spieren zo te spannen dat ze de volgende dag
pijn doen. Ik was er zeker van dat ik er even verkronkeld zou gaan
uitzien als een inktvis die probeert een onbereikbaar jeukend puist-
je weg te krabben, maar tot mijn verbazing herkreeg ik mijn
kracht en voelde me weer de oude.
En nu zit ik dus hier op Lopez Island. Ik logeer in een charmant
hotelletje, The Inn at Swifts Bay, terwijl ik een huis laat bouwen op

een mooi perceel grond dat ik gekocht heb van twaalf hectare met
een eigen stukje strand in een kleine inham, aan een kant begrensd
door bossen en aan de andere kant door een klif van roodachtig
gouden rotsen. Samen met de architect heb ik het ontworpen, ook
de fontein op het erf die me doet denken aan jouw fonteinen in
Italië en ik heb die verwerkt op mijn briefpapier zoals je natuurlijk
gezien hebt. Het beste van alles is dat ik weer aardig begin te wor-
den tegen mensen. Volgens mij zijn we constant onvriendelijk als
we ons diep ongelukkig voelen. Ik heb genoeg boeken te illustreren
om minstens een jaar vooruit te kunnen, een vrouw die het huis-
houden doet en kookt als ik thuis ben (ze strijkt ook, wat een ge-
luk!) en ik ben gaan paardrijden. Dat vind ik nog fijner dan wan-
delen, vooral op dit eiland met bossen, rotsen en stranden aan de
rand en boerderijen en akkers in het midden. Ik hoor 's morgens de
hanen kraaien (ze doen het de hele dag door, is dat altijd zo?) en
koeien loeien en verder vrijwel geen enkel ander geluid: geen men-
sen, vrijwel geen auto's ... o ja, af en toe een watervliegtuig uit Se-
attle dat rondcirkelt alvorens te landen. Ik heb er zelf in gezeten
om hier te komen en me terloops afgevraagd of ik ergens vandaan
of ergens heen vloog.
Ik ben blij dat jij je beter voelt dan vorige maand. Bij alles wat ik
doe, denk ik aan je en bedenk dan hoe interessant het is dat we al-
lebei op zulke mooie plekjes neergestreken zijn.
O ja, nog iets: ik heb een man leren kennen.
Pas goed op jezelf. Liefs,
Jessica

Luke voelde een opwelling van verbijstering. *Ik heb een man leren*
kennen. Was ze verliefd op hem of waren ze alleen maar goede vrienden? Kenden ze elkaar nog maar pas en dacht zij misschien dat zij
verliefd op hem zou kunnen worden? Waren ze verloofd?
Nijdig trok hij het kistje naar zich toe om er de volgende brief uit te
halen, maar hield zijn hand abrupt stil. *Wat mankeer ik? Ik doe alsof*
ik jaloers ben.
Natuurlijk was hij dat, drong het meteen daarop tot hem door. Omdat hij in weerwil van alle logica verliefd op haar geworden was.

7

'Het is niet overdreven,' zei Tracy Banks met de punt van haar potlood op het eindbedrag aan de voet van de begroting voor *De Tovenares.* Salarissen, huur van het theater, voorschotten voor Kent en
jou, verzekeringspremies, je secretaresse... dat weet je allemaal.'
Luke knikte. Het kostte hem moeite zich te concentreren; bij elke
pauze dwaalden zijn gedachten af naar Jessica's brieven. Hij fronste
zijn wenkbrauwen om te bewijzen dat hij zijn aandacht bepaalde bij
de getallen die Tracy een voor een doornam. Daarna leunde hij achterover. 'We zullen proberen iets te bezuinigen, maar je hebt gelijk:
het is waarschijnlijk tamelijk bescheiden. Bedankt, Tracy, waarschuw
me als de kosten de pan uitrijzen.'
'Ik zal je al veel eerder waarschuwen. Monte belt me trouwens al elke
dag op om te checken. Jammer dat hij niet mijn minnaar is, dan zou ik
overgelukkig zijn met al die aandacht.'
Luke glimlachte toen zij wegging. Hij deed een paperclip aan de bladen van de begroting en stopte ze terug in hun map. Een miljoen dollar tot aan de première. En dat bedrag zou nog veel groter worden als
het niet storm liep met de kaartjesverkoop in Philadelphia en in de
week van generale repetities in New York. Daarna zouden de kosten
gedekt moeten worden door de recettes. Hij stopte de map in de la.
Een prima stuk, dacht hij, met prima acteurs en begaafde mensen achter de coulissen. En alles draaide om het geld. Een van de nuchtere
feiten van het theaterleven waar we ons niet bewust van zijn als we
ons eerste toneelstuk regisseren op de toneelschool en genieten van de
romantiek. Daarna begint onze leertijd bij een onbetekenend gezelschap in Chicago of New York en worden we in die afmattende strijd
geworpen om geld binnen te brengen en we denken: O, als ik op
Broadway kom, zal het wel anders worden. En soms is dat zo, maar
meestal niet.
Door het raam achter zijn bureau keek hij naar een huismeester die
op een daktuin aan de overkant de boompjes water gaf. Het water
stroomde uit de bodem van elke pot en glinsterde in de zon. Vlakbij
zette een moeder haar peuter in een wandelwagentje, vlijde zich neer
in haar ligstoel en pakte een boek. Toen ze met haar andere hand haar
haren wegduwde, viel er een bundel zonlicht op. Het was goudbruin

haar. Jessica's haar zoals hij het zich herinnerde, was goudbruin geweest.

Hij keek op zijn horloge. Nog een uur tot de repetitie. Precies genoeg tijd. Hij verliet het kantoor, mengde zich tussen de lome voetgangers op 54th Street, baande zich er met toenemende haast een weg doorheen naar Fifth Avenue en daarna naar de openbare bibliotheek. Koele lucht omhulde hem toen hij door de marmeren lobby naar de krantenzaal liep. Aan een lange tafel sloeg hij de leeswijzer op van acht jaar eerder, het jaar waarin zijn grootmoeder naar Italië vertrokken was, en vond 'Fontaine, Jessica,' met een opgave van de artikelen die dat jaar over haar verschenen waren. Het was een lange lijst en hij keek weer op zijn horloge. Hij had voor een paar nog wel tijd. Ongeduldig beende hij heen en weer tot de suppoost hem de bladen bracht waar hij om gevraagd had: *The New Yorker, Town and Country, Vogue* en *Redbook.*

Town and Country had een artikel van vijf pagina's aan haar gewijd en toen Luke de eerste pagina ervan opsloeg, zag hij een foto van Jessica die alleen op het lege toneel van het Martin Beck Theatre stond en peinzend in de camera keek. Ze droeg een donkerblauwe, satijnen avondjurk die haar schouders bloot liet. Haar haar hing in lange, soepele golven af tot halverwege haar rug en ze hield haar handen losjes gevouwen. Ze maakte een ontspannen en zelfverzekerde indruk, volkomen op haar gemak. Onder de foto stond een korte tekst.

> Jessica Fontaine, dit jaar bekroond met de Tony Award voor beste actrice in *The Country Girl* van Clifford Odet. 'Sinds Constance Bernhardt afscheid nam van het toneel heb ik niemand meer gezien met dit formidabele talent,' zegt producer Ed Courier. 'Misschien begrijpelijk, aangezien Miss Fontaine een protégée en intieme vriendin van Miss Bernhardt was en haar de lof toezwaait voor een groot deel van haar succes.'

Luke las het hele artikel en bekeek de van Jessica genomen foto's in haar appartement in New York, in haar buitenhuis in Connecticut met aangebouwd atelier voor haar schilderwerk en lommerrijke paden langs de rivier waar zij ochtendwandelingen maakte, en in het Martin Beck in haar kleedkamer, op het toneel en bij de artiesteningang waar zich elke avond mensen verdrongen voor haar handtekening. De betoverende kwaliteit van haar schoonheid was hem niet meer bijgebleven. Die was onconventioneel en daarom op de een of andere manier ongrijpbaar, alsof je Jessica Fontaine moest achtervolgen om een goed beeld van haar te krijgen. Ze had prachtige grote ogen met lange wimpers en helder blauwgroen van kleur, maar iets te dicht bij elkaar staand om volmaakt te zijn; ze had een stralende glimlach, maar met gesloten mond waren haar lippen iets te vol en bijna pruilerig; haar kin was een tikkeltje te puntig, haar voorhoofd iets te hoog en haar wenkbrauwen net iets te zwaar. Ze had een glanzende huid en goudbruine haren als van een leeuwin, maar op de keper beschouwd miste ze de klassieke voorstelling van volmaakte harmonie.

Maar dat was allemaal onbelangrijk, want er straalde levendigheid uit Jessica's oogopslag en glimlach, en de stemmingen die haar gezicht uitdrukte, maakten haar schoonheid onvergetelijk. En dan was er natuurlijk haar acteertalent, dacht Luke, dat niemand die haar had zien optreden ooit kon vergeten, haar emotionele intensiteit, haar diepe, zangerige stem die moeiteloos de achterste rijen van het tweede balkon bereikte, de gebaren met haar handen en lange vingers die de aandacht van het publiek konden kluisteren als zij een betekenisvol ogenblik accentueerden, de impact van haar aanwezigheid als zij over het toneel schreed of strompelde of zweefde of stormde en alle ogen haar volgden om te zien wat zij vervolgens zou doen. Mijn grootmoeder was ook zo, dacht Luke. En nog heel enkele anderen.

Hij sloeg de pagina's om en weer terug, wierp een vluchtige blik op de tekst en een lange op de foto's, en overal waar zij geciteerd werd, herinnerde hij zich haar stem en hoorde haar de woorden zeggen. Eén uitspraak trok zijn aandacht.

'Ik heb wel eens nagedacht over andere levenswijzen en ik heb hobby's waar ik veel plezier aan beleef, vooral aan schilderen, maar niets geeft mij het gevoel zo vol leven en in contact met mijzelf te zijn als het toneel. Zonder dat zou ik me nooit volwaardig voelen.'

Waarom had ze Constance dan geschreven dat ze de belangstelling voor het toneel verloren had? Het was alsof ze gezegd had dat ze de belangstelling om te ademen verloren had. Dat is precies hoe ik het voel, dacht Luke, en ook hoe Constance het voelde, die er nooit overheen kon komen. Omdat het nooit over gaat.

'Meneer Cameron,' zei de suppoost, 'u vroeg me u te waarschuwen als het tegen tienen loopt.'

Luke keek op zijn horloge. 'Ik vergat de tijd. Dank u wel.' Met tegenzin legde hij het tijdschrift weg en verliet de leeszaal. Hij liep de paar straten naar de repetitiestudio, maar zonder op de tijd te letten stapte hij onderweg een boekwinkel binnen en liep naar de afdeling kinderboeken. Een bediende zag zijn zoekende blik en kwam hem te hulp. 'Deze staan alfabetisch op naam van de schrijvers,' zei Luke.

'Natuurlijk. Hoe zou u anders kunnen vinden wat u zoekt?'

'Ik zoek een illustrator.'

'O. We hebben een index van illustratoren die ik kan naslaan. Hoe is zijn naam?'

'Haar naam. Jessica Fontaine.'

'Ik ken haar boeken. Ze is heel goed, heel ongewoon.' De verkoopster hurkte neer en pakte een boek van de onderste plank. 'Kinderen zijn dol op haar tekeningen, waarschijnlijk omdat ze zoveel geheimen bevatten.'

'Geheimen?'

'Minstens een op elk plaatje.' De vrouw liep de winkel door en pakte boeken van verschillende planken. 'Ze maakt echte schilderijtjes, geen illustraties van dertien in een dozijn. Wist u dat zij twee bekroningen gekregen heeft?'

'Nee.'

'Ze kwam niet naar de ceremonies om de prijs zelf in ontvangst te nemen. Ze schijnt erg eenzelvig te zijn.'

'En de geheimen?'

'In alle tekeningen zit iets verborgen: een gezicht, een gestalte, een dier, een woord, soms een zinnetje. Alsof ze wil zeggen dat het leven vol verrassingen is en je nooit weet wat je zult tegenkomen. En kinderen weten dat beter dan wie ook, nietwaar?' Ze kwam met twaalf dunne boekjes aan. 'Ik weet niet welke u hebben wilt; voor zover ik weet, is dit haar hele oeuvre.'

'Ik neem ze allemaal.' Met de plastic tas aan zijn vinger bungelend liep hij door de hete stad van Fifth naar Eighth Avenue. Ik zal ze vanavond eens inkijken, peinsde hij, en nog een paar van haar brieven lezen. Maar met dat hij dat dacht, wist hij dat dit niet langer genoeg was. Hij moest haar zelf opzoeken. En dus zou hij naar de San Juan eilanden gaan zodra hij even weg kon.

'Weg?' Woedend keek Monte hem aan. 'Dat kun je niet menen. Och, natuurlijk meen je het niet, wat maak ik me druk? In de vierde week van de repetities loop je niet zo maar weg.'

'Ik zei zodra ik kan,' mompelde Luke. 'Wat is er met Rachel en Cort? Ze gedragen zich of ze woedend op elkaar zijn.'

'Dat zijn ze op het moment ook. Net voor je binnenkwam had hij kritiek op de manier waarop zij gisteren een zin uitsprak. Ze zei hem dat hij geen zier wist van karakterontwikkeling en hij zei haar dat zij

114

niets van karakter wist, punt uit, want anders zou ze niet met Kent Horne rondhangen.'

'Wát?'

'Ze gingen gisteravond samen uit eten.'

Luke keek om zich heen. 'Waar is hij?'

'Zij wilde een suikervrije cola hebben en die is hij gaan halen.'

Luke keek naar de acteurs die aan gekoelde drankjes nipten. 'Misschien papt hij hierna met Abby aan.'

Monte snoof. 'Die is driemaal zo oud als hij.'

'En de elegantste vrouw hier. Ik zal eens met hem praten als hij terugkomt. Je zou verwachten dat hij omzichtiger zou zijn en ervoor zou zorgen dat alles...'

Kent kwam binnen met een papieren boodschappentas met natte plekken. 'Ik was bang hem te zullen verliezen,' zei hij en zette de tas op tafel. De natte plekken waren opengescheurd en de blikjes staken naar buiten. 'Het was maar één straat ver, maar met de condens van al die koude blikjes...' Hij keek Luke aan. 'Is er iets mis? Je was laat,' vervolgde hij alsof datgene wat mis was, afgeweerd kon worden met een beschuldiging.

'Ga zitten,' zei Luke.

'Prima, maar laat me eerst dit afleveren.' Hij haalde een blikje uit de tas, trok het open en bracht het naar Rachel. Na een paar woorden met haar gewisseld te hebben, kwam hij terug en nam naast Luke plaats. 'Zeg het maar.'

'We praten wel onder de lunch. Laten we beginnen,' zei hij tegen de acteurs. 'Precies waar jullie ophielden. Ik heb een paar aantekeningen over gisteren, dus stoppen we na de eerste akte en nemen ze door.'

Kent haalde een aantekenboekje uit zijn zak. 'Ik heb er gisteravond ook een paar gemaakt. Cort speelt deze akte te zoetig... Hoe weet ik niet, maar hij gebruikt mijn tekst om er chocola van te maken. Je moet hem op zijn huid zitten, Luke. En Rachel moet in het begin wat naïever zijn; ze doorziet hem nog niet. Ze wordt verliefd op hem, maar het is meer opwinding dan liefde, want hij is niet echt een aardige knul. Nog niet.'

Luke knikte. 'Ik weet het. We zijn het nog aan het bijschaven.'

Ze luisterden naar de acteurs die al sinds de tweede week hun teksten kenden, maar nog werkten aan wie zij waren en hoe zij naar de anderen toe moesten groeien. Ze waren te ongedurig, vond Luke; hun woorden gingen verloren in oppervlakkige activiteit. Maar dat was in de aanzet van een stuk altijd zo en hij zat er niet over in. Maar toen kwamen plotseling die drie acteurs op het toneel bij elkaar en gedurende enkele ogenblikken vloeide alles samen en versmolt en toen was het precies goed. Het was alsof de zon door dikke wolken gebroken was en ze voelden het allemaal. Monte zat meer rechtop, Kent grinnikte en Luke stond op, door een golf van enthousiasme van zijn stoel gedreven.

En even plotseling was het voorbij. Middenin een zin draaide Abby zich om, beende naar de rand van het denkbeeldige toneel en gebaarde naar Rachel. 'Luke, dit duld ik niet. Ze is net een mechanische pop die iemand opwond. Heeft niemand haar ooit gezegd stil te blijven staan?'

'Ik?' zei Rachel. 'Wat deed ik dan?'

'Bewegen,' declameerde Abby met de blik nog steeds op Luke gericht. 'Voortdurend, aanhoudend, eindeloos. Of je in een pretpark bent met op elkaar botsende autootjes.'

'Ik dacht dat ik je uit de weg ging,' zei Rachel, 'om je niet in de schaduw te stellen.'

Abby's ogen vonkten en ze stak haar nek vooruit. 'Je zult mij nooit ofte nimmer in de schaduw kunnen stellen.'

'Rachel,' zei Luke minzaam, 'lopen doe je om ergens heen te gaan. Als je naar een bepaalde plek toe wilt lopen of er vandaan, doe het dan. Zo niet, blijf dan stilstaan en reageer op de anderen. Je moet je op natuurlijk aandoende manieren bewegen, maar er moet altijd een reden voor zijn. Heb je daar problemen mee?'

'Nee. Ik zal het proberen. Maar... was het een paar minuten niet heel goed? Werkelijk perfect?'

Kent knikte dromerig. 'Dat was het.'

'Het zal opnieuw gebeuren,' zei Luke. 'Dat is het wonderbaarlijke ervan. En laten we dan nu mijn aantekeningen doornemen.'

Ze zetten zich aan de tafel, schonken koude drankjes in en bogen zich voorover in een compact groepje met Monte aan het ene eind en Kent en Luke aan het andere.

Luke wierp een blik op zijn blocnote. 'Ik zou alles graag veel sneller zien gaan. Vanaf ongeveer twee derde van de eerste akte moeten de zinnen over elkaar rollen met bliksemsnelle reacties. Dat is het moment waarop jullie allemaal er voor het eerst een flauw vermoeden van krijgen dat alles wat jullie je hele leven gedacht hebt, misschien niet waar is en dat inzicht zou ik graag zien aanzwellen als een crescendo in een symfonie. Een manier om dat te bereiken is de zinnen langzaam uit te spreken. Abby, zou jij willen beginnen? Vanaf het moment waarop je binnenkomt van de veranda. Maar laat de betekenis van de tekst niet los; het komt erop aan, de zin van wat je zegt constant tot zijn recht te laten komen.'

Hij leunde achterover en luisterde hoe ze worstelden met zijn aanwijzingen. Dit was een van zijn favoriete experimenten, een dat uiterste concentratie vereiste om elke zin anders te doen klinken, niet alleen voor degene die hem uitsprak, maar ook voor de rest van de cast. Beheerst spreken en bewegen deed alles groter en duidelijker lijken omdat ze zich op elke lettergreep moesten concentreren en daarbij vaak een nieuwe nadruk ontdekten in wat zij zeiden en een nieuwe bewustheid van hun gevoelens. Meestal hadden ze een minuut of drie nodig om zich in te leven in wat er gebeurde en toen Luke hun expressie zag veranderen, wist hij dat ze dat onverwachte moment bereikt hadden waarop ze de verruiming van hun karakter aanvoelden. Cort en Rachel waren hun kibbelarijtje vergeten en glimlachten tegen elkaar. Abby sloeg haar arm om Rachel heen. De twee spelers van de bijrollen, die in de eerste akte maar een paar zinnen hoefden te zeggen, keken jaloers toe.

'Oké,' zei Luke ten slotte. 'We zullen dat vanmiddag nog eens proberen voor we naar de eerste akte terugkeren. Tegen die tijd zullen jullie een idee hebben van de spanning die zich daar begint op te bouwen en ik hoop dat jullie tempo dat zal weergeven. Maar het is een lange ochtend geweest en ik vind het tijd worden voor de lunch. Over een uur graag weer hier.'

Hij en Kent liepen het korte stukje naar Joe Allen en namen plaats aan een tafeltje tegen de roodstenen muur. De kelner verscheen onmiddellijk. 'U hebt maar een uur de tijd, meneer Cameron?'

'Als gewoonlijk. Wat kunt u vandaag aanbevelen?'

Het overleg duurde maar kort en toen de kelner hun ijskoffie bracht, keek Luke Kent glimlachend aan. 'Je kijkt of je een aframmeling verwacht.'

'Zijn we daarvoor dan niet hier?'

'Jij bent er te oud voor en ik geloof er niet in. Wat denk je dat je verkeerd hebt gedaan?'

'Geen idee. Ik merkte alleen dat je nijdig was.'

'Ik was benieuwd hoe lang je nodig zou hebben om met alle medespeelsters in dit stuk aan te pappen.'

Kent keek hem verbaasd aan. 'Is dat wat je dwarszit? Wat maakt het uit met wie ik een afspraakje maak?'

'Ik zal je zeggen wat het uitmaakt. Ik dacht dat je er zelf al achter was, maar aangezien dat niet het geval is, zal ik proberen het je duidelijk te maken. We schiepen iets nieuws toen we allemaal bij elkaar kwamen

117

voor *De Tovenares*. We zijn bijna een familie. Niet helemaal, maar bijna. We zijn bijna een zakelijke onderneming, bijna een club. Kun je dat volgen?' Hij keek op toen de kelner hun lunch bracht en schudde zijn hoofd toen hij de omvang zag van de sandwich op Kents bord. 'Het eist veel energie om toneelschrijver te zijn,' zei Kent. 'O, kouseband, mijn lievelingsgroente. Ga verder.'
'Ik heb het niet over een mysterie: we zijn een groepje mensen dat op elkaar aangewezen is om een toneelstuk tot leven te brengen, maar we zijn ook mensen die hun eigen leven leiden en elke dag is een goocheltoer om die twee uit elkaar te houden. Iedereen weet – en jij behoort het beslist ook te weten – dat zodra je een groep mensen vraagt samen te werken in een sfeer van fantasie en overdreven hartstochten zonder hun eigen hartstochten tussenbeide te laten komen, je goed moet oppassen wat je doet, want anders wordt het slordig en vernietigend.'
'Zeg, ik ben alleen maar met een paar van hen uitgegaan,' zei Kent.
'Met minstens een van hen ben je naar bed gegaan, maar daar zullen we nu niet op ingaan.' Luke nam een hapje van zijn salade. 'Ik wil niet arrogant klinken, maar er zit meer aan vast dan een paar begaafde mensen een script te geven en ze het toneel op te sturen om het op te voeren. Er zijn nog andere dingen aan verbonden en die moeten we allemaal in de gaten houden. Er is vrijwel geen kans op dat deze bepaalde groep ooit nog eens een eenheid zal worden, en dat is een van de redenen waarom zij verschilt van andere groepen, maar het betekent ook dat het gemakkelijk tot zorgeloosheid kan leiden en ik duld geen zorgeloosheid in mijn toneelstukken.'
'Hoe moet ik dat opvatten?'
'Je weet wat het inhoudt. Geef je evenveel moeite om een deel van dit toneelgezelschap te worden als je doet om een stuk te schrijven. Span je even hard in voor een briljante première van dit stuk. Het is verdorie jouw stuk, voor wie staat er meer op het spel dan voor jou? We hebben op dit terrein al genoeg spanningen, we hebben geen rivaliteiten of seksuele bravoure nodig. En we hebben helemaal geen behoefte aan een groentje dat zijn intrede in de grote wereld viert door alle vrouwen te neuken die in dit stuk meespelen.'
Kents gezicht verduisterde. 'Dat hoefde je niet te zeggen.'
'Nee,' zei Luke met een licht hoofdschudden. 'Je hebt gelijk, dat had ik niet moeten doen. Daarvoor mijn excuus.'
'Bied je je excuses aan?'
'Het was ongepast. Met grofheid schieten we geen van beiden iets op.'
'Allejezus, je capituleert toch niet? Hoor eens, je hebt het me wel nooit gevraagd, maar toch vertel ik het je. Ik heb er niet een gepakt. Ik

liet hen merken dat ik hen vurig vond, maar zij deden de eerste stap. En dat bewonder ik. Maar dat is maar een deel van het verhaal. Hoor eens.' Hij legde zijn sandwich neer. 'Hoor eens,' herhaalde hij, 'ik ben overal geweest – in Europa, in Afrika en Japan – en ik weet heel wat van de wereld. Ik weet van wanten, maar jullie maken me nerveus. Dit is jouw terrein en je weet wat je doet, je hebt het recht verworven hier te zijn. Ik voel me als een kind dat opkijkt naar een stel volwassenen op een voor mij onbekende plek, vooralsnog onbekend. En dus pak ik – dat is hier een beetje misplaatst, hè? – ik hou vast wat ik kan. En Marilyn was...'

'We hebben het niet over bepaalde personen.'

'Akkoord, maar ik klap nooit uit de school. Ik heb alleen behoefte aan mensen die me vertellen hoe geweldig het stuk is...'

'Ik vertel je dat. En Monte ook.'

'Ik heb er voortdurend behoefte aan! Als ik het een paar dagen niet hoor, begin ik te piekeren dat het niet goed is en dat iedereen dat heel gauw zal beseffen en dat je het hele geval zult afblazen. Of dat de critici er geen spaan van heel zullen laten. Ik ben aan een nieuw stuk begonnen – ik heb het jou nog niet verteld, aan niemand trouwens – en elke nacht word ik om twee of drie uur doodsbenauwd wakker omdat ik er zeker van ben dat het nieuwe stuk niet deugt en *De Tovenares* ook niet en ik evenmin. Dus pak ik... klamp ik me vast aan mensen die me vertellen dat ik geweldig ben en dan voel ik me weer een poosje boven Jan. Ik was gewend te roken en dan dacht ik dat ik het zou besterven als ik geen sigaret had. Dit is erger.'

'Ik zal het voor jou op een bandje zetten. Dan kun je het afspelen wanneer je maar wilt.'

'Een geweldig idee. Wat ga je zeggen?'

'Wat bliksem, je weet wat ik zal zeggen.'

'Zeg het me toch maar.'

'Je hebt een mooi stuk geschreven, een ontroerend, persoonlijk toneelstuk met een boodschap. De acteurs vinden het geweldig en wij anderen ook en we zullen ons uiterste best doen om er de best mogelijke productie van te maken. Zou dat genoeg zijn?'

'Ja. Wanneer spreek je het in?'

Peinzend nam Luke hem op. 'Ik meende het niet in ernst.'

'Nou ja, ik wel. Ik bedoel dat ik weet dat het een grapje is en misschien ook een stomme grap, maar het zal voor mij zoiets zijn als een shot. Och wat drommel, Luke, ik zal me netjes gedragen of jij het nu doet of niet, maar ik zou het erg op prijs stellen. Het zou mijn mantra zijn.'

Luke haalde zijn schouders op. Het verbaasde hem altijd weer hoezeer schrijvers gestreeld wilden worden. Maar dat gold ook voor acteurs en kunstschilders en beeldhouwers. Echt creatieve mensen streven altijd naar meer en wat hen midden in de nacht doodsbenauwd doet opschrikken is de wetenschap dat zij nooit alles, of zelfs niet het meeste ervan kunnen presteren, of het zo goed kunnen doen als zij hopen. 'Ik zal het dit weekend maken,' beloofde hij. 'Kun je me al iets vertellen over het nieuwe stuk?'

Kent boog zich naar voren en dempte samenzweerderig zijn stem. 'Je houdt het voor je, hè?'

Zodra Luke het hoorde, wist hij dat het een goed gegeven was, met sterke rollen voor een man en een vrouw van in de veertig. 'Perfect voor Jessica,' mompelde hij.

'Wie? Jessica?'

'Fontaine.'

'O. Ik denk nooit aan haar, weet je, maar je hebt gelijk; ze zou fantastisch zijn. Ik heb haar lang geleden in Londen gezien in *Medea*, ze was formidabel. Maar ze is voorgoed verdwenen, is het niet?'

'Nog niet zo heel lang.'

'Wat is er met haar gebeurd?'

'Ik weet het niet. Ik ga het natrekken.'

'En denk je dat ze ervoor te vinden zal zijn? God, als we haar zouden kunnen krijgen... maar ik kan haar nog niet veel laten zien. Het grootste deel van de eerste akte, maar dat is alles.'

'Stuur mij er een afschrift van. Ik zal het moeten lezen en als ik haar vind, zal ik het haar misschien laten zien. Ik beloof niets, we zullen afwachten wat er gebeurt.' Hij stak zijn hand uit naar de rekening. 'Laten we gaan; we hebben vanmiddag nog veel te doen.'

'Nee, laat mij nu...' Met een trage beweging reikte Kent naar zijn portefeuille.

'Nee, ik betaal. Als je iets geleerd hebt, weegt dat tegen de hele rekening op.'

'Ik héb iets geleerd. Je bent goed, weet je. Je bent een geweldig regisseur en je kunt goed overweg met de acteurs en met ons allemaal, de technici incluis. Ik kan niet goed met mensen omgaan, tenminste niet altijd, en ik bewonder degenen die het wel kunnen.'

'Dat zal nog wel veranderen. Pas alleen goed op wat je doet. Kom mee.'

De repetities begonnen met opnieuw een langzame oefening en keerden daarna terug tot het begin van het stuk. Kent zat naast Luke aantekeningen te maken, te mompelen en te wiebelen. Luke keek hem aan. 'Jij voelt het ook.'

'Ja, er is iets mis. Ik weet niet waarom.'

'Ik wel denk ik.' Luke stond op en liep naar de afgeplakte rand van het toneel.

'Abby, ben je bij deze scène echt boos op Daniel? Waarom eigenlijk?'

'Lieve help, Luke, hij heeft geen aandacht voor me! Hij denkt aan dat meisje dat hij heeft leren kennen in plaats van mij met eerbied en liefde te benaderen.'

'Hij is er dus met zijn gedachten niet bij. Wat voor gevoel wekt dat bij je op? Behalve boosheid bedoel ik.'

Ze keek omhoog naar het plafond en wreef met een hand over haar nek. 'Ik ben misschien in de war.'

Hij knikte. 'Omdat hij zich op een voor jou onverwachte manier gedraagt. Je dacht te weten hoe de wereld in elkaar zat, maar nu schijnt je wereld op zijn kop te staan.'

Na even nadenken zei Abby: 'Jij denkt dat ik verbijsterd ben.'

'Dat klinkt mij logisch in de oren.'

'Tja... verbijsterd. Ja, daar kan ik inkomen. Ze is een oude vrouw en wenst dat haar wereld voorspelbaar is. Dat geldt voor ons allemaal, nietwaar? Maar op haar leeftijd is onbegrip moeilijker te aanvaarden. Laat me daar eens over nadenken. Het verandert alles, zelfs de manier waarop ik me beweeg. Ik zou naar hem toe moeten komen en proberen hem te begrijpen in plaats van me boos van hem te verwijderen.'

Een flauwe glimlach trok over haar gezicht. 'We zullen het proberen, nu meteen. Cort, als we terug kunnen gaan naar jouw opkomst...'

Luke ging weer zitten terwijl de acteurs hun positie innamen en de scène opnieuw begonnen. 'Ik bewonder je,' fluisterde Kent. 'Je bent een genie. Zou het opzien baren als ik je een zoen geef?' Hij boog zich opzij en drukte een zoen op Lukes wang. 'Hoe kom ik zo gelukkig?'

'Ssssttt.' Ze keken hoe Abby de scène aanpakte. Aanvankelijk was ze aarzelend en Luke wenste dat Constance hier op het toneel kon staan. Maar na een paar minuten begon Abby haar koers te vinden: ze toonde verlegenheid en daarna onzekerheid en verbijstering, en tot Lukes groeiende enthousiasme, ook een zweempje angst. 'Ze heeft het te pakken,' mompelde hij en hij zag hoe de anderen hun houding veranderden en zich aanpasten aan de hare. Grinnikend keken Luke en Kent elkaar aan en Monte zei: 'Bliksems, precies goed. Wat heb je met Abby gedaan? Haar gehypnotiseerd? Ze is altijd een verschrikking.'

'Ze houdt van het stuk,' zei Luke.

'En jij weet hoe je haar moet aanpakken. Knap werk.'

'Zeg haar dat je het goed vond als we straks pauzeren.' Luke leunde achterover met de intense voldoening die zich alleen na zo'n doorbraak manifesteerde. Die voldoening was sterk genoeg om hem de hele middag bij te blijven en ook daarna toen hij Tricia 's avonds naar Amagansett reed voor het weekenduitstapje dat zij al weken tevoren afgesproken hadden.

Ze waren te gast in het hypermoderne huis van Monte en Gladys Gerhart, waar een vleugel voor hen beschikbaar was met een zit- en een slaapkamer met uitzicht op het strand, en twee badkamers. 'Lieve help, Gladys weet hoe ze haar zaakjes moet aanpakken,' zei Tricia bij inspectie van de kamers terwijl ze zich ontkleedde om zich klaar te maken voor het diner. 'En er is nooit het minste of geringste schandaaltje over haar verteld. Ook niet over hem. Kun jij je een producer voorstellen die vierendertig jaar met dezelfde vrouw getrouwd is? Het is in strijd met alle wetten van het universum. Luke? Ben je het daarmee eens?'

'Waarmee?'

'Met de universele wetten. Mankeer je iets? Je bent geheimzinnig zwijgzaam.'

'Neem me niet kwalijk.' Hij trok zijn shirt uit. 'Je weet hoe druk ik het heb als we zo ver gevorderd zijn met het stuk.'

'Het stuk. Soms denk ik dat het stuk een verdraaid handig excuus is voor alles. Heb je een andere schoonheid gevonden?'

Hij wierp haar een blik toe. 'Jij zou de eerste zijn om te horen dat ik met een ander uitging. En om erover te schrijven.'

'Dat is zo, maar het viel me juist in dat er nog iets anders gaande kon zijn dan het toneelstuk.' Er viel een stilte. 'Je wilt het me dus niet vertellen.'

'Er is niets te vertellen.'

'Dat is er wel en ik mag hangen als ik weet wat het zijn kan.' Weer was het stil. 'Claudia gaat nog steeds met Peruggia, wist je dat?'

'Nee. Het heeft niet in je column gestaan.'

'Léés jij die, Luke? Meer dan af en toe, bedoel ik?

'Altijd.'

Ze liep naar hem toe en kuste hem. Ze was naakt en haar huid was gebruind en warm in de schuine stralen van de ondergaande zon. 'En ben je het ermee eens?'

Ik kan me niet voorstellen hoe iemand haar brood kan verdienen met het publiceren van geruchten en pure leugens in kranten waarvan de lezeressen zullen veronderstellen dat ze waar zijn. Wat een afschuwelijk bestaan!

'Nee, zoals ik je steeds zeg als je het vraagt. Maar wat maakt dat uit?

Je hebt horden fans en vrijwel niemand in Hollywood verroert een vin zonder zich af te vragen wat jouw commentaar erop zal zijn. Dat zou genoeg voor je moeten zijn.'

Ze trok zich van hem terug, pakte een zijden onderjurk en stapte erin. 'Ik denk graag dat jij me bewondert.'

'Dat doe ik. Je hebt zonder enige hulp van iemand anders carrière gemaakt en waar je voor gekozen hebt, doe je heel goed.'

'En het loont de moeite.'

Hij grinnikte. 'Nee, maar je bent opvallend vasthoudend.'

'Lach me niet uit. Ik doe hetzelfde als al die talkshows op de televisie waar miljoenen mensen naar kijken. We geven het publiek de nieuwtjes die het verlangt.'

Hij knikte. 'Dat is zo. Maar voor zover ik gezien heb, kijkt men naar die programma's en leest men jouw columns met een soort boosaardig genoegen en de enige verklaring die ik ervoor kan vinden, is dat het kijken naar of lezen over iemand wiens hele leven uitgeplozen wordt, hun een veilig gevoel geeft. Het is alsof zij denken dat er maar een bepaalde hoeveelheid ellende rondzweeft en als alle anderen eronder te lijden hebben, er te weinig overblijft om hen te deren. "Hun verdiende loon," zeggen ze dan, of: "Ze heeft erom gevraagd," of: "Zíj kwam niet ver met een knap snuitje." Ze oordelen over verdriet dat gewoonlijk heel reëel is.'

Tricia draaide zich om en keek door het raam naar de incidentele hardloper op het verlaten strand en de trage golven van de baai die met zachte zuigende geluidjes op het zand kabbelden. Ergens anders in het huis zette iemand een radio aan en jazzmuziek drong door in de kamer. 'Ik zou je kapot kunnen maken met mijn column.'

'Dat betwijfel ik. Waarom zou je? Streef je daarnaar?'

'Mijn doel is macht.' Ze keerde zich naar hem toe. 'Dat weet je.'

Hij knikte en besefte opnieuw waarom hij zich nog steeds tot haar aangetrokken voelde. Ze was de meest directe vrouw die hij kende, volkomen niets en niemand ontzien in haar ontleding van niet alleen de samenleving, maar ook van zichzelf. Ze leek vaak naïef, maar in werkelijkheid was ze even goed op de hoogte en even vasthoudend als een generaal die een aanval voorbereidt op een fort dat hij jarenlang bestudeerd heeft.

'Ik heb in elk geval plezier,' zei ze laatdunkend. 'Zullen we hier maar over ophouden? Het wordt mij veel te serieus. Kan het jou schelen dat ze nog steeds met hem omgaat?'

'Bedoel je Claudia? Of het mij kan schelen of Claudia met iemand omgaat? Lieve hemel, ik zou een radslag maken van blijdschap als ze een man vond met wie ze kan trouwen. Ik zou de trouwpartij betalen en de huwelijksreis. Als ik iemand voor haar kon vinden zou ik het zelf arrangeren, maar jij zou het in je column opnemen. "Welke toneelregisseur op Broadway speelt huwelijksmakelaar voor zijn ex-echtgenote?" '

Tricia schoot in de lach. 'Die vind ik goed. Ik denk dat ik het doen zal. Ik verzin wel iemand, dat maakt het pikanter. Maar geen toneelregisseur. Jij verschijnt niet in mijn column.'

'Nog niet.'

Ze nam hem nadenkend op. 'Misschien nooit. Althans niet zolang wij vrienden zijn. Maar ik heb mogelijk weer een item over Claudia. Zij en Peruggia gokken heel vaak; zij nam hem mee naar de Phelans en naar ik hoor, is hij er volkomen uitgelaten van, vooral aan de roulette en voorzichtiger met kaarten. Als hij blijft verliezen zal ik een stukje aan hem moeten wijden. Zoveel drama kan ik toch niet negeren?'

'Waarom heb je het nog niet gedaan?'

'Jij blokkeerde dat ene item dat ik wilde publiceren. En hij en ik hebben ooit een korte, stormachtige verhouding gehad en ik vond hem sympathiek – of nee, ik was gefascineerd door hem. Verblind, zou je kunnen zeggen tot ik bij zinnen kwam. Hij is geen goed man, Luke. Sommigen noemen hem gevaarlijk. Claudia mag wel op haar tellen passen.'

'Ik zal het haar zeggen.'

'Ik wist niet dat je nog steeds contact met haar hebt.'

'Af en toe. Trish, ik ga zondagmorgen vroeg terug naar de stad. Als jij hier de verdere dag wilt blijven, is het mij best.'

'Dat geloof ik graag. Wat is er in de stad te doen?'

'Ik moet nog werk voorbereiden voor de repetities van maandag.'

'De try out is pas over twee weken in Philadelphia. Wat heb je dan allemaal nog te doen?'

'Soms moet het meeste werk in de laatste twee weken gebeuren. Het spijt me, ik weet dat er een brunch of zoiets is en jij wilde dat ik erheen zou gaan.'

'Voor een paar mensen waarvan ik dacht dat jij ermee kennis zou willen maken.'

'Een andere keer.'

Ze liet haar onderjurk op de grond vallen en ging op haar tenen staan om hem te omhelzen. Haar borsten drukten tegen zijn blote torso. 'Dit zal je niet overhalen te blijven,' fluisterde ze met haar lippen dicht tegen de zijne, 'want zoiets doe ik niet en het zou toch geen succes hebben. Ik doe het alleen omdat ik het wil.'

'En ik ook,' zei Luke.

Maar zondagmorgen had Tricia een heel regiment gasten opgetrommeld en met hun gastheren drongen ze erop aan dat hij zou blijven voor het hele sociale gebeuren, waaronder een brunch voor vijftig mensen en een cocktailparty voor tweehonderd voordat zij naar New York terugkeerden. 'Ditmaal niet,' zei hij. 'Een andere keer. Sorry.' Tricia bleef achter en zou die avond met Monte en Gladys meerijden. Haar ogen waren koud en alert toen zij Luke nakeek.

Tegen de middag was hij weer in de stad en ging allereerst naar de repetitie-studio. Zijn voetstappen weergalmden in de grote lege ruimte toen hij delen van de tweede en derde akte doornam op het geïmproviseerde toneel. Aan de hand van een diagram verplaatste hij kisten en houten stoelen, werkte passages ertussendoor uit en een nieuw patroon van verplaatsingen. Zo is het beter, dacht hij terwijl hij het bekeek. Natuurlijk zal het hun moeten aanstaan en zullen ze zich er op hun gemak in moeten voelen, maar het verhoogt de spanning en dat zou het tempo erin kunnen houden. Hij besteedde twee uur aan het tekenen van nieuwe diagrammen en tekende met kleurpotlood alle bewegingen in, voor elke medespeler een andere kleur. En toen besefte hij dat hij klaar was.

Tijd om huiswaarts te gaan, dacht hij en daar nog wat te lezen: *The Sunday Times*, twaalf kinderboeken en Jessica's brieven.

Beste Constance,

Dit eiland is geen plek voor mensen die van zwerven houden; het vereist planning vooraf en enige moeite om er te komen en het weer te verlaten. Met een eigen vliegtuig of boot zou het gaan (allebei geweldig als het weer meewerkt), maar de meeste mensen hebben er geen en dus moet hun leven aangepast zijn aan de vaarschema's van de veerboten. Dat betekent ongeveer een uur voor het vertrek met je auto in de rij staan, bijna een uur varen naar het vasteland, en dan tachtig mijl zuidwaarts rijden naar Seattle of veertig mijl noordwaarts naar Bellingham. Dat maakt boodschappen doen een hele onderneming! Er is een gezellige markt in Lopez Village, maar voor de variatie die wij in de stad hadden, blijft het vasteland wenken. Maar mij wenkt het niet, want ik heb geen behoefte om ergens heen te gaan. Ik voel me volkomen tevreden in mijn eentje, omringd door wateren van talloze kleuren – donkerblauw, grijs, turkoois- en zilverkleurig, blauwgrijs, donkergroen, jade – afhankelijk van de hemel en de wolken.

Het is voor een groot deel de afzondering die Lopez mooi maakt:

de pijnbossen zijn wilder, de stranden beslotener en de klippen dra-
matischer. En het eiland is erg intiem, want de meeste huizen lig-
gen verstopt in de bossen, onzichtbaar tot je praktisch voor de
voordeur staat.
Mijn eigen huis is klaar. Het is niet groot, maar zo licht en open dat
het is of het versmelt met de lucht en het water en sereen en zelfge-
noegzaam in zijn eigen wereldje drijft. Ik heb een aangebouwd
atelier, zoiets als de studio die ik in Connecticut had en ik ben be-
gonnen een tuin aan te leggen. Ik heb mijn meeste land ongerept
gelaten, maar een landschapsarchitect maakte het om het huis heen
glooiend, plaatste stenen voor wandelpaden en hielp met beplan-
ten, zodat ik nu vanuit mijn raam uitkijk op overlappende perken
met rododendrons, azalea's, blauwe ceanothus, veertien soorten
irissen, vingerhoedskruid, rozen en nog een stuk of tien planten die
ik niet uit mijn hoofd kan opnoemen. (Volgend jaar zal ik alle na-
men van buiten kennen.) Mijn oprijlaan en de weg daar voorbij
zijn omzoomd met brem en als de struiken in bloei staan, is het een
zee van zulke heldergele bloemen dat het is alsof zij al het geel ge-
absorbeerd en de rest van de wereld iets bleker achtergelaten heb-
ben. Ik kan alles hier bijna zien groeien; het klimaat is mild en we
hebben een overvloed van regen en zonneschijn. Ik heb nog nooit
een tuin gehad en ik vind het heerlijk me met de aarde verbonden
te voelen als ik erin werk. Ik kweek wat groenten, niet erg ambiti-
eus, maar misschien waag ik me binnenkort aan wat exotischer ge-
wassen. Toen ik voor het eerst een peul van de rank plukte en opat,
was dat een buitengewone gewaarwording voor me, alsof ik zojuist
de volle waarde van voedsel ontdekte, in plaats van het uit de
tweede of derde hand in plastic verpakt in de supermarkt te kopen.
Ik hoop dat je de boeken ontvangen hebt die ik je gestuurd hebt:
twee romans waar ik van genoten heb en mijn laatste kinderboek,
The secret Room. *Er wordt over gesproken om het te verfilmen of*
zelfs om er een musical van te maken, maar het interesseert me
geen van beide. Het ligt trouwens nog zo ver in de toekomst dat ik
mijn tijd niet wil verspillen met erover na te denken.

Verstomd schudde Luke zijn hoofd. Ze schreef alsof Constance een oppervlakkige vriendin was, alsof ze elkaar niet al vierentwintig jaar kenden, alsof ze niet zo intiem met elkaar geweest waren als twee vrouwen
maar zijn konden. En tot nu toe geen woord ter verklaring van haar
vrijwillige ballingschap – want zo klonk het – op Lopez Island.
En hoe zat het met de man die ze had leren kennen?

Beste Constance,

Ik kon vannacht niet in slaap komen en heb over je brief liggen denken. Sorry dat je denkt dat ik afstandelijk en onverschillig klink; laat ik je zeggen dat ik in die geest nooit aan jou denk. Eerlijk gezegd valt het me moeilijker om me aan het verblijf hier aan te passen dan ik gedacht had. Soms zit ik in mijn tuin met uitzicht op het strand en de kleine baai en dan komt het me voor dat ik zo ver van alles en iedereen verwijderd ben dat ik nog maar nauwelijks in werkelijkheid besta. (Ik weet dat ik schreef dat ik van afzondering houd, maar mijn stemming verandert met de wind of de tijd of de stand van de zon.) Alle betrekkingen met mensen en plaatsen en dingen die vroeger mijn leven definieerden zijn verbroken en verdwenen. Er was zoveel blijdschap in mijn leven, dat het me nu moeilijk valt om mij heen te kijken en niets te vinden dat me herinnert aan die andere Jessica dan mijn herinneringen en incidentele artikeltjes over New York in de lokale of regionale kranten.

Dus voel ik me losgeslagen. Het is alsof die trein in Canada dwars door het centrum van mijn leven scheurde en een grote kloof veroorzaakte tussen toen en nu en daardoor alles zo sterk veranderde dat ik die kloof met geen mogelijkheid overbruggen kan om terug te keren naar wat ik was. Als je vraagt hoe ik me voel, is dat een van de antwoorden: losgeslagen en beknot. Niets is blijvend.

Klink ik sentimenteel? Ik vind het hier fijn en ik maak het echt uitstekend. Alleen is er erg veel waaraan ik moet wennen en dat ik voor lief moet nemen nu dit mijn leven is. Ik weet dat jij het gevoel had in ballingschap te gaan toen je naar Italië verhuisde en ik zeg niet dat het mij net zo vergaat; ik zou dit nooit ballingschap willen noemen. Het is een nieuw begin en ik bouw een nieuw leven op.

En dat is een van de redenen, lieve Constance, waarom ik niet naar Italië kan komen. Je weet dat ik je dolgraag zou willen zien, maar ik wil dit eiland niet verlaten voor ik mijn leven hier opgebouwd en aanvaard heb. Ik ben nog te boos – op spoken, op ongrijpbare 'misschiens' en 'stel dats' – als een bokser met niets dan schaduwen om tegen te vechten, en daar zal ik mee moeten leren afrekenen.

Ik zal ermee afrekenen, ik zal hieraan wennen, dat weet ik, maar o, Constance, ik mis zo wat ik kwijt ben, er is zo'n leegte die de wereld uitwist als ik mijn bezigheden staak en merk dat ik opeens in de ruimte zit te staren en uitkijk naar... alles. Jij bent de enige ter wereld die dat echt kan begrijpen en die mijn woede kan begrijpen, want ik weet dat jij hetzelfde gevoel had (dat je waarschijnlijk je

*hele leven bij zal blijven, en ik denk mij ook) hoewel je altijd ge-
probeerd hebt het te verbergen.*

*Hoe het zij, als ik positief kan zijn, voel ik dat ik mezelf weer leer
kennen en dat moet ik fulltime doen op de plek die ik tot mijn thuis
verkozen heb en dus kan ik die niet verlaten om naar Italië te
gaan. Ik heb al veel vrienden – het eiland is zo klein dat ik bijna
iedereen heb leren kennen – en ik heb mijn werk. Het Kinder-
theater van Seattle krijgt een nieuwe zaal en kiest daar nu toneelstukken voor uit. Na alle boeken die ik geïllustreerd heb, denk ik
dat ik een toneelstuk voor kinderen zou kunnen schrijven. Weten
doe ik het niet, want ik heb nooit geprobeerd te schrijven, maar ik
zou er mijn krachten eens op kunnen beproeven. Het zou een manier zijn om weer in contact te komen met het toneel.*

*Je ziet dus hoeveel er in mijn leven gebeurt. Ik geef je een beschrij-
ving van mijn dagen hier om je er deelgenoot van te maken. Met
kleine afwijkingen zijn alle dagen hier eender en dat is een van de
charmes van Lopez.*

Luke keek de rest van de brief vluchtig door en ook de daarop volgende op zoek naar een specifieke opmerking.

*... gewoonlijk ga ik elke ochtend al voor het ontbijt paardrijden en
daarna tuinieren. Terwijl ik aan het werk ben, stijgt de zon hoger
aan de hemel en worden de planten langzaam bleekgroen en daarna goudkleurig...*

*... schilder 's middags als het licht zo helder is dat het zo hard wordt
als een diamant zonder zachte randen of schaduwen...*

*... ontdekte de Lopez Wijngaarden die een heel goede wijn produ-
ceren en kreeg er een rondleiding...*

*... de veerboot naar San Juan, het grootste eiland, en werd door de
theatercommissie daar aangetrokken als regieassistente...*

*... lunch met Rita Elliott, een ontwerpster van juwelen met haar ei-
gen...*

Opeens begonnen de woorden te bezinken en Luke keerde terug naar
de zin over het eiland San Juan.

... werd door de theatercommissie daar aangetrokken als regieassistente voor hun productie van Pygmalion. *Aanvankelijk weigerde ik, maar ze zijn erg ambitieus – het is een klein gezelschap en geen van hen heeft ooit* Pygmalion *gezien, maar wel zijn ze allemaal naar de film* My fair Lady *geweest – en ze waren zo enthousiast over mijn aanwezigheid daar dat ik ten slotte gezegd heb het te zullen doen, alleen voor deze ene keer. Herinner jij je die keer nog in Chicago dat we er samen over praatten hoe elke acteur en actrice ervan droomt te regisseren? Ik heb er zelfs over gedacht acteren en regisseren ooit nog eens te combineren. Maar die tijd is voorbij. Ik maak niet langer deel uit van het theater. Wat ik in het Gemeentelijke Theater en Kunstcentrum zal doen is een zijsprongetje, een kleine variant in mijn dagrooster. Het stuk wordt drie dagen opgevoerd en dat zal ruim voldoende zijn.*

Luke schudde zijn hoofd. Er was iets vreemds aan haar stijl van schrijven. Die was te resoluut, te behoedzaam. Alsof ze niets wilde verklappen. De enige keer dat hij de levendigheid van haar eerdere brieven tegenkwam was waar zij schreef over paardrijden of tuinieren. Hij keek nog een paar bladzijden vluchtig door tot hij vond wat hij zocht, met ook nog iets van haar oude vitaliteit.

Hij heet Richard en hij is een beeldhouwer die permanent op Lopez woont.
Voor ik kennis met hem maakte, had ik twee van zijn stukken gekocht, een bronzen paardekop die ik in de tuin gezet heb, en een marmeren beeld van een moeder met twee kinderen, een in vloeiende lijnen uitgevoerd abstract met veel tederheid dat mij aan mijn ouders en aan jou doet denken. Ik ontmoette hem op een keer toen hij mosselen opspitte in een kleine baai aan de andere kant van het eiland. Stel je die uitzonderlijk romantische ontmoeting voor: twee mensen aan de waterkant met grote gedeukte emmers naast zich. Ze gebruiken plantschopjes om het natte zand om te wroeten en gooien water en zand alle kanten uit, zodat er zand aan hun oogleden kleeft en door het zeewater op hun wangen en voorhoofd geplakt zit. Alles is glanzend en vochtig van de nevel en er zit zand onder hun vingernagels en ook in de omslagen van hun shorts en T-shirts. Hij is bijzonder knap, van middelbaar postuur, blond met donkere bruine ogen, een verzorgde blonde baard en hij heeft een eigenaardige manier van lopen. En we lachen samen: iets wat ik gemist heb omdat ik vergeten was hoezeer ik het nodig heb.

Luke smeet de brief op de tafel. *Waarom verspil ik mijn tijd hiermee? Ik had al lang aan het werk moeten zijn of de krant zitten lezen.* Hij bracht zijn dienblad mee naar de keuken, zich bewust van de beklemmende stilte in zijn appartement. Het maakte een onbewoonde indruk. Martin was weg, niemand belde op, zelf had hij hier de laatste weken niet veel tijd doorgebracht en als hij er was, had hij meestentijds in de bibliotheek gezeten. Hij bleef staan om de jaloezieën in de zitkamer op te trekken, maar toen het felle zonlicht binnendrong, liet hij ze weer zakken. Laat de airconditioning zich maar eens uitsloven, dacht hij, vooral omdat hier niemand is om het uitzicht te bewonderen.

Hij ruimde de keuken op, zette zijn serviesgoed in de afwasmachine en poetste het aanrecht. Alles was brandschoon; Martin en de huisbewaarder verzorgden alles uitstekend en Lukes aanwezigheid was hier nauwelijks merkbaar. Onbelangrijk. *Maar het is een woning, mijn woning en het moet een bewoonde indruk maken.* Door de keukendeur keek hij naar de tafel in de eetkamer die het afgelopen jaar maar drie keer gebruikt geweest was. *Ik moet zorgen dat het hier bewoond lijkt. Gasten ontvangen, liefdadigheidsacties organiseren en vrienden en hun kinderen uitnodigen hier te komen biljarten. Ik zou de pingpongtafel kunnen neerzetten en de flipperkast die ik een paar jaar geleden voor de grap als een kerstcadeautje van Monte kreeg. Het zou leuk zijn als hier kinderen kwamen spelen.*

Klink ik sentimenteel? Ik vind het hier fijn en ik maak het echt uitstekend. Alleen is er erg veel waaraan ik moet wennen en dat ik voor lief moet nemen nu dit mijn leven is.

Maar ik ben eraan gewend, dacht Luke; ik neem dit voor lief. Dit is al een hele tijd mijn leven.

Alleen maakte Jessica er geen deel van uit en nu wel.

Hij ging terug naar de bibliotheek en vouwde de volgende brief open toen de telefoon rinkelde. 'Luke,' zei Claudia, 'kun je morgenavond met me dineren?'

Er was iets in haar stem dat hem deed begrijpen dat hij haar niet kon afwijzen. 'Jawel, maar we gaan lang door met repeteren. Kan het om negen uur?'

'Wanneer je maar wilt. Kom je bij mij? Dat zou ik graag willen.'

'Nee, dat gaat niet. Ik verwacht je in Bernardin. Als ik wat laat ben, vraag Maguy dan je een heerlijke amuse bouche te brengen en een fles Guenoc Chardonnay.'

'Maar je zult niet te laat zijn.'

'Als ik het in mijn macht heb niet.'

Toen hij ophing, bedacht hij zuur dat hij misschien nooit van Claudia af zou komen; ze zou zich nooit terugtrekken en hij zou nooit een manier vinden om haar uit zijn leven te verbannen. Hij bepaalde zich weer bij Jessica's brief. Het was een beschrijving van haar werk met *Pygmalion*, erg onpersoonlijk vond hij, alsof ze niet schreef vanwege het plezier of de opwinding, maar plichtmatig. Maar hij verdiepte zich er niet in; hij zocht een naam. En toen vond hij die.

Richard heeft een eigen speedboot, wat een grote luxe is nu ik heen en weer pendel voor de repetities. Hij brengt me naar San Juan en keert dan terug naar Lopez om in zijn atelier te gaan werken in plaats van te blijven kijken hoe de acteurs op het toneel staan te stuntelen. Maar dat is wat erg onaardig uitgedrukt. Maar het is een feit dat ze niet veel ervaring hebben (sommigen helemaal geen), dus kost het allemaal nogal wat tijd. Gelukkig hebben we tien weken de tijd om te repeteren. (Tien weken, terwijl wij altijd vonden dat meer dan vier of vijf weken een hele luxe was.)

Is dat alles over de knappe beeldhouwer? dacht Luke. Hij bladerde brieven door en las hier en daar nog een losse zin.

Je had gelijk, lieve Constance, het stuk ging geleidelijk beter en toen liepen we vast. We werken hard, maar wat we nu hebben is waarschijnlijk het best bereikbare. Ik vind de medespelers aardig...

Ik vloog voor een dag op en neer naar Seattle om bij de Elliot Bay boekhandel boeken te signeren en een paar schoolkinderen te ontvangen die de zaak bezochten.

Over twee dagen is de première en iedereen is zo op van de zenuwen en de spanning dat ik een soort kinderjuffrouw geworden ben...

... alle drie de avonden uitverkocht en we hebben er een vierde aan toegevoegd. De première was een daverend succes en ik was de enige die het een ramp vond. Maar iedereen was zo uitgelaten van blijdschap... en daar gaat het in het theater toch om? Om ons uitgelatener te maken?

... ze vroegen me of ik nu terugga naar New York. Natuurlijk niet, zei ik. Ik ben hier volmaakt gelukkig en heb alles wat ik nodig heb.

Al lezende liep Luke naar de keuken. Hij zette water op en deed gemalen koffie in de percolator. Terwijl hij wachtte tot het water zou koken, leunde hij tegen het granieten aanrechtblad en las door. En vond geen woord over Richard.

Wat is er met hem gebeurd?

De fluitketel floot. Hij schonk heet water in de koffiepot, drukte de koffie aan, liep terug naar de bibliotheek, haalde een volgende brief uit het kistje en keerde terug naar de keuken, waar hij weer tegen het aanrecht geleund wachtte tot de koffie doorgelopen zou zijn.

Allerliefste Constance,

Je klonk zo ongerust aan de telefoon dat ik me afvroeg of je me wel geloofde toen ik zei dat ik het uitstekend maak. Ik weet nooit zeker of je me gelooft of niet, al niet meer sinds je me er heel lang geleden eens op wees dat twee goede actrices iedereen kunnen bedotten, zelfs elkaar. Welnu, ik probeer niet jou te bedotten, ik maak het echt uitstekend. Ik weet niet waarom je het me vroeg, maar het antwoord is nee: ik ben tot de conclusie gekomen dat ik nooit zal trouwen. Het kan zijn dat ik nog niet klaar ben voor het huwelijk – hoewel, als ik het op mijn zevenendertigste niet ben, zal ik het vermoedelijk nooit worden – maar het is waarschijnlijker dat ik er niet geschikt voor ben.

Maar je moet over mij niet piekeren, dat is niet goed voor je. De waarheid is dat ik van mijn huis en mijn tuin houd, echt gelukkig ben als ik boeken illustreer en als ik paardrijd. Ik heb hier geweldige vrienden, schrijvers, eigenaars van logementen en restaurants, winkeliers, farmers en ja, Richard ook. En... mijn grote nieuws voor vandaag: ik krijg een hond! Mijn buurman heeft een nest zwarte labradors waaruit ik mocht kiezen en ik koos de mooiste en verreweg de schranderste. Hij brengt de puppy zaterdag en zodra ik foto's heb, stuur ik ze op. Ik noem haar Hope.

Luke nam een kop koffie mee naar de bibliotheek en streek met zijn duim over de brieven achter het ruitertje dat aangaf tot hoever hij met lezen gekomen was.

Hij had er nog tientallen niet gelezen: de brieven die de drie jaar besloegen vanaf *Pygmalion* tot Constances dood. Hij bedacht dat hij zich tijdens zijn verblijf in Italië afgevraagd had of Jessica op de hoogte was van Constances dood. Ze moest het geweten hebben, want de correspondentie was opgehouden.

Hij nipte aan zijn koffie en keek naar de warboel op de tafel. *Waarom*

had ze haar hondje Hope genoemd? Wat deed ze nu? Was ze van ge-
dachten veranderd en met iemand getrouwd? Leefde ze met iemand
samen?
En hij wist dat hij niet langer kon wachten en alleen via haar brieven
tijd met Jessica kon doorbrengen. Hij moest haar zien.
Zijn hand zweefde boven de hoorn van de telefoon. *De Tovenares*
zou over elf dagen in Philadelphia in première gaan. Maar niets belette hem er nu een weekend tussenuit te breken. Het was een van de
vlotste repetities geweest in zijn loopbaan en iedereen wist het, zelfs
Cort die een uitstekende Daniel geworden was nadat Kent had toegegeven dat enkele door Cort verlangde veranderingen het stuk sterker
maakten. Ze zouden doorgaan met repeteren, er zouden nog steeds
problemen blijven die opgelost moesten worden, maar een weekend
vrijaf zou hen allemaal goed doen.
Bovendien heb ik een verplichting, dacht Luke. Ik moet Constances
verzameling van toneelstukken afleveren. Ik had het al lang geleden
moeten doen. Zij wilde dat Jessica die zou krijgen.
Hij voelde een golf van verlangen toen hij de telefoon opnam, de opwinding van iets nieuws, iets dat al heel lang gegroeid was. Hij zocht
het nummer op van de luchtvaartmaatschappij. Zijn reisbureau zou
op zondag niet open zijn, maar de balies van de maatschappijen wel
en het zou voor de dienstdoende beambte niet moeilijk zijn om passage voor hem te boeken voor de vlucht naar Seattle en Lopez Island op
vrijdagavond en zondagavond laat terug naar New York.

8

Claudia droeg een zwartzijden mantelpakje met een kanten blouse die haar langer en haar schoonheid formeler scheen te maken en de gasten keken haar na toen Maguy haar naar Lukes tafeltje begeleidde. 'Blijf zitten, Luke.' Ze boog zich naar hem toe voor een vluchtige kus en nam toen plaats op de stoel die Maguy voor haar gereed hield. 'Zit je al lang te wachten?'

'Een paar minuten.'

'Sorry, maar je weet dat ik er een hekel aan heb alleen aan een tafeltje te zitten.'

'En dus zorgde je ervoor dat ik hier het eerst zou zijn. Heb je naar me uitgekeken?'

Ze lachte vrolijk. 'Natuurlijk. Bij Paolo. Ik zag je het plein oversteken. Heb je wijn besteld?'

'Ja.' De sommelier verscheen en Luke wachtte op het ritueel van het openen van de fles en het uitschenken voor hij zich weer tot Claudia wendde. 'Je ziet er heel goed uit. Dat is een prachtig mantelpakje.'

'Lief van je, Luke. En wat schattig dat je het opmerkte. Ik heb het speciaal voor vanavond gekocht.' Ze hief haar glas op. 'Op ons.'

'Je weet dat ik daar niet op klink. Ik weet niet eens wat het betekent.' Hij voelde de bekende prikkels van ongeduld en irritatie die altijd bij hem opkwamen als zij zich aanstelde als een kind, in de overtuiging dat als ze iets vaak genoeg herhaalde, het een onweerlegbaar feit zou worden. 'Op jou,' zei hij en tikte haar glas aan. 'En vertel me dan nu maar wat er mis is.'

'Er is niets mis.'

'Gisteravond klonk je alsof je je hulp nodig had.'

'Vertel me eens over het toneelstuk. Zijn jullie klaar voor de voorvertoningen in Philadelphia?

'Claudia.'

'Ik hoorde dat de voorverkoop loopt als een trein. Daar zul je erg blij om zijn, want natuurlijk is jouw naam de trekpleister. En die van Abby Deming ook, denk ik, maar iedereen weet dat het vooral om jou draait.'

'Gaat het over Ed Peruggia?'

'Luke, waarom kunnen we niet gezellig samen dineren zonder al dat vissen?'

Hij keek haar een ogenblik peinzend aan. 'Heb je Gladys wel eens opgebeld over vrijwilligerswerk?'

'Ze belde mij op,' zei Claudia met een diepe zucht.

'En?'

'Ik zei dat ik het een dezer zou proberen als zich iets interessants voordoet.'

'Iets interessants?'

'Luke, zij doet het eentonigste werk dat maar denkbaar is! Uitnodigingen in enveloppen stoppen, namen en adressen opnemen in computerbestanden. Hebben zij nog nooit van secretaressen gehoord?'

'Het zijn liefdadigheidsinstellingen die fondsen werven. Ze moeten de onkosten laag houden. Daar gaat het bij vrijwilligerswerk om.'

'Dat weet ik; denk je soms dat ik een kind ben? Maar ze zouden zich toch minstens één secretaresse kunnen permitteren als ze beter georganiseerd waren. Hoe het zij, ik zie mezelf niet de hele dag enveloppen zitten plakken. Ik zei dat ik wilde helpen met bloemschikken, tafels versieren en zo. Leuke dingen.'

'Misschien is het net als met iedere andere baan: je moet als leerling beginnen en je opwerken voor de leuke dingen.'

'Het is geen baan, het wordt niet gesalarieerd.'

'Het is een baan omdat het werk is en mensen met geld en vrije tijd doen het voor de doelstellingen die hun ter harte gaan. Wat let je om het eens te proberen? Het kost je meer energie om je te blijven vervelen dan het je zou kosten om je dagen meer inhoud te geven. Je hoeft het niet full time te doen; bied Gladys twee of drie dagen per week aan. Misschien zul je het leuk vinden om voor de verandering eens aan iets anders te denken dan aan jezelf.'

'Ik ga bestellen,' zei ze uitdagend en wenkte de kelner. 'Zalm. O, een ogenblikje.' De kelner schonk haar wijnglas vol en wachtte oplettend toen zij de spijskaart opensloeg die zij al eerder ingekeken had en ieder gerecht nogmaals aandachtig bestudeerde. 'Zalm,' zei ze eindelijk, 'lijkt me.' 'Ja, die kies ik. En *bisque de hommard*. Of zou ik sla nemen? Luke, zal ik een salade nemen?'

'Als je daar trek in hebt.'

Claudia hoorde dat zijn stem afgebetener werd, zoals altijd als ze hem probeerde te dwingen voor haar te beslissen. Ze zuchtte. 'Bisque.' Ze wachtte tot Luke besteld had en zei toen opgewekt: 'Vertel me dan nu over het toneelstuk.'

'Vertel mij maar over Ed Peruggia,' zei Luke onverstoorbaar.

'Luke, je weet dat ik serieuze gesprekken graag bewaar voor het eind van het diner.'

135

'Zodat we naar jouw huis kunnen gaan als we nog niet uitgepraat zijn. Dat heb ik lang geleden al geleerd. Maar dat doen we nu niet, dus als je iets bespreken wilt zul je het nu moeten doen.'

Ze maakte een berustend gebaar. 'Hij zegt dat hij met me wil trouwen.'

'Wil jíj met hém trouwen?'

'Ik wil met jou getrouwd zijn. Ik had nooit moeten instemmen met een scheiding; ik had...'

'Ik dacht dat we het over Peruggia hadden. Vraag je mij permissie om met hem te trouwen?'

'Ik heb jouw permissie niet nodig.'

'Mijn zegen dan.'

'Die heb ik ook niet nodig. Waarom ben je me verdorie altijd aan het regisseren? Me permissie geven of je zegen, me vertellen waar ik heen moet gaan of wat ik moet doen, wat een goede ervaring voor me zou zijn, wat "mijn dagen inhoud zou geven" – wat dat ook moge betekenen. Jij probeert me altijd te manipuleren, alsof ik een van je acteurs ben die geen stap kan verzetten voor jij zegt links of rechts.'

'Praat niet zo hard.'

'Zie je wel? Je regisseert me nog steeds!'

Luke haalde diep adem. 'Zeg me dan maar wat je wilt dat ik doen moet.'

'Me terugnemen.'

'Dat doe ik niet en dat weet je. Wat nog meer?'

'Zeg me dan wat ik met Ed aan moet. Ik geloof niet dat hij echt met me wil trouwen. Hij spreekt met mensen, weet je, en soms is hij gemeen. Een gemene vent. Hij zegt iets en wacht dan af hoe er gereageerd wordt.'

'En hoe reageerde jij?'

'Waar is de kelner? Wil je me nog wat wijn inschenken?'

'Je drinkt te veel, Claudia.'

'Vertel mij niet wat...'

'Goed dan.' Hij schonk haar glas weer vol.

'We moeten nog een fles hebben.'

'Nee, dat moeten we niet.'

'Luke, toe. We zijn nog niet eens begonnen te eten. Bij eten hoort wijn.'

Na een korte pauze haalde hij zijn schouders op en gebaarde om nog een fles. 'Je zou me vertellen hoe je reageerde.'

'Ik zei hem dat ik erover zou nadenken. Ik zei hem niet te geloven dat hij verliefd op me was.'

'En wat zei hij?'

'Dat hij me aanbad en de rest van zijn leven wilde doorbrengen... och, je weet wel, het gebruikelijke verhaaltje.'

'Hetzelfde wat ik ooit tegen je zei.'

'Maar jij meende het. Ik geloof niet dat Ed iets meent van wat hij zegt. Hij is niet echt aardig, weet je – kén je hem?'

'Nee, maar ik heb gehoord dat hij geen goed mens is.'

'Dat heeft Tricia je waarschijnlijk verteld; ze heeft ooit een verhouding met hem gehad en nu haat ze hem. Hij heeft mij tenminste verteld dat zij hem haatte en hij haat haar ook. Ik veronderstel dat het erop kan uitdraaien dat ik hem haat; soms doe ik dat al.'

'Waarom denk je er dan aan met hem te trouwen?'

'Wat kan ik anders? En vertel me niet Gladys op te bellen, want dan ga ik gillen.'

'Ik luister,' zei hij.

'Ik kan niet tegen het alleen zijn, Luke. Ik moet iemand hebben die de leegte om mij heen opvult. Ik moet weten bij wie ik hoor en hoe ik me dien te gedragen.'

'Dat kan niemand je voorschrijven,' zei Luke rustig. 'Dat moet uit je binnenste voortkomen.'

'Ik weet niet hoe ik dat moet doen. Niet iedereen kan het, zie je. Sommige mensen hebben hulp nodig omdat er te veel onbegrensde leegte om hen heen is. Ik moet weten waar de grenzen liggen, Luke, en hoe ik een leven kan opbouwen. Nu drijf ik gewoon rond en hoor nergens bij.' Ze legde haar hand op de zijne. 'Ik kijk naar anderen en zie hoe zij hun levens organiseren of het diners zijn of bestuursvergaderingen. Zij hebben allemaal doelstellingen. Ze hebben allerlei plannen en lijsten en zijn altijd aan het beslissen. Mijn God, het lijkt wel of ze streepjes aan de balk maken om te laten zien hoeveel zij gedaan hebben. Geld inzamelen, prijzen winnen, een onderneming kopen, voor een functie gekozen worden... ze hebben het zo allemachtig druk! En ze zijn tevreden over zichzelf. Ik kan dat niet. Ik ben nooit tevreden over mezelf. Ik weet nooit wat ik zou moeten doen om me gelukkig of voldaan te voelen of om de dagen door te komen zonder me stuurloos en... losgeslagen te voelen. Dat is wat ik wil dat jij zult doen, Luke: help me gelukkig en gesetteld te zijn. Niet ronddrijvend. Ik dacht dat je genoeg om me gaf om me hulp te verlenen als ik die nodig heb.'

Hij schudde zijn hoofd. 'Ik kan niets doen...'

'Dat kun je wel, dat weet je. Geef me jouw naam. Trouw met me. Dan zal ik werkelijk Claudia Cameron zijn. Nu is het maar schijn; het is onlogisch je naam te dragen en niet je vrouw te zijn. Ik weet hoe ik je vrouw kan zijn, Luke, ik weet wat je van me verwacht; ik weet wat ie-

137

dereen van me verwacht. Ik zal doelstellingen en plannen hebben en dingen doen.'

'Omdat het mijn doelstellingen en plannen zijn.'

'Natuurlijk; waar denk je dat ik het over heb? Jij hebt genoeg voor tien mensen; lieve help, je hebt voor twee assistenten en een secretaresse een volle dagtaak. Maar je weet dat ik je zou kunnen bijstaan zoals zij het niet kunnen. Je zei me dat ik een goede gastvrouw was. Hoeveel diners heb jij de laatste jaren gegeven? Ik kan met je op reis gaan en met je praten over je toneelstukken en de liefde met je bedrijven... wat je maar wilt. Heb ik in ons huwelijk niet altijd gedaan wat jij wilde? Je hoefde me maar te vertellen wat je verlangde en hoe je het gedaan wilde hebben en ik zorgde ervoor. Verdorie, je doet het voor je acteurs, je zou het ook voor mij kunnen doen! Dan zou ik niet alleen zijn en jij ook niet.'

De kelner schonk haar wijnglas nog eens vol en diende daarna hun soep op. Luke schoof zijn bord opzij en nam haar hand in de zijne.

'Luister. We zijn allemaal alleen. We moeten zelf bepalen welke richting we aan ons leven willen geven, wat voor reputatie we willen krijgen, wat we denken dat de mensen van ons zullen verwachten en hoe we willen leven en onze dagen inhoud willen geven. Je wist wat ik bedoelde toen ik dat zojuist zei. We vullen onze dagen en geven er inhoud aan, zodat we laat op de avond de balans kunnen opmaken en vaststellen wat we gedaan hebben en hoe goed we het gedaan hebben en kunnen nadenken over wat er morgen gedaan moet worden. Dat kan ik voor niemand doen dan alleen voor mezelf. Ik kan het voor acteurs op het toneel doen omdat ik met een script werk en weet hoe het afloopt. Maar in mijn eigen leven heb ik die luxe niet. Ik heb alleen maar de dag van vandaag en mijn verwachtingen voor morgen en zo ver vooruit als ik durf te plannen, in de wetenschap dat slechts een deel of helemaal niets ervan werkelijk zal gebeuren.'

'Je zou me kunnen helpen het te doen.'

'Dat kan ik niet. Jij zou niet gelukkig zijn en ik evenmin.'

Ze stak haar kin vooruit. 'Ik trouw met hem.'

'Afgaande op wat ik hoor, denk ik dat hij je ook niet gelukkig zal maken. Maar ik kan je niet tegenhouden.'

'Het zou jou totaal niet kunnen schelen als ik bij hem in bed zou kruipen...'

'Dat heb je beslist al eerder gedaan. En nee, het zal me niet kunnen schelen als ik weet dat het vrije verkiezing van je is.'

'O, vrijheid,' ze maakte een afwijzend gebaar. 'Daar heb ik veel te veel van.'

'Wil je je bisque?'

'Nee.'

'U kunt het allebei afruimen,' zei Luke tegen de kelner en hij en Claudia bleven zwijgend zitten terwijl de soep weggenomen en hun hoofdgerechten opgediend werden. Claudia snoof verschillende keren alsof ze tranen wegperste en wendde zich toen met een trillend lachje tot Luke. 'Komaan,' zei ze vrolijk. 'De zalm ziet er als gewoonlijk heerlijk uit. Heb ik je verteld van de zalm bij Ralph Lauren? Hij is werkelijk super, onze Ralphie. Er waren elegante pakjes halve gerookte Schotse zalmen en iedereen griste ze weg...'

En Luke wist dat ze deze avond zoveel ze kon gedaan had en zou wachten tot een volgende keer. Hij liet het erbij. Het was makkelijker dan haar de erkenning af te dwingen dat ze een fantasie najaagde – gesteld al dat hij haar kon dwingen het te erkennen – en hij was niet in de stemming om de avond te rekken. Maar het diner bleek prettiger te zijn dan hij verwacht had. Claudia was daartoe in staat als zij het wilde en aangezien hij ten slotte haar vragen over het toneelstuk beantwoordde en lachte om haar anekdotes over mensen die zij allebei kenden, hadden zij genoeg gespreksstof voor onder de espresso en een gezamenlijke crème caramel.

Maar het was Jessica aan wie hij dacht toen hij thuiskwam en hij dacht de volgende morgen aan haar toen de passagebiljetten bezorgd werden, want het was hem ineens ingevallen dat hij niet met zekerheid wist of zij nog op Lopez Island woonde. Haar brieven over een nieuw huis, over tuinieren en paardrijden en de productie van *Pygmalion* waren allemaal drie jaar geleden geschreven en zij kon nu overal zijn.

Onder het ontbijt nam hij Constances kistje mee naar het terras en haalde er de paar laatste brieven uit op zoek naar aanwijzingen. Ze waren beknopter dan de eerdere, warm en liefhebbend, maar bijna volledig ontbloot van persoonlijke gedachten of gevoelens. Wat Jessica Fontaine in die tijd van haar leven ook was, ze openbaarde het niet aan Constance, hoewel ze gedetailleerd schreef over de boeken die zij illustreerde en andere die zij gelezen had, over haar tuin en een nieuwe plantenkas, en over mensen die zij kende.

Haar tuin. Een plantenkas. Waarschijnlijk op Lopez, dacht Luke. Ze gebruikte nog steeds briefpapier met de opliggende fontein in de linkerbovenhoek, maar waar er eerst de tekst 'The Fountain, Lopez Island, staat Washington' onder gedrukt had gestaan, was het nu blanco. Waarschijnlijk Lopez, dacht hij weer, maar zonder enige zekerheid was het een heel eind reizen. En dus belde hij later die dag, toen de repetities onderbroken werden voor de lunch, haar uitgeverij op voor haar adres.

Niemand wilde het hem geven. Hij werd van de afdeling publiciteit overgeschakeld naar klantenservice, naar de afdeling illustraties, de eindredactie en zelfs naar het sales department. Allemaal zeiden ze het niet te weten en dat het trouwens een stelregel van de uitgeverij was de verblijfplaats van een auteur niet te onthullen.

'Ze is geen auteur, ze is een illustrator,' viel hij uit tegen een directiesecretaresse.

'In beide gevallen geldt dezelfde regel,' zei de secretaresse. 'En Miss Fontaine is ter zake heel beslist geweest. Ze wil absoluut niet dat haar adres doorgegeven wordt. Degenen die u gesproken hebt, vertelden de waarheid. Die weten niet waar zij woont. Al haar correspondentie loopt via dit kantoor.'

'Geef me Warren aan de lijn,' zei Luke. Het was zijn gewoonte geen sociale contacten te gebruiken voor privézaken en dus was hij bij zijn eerste telefoontje niet meteen naar de hoogste baas gegaan en zelfs niet bij het derde of vijfde, maar hij moest weer naar de repetities en zijn geduld raakte op. En hij kende Warren Bradley al jaren oppervlakkig van diners en liefdadigheidsacties en zelfs als gast bij hem thuis voor een paar kleine dinertjes.

'Luke, het is altijd een genoegen je te spreken,' zei Bradley, 'maar ik kan je niet helpen. Miss Fontaine heeft gevraagd – nee, geëist zelfs – dat we haar adres geheim houden. Ik zal het aan niemand doorgeven.'

'Vertel me dan alleen of ze nog altijd op Lopez Island woont.'

'Wat?'

'In een huis dat zij liet bouwen. Aan een baai.'

'Verdorie, waarom heb je elke afdeling van dit kantoor lastiggevallen als je dat al wist?'

'Dank je, Warren. Ik wist dat ze er vroeger gewoond heeft, maar niet of dat nog haar adres is.'

'Luke, ken je haar?'

'Ik heb haar jaren geleden ontmoet. Hoezo?'

'Voor zover ik weet heeft niemand haar ontmoet en zo wil ze het houden. We spreken elkaar telefonisch, we gebruiken de fax en Federal Express voor brieven, contracten, memo's en manuscripten en dat is alles. Lopez is maar een kleine plaats en je zult haar beslist kunnen vinden als je dat om wat voor reden ook wilt, maar als ik jou was, zou ik me nog maar eens bedenken. Ze moet gegronde redenen hebben om met rust gelaten te willen worden.'

'Ik ben niet van plan haar deur te rammeien.'

'Maar ga je haar bezoeken?'

'Als ik kan. Ik wil haar iets brengen dat Constance testamentair aan haar nagelaten heeft.'

'Je zou het kunnen opsturen.'

'Dat doe ik liever niet.'

'Bel me na je thuiskomst op en vertel me hoe het nu met haar is. Ik herinner me haar nog heel duidelijk... maar van heel lang geleden natuurlijk. Ze is een belangrijk illustrator geworden, maar ik kan me niet voorstellen waarom ze het toneel daarvoor opgegeven heeft. Laat het me weten.'

'Dat zal ik doen. Bedankt, Warren. Ik zal niemand vertellen van ons gesprek, ook Jessica niet.'

De rest van die week had hij geen tijd om Jessica's brieven of haar boeken te lezen. Er waren tientallen kleine details opgedoken, waarvan er veel in de eerste weken van de repetities opzij geschoven waren, maar met nog maar tien dagen de tijd zaten hij en Monte en Fritz elke avond bij elkaar om de laatste plooien glad te strijken.

'Die ingang was altijd lastig,' zei Fritz toen ze een diagram van het toneel bekeken. 'Martha klaagde er lang geleden al over.'

'Verplaats de deur,' zei Luke. Ze keken hem verbaasd aan. 'Ongeveer een halve meter naar achteren. Als Martha dan binnenkomt, móet ze Lena zien; ze zal praktisch over haar struikelen.'

'Dat lijkt me wel,' zei Monte. 'En jou, Fritz?'

'Het is geen gek idee. Oké. Wat te doen met het theeservies in de tweede akte? Het zilver weerkaatst het licht van de schijnwerpers precies in de ogen van het publiek.'

'Neem porselein,' zei Luke. 'Ik weet dat Kent zilver wilde hebben, maar als het niet kan, kan het niet.'

'Porselein,' mompelde Fritz en schreef het op.

'Ik dacht bij mezelf,' zei Monte, 'dat we iets langer zouden moeten wachten voor we het doek laten vallen.'

'Terwijl ze daar als poppen op het toneel staan?' vroeg Fritz.

'Het is een heel ontroerend moment. Geef het publiek de tijd dat te absorberen.'

'Laten we dat met de cast bespreken,' zei Luke. 'Ik voel er wel voor, maar ik wil zekerheid hebben dat zij het ermee eens zijn. Anders nog iets?'

'Kostuums,' zei Fritz. 'Abby heeft bezwaar tegen haar schoenen.'

'Koop andere. Zelfs de grootse toneelspeelster ter wereld kan niet acteren met pijnlijke voeten.'

'De aanblik ervan bevalt haar niet.'

'Ik zeg het nog eens: koop andere, Fritz, ze mag niet staan piekeren over schoenen, om wat voor reden ook.'

Er scheen geen eind aan de lijst te komen en pas toen Luke in het vliegtuig naar Seattle zat kon hij ertoe komen de twaalf kinderboekjes te lezen die hij meegenomen had.

De verhaaltjes, voor kinderen van twee tot zes jaar, waren amusant en pakkend. Sommige verdienden de volle aandacht, maar Luke concentreerde zich op de plaatjes. Bij nauwkeurige beschouwing wist hij dat ze hem altijd geboeid zouden hebben, ongeacht wie ze getekend had. De stijl verschilde, van Russische sprookjeskunst tot Franse folklore, van Afrikaanse negerkunst tot modern Amerikaans realisme, en ze waren uitgevoerd in waterverf, olieverf, houtskool en zelfs kleurpotlood, afhankelijk van de stijl. Maar ondanks de onderlinge verschillen was de overheersende indruk die alle illustraties maakten dat niets werkelijkheid was.

Luke probeerde zijn vinger te leggen op wat die indruk bij hem opwekte. Hij merkte de verborgen tekeningetjes op die vindingrijk in en uit andere delen van de plaatjes vloeiden, maar duidelijk zichtbaar waren als ze eenmaal ontdekt waren en hij wist hoe opwindend het voor kinderen moest zijn om ze te ontdekken en aan hun ouders of vriendjes te laten zien. Maar dat was niet de reden waarom hij deze doordringende onwezenlijkheid voelde. Er was nog iets anders, iets onvatbaarders. Maar pas nadat hij gegeten had en uitgeput van de lange dagen en nachten van de afgelopen week zijn ogen sloot, drong het tot hem door. 'Het zijn dromen,' mompelde hij hardop. Hij sloeg zijn ogen weer op, ging rechtop zitten en knipte zijn leeslampje weer aan.

'Kan ik u iets brengen?' vroeg de steward. 'Nog een glas rode wijn misschien?'

'Koffie graag,' zei Luke. Hij trok het plateau uit de armleuning van zijn stoel, klapte het uit en legde de boeken erop. Willekeurig sloeg hij ze open. De steward reikte voor hem langs en zette een kop koffie op de smalle leuning tussen de stoelen, maar hij merkte het nauwelijks. Hij werd in beslag genomen door de illustraties en zag dat zelfs de gewoonste uitgebeelde bezigheden – een klein meisje dat bladeren opharkte, een jongetje dat het vuilnisvat buiten zette, een hond die onder een veranda lag te dutten – iets dromerigs hadden en een beetje vertekend waren. Soms waren er geen contouren en vloeiden de figuren in elkaar over zoals in dromen gebeurt. Soms waren het verschillende tekeningen die elkaar overlapten zoals in dromen gebeurt. Soms werden ze vaag aan de randen en losten op in het niets, net als in dromen. Alles was herkenbaar, maar niets stemde precies overeen met de werkelijkheid.

Alles een beetje excentrisch. Dat had Marilyn Marks gezegd over haar eerste decorontwerp voor *De Tovenares* toen ze het aan Luke en Kent uiteenzette: ... *een vrouw die altijd anders geweest is – en nu begrijpt ze niet wat er misgegaan is. Dat gevoel van scheve verhoudingen, alsof ze verloren is in een droom.*

Luke legde de boekjes weg, klapte het tableau in, knipte zijn leeslampje weer uit en duwde zijn rugleuning omlaag. Op het grote scherm voorin de cabine werd een film vertoond, maar hij sloot zijn ogen en zag Jessica op de foto's die hij in de leeszaal gezien had en zoals hij zich haar herinnerde op het toneel en zich haar voorgesteld had bij zijn grootmoeder in Italië op basis van de beschrijvingen van haar bezoek in haar brieven. *Verloren in een droom.* Was ze dat? Niets dat zij geschreven had, wees daarop. Misschien had hij iets over het hoofd gezien; hij had veel van haar brieven erg vlug gelezen, benieuwd naar de rest. *Dat gevoel van scheve verhoudingen.* Het doet er niet toe, dacht hij slaperig. Want ik hoef me niet meer op brieven te verlaten. Ik zal alles met haar kunnen bepraten en alles horen wat ik te weten wil komen.

Om tien uur kwam hij in Seattle aan – een uur 's nachts New Yorkse tijd – en nam een taxi naar Union Lake waar het gereserveerde watervliegtuig op hem wachtte. Ze vlogen over tientallen eilandjes en kale rotsen die oprezen uit het water en de piloot wees hem Lopez aan toen het nog in de verte lag: een handjevol lichtpunten in het donker. Jessica's eiland, dacht Luke, en opeens besefte hij hoe gespannen hij was. Zij wilde geen mensen uit New York zien; ze wilde niemand zien. *Ik had moeten opbellen. Ik had Warren onder druk moeten zetten om mij haar telefoonnummer te geven. Maar als zij geweigerd had mij te ontvangen...*

Het toestel maakte een hellende bocht en schuin onder zich zag Luke het eiland als een donkere streep in nog donkerder water. Het viel hem op hoe klein het was en het leek hem een wanhoopsdaad dat zij het gekozen had en een van de schitterendste toneelcarrières in de geschiedenis en een van 's werelds meest grootse steden opgegeven had om zich op dit kleine stukje land te vestigen in voor de rest van het land onzichtbare en onbekende wateren. Laag aanvliegend kwamen ze over het groepje lichten. 'Lopez Village,' zei de piloot. 'De binnenstad, als ze die zouden hebben.' Luke kreeg een vluchtige indruk van nog meer lichtjes, verspreid in het open veld of weggestopt als flonkerende sterretjes in de bossen. Privéhuizen, dacht hij. En een ervan was van Jessica. Hij klemde zijn handen samen. Hij was er bijna.

Een paar mijl buiten het dorp streken ze neer. De in het laatste kwartier staande maan kwam in het oosten op en het weerkaatste licht strekte zich als een rimpelend geel lint uit over het donkere water van de Puget Sound tot de steiger waar Luke uit het vliegtuig stapte. Angies taxidienst bracht hem over verlaten wegen die zich door donkere pijnbossen slingerden naar de begrinde oprijlaan van de Inn at Swifts Bay waar hij een kamer besproken had. Het was het hotel waarover Jessica aan Constance geschreven had dat zij er bij haar aankomst op het eiland haar intrek genomen had en bij de ingang probeerde Luke zich haar daar voor te stellen.

Het hotel was van buiten enigszins in Tudorstijl opgetrokken, maar het interieur was een ratjetoe van Victoriaans meubilair. In de zitkamer waren de planken van een antieke kast volgestouwd met donzige witte konijnen in Victoriaanse kleding; een blauwfluwelen oorfauteuil was uitgerust met kanten antimakassars; een ronde tafel was volgestapeld met boeken over bloementuinen, architectuur en kunst; op planken naast de schoorsteen, lagen boeken, foto's, souvenirs en artefacten van het eiland en op de bovenste plank hielden strooien poppen toezicht op de uitstalling beneden hen.

Luke glimlachte bij de gedachte dat Jessica zich in een toneeldecor gewaand moest hebben toen de hoteleigenaar met uitgestoken hand naar hem toekwam.

'Ik ben Robert,' zei hij, 'en u bent natuurlijk Lucas Cameron. U zult doodop zijn, in uw tijd is het al midden in de nacht, is het niet? Ik zou u wel even kunnen rondleiden, maar ik vermoed dat u liever naar uw kamer wilt.' Hij ging voor door een smalle gang. 'Ik neem aan dat u alles zult aantreffen wat u nodig hebt. Apropos, wilt u soms koffie? Of thee of port?'

'Nee, dank u, in het vliegtuig werden we van alles voorzien.' Met een snelle blik keek Luke goedkeurend de kamer rond met bewondering voor de zorg die eraan besteed was. Hij glimlachte toen hij ook nog pluche konijnen op het bed zag liggen. Konijnen waren niets voor hem, maar hij had bewondering voor iedereen die niet bang was voor overdaad.

'Gaat u morgen fietsen?' vroeg Robert. 'Carl Jones verhuurt ze en levert ze hier voor de deur af.'

'Nee, ik kom iemand opzoeken als ik haar adres kan vinden. Misschien kunt u me helpen.'

Roberts ogen vernauwden zich. 'U komt iemand opzoeken en u weet niet waar zij woont? Wij respecteren hier ieders privacy en ik betwijfel of ik u van dienst kan zijn.'

Luke knikte bedachtzaam en jokte, hoewel hij wist dat het hem in een zo kleine gemeenschap als deze zou kunnen achtervolgen, maar hij was moe en hij wist niets anders te bedenken. 'Ik heb haar adres gehad, maar ik ben het kwijt. Ik weet dat ze een jaar of drie geleden een huis liet bouwen aan een baai. Heel besloten, zei ze, met een klif aan de ene kant van de baai en bos aan de andere kant. Ik ben een vriend uit New York en heb haar al jaren niet meer gezien, maar mijn grootmoeder heeft haar iets gelegateerd en dat heb ik meegebracht. Ik zou u dankbaar zijn voor uw hulp. Ze heet Jessica Fontaine.'

Robert schudde vastberaden zijn hoofd. 'Jessica ontvangt niemand en zeker niet iemand die zo maar komt aanwaaien.'

'Natuurlijk ontvangt ze mensen; u moet geen onzin verkopen. Ik zal het nog eens herhalen. Ik ben een vriend van haar, maar belangrijker is dat mijn grootmoeder waarschijnlijk haar intiemste vriendin was. Mijn oma stierf een paar maanden geleden en ik wil Jessica over haar spreken. Er steekt niets verdachts achter en als zij me niet ontvangen wil, ga ik weer weg.'

Peinzend nam Robert hem op. 'Ik zal erover nadenken. Goedenacht; het ontbijt is om acht uur.'

Woedend wilde Luke iets zeggen, maar de vermoeidheid overmande hem en hij draaide zich op zijn hielen om en deed zijn kamerdeur dicht. Hij beende drie keer van de schoorsteenmantel naar de schuifdeuren van het terras en kon toen niet meer op zijn benen blijven staan. Hij stapte in bed en ondanks zijn woede viel hij diep in slaap en werd met een schok wakker van hanengekraai zonder te weten waar hij was. *Ik hoor 's morgens de hanen kraaien (ze doen het de hele dag door, is dat altijd zo?)* En toen wist hij het: hij was op Jessica's eiland en hij zou gauw bij haar zijn.

Hij trok een kaki broek aan en een sporthemd met korte mouwen en zou Roberts copieuze ontbijt geweigerd hebben om meteen op stap te gaan, maar hij wilde niet beledigend lijken. Hij at zoveel hij kon, duwde toen de klapdeur open en ging de keuken binnen waar Robert stond te koken terwijl zijn vrouw Chris serveerde.

'Verboden toegang,' zei Robert schertsend. 'Geen pottenkijkers achter de schermen.'

Luke knikte. 'Ik kom alleen maar bedanken voor het ontbijt; het was heerlijk. Maar ik kan niet langer wachten; ik moet weten hoe ik bij Jessica's huis kom. Ik heb alleen vandaag en morgenochtend maar; zondagavond moet ik terug zijn in New York.'

Robert draaide een pannenkoek om. 'Ik heb haar opgebeld, maar ze was niet thuis. Kende u haar in New York?'

'Ja.'

'Sociaal?'

'Ja.'

'En uw grootmoeder was haar intiemste vriendin? Een heel verschil van leeftijd.'

'Ze hadden veel gemeen. En ze hielden van elkaar.'

Met het pannenkoekmes tilde Robert de rand van een pannenkoek op om de onderkant te bekijken. Hij roerde wat in een pot achterop de oven. 'Ze is een erg aardige vrouw, heel rustig en een goede buur.' Hij wierp een blik op Chris die knikte en wendde zich toen weer tot Luke. 'Maar ze woont alleen en heeft geen sociaal verkeer, wat zij volgens ons nodig heeft. We hebben het geprobeerd, maar ze wees ons af. Heel vriendelijk natuurlijk, maar heel beslist. Dus maken we ons zorgen om haar. Welnu, ze woont aan Watmough Bay aan de zuidkust van het eiland. U zou de oprijlaan kunnen missen, want die lijkt op een doodlopend pad, maar let op haar toegangsbordje: er staat een fontein op.'

'Hartelijk bedankt. Ik zal een taxi bellen.'

'Neem de truck. Die staat hier toch maar en niemand gebruikt hem. Maar stop in het dorp om te tanken; ik denk dat de benzine bijna op is.'

'Erg vriendelijk van u.' Zijn woede was verdwenen. Hij had uitstekend ontbeten; de zon verdreef de ochtendwolken en hij had vervoer. En hij was op weg om Jessica te bezoeken. Hij voelde zich patent.

De truck had een hoge cabine en Luke zag het panorama van het eiland toen hij over tweebaanswegen door bossen en open velden reed. Door de bomen heen ving hij hier en daar een glimp van water op tot de weg plotseling een bocht maakte en hij zich aan de waterkant bevond waar kleine golfjes zacht op smalle stranden spoelden waar drijfhout wit verbleekte in de zon en duingras zich boog in het lichte briesje. Na een paar minuten zou hij weer omringd zijn door dichte bossen van pijnbomen en dennen die oprezen uit een tapijt van varens. Ten slotte kwam hij aan een wijde, open vlakte van grasvelden langs het water met blauwgrijze houten gebouwen van één verdieping. Opnieuw dacht hij aan een filmdecor: een klein dorp van verspreide huizen op een bijna boomloze vlakte onder een geweldige hemelkoepel. Er was een groentehal, een makelaarskantoor achter de kapsalon, een bakkerij, een kunstgalerie, een boekhandel, een postkantoor iets verderop, een brandweerpost, een bibliotheek die eruit-zag of het een schoolgebouw geweest was, een bank, een kerk, een uitdragerij, en – vreemd genoeg – een espressobar. Twee verweerde gebouwen huisvestten het Historisch Museum van Lopez en daar vlakbij stond een nog verweerder muziekpaviljoen.

Luke had graag door willen rijden, maar Robert had hem gevraagd bij de benzinepomp te stoppen. Hij sprong uit de truck en terwijl hij stond te tanken werd hij door verscheidene mensen begroet, die op-merkten dat hij in de Inn at Swifts Bay moest logeren omdat Robert hem zijn truck geleend had en die hem een prettig verblijf wensten. Geamuseerd rekende Luke af en reed verder. Een kleine gemeen-schap, peinsde hij en meerderde vaart. Een plek waar privacy geres-pecteerd werd. Hij legde Roberts kaart naast zich op de bank en reed aan de hand daarvan om het eiland heen naar de zuidkust en Wat-mough Bay.

Hij omklemde het stuur, minderde vaart en keek uit naar een bord met een fontein erop. Hij ontdekte het waar het bos het dichtst was en alles verborg wat erachter was: een strand, het water, een huis. Het was een vierkant houten bord, verkleurd door regen en zon, met een diep uitgebeitelde fontein erop net als die op Jessica's brieven aan Constance. Er stond geen huisnummer en geen naam op het bord.

Luke parkeerde de truck in de berm van de weg en wandelde het pad op van met gras begroeide aangestampte aarde dat nauwelijks breed genoeg was voor een auto. Het pad maakte een bocht en hij zag de glinstering van water en daarna een laag huis van steen en hout. Hij zag een vrouw in de tuin langs een kant van het huis. Ze was rozen aan het afknippen en bewoog zich in en uit het zonlicht en de scha-duw terwijl ze de rozen een voor een in een mand legde die ze aan haar arm had hangen.

Lukes hart bonsde toen hij naar haar toe stapte. Toen bleef hij abrupt staan. Bloeiende struiken en een grote spar verborgen hem toen hij onzeker en teleurgesteld in de schemering bleef staan. Dit was Jessica niet; hij was blijkbaar bij het verkeerde huis. *Tenzij het haar huis-houdster is. Of misschien een vriendin.* Maar Robert had gezegd dat zij alleen woonde en dat er geen vrienden op bezoek kwamen.

Nog geen zes meter bij haar vandaan bleef hij roerloos staan turen terwijl zijn ogen zich gewenden aan de plotselinge overgangen van licht en schaduw waar de vrouw zich doorheen bewoog. Ze was niet groot, of misschien toch wel, maar ze liep mank, leunend op een stok en met haar rug voorover gebogen. Ze had een smal gezicht met diepe groeven en zo bleek dat het bijna kleurloos was. Wat er onder haar gevlochten hoed van haar haren te zien was, was zilvergrijs en kort geknipt en liet haar frêle hals bloot. Ze droeg een eenvoudige witkatoenen jurk die bijna tot haar enkels reikte, een jurk met een laag uitgesneden ronde hals en korte mouwen en toen ze reikte om weer een bloem af te knippen en Luke de buiging van haar arm zag en de sterke, soepele pols boven haar tuinhandschoenen en hij nog eens aandachtig naar haar gezicht keek, wist hij dat het natuurlijk Jessica was. Een schaduw van Jessica. Een verbleekte beeltenis. Een dof geworden foto, broos van ouderdom. Maar ze was niet oud. Ze was veertig.

Lange tijd bleef hij staan. Het tolde in zijn hoofd. Zijn verwachtingen en zekerheden van wat hij zou aantreffen waren zo duidelijk geweest dat hij het gevoel had verraden te zijn. Hij dacht eraan hoe hij zich in het vliegtuig naar Seattle dit moment had voorgesteld. Hij had Jessica's boeken opzij gelegd en half slapend achterover geleund en zich ingebeeld dat hij bij haar aanbelde en begroet werd door de vrouw wier foto's hij de laatste tijd vaak bekeken had en weer had hij de welluidende stem gehoord die hij nooit vergeten had. Hij had zichzelf het kistje zien geven dat nu in de laadbak van Roberts truck stond; hij had zich in haar huis zien zitten praten over Constance en daarna over haarzelf, over wat haar naar Lopez gebracht had en wanneer ze mogelijk naar New York terug zou keren. Hij had zich urenlange gesprekken ingebeeld, overvloeiend van de intelligentie en hartstocht, scherpzinnigheid en verfijning die haar brieven gekenmerkt hadden.

In plaats daarvan had hij een vrouw aangetroffen, zo gewoon dat zij bijna alledaags was, zo onwerkelijk als een luchtspiegeling, veel ouder lijkend dan ze was, die zich stuntelig bewoog zonder enige gratie of vitaliteit. Hij zag haar om de hoek van haar huis buiten zijn gezichtsveld strompelen, maar hij bleef staren naar haar tuin en het stukje strand en de kleine baai erachter. Haar rozen waren prachtig, groot en sterk met diepe kleuren en Luke vond dat hun fluwelige overdaad haar nog bleker had doen lijken. Hij probeerde zich haar ogen voor de geest te halen, maar die waren verborgen geweest onder de rand van haar hoed, zelfs toen ze zijn kant uit keek. Maar hij had genoeg van haar gezicht gezien om te weten dat het van hartstocht ontbloot was en hoewel ze volledig opgegaan was in haar bloemen, was het de stille overgave geweest van een kluizenares die niet vaak glimlachte en geen woorden aaneenreeg tot gesprekken. Ze was een vrouw geweest die hij geen tweede blik waardig gekeurd zou hebben als hij haar op straat tegengekomen was. Ze verschilde zo totaal van de vrouw van zijn verbeelding dat hij niet meer kon peilen wat hem in haar brieven zo geboeid had.

Hij kon zich zelfs nauwelijks herinneren wat hij interessant of intrigerend gevonden had in haar epistels. Wat had hem ertoe gebracht deze dwaze reis te maken?

Hij draaide zich om en holde bijna terug naar de truck. Hij keerde de wagen in Jessica's oprit en raadpleegde Roberts kaart voor wegen die hem over de kortste route door het hart van het eiland naar het hotel zouden brengen. Toen hij zijn koffer ophaalde, zag hij Robert en Chris in de tuin achter het huis, maar ging hen niet groeten. In plaats daarvan schreef hij een kort briefje, voegde er geld bij voor een nacht verblijf en verliet het hotel. Halverwege de oprijlaan bedacht hij dat hij geen vervoer terug naar het dorp had. Maar woede en verwarring deden hem doorlopen tot hij bij een rij kleine huizen kwam tegenover een met zeewier bedekt smal stukje strand. Bij het eerste huisje vroeg hij of hij van de telefoon gebruik mocht maken om een taxi te bellen. Binnen twintig minuten was hij in het dorp en had geïnformeerd naar het watervliegtuig. Hij had ruim een uur de tijd en dus wandelde hij de vijf kilometer naar de landingssteiger. Onderweg hield een van de mannen stil die hem bij de benzinepomp gegroet had en vroeg of hij een lift wilde.

Luke schudde zijn hoofd. 'Dank u, ik ga liever lopen. Ik neem het vliegtuig.'

'Dat maakt geen haast. Je lijkt nogal kwaad, beste vriend. Heeft Roberts truck je in de steek gelaten?'

'Nee, die liep prima.' Hij liep door, maar bedacht toen hoe onbeleefd hij was en draaide zich om. 'Ik moet een paar problemen oplossen. Bedankt voor de belangstelling.' Zwelgend in mijn woede, dacht hij. Ik kon vriendelijkheid niet eens beantwoorden met eenvoudige beleefdheid.

Maar waarom was hij zo woedend? Hij bleef staan en keek uit over het water. Waarom al die woede?

Omdat hij zich bedrogen voelde. Hij was naar dit eiland gekomen om Jessica Fontaine te zoeken die hij niet uit zijn hoofd had kunnen zetten sinds hij begonnen was haar brieven te lezen. In een dwaze fantasie had hij zich ingebeeld verliefd op haar te zijn en wat hij gevonden had was...

Een andere en bijna onherkenbare Jessica Fontaine. Niet degene die hij zocht. In de verste verte niet de vrouw naar wie hij verlangde. Iemand die in niets leek op enige vrouw naar wie hij ooit verlangd had of die hij ooit nagestaard zou hebben. *Ik kende haar, verdomme. Ik wist hoe haar stem klonk, hoe ze over dingen dacht, hoe ze haar tijd besteedde, met welke mensen ze omging en samenwerkte...*

Ik heb haar foto's gezien. Ik wist hoe ze eruitzag.
Alleen had ik het mis.

Hij stelde zich voor hoe hij hier nu stond, verstijfd door dat idee van verraad, omhoogkijkend om te zien of het vliegtuig er al aankwam, en hij wist dat hij gemelijk en vinnig was – *als een jongen die niet het kerstcadeautje kreeg dat hij verwachtte* – maar hij kon zich niet beheersen. Teleurstelling doorstroomde hem; hij snakte naar adem door de druk ervan. Hij moest hier vandaan, weg van de beelden die hij al die maanden in zijn hoofd gehad had en ontwikkeld had tot een regelrechte fantasie. *Alsof ik een scenario geschreven heb en begonnen ben het te regisseren zonder de hoofdrolspeelster... en nu die verschijnt is het iemand anders.*

Hij keek naar een zeilboot die in de haven voer. Erachter zag hij de veerpont van het vasteland en daar nog weer achter het kleine stipje aan de hemel dat zijn vliegtuig was. Het zonlicht kaatste erop af zodat het een ster leek en daarna een spotlight die groter werd terwijl hij ernaar keek. Hij hield er zijn blik op gericht, maar wat hij voor zijn geestesoog zag en wat hij ondanks zichzelf telkens opnieuw beleefde waren die eindeloze minuten toen hij in het bos Jessica had gadegeslagen die rozen afknipte en ze voorzichtig in haar mandje legde.

9

De Tovenares ging begin september op een regenachtige avond in een uitverkocht theater in Philadelphia in première, negen dagen na Lukes terugkeer van Lopez Island. Ze hadden twee dagen besteed aan kostuumrepetities, voor het eerst met kostuums, decors en rekwisieten. Luke had Rachels angsten bezworen voor een zaal met publiek, een ruzietje tussen Cort en Kent bijgelegd en Abby mee uit eten genomen, omdat haar regisseurs dat volgens haar altijd deden. En toen was het premièreavond; het publiek vulde het theater en in de zaal ging het licht uit voor de eerste akte.

Luke stond achterin de zaal naast Monte en Kent. Hij had zich sinds zijn terugkeer van zijn trip ieder moment op deze avond geconcentreerd, behalve dat hij bij thuiskomst het kistje met Jessica's brieven in een afgesloten kast van zijn bibliotheek opgeborgen had. Daarna had hij zich met al zijn energie op ieder aspect van het stuk geworpen, de problemen opgelost die nog steeds opdoken, gespannen zenuwen gekalmeerd en de manieren verfijnd waarop de acteurs hun teksten uitspraken. Niettemin bleven er af en toe beelden opduiken: de donkere vorm in een donkere zee van Lopez Island vanuit de lucht gezien, bossen en boerderijen vanaf de hoge cabine van Roberts truck, een verweerd bord met een ingebeitelde fontein bij een met gras begroeid pad dat door dicht bos naar een huis, een strand en een rozentuin leidde... Maar elke keer wrong hij zijn gedachten weg zoals hij het stuur van Roberts truck omgewrongen had toen hij wegdraaide van Jessica's huis, en dan dwong hij zichzelf niets te zien en aan niets anders te denken dan aan zijn toneelstuk.

Nu, in Philadelphia, leken Lopez Island en Jessica even ver van hem verwijderd als Tricia en Claudia en het hectische sociale leven van New York. In het halfdonkere theater boog hij zich gespannen en oplettend naar voren toen de acteurs zich na hun aanvankelijke aarzeling en stijfheid vastbeten in het ritme en de in elkaar grijpende emoties van hun rollen. Halverwege de eerste akte kruiste Lukes blik die van Monte en ze glimlachten allebei.

In de pauze mengden ze zich onder het publiek in de foyer en de rokers buiten tot de bel ging voor de tweede akte. 'Ze genieten,' zei Monte toen de toeschouwers terugkeerden naar hun plaatsen. 'Niets dan goede commentaren. Niemand verveelt zich en voor zover ik kan nagaan, loopt er niemand weg.'

Kent kwam terug met een verzaligde lach op zijn gezicht. 'Ze vinden het goed. Ze vinden het goed! Enkelen probeerden te gissen hoe het zou aflopen. Kunnen jullie je dat voorstellen? Ze praatten over Lena en Daniel en Martha alsof het bekenden van hen waren en ze probeerden er achter te komen wat zij nu zouden gaan doen. Dit is met niets ter wereld vergelijkbaar.'

Luke zag de zaal weer vollopen. Hij proefde de sfeer van verwachting toen de mensen hun plaatsen weer innamen; de nieuwsgierigheid stond op hun gezicht te lezen en hij wist dat daarin de ware toverkracht van het toneel lag. De tweede akte begon en net als bij de eerste maakte hij mentale aantekeningen van verbeteringen en veranderingen die de volgende dag met de cast en de technici besproken moesten worden. Maar toen kreeg het enthousiasme van het publiek en de acteurs de overhand en daarna keek en luisterde hij kritiekloos, geschraagd door de blijdschap die zich alleen op zulke zeldzame momenten van voltooiing en zelfvervulling manifesteerde. Uit zijn ooghoek zag hij dat Kent lachte en huilde tegelijk en zijn ogen droogde met de rug van zijn hand. 'Niet te geloven, te fantastisch,' zei hij zacht tegen Luke. Luke sloeg een arm om Kents schouders en drukte hem even tegen zich aan. 'Een geweldig stuk,' mompelde hij en toen waren ze aan de slotscène van het stuk toe.

'Bingo,' fluisterde Monte toen ze in de zaal hoorden snikken. Luke zag zowel mannen als vrouwen naar tissues tasten en hij wist dat Monte gelijk had. Bingo. Een klapstuk. Het publiek een andere wereld binnenvoeren en er zo in doen geloven dat hun gevoelens die van de personages op het toneel werden.

Ik kan me niet meer macht voorstellen dan dat... alsof niets voor mij onmogelijk is, alsof er niets is dat ik niet doen kan.

Het applaus begon op het moment dat het doek viel. De recensenten schoten weg om hun artikelen te schrijven voor de pers en de televisie, maar de rest van de toeschouwers bleef op hun plaats. Hun applaus vulde de zaal en overspoelde het podium toen de cast terugkwam om de ovaties in ontvangst te nemen. Na afloop ging iedereen naar hotel Roland waar een sfeer heerste van een kortstondige combinatie van voldoening, blijdschap en spanning als een lichte hysterie en het geroezemoes van gesprekken sterker werd toen uitglijders herhaald werden en belichting, rekwisieten en kostuums bekritiseerd werden alsof het voor het eerst was. Luke had dat voorspeld en hij wist dat als zij de volgende dag bijeenkwamen om nog eens te repeteren, het meeste van wat vandaag uitgekraamd werd, vergeten zou zijn.

Wat hij niet voorspeld had was dat Abby een toast op hem zou uitbrengen – 'Op Luke, een regisseur die absoluut even goed is als zijn reputatie en met wie het een genoegen, een uitermate groot genoegen is samen te werken en die al mijn twijfels, mijn *ernstige* twijfels, wegnam' – of dat Cort hem vertelde dat hij nu ook regisseur wilde worden en er van overtuigd was dat Luke hem op weg zou helpen, of dat Kent de hele avond in een soort verdoving rond zou lopen, ongewoon stil en zelfs bescheiden toen hij gelukwensen aannam en op de door iedereen gestelde vraag antwoordde dat hij ja, een nieuw stuk begonnen was en ja, dat Luke er iets van gelezen had en het goed vond, maar dat hij verder niets kon zeggen en er niet over wilde praten omdat dingen waarover gepraat werd gewoonlijk niet geschreven werden.

En ook had Luke geen recensies voorspeld – iedereen in de theaterwereld wist dat zoiets ongeluk bracht – en dus zweeg hij net als de anderen toen de ochtendedities van de kranten bezorgd werden en hij deelde de golf van opwinding met hen toen Abby de recensies hardop voorlas, de loftuitingen dramatiseerde en met een grafstem fluisterde bij de paar obligate vegen uit de pan die critici zich altijd permitteerden om hun rol te rechtvaardigen.

De rest van die week in Philadelphia was grotendeels gelijk aan de voorafgegane weken: ze repeteerden elke dag toen de reacties van het publiek zwakke plekken in het spel of de dialogen openbaarden die niet de verwachte reacties opleverden. Daarna, in de rustige uren voor de opvoering, las Abby romans, hield Rachel haar dagboek bij, knapte Cort een uiltje en speelden Monte, Fritz en de chef belichting poker met Kent als toeschouwer. En Luke ging wandelen.

Hij kende de straten van Philadelphia van andere voorpremières en wandelde vrijwel zonder een blik op zijn omgeving. Hij talmde alleen even bij de verbleekte roodstenen gebouwen aan het Independence Historical National Park waar de Verenigde Staten geboren waren, maar zelfs daar liet hij zijn gedachten de vrije loop. Door andere beelden heen kwam telkens weer het *Na de première*, verscholen achter zijn handelingen, zodat het telkens opdook als hij bleef staan voor een stoplicht of een blik wierp in een etalage: *Na onze première in New York.*

Welnu, wat dan? Wat gebeurt er na onze première in New York?

Iets anders, peinsde hij. Iets nieuws.

Die gedachte had hem beziggehouden sinds de dood van zijn grootmoeder, gevoed door terugkerende rusteloosheid en ongeduld. Hij verlangde... iets. En na de première zou hij vaststellen wat hij verlangde. En erop afgaan.

Hij beroemde zich erop precies te weten wat hij verlangde, er recht op af te gaan, obstakels te negeren of er overheen te stappen om te komen waar hij zijn wilde.

Opeens weken de straten van Philadelphia terug en zag hij zichzelf in dat bos bij Watmough Bay staan, verrast, verbijsterd en met het gevoel verraden te zijn toen hij Jessica Fontaine in haar tuin gadesloeg. Maar soms heb ik het mis gehad.

Tenzij...

Hij was bij zijn hotel aangekomen. Het was bijna tijd om naar het theater te gaan voor hun laatste optreden in Philadelphia en zijn gedachten verplaatsten zich naar het stuk. Maar één gedachte nestelde zich in voor hij de draaideuren passeerde naar de lobby.

Tenzij ik het mis had en zij precies is wat ik op basis van haar brieven dacht dat zij zijn zou.

De volgende dag pakte iedereen zijn spullen en keerde terug naar New York. Ze zouden nog één keer in het Vivian Beaumont repeteren voor de voorvertoningen begonnen tot aan de officiële première in de derde week van september. Dit was voor Luke zulke vertrouwde kost dat hij, ongeacht met welke cast en technici hij werkte, hun acties en bewegingen in de vijf voorvertoningen en daarna op de premièreavond bijna kon uitstippelen.

Maar terwijl hij met Monte achterin de zaal stond toen het doek opging en Abby in haar stoel op de veranda zichtbaar werd en het publiek begon te klappen, had hij toch een droge keel en zijn handen samengeklemd. Plankenkoorts, dacht hij. Regisseurs hebben daar ook last van.

In de tweede akte begon hij zich te ontspannen, hoewel hij gevoelig was voor elk geluid in de zaal en elk beweginkje op het toneel. En daardoor zag hij Abby drie stappen naar Cort toe doen terwijl ze naar voren geleund in haar stoel diende te zitten met haar lichaam naar hem toe gebogen. Hij stond uit het raam te kijken en nu stond ze naast hem met haar hand op zijn arm, en toen ze begon te praten draaide hij zich om tot hij recht tegenover haar stond en zijn arm om haar heen kon slaan in plaats van naar haar toe te lopen zoals hij tot nu toe gedaan had.

'Je bent veranderd,' zei Abby zacht en hief haar gezicht naar hem op. 'Even dacht ik dat ik je niet herkende; je was zo anders. Misschien herkende jij jezelf niet. Want er was niets gepland. Je werd niet op een mooie morgen wakker met het vaste voornemen je leven te veranderen; het overkwam je, alsof er een kloof ontstaan was tussen toen en nu. Je was stomverbaasd. Dat zag ik op je gezicht toen je eruit gooide dat je Thanksgiving Day niet bij mij wilde doorbrengen. Nee, je wilde die met Martha doorbrengen, ongetwijfeld in haar bed, en waarom zou je ook niet? Maar ik was ook verbaasd – ik voelde me bijna verraden – tot ik uitkeek naar de Daniel die ik kende. En natuurlijk vond ik hem: mijn dierbare liefhebbende kleinzoon – anders maar dezelfde, veranderd maar niet getransformeerd. En nu moet je accepteren wat je bent. En ik beloof je dat ik je zal helpen. Als je het me toestaat.'

Luke staarde in de verte. *Een kloof. Even dacht ik dat ik je niet herkende. Niets was gepland. Nu moet je accepteren wat je bent.* Het was alsof hij de woorden voor het eerst hoorde. Mijn God, dacht hij. Ze heeft het ons gezegd. In de ene brief na de andere waren de aanwijzingen er.

Monte stootte hem aan. 'Ik mag het wel zoals zij daar staat en hij zich omdraait terwijl zij staat te praten, die hele scène. Wat vind jij ervan?'

Luke schudde zijn hoofd. 'Ik vroeg haar op het puntje van haar stoel te gaan zitten. Ik vond dat er wat ruimte tussen hen moest zijn. Maar je hebt gelijk; dit is goed.'

Zijn gespannenheid kwam weer op toen de derde akte begon en hij concentreerde zich helemaal op de acteurs en op de reactie van het publiek. Maar toen de akte de climax bereikte en mensen in de zaal snikten en naar zakdoeken tastten, ving hij Montes blik op en daarna die van Kent en pakten ze elkaars hand. 'Je bent op weg,' zei Monte tegen Kent toen het applaus een paar minuten later losbarstte, en Kent trok zijn hand weg om zijn ogen af te vegen met de mouw van zijn smoking.

Luke hield zijn ogen op het toneel gericht toen de spots weer aangingen en de acteurs hand in hand naar voren kwamen en lachten naar de lachende gezichten van het publiek. Rachel deed een stap naar voren, daarna Cort en toen deed Abby twee stappen naar voren, bleef staan en maakte een diepe buiging naar links en rechts als dankbetuiging voor het voor haar nog aanzwellende applaus.

Toen hief ze haar hand op. Lukes ogen vernauwden zich en hij hoorde Monte mompelen: 'Wat is ze van plan?' toen het publiek stil werd. Zelfs degenen die al naar de uitgang liepen bleven staan en keken om. 'Kent Horne,' zei Abby met galmende stem. 'Een briljante, jonge toneelschrijver. Dit is zijn eerste stuk en hij behoort hier bij ons te staan.' Ze stak haar armen uit.

Het applaus barstte weer los. Verwilderd keek Kent Luke aan. 'Wat moet ik doen?'

155

'Op het podium komen,' zei Luke. 'Het is waar: daar hoor je te zijn. Je verdient het.'

'Jij ook. Waar zou ik zijn als jij...'

'Ik ben precies waar ik hoor. Vooruit nou, ze wachten.'

Toen ze Kent met grote stappen naar het toneel zagen lopen, zei Monte: 'Ik heb je gezegd dat zij een ferme tante was. Zij brengt de schaal in evenwicht. Als iemand zegt dat zij een verschrikking is, zal iemand anders zich dit herinneren.'

Kent ging tussen Abby en Rachel staan met hun hand in de zijne en boog. Abby fluisterde hem iets toe en hij maakte een diepere buiging. Het licht dimde en verhelderde weer toen het applaus voortduurde. Drie ovaties later bleef het doek dicht en gingen de zaallampen aan. Het publiek schuifelde naar de dubbele deuren die wijd open gezet werden. De première was achter de rug.

In het verslag dat hij van elk door hem geregisseerd toneelstuk maakte, beschreef Luke de receptie bij Corelli en de stilte die daar uren later viel toen de ochtendbladen bezorgd werden en de golf van enthousiasme die er ontstond toen Abby ook daar de recensies hardop voorlas. 'Allemaal lovend,' schreef hij. 'Ze vonden meer tekortkomingen dan de critici in Philadelphia – het zou me verbaasd hebben als dat niet het geval geweest was, en een paar opmerkingen in de recensie van de *Times* zijn voor ons raak genoeg om ze over te nemen (en me te doen afvragen hoe die mij ontgaan kunnen zijn) – maar iedereen had veel bewondering voor Abby en Rachel, een aardig oordeel over Cort en lof voor Kent. Ik kreeg een pluimpje voor mijn "krachtdadige, van inzicht getuigende regie met een rode draad van spanning en zelfbeheersing die alles bijeen hield." Meer dan genoeg om ons allemaal tevreden te stellen.'

Hij sloeg het dagboek dicht en schoof het in zijn bibliotheek in de bovenste bureaula. Hij gebruikte het als een logboek voor elk van zijn producties vanaf de tijd dat Constance het gesuggereerd had toen hij op het college zijn eerste toneelstukken regisseerde. 'Het zal je dwingen te overwegen waarom je sommige opties verkoos boven andere,' had ze gezegd. 'Het zal je zelfverzekerder maken.'

Ik had een logboek moeten bijhouden van mijn reis naar Lopez, dacht hij. Waarom ik erheen ging en waarom ik wegging.

Hij strekte zich uit op de bank. Zijn das en de cummerbund van zijn smoking had hij afgedaan en de boord van zijn overhemd was los. Hij legde zijn hoofd op de leuning van de bank en sloot zijn ogen. Het was over vieren in de nacht en hoewel hij uitgeput was, had hij nog te veel energie om te kunnen slapen. Hij wist dat 's morgens de terugslag zou komen nu er geen repetitie bij te wonen was, geen schema om vast te houden en geen nieuw stuk op het programma, maar op dit moment voelde hij alleen maar blijdschap en triomf.

Maar op de bank liggende dacht hij niet aan het toneelstuk of aan recensies. Hij dacht aan brieven.

Brieven schrijven was als het bijhouden van een logboek, dacht hij. Het was het op een rijtje zetten van je opties en proberen er logica in aan te brengen en zelfs het gevoel te krijgen controle uit te oefenen op de gebeurtenissen die in je leven op elkaar botsten en over elkaar tuimelden. Wat er ook gebeurde, je kon altijd je toevlucht nemen tot een stuk papier en een pen...

Hij opende zijn ogen. Dat was een van de redenen waarom hij Jessica niet uit zijn hoofd kon zetten: omdat haar brieven zo vaak een echo waren van zijn eigen leven en gedachten. En die echo's waren zo sterk dat telkens als hij een brief las, vooral 's avonds laat als hij moe was en het meest open stond voor suggesties, hij een deur voor haar opende en zij erdoor binnenkwam. Hij had haar bereidwillig en zelfs met graagte binnengehaald en haar tot een metgezellin gemaakt, een heldere stem die commentaar gaf op zijn dagen en ze met hem deelde.

Maar de vrouw die die deur binnenkwam en zijn metgezellin werd, was niet de vrouw die hij op Lopez Island gezien had.

En ik had kunnen weten dat zij het niet zou zijn. Ze liet aanwijzingen na in al haar brieven.

Hij liep het terras op. De lucht was koel en fris na een regenbuitje dat net opgehouden was, en de hittegolf van augustus was weinig meer dan een herinnering. Achter het donkere staal van de George Washingtonbrug scheurden de wolken aan flarden, de hemel kreeg een naar violet zwemende bleke opalen kleur waar de wolkenkrabbers van de stad, schoongewassen door de regen, scherp tegen afstaken. Luke ging in de rieten stoel in de hoek zitten waar hij bij voorkeur ontbeet, en toen de hemel lichter werd en helder daglicht de schaduwen en wazige spleten van de nacht wegvaagden, dacht hij aan Jessica. Niet de Jessica van de theaters in New York en Londen, maar de Jessica van Lopez Island. Een andere Jessica. En ze had hun verteld dat ze dat was – als ze haar brieven maar zorgvuldig genoeg gelezen hadden.

Tegen het eind van mijn verblijf in Arizona was ik veranderd. Ik kon de kloof niet overbruggen en terugkeren.

Ik zal en kan niet terugkeren tot wat ik was – er is te veel gebeurd – en dus zal ik hieraan moeten wennen.

Al mijn betrekkingen met mensen en plaatsen en dingen die vroeger mijn leven definieerden zijn verbroken en verdwenen en er is niets

dat me herinnert aan die andere Jessica dan mijn herinneringen.
Ik mis wat ik kwijt ben, o Constance, ik mis het zo en jij bent de enige
ter wereld die dat echt kan begrijpen en die mijn woede kan begrij-
pen...
Al het andere is... voorbij.
Twee vrouwen, dacht Luke, die zichzelf verbanden naar afgelegen
oorden. Maar Constance had geen andere keus gehad dan het toneel
te verlaten. En Jessica moest hetzelfde gedacht hebben.
Hij sliep. Hij droomde van zijn grootmoeder en van Lena in *De To-*
venares en toen hij wakker werd van de geur van koffie en zijn ogen
opende en Martin bezig zag zijn ontbijt klaar te zetten op het koperen
kastje naast zijn stoel, zat hij te denken aan Lena's woorden tegen
Cort aan het slot van het toneelstuk. *Ik keek uit naar de Daniel die ik*
kende en natuurlijk vond ik hem... veranderd, maar niet getransfor-
meerd.
Hij had niet gewacht om zekerheid te krijgen. Hij was verscholen gebleven in het bos, woedend, verbijsterd, en had toen hals over kop de
benen genomen. Waarom? Wat had hem zo woedend gemaakt?
Welnu, mijn beste Luke. (Het was bijna of hij de hese stem van zijn
grootmoeder hoorde.) Je bent gewend dat alles verloopt zoals je verwacht, zonder mislukkingen of hevige worstelingen. Wat Jessica betreft was je zo zeker van wat je vinden zou, dat toen er iets anders
verscheen het was alsof je een schop voor je kont gekregen had. En
dat stond je niet aan.
'Gefeliciteerd, meneer Cameron,' zei Martin toen hij met een pot koffie aankwam. 'De recensies zijn juichend. Ik zou het een ware triomf
willen noemen.'
'Ja, dat vinden wij ook,' zei Luke en richtte zich op. 'Dank je, Martin.'
'En ik dank u voor mijn vrijkaartje. U weet hoe spannend ik premières vind.'
Luke knikte. 'Ik ben blij dat je er geweest bent.'
Toen Martin vertrok, pakte hij een bord met plakjes meloen en aard-
beien. Veranderd, maar niet getransformeerd, dacht hij. De vrouw die
hij uit brieven kende, de vrouw op wie hij verliefd geworden was, bestond misschien nog. Of misschien ook niet. Haar brieven waren na
het ongeluk bijna kil geworden, daarna radeloos van wanhoop, en
toen koel, praatziek en afstandelijk, zonder de flair en het optimisme
van de brieven uit de tijd van haar glansrijke carrière. Waarom zou hij
dan denken dat zij niet veranderd was?
Hij wist het absoluut niet. Want hij was weggevlucht.

En toen wist hij dat hij terug zou keren. Hij moest erachter komen of de vrouw die zijn gedachten zo bezighield nog steeds bestond. Hij had maar een glimp van haar opgevangen; hij kon het in alle opzichten mis gehad hebben. Het kon een speling van het zonlicht geweest zijn, van de glinsterende weerspiegeling van het water, van de schaduwen en het grillige licht in het bos waar hij gestaan had. Ze had trouwens geschreven over een man die zij had leren kennen, over assisteren bij de regie van een opvoering van *Pygmalion* en over vrienden die zij op het eiland gemaakt had. Hij had te overhaast geoordeeld; hij had niet weg moeten lopen.

En dus zou hij teruggaan en lang genoeg blijven om haar te leren kennen zoals zij nu was. Maar ditmaal zou hij eerst schrijven om verrassingen te voorkomen. De brief kreeg vorm in zijn hoofd terwijl hij zijn koffie opdronk. 'Beste Jessica Fontaine. U zult beslist al weten dat mijn grootmoeder dit voorjaar in Italië overleden is, maar ik wil u inlichten over de tijd die ik er heb doorgebracht voor het afsluiten van haar villa...'

Hij zou haar schrijven over het kistje met haar brieven dat hij gevonden had en over de verzameling zeldzame toneelstukken die Constance aan haar vermaakt had. Hij zou schrijven dat hij haar die persoonlijk wilde komen brengen en ook dat hij het eerste gedeelte gelezen had van een nieuw toneelstuk van een briljante jonge toneelschrijver en dat hij dat graag wilde meebrengen om het door haar te laten lezen.

Hij zou haar vragen om hem op te bellen wanneer haar dat schikte voor het bepalen van een datum van zijn bezoek. Nu meteen leek hem het beste. Hij had geen repetities, geen werkroosters en geen toneelstuk op stapel staan. Nu meteen zou perfect zijn. Hij had alleen haar antwoord nodig om naar haar toe te komen.

LOPEZ ISLAND

10

De bekende contouren van Lopez Island rezen in de stromende regen donker op uit de woelige wateren van de Puget Sound. Het vliegtuig steigerde en stampte toen Luke uitkeek naar de landingsstrip. 'Shark Reef' zei de piloot en wees ernaar met een gebaar van zijn hoofd. 'En Rock Point Beach. We zijn er bijna.' Hij liet het kleine toestel zwenken tegen de wind in, daalde, streek neer en remde hard om tot stilstand te komen. Hij grinnikte tegen Luke. 'Niet mijn zachtste landing, maar niet al te slecht. Wilt u een paar minuten wachten tot het opklaart?'

Luke zag Angies taxi door de stromende regen naar het vliegtuig toe komen. 'Nee, ik...' Een felle donderslag vlak boven hun hoofd onderbrak hem. 'Hoe lang duren die buien gewoonlijk?'

De piloot haalde zijn schouders op. 'Vijf minuten, een uur, het is moeilijk te zeggen.'

'Ik hol maar naar de taxi.'

'Net zo u wilt.' De piloot opende de deur, klapte het trapje neer en Luke stapte uit. Op slag was hij drijfnat. Hij wendde zich tot de piloot. 'Als u mij mijn koffer wilt aangeven en die kartonnen doos...'

'Een ogenblikje.' De piloot gooide een groot stuk plastic over de doos en gaf die aan Luke, die hem met drie grote stappen op de achterbank van de taxi zette. Zijn koffer volgde en toen nam hij naast Angie plaats op de voorbank.

'Hebben ze in New York geen regenjassen en paraplu's?' vroeg Angie met een blik op zijn natte kostuum.

'In New York was het zevenentwintig graden en zonnig. Ik droog me wel af in de Inn. U hoeft niet op mij te wachten.'

'Ik blijf wachten als ik geen ander vrachtje krijg. Misschien leent Robert u de truck weer.'

'Misschien.' Hij veegde een stuk van de beslagen voorruit schoon toen Angie de Fisherman Bay Road insloeg. De bliksem trok een vurige streep door de lucht boven het water, bijna onmiddellijk gevolgd door een knetterende donderslag en het was Luke of de taxi die met heen en weer zwaaiende ruitenwissers plenzend over de weg reed, een kwetsbaar bootje in een stormachtige zee was. Hij boog zich naar voren in een poging om door het regengordijn heen te kijken en toen hij bekende punten zag en zich de Inn at Swifts Bay en Jessica's huis voor de geest haalde, kon hij het feit niet langer loochenen dat hij net als de vorige keer ongenood op het eiland was.

Zijn brief was onbeantwoord gebleven. Na twee weken wachten had hij opgebeld en daarna nog eens. Tot vier maal toe had hij het geprobeerd zonder dat er opgenomen werd of dat hij op een antwoordapparaat een boodschap had kunnen inspreken. Na elke vergeefse poging was hij koppiger geworden, tot hij ten slotte bijna kwaad hetzelfde deed als de eerste keer: hij reserveerde een plaats in de vliegtuigen naar Seattle en Lopez voor de volgende morgen en belde toen Robert om dezelfde kamer te reserveren die hij gehad had. 'En zou u me een plezier willen doen?' vroeg hij. 'Ik heb Jessica geschreven, maar ik kon haar telefonisch niet bereiken en ik wil zekerheid hebben dat zij weet dat ik er morgen ben. Als u een boodschap aan haar zou kunnen doorgeven dat ik haar rond twaalf uur of vroeg in de middag hoop te spreken, zal ik u erg dankbaar zijn.'

'Dat zal ik doen.' Robert zei niets over Lukes merkwaardige vertrek bij diens vorige bezoek en, dankbaar voor die discretie, zei Luke er ook niets over. Maar nu de taxi de oprit naar het hotel insloeg, voelde hij zich even verlamd. Het viel hem ineens in dat als Robert met Jessica gesproken had, zij hem heel goed gevraagd kon hebben Luke te zeggen dat hij weg moest blijven. En als Robert dat deed, welke keus had Luke dan anders dan terug te keren naar New York?

'Laten we doorrijden,' zei hij abrupt tegen Angie die zich naar hem toe gekeerd had. 'Ik schrijf me later wel bij Robert in. Ik zou graag doorrijden naar Watmough Bay.'

'U bent behoorlijk nat,' merkte Angie vriendelijk op.

'Dan word ik nog maar natter.'

Ze knikte en terwijl het onweer onverminderd voortduurde, keerde zij op het lege parkeerterrein en reed terug naar de Port Stanley Road en vervolgens naar Watmough Bay. De weg liep langs de kust, boog daarna landinwaarts langs een meertje, tussen door dichte cipressenbosjes omzoomde weidse akkers door en ten slotte naar het zuidelijke eind van het eiland waar de kustlijn opnieuw in zicht kwam. Luke had dit allemaal al gezien vanuit de hoge cabine van Roberts truck en zodra hij de afslag naar de Watmough Bay Road herkende, zei hij: 'Even verderop is een bijna verborgen oprit naar...'

'Ik weet het,' zei Angie. 'Jessica heeft me een paar maal frambozen uit haar tuin gegeven. Ze heeft groene vingers, die dame. En een ruim hart.'

In gedachten verzonken zei Luke niets. Als Angie van het begin af geweten had waar hij heen wilde, hoeveel anderen wisten het dan ook? Jessica moest haar wensen wel erg duidelijk kenbaar gemaakt hebben als haar privacy in acht genomen werd door iedereen op een eiland waar geen geheimen schenen te bestaan.

Het bord met de ingebeitelde fontein werd verduisterd door de regen en de oprijlaan leek wel een pad uit een sprookjesverhaal, zich verliezend in een donker, somber woud. Angie reed naar een bocht in het pad op een paar meter van de voordeur en stopte. 'U zult waarschijnlijk willen dat ik u weer kom ophalen.'

'Ja, graag. Ik zal u opbellen zodra ik weet om hoe laat.'

'Jessica heeft zelf een auto. Misschien brengt zij u terug.'

'Ik laat het u weten.'

'Ik zal nu maar even wachten; misschien is zij niet thuis.'

Luke keek naar de gesloten garagedeur aan het andere eind van het huis. Waarschijnlijk stond haar auto daar; waarom zou iemand in deze regen uitgaan?

Maar hij had geen enkele zekerheid. 'Uitstekend,' zei hij, 'maar ik zal u voor deze rit alvast betalen. En zou u mijn koffer in het hotel willen afgeven?' Als Jessica opendeed, wilde hij niet de indruk maken dat hij kwam logeren.

Hij stapte naar buiten in de regen juist toen het boven zijn hoofd bliksemde en onweerde. Gejaagd trok hij het achterportier van de taxi open en haalde er de kartonnen doos uit die nog ingepakt zat in het plastic dat de piloot eromheen geslagen had. Hij nam hem onder zijn arm en holde naar de grote luifel die het toegangspad van flagstones en de voordeur beschermde. Er was geen bel en dus gebruikte hij de koperen klopper met de vorm van een fontein. Hij hoorde een hond blaffen, maar verder niets en dus klopte hij opnieuw. Hij wilde juist voor de derde keer kloppen toen de deur openging.

Haar gezicht verstarde verrast toen ze hem aankeek en secondenlang kruisten hun blikken elkaar. Ze zag er net zo uit als in haar tuin, maar van dichtbij zag hij nu de flauwe trekken van haar vroegere schoonheid duidelijker. De blauwgroene ogen uit zijn herinnering waren donkerder, maar nog steeds groot en omlijst door zware wimpers, maar ze lagen diep en in de schaduw van door pijn ingeëtste lijnen. Ze had nog steeds een brede mond en het was gemakkelijk zich de stralende glimlach voor te stellen die anderen tot haar aangetrokken had, maar ook daar lagen diepe pijngroeven die van haar mondhoeken tot haar kin liepen. Haar vroeger glanzende en heldere wangen waren vaal, flets, bijna kleurloos en zakten af onder hun eigen gewicht. Haar haren, die weelderige goudbruine lokken die Luke zich herinnerde, waren zilvergrijs, kortgeknipt en omlijstten haar hoofd en lieten haar magere hals bloot. Ze droeg een slanke, zwarte pantalon en een bleekroze zijden shirt met open hals. Ze was nog steeds slank, maar terwijl ze vroeger rank en statig geweest was, liep ze nu krom en leunde op een stok met haar lichaam uit het evenwicht en bijna gedraaid. Haar hond stond naast haar toen ze verbaasd naar hem opkeek en versteende van woede.

'Je had geen recht om hier te komen.'

Het was de stem die Luke zich herinnerde, de stem die niemand vergeten kon die haar ooit gehoord had, vervlakt – opzettelijk misschien – maar nog steeds herkenbaar, en de schok van die stem die daar opklonk uit dat fletse gezicht en dat gebogen lichaam was zo groot dat hij even niets kon uitbrengen. Maar de regen kletterde boven zijn hoofd en hij voelde zich opeens rillerig. Hij hoorde Angie optrekken om te keren en hij zag dat Jessica opkeek en haar hand ophief om de taxi te weerhouden weg te rijden.

'Neem me niet kwalijk,' zei hij. 'Ik dacht dat Robert je verteld zou hebben dat ik overkwam uit New York. Ik vroeg hem je op te bellen.'

'Dat doet er niet toe. Je had het recht niet om te komen.'

'Ik kom als vriend. Ik kom je iets brengen dat jou toebehoort. En nu ik toch hier ben, zou ik misschien binnen mogen komen?'

Ze aarzelde, maar juist op dat ogenblik doorkliefde de bliksem horizontaal de lucht en vrijwel tegelijkertijd barstte een bui als een lawine los boven haar dak. Ze stapte opzij. 'Kom binnen.'

Luke pakte de kartonnen doos op en liep langs haar heen het huis binnen. Meteen begon de hond, een zwart, slank en nieuwsgierig beest, om hem heen te draaien en zijn benen en handen te besnuffelen. 'Hope!' zei Jessica rustig. De hond aarzelde en kwam toen naar haar toe. Ze legde haar hand op zijn kop en daar stonden ze als een landschapsschilderij in een heel geraffineerde kamer, dacht Luke.

Uit beschrijvingen in haar brieven meende hij te weten hoe haar interieur er uitzag, maar hij stond paf van de dramatische schoonheid van de grote zitkamer met witte muren, witgestoffeerde meubelen, een parketvloer van bleekgouden hickory en flitsen van felle kleuren op losse kussens, schilderijen, grote vazen met bloemen en kunstwerken op tafelbladen en planken, van baccarat presse-papiers tot Peruviaanse veren ceintuurs tot een tafel met tientallen figuurtjes van houtsnijwerk die gearrangeerd waren als een Indonesische bruidsstoet.

Zelden had hij een zo mooie kamer gezien. De achtergrond was een glazen wand met uitzicht op struiken en bloemen die door wind en regen diep doorbogen, en daarachter een strand dat bestookt werd door woeste golven. Maar geen enkel geluid van de storm drong binnen in het huis. Binnen de muren was alles stil en rustig.

'Toevluchtsoord,' mompelde Luke en zette de doos in de kleine hal neer.

'Wat betekent dat?' Jessica had de voordeur gesloten en sloeg hem gade met haar rug ertegen geleund.

'Je huis is net als dat van mijn grootmoeder, erg mooi, erg rustig en sereen. Een wijkplaats. Een plek om te vergeten wat je achtergelaten hebt.'

'Daar kun jij niet over meepraten.' Ze zweeg even, alsof ze nu pas besefte dat deze man Constances kleinzoon was. 'Ik bedoel dat je niets van mij weet, maar natuurlijk wist je wel van Constance.' Weer viel er een stilte en Luke vermoedde dat zij een inwendige strijd voerde tussen gewoon fatsoen en haar woede om zijn verstoring van haar rust. Ten slotte kreeg het fatsoen de overhand en ze zei: 'Je bent doornat, trek alsjeblieft je colbert uit. Tot mijn spijt heb ik niets waarin jij je verkleden kunt.'

Luke hing zijn colbert op een kapstok, ging op een houten bank zitten en trok zijn schoenen uit. 'Als je me een handdoek geeft om op te gaan zitten, zal ik proberen je meubelen niet te doorweken.'

'Wacht even. Ik heb toch iets.' Ze liep de zitkamer en de aangrenzende eethoek door en verdween door een deur. Even later kwam ze terug met een verschoten kaki pantalon. 'Soms draag ik die als ik aan het tuinieren ben. Hij is voor mij te groot, dus misschien past hij jou. Ga die deur door en dan linksom.'

'Dank je.' Hij liep de zitkamer door in de tegengestelde richting van de hare en deed de deur aan het eind open. Hij was in haar slaapkamer, een grote vierkante kamer met een antiek bureau en een onder een hoek staand hemelbed voor een panoramisch uitzicht op Watmough Bay door ramen zonder gordijnen. Het antieke vloerkleed was zachtroze en blauw en op het bed lag een antieke patchwork deken van verschoten blauwe, mauve en ivoorkleurige lappen. Luke wilde eigenlijk blijven staan om de foto's en schilderijen aan de muren te bekijken, maar sloeg toch linksaf naar de badkamer. Hij gunde zich een ogenblik de tijd om de zachte warmte te bewonderen van naturel grenen kasten en aflegplanken en de vrijstaande badkuip op klauwpoten die net als het bed onder een hoek stond voor een onbelemmerd uitzicht op de baai en de horizon, en trok toen zijn natte broek en sokken uit en de kaki pantalon aan.

Het was een groot model met een elastieken band om het middel en toen hij de zomen van de pijpen omsloeg paste de broek verrassend goed. Hij droogde zijn natte haren en gezicht met een handdoek en merkte toen pas dat er in de badkamer geen spiegel was. Hij keek in de slaapkamer. Ook geen. En in de zitkamer was er ook geen. Voor zover hij gezien had waren er geen spiegels in Jessica's huis.

Hij hing zijn natte broek over de rand van de badkuip en liep blootsvoets terug door de slaapkamer, dankbaar dat hij weer warm en droog was. Hij had honger ook, maar hij had zichzelf uitgenodigd in Jessica's huis en droeg nu haar kleren en hij was niet van plan haar te vertellen dat hij ook nog gevoed moest worden.

Hij deed de deur naar de zitkamer open en zag haar voor het raam naar buiten staan te kijken. De hond lag waakzaam bij haar met zijn neus op zijn poten.

'Past hij?' vroeg ze zonder om te kijken.

'Ja. Het is prettig om droog te zijn. Bedankt.' Even was het stil. 'De doos is voor jou, van Constance.' Hij liep naar de hal en droeg de doos naar een glazen tafel voor de ramen, dichtbij waar Jessica stond. Toen hij hem neerzette, viel zijn oog op een kistje met inlegwerk midden op de tafel, net zo een als die in zijn bibliotheek met Jessica's brieven. 'Wonderbaarlijk. Wist je dat Constance een identiek kistje had?'

'We hebben ze samen gekocht.' Ze had zich omgedraaid en keek hoe hij het plakband wegtrok waarmee de doos afgesloten was. Ze zag hem en profil en het verleden drong zich aan haar op toen ze zijn scherp getekende gezicht en zware wenkbrauwen zag. Hij was even zelfverzekerd en dominerend als ze zich herinnerde, zelfs in een verfomfaaid wit shirt met open hals en met deze dichtgestrikte broek aan, zelfs op blote voeten. Hij was een deel van alles wat ooit haar hele leven geweest was en ze wist dat ze hem niet in haar huis had moeten binnenlaten.

Hij trok het laatste plakband weg en deed de doos open. 'Deze heeft ze aan jou vermaakt.' Voorzichtig tilde hij een laag kranten uit de doos en daarna een aantal vellen vloeipapier en legde die op de tafel. Hij keek op. 'Je lijkt niet erg geïnteresseerd.'

Dat ben ik wel, en of ik dat ben, maar ik wil jou niet hier hebben. Ik wil alleen zijn met wat Constance mij nagelaten heeft en met mijn herinneringen. 'Waarom heb je ze niet opgestuurd?'

'Omdat ik je wilde ontmoeten.'

'We kenden elkaar al in New York.'

'Nauwelijks. En er is sindsdien veel veranderd.'

Ze keek hem onderzoekend aan en richtte toen abrupt haar blik op het ingelegde kistje. 'Dat van Constance was leeg,' zei ze.

Luke schudde zijn hoofd. 'Barstensvol.' Hij tilde het deksel van Jessica's kistje op en zag dat er honderden brieven in zaten. 'Waarom dacht je dat zij de jouwe kon vernietigen zo min als jij het de hare kon?'

'Je hebt ze gelezen!' Haar ogen vlamden van woede en het verraste Luke te zien hoe haar gezicht tot leven kwam.

Hij deed het deksel dicht. 'Ik zal je vertellen waarom als je er benieuwd naar bent. Maar eerst wil ik je graag laten zien wat Constance aan je naliet.'

Na een korte aarzeling stapte Jessica leunend op haar stok naar voren, waarbij haar linkerbeen met elke stap opzijzwaaide. Toen ze bij hem was, ging Luke opzij zodat ze in de doos kon kijken.

'Oooo.' Ze slaakte een lange zucht en pakte een van de dunne boekjes. De kaft was gescheurd en de opdruk versleten en verbleekt, maar Luke had het ingepakt en dus wist hij dat het een eerste druk was van Eugene O'Neills *Strange Interlude* en hij wist ook dat O'Neill het persoonlijk met een opdracht erin aan Constance gegeven had. Jessica streek met haar vingers over de opdruk en sloeg toen het boekje open. Ze had haar hoofd gebogen zodat Luke haar gezicht niet kon zien, maar hij hoorde haar de opdracht lezen. 'Voor de onvergelijkelijke Constance, met onvergelijkelijke liefde.' Jessica keek op naar Luke. 'Constance moest daarom lachen; ze hield van zijn extravagantie. We hadden het erover het stuk samen te spelen, beginnende met een try-out in Provincetown in Massachusetts, om daarna over te gaan naar New...' Ze brak haar zin af en bleef met gebogen hoofd staan. Er viel een traan op het boek en haastig veegde ze die weg. Met een kort hoofdschudden keek ze daarna in de doos, haalde er boeken uit en las titels. 'De hele collectie. Ze waren haar erg dierbaar en ze heeft ze haar hele leven verzameld. Ik was ervan overtuigd dat zij ze aan een bibliotheek vermaakt had.' Ze keek weer op. 'Dank je wel. Je hebt ze erg zorgvuldig verpakt.'

'Ze waren belangrijk voor haar. En dat was jij ook.'

Het was een herinnering aan haar brieven en Jessica's gezicht versteende. 'Dank je voor de bezorging hiervan; ik ben er erg blij mee. Nu je dat gedaan hebt zal ik Angie bellen dat ze je komt ophalen.'

'Wacht even.' Luke zou geamuseerd geweest zijn om haar koppigheid, maar die was te wanhopig en droevig om amusant te zijn. 'Die boeken waren niet de reden van mijn komst; zoals je zei had ik ze kunnen opsturen. Ik wil heel graag met je praten. Het is een lange reis vanaf New York en ik zou je dankbaar zijn voor een paar uur van je tijd voor ik terugga.'

'We hebben niets om over te praten.'

'We hebben Constance.'

Ze aarzelde even en knikte toen. 'Ga zitten.'

Hij weifelde even tussen de twee stoelen en de bank die tegenover de ramen stond. Hij koos een van de stoelen en Jessica nam plaats op de andere met de beukenhouten koffietafel met het glazen blad tussen hen in. De regen striemde tegen de ruiten en de kamer was even grauw als de lucht, maar ze maakte geen aanstalten om een lamp aan te doen. 'Was je bij haar toen ze stierf?'

'Nee, haar huishoudster belde me in New York op.'

'Wist iemand of ze pijn had of... angstig was? Of ze iemand bij zich wilde hebben?'

'Ze schijnt in haar slaap overleden te zijn. Ze zat in een grote, diepe stoel in haar bibliotheek...'

'De blauwe?'

'Ja. Naast een ronde tafel met daarop een witzijden kleed met franjes.'

Hij beschreef de kamer alsof het een toneeldecor was en Jessica sloot haar ogen bij de herinnering. 'De lamp brandde nog; er lag een exemplaar van de sonnetten van Shakespeare met een boekenlegger erin en het kistje met jouw brieven stond heel dicht bij haar. Het is waarschijnlijk drie of vier uur in de morgen geweest en vermoedelijk sliep ze – dat waren de paar uur die zij elke nacht nog sliep. Ik denk dat ze er geen voorgevoel van had en geen tijd om te wensen dat jij of ik bij haar zouden zijn. Ik kwam er de volgende dag en haar gezicht was erg vredig en' – zijn stem haperde even – 'erg mooi.'

Jessica merkte de verandering in zijn stem op en even vergat ze dat ze boos op hem was en hem niet in haar huis wilde hebben. 'Ze hield erg veel van je.'

'Ze hield van ons allebei.'

Dat was de tweede keer in één minuut dat hij hen samen verbond. Jessica's wrok keerde terug. Waarom drong hij zich in haar leven? Ze wendde haar hoofd af en keek naar de regen die haar tuin geselde onder een donker, laaghangend wolkendek, maar dat maakte haar alleen maar duidelijker bewust van de knusse beslotenheid van haar huis en van de nabijheid van Luke die, beschermd tegen de bui, bij haar zat.

'Je wilde weten waarom ik je brieven las,' zei hij, en instinctief kromp ze ineen.

Luke stond op en begon te ijsberen in de kamer, zoals hij thuis altijd deed als hij zijn gedachten wilde ordenen. De parketvloer was warm onder zijn blote voeten en even vroeg hij zich af waarom hij zich niet belachelijk voelde in geleende kleren in een huis waar hij niet welkom was en waar hij zonder schoenen of sokken rondliep, maar hij voelde

168

zich merkwaardig op zijn gemak. Misschien kwam dat omdat er zo veel was dat hem aan Constance herinnerde, misschien omdat hij zich beschut en veilig voelde terwijl de regen op het dak trommelde en de wind om het huis gierde. 'Ik sloot mijn grootmoeders huis af, en sorteerde en verpakte alles om het hetzij naar New York te sturen of het weg te geven aan de mensen die zij in haar testament genoemd had. Ik werd nieuwsgierig toen ik het kistje met jouw brieven opende – zoveel en bijna allemaal in hetzelfde handschrift – dat ik de eerste heb gelezen. Ik vond de stijl goed – een ingénue die mijn grootmoeder uitbundig bedankte voor haar lof na een toneelvoorstelling in een zomerkamp – en dus las ik er nog een paar en ingevouwen in een ervan zat een krantenknipsel over een treinongeluk in Canada.' Hij pauzeerde, maar Jessica zei niets. Ze keek nog steeds naar buiten, schijnbaar geabsorbeerd door de zware bui. 'Ik had daar kunnen stoppen, maar ik wilde erachter komen wat er met jou gebeurd was. Ik had je heel lang bewonderd en het altijd betreurd dat wij nooit samengewerkt hadden en ik was even verbijsterd als ieder ander toen je verdween. Eenmaal heb ik mijn grootmoeder terloops gevraagd of ze wist waar je was. Ze zei van niet. Ik neem aan dat jij haar gevraagd had dat te zeggen.'

Jessica knikte, nog steeds naar buiten kijkend.

'Dat heb ik nergens in een brief zien staan.'

'Het was tijdens een telefoongesprek.'

Weer wachtte Luke op een reactie, maar het scheen dat zij niet meer wilde zeggen. Toen een minuut ononderbroken verstreken was, ging hij weer zitten. 'Wanneer hebben jullie de twee kistjes gekocht?'

'Zeven jaar geleden.'

'Waar? Ze lijken Italiaans.'

'Dat zijn ze ook.'

Lukes maag knorde hoorbaar. Hij trok zijn spieren samen om het geluid te onderdrukken, maar als Jessica het al gehoord had, liet ze het niet blijken. 'Waar in Italië?' vroeg hij met verlegenheid en ongeduld in zijn stem.

Met afzakkende schouders keerde ze zich naar hem toe. Ieder woord dat hij zei en alleen zijn stemgeluid al bracht in haar zitkamer alles terug waar zij ooit om gegeven had en ze haatte hem omdat hij het verleden aan haar opdrong dat zij met alle kracht had willen uitwissen. Maar ze kon hem niet de deur uit zetten zolang de bui aanhield en ze wilde graag over Constance praten. Ze had zijn maag horen knorren en ze wist dat ze hem spoedig iets te eten zou moeten aanbieden – weer gewoon fatsoenshalve – maar daartoe was ze nu nog niet bereid.

Ze voelde zich lethargisch en verslagen en dacht dat ze zich pas weer goed zou voelen als hij vertrokken was.

'In dat kleine plaatsje bij haar villa?' drong hij aan.

'Nee.' Ze groef in haar herinnering. 'Het was de eerste keer dat ik haar in Italië bezocht. We reden naar Florence en brachten de hele dag door in de Galleria degli Uffizi en het Palazzo Pitti. Ze was daar toen nog sterk genoeg voor en we wandelden de hele dag en praatten samen – we hadden altijd zoveel te bepraten; we schenen nooit genoeg tijd te hebben – en op de terugweg naar ons hotel kwamen we langs de winkel van signor Forlezzi. De ramen waren stoffig, erg smerig zelfs, maar we zagen overal dozen opgestapeld en signor Forlezzi die op een krukje iets zat te repareren, een lamp geloof ik, keek op en zei: "Ah, de zon is doorgebroken! Twee bekoorlijke dames die mijn..."' Ze brak de zin af.

'En dus kochten jullie de kistjes,' drong Luke na een korte stilte aan.

Ze knikte. 'Er waren twee identieke exemplaren, de mooiste, en we zeiden allebei: "Voor onze brieven." Wanneer heb jij haar voor het laatst gezien?'

'Een week voor haar overlijden.'

'Was ze erg ziek?'

'Frêle, maar niet ziek. We wandelden in haar tuinen en praatten over een paar regisseurs en producers met wie zij gewerkt had...' Hij zweeg even. 'Het valt me juist in. We bestreken een groot terrein en bespraken veel ervaringen, niet echt een overzicht van haar leven, maar alsof ze het als een soort panorama wilde zien voor ze stierf. Echt geloven doe ik er niet in, maar... ' Zijn stem zakte weg.

'Wat is er?' vroeg Jessica.

'Ik herinnerde me haar hand op mijn arm. We wandelden door die verhipte doolhof waar ze zoveel van hield – hij maakte mij altijd claustrofobisch en ik ging sneller lopen – en ze legde haar hand op mijn arm en zei me kalmer aan te doen. Ze zei dat ze de doolhof aanhield voor het plezier zijn geheim te ontsluieren en dat ik me eraan diende over te geven en er niet tegen moest vechten. "Je kunt het niet onder controle houden," zei ze, "zoals je..." Nou ja, daar kwam het op neer.'

'Ga door,' zei Jessica.

'Het is niet belangrijk.'

'Toe, ik wil graag horen wat ze zei.'

Hij haalde even zijn schouders op. 'Je kunt het niet onder controle houden zoals je probeert al het andere in je leven in de hand te houden; je moet je schikken naar zijn eisen zoals je dat doet met poëzie en goede wijn.'

Jessica glimlachte. 'Ik hoor het haar zeggen. Wat zei ze verder nog?'
'We praatten over mijn ouders en over een kindermeisje dat ze aangenomen had toen ik bij haar kwam wonen, en over haar samenwerking
met producers en regisseurs, waaronder ik. Ze had kritiek op iets dat
ik gedaan had toen ik haar regisseerde in *Long day's journey into
night*. Ik kon het nauwelijks geloven; het was bijna tien jaar geleden
en ze had het er nooit eerder over gehad, maar het had al die tijd liggen wachten om besproken te worden.'
'Had ze gelijk?'
Luke keek haar peinzend aan. 'Dat weet ik niet zeker.'
'Wat zei ze?'
'Ik had haar gevraagd alle familieleden als even verderfelijk te beschouwen, omdat ze elkaar stuk voor stuk onvergeeflijke dingen voor
de voeten gooiden. En zo speelde zij Mary Tyrone: mede verantwoordelijk voor de ondergang van de familie. Maar die laatste keer
dat wij bij elkaar waren, zei ze me dat ik het mis gehad had en dat Mary helemaal het slachtoffer was.'
Jessica schudde haar hoofd. 'Jij had gelijk. Afhankelijkheid is een
vloek en Mary gebruikte het als een wapen tegen hen allemaal: James
en hun zonen. Ik geloof niet dat ze zich er al die tijd bewust van was,
maar soms wist ze precies wat ze deed.' Ze zweeg, verbluft van de
blijdschap die in haar opwelde weer een actrice te zijn die samen met
een regisseur een toneelstuk analyseerde. Maar ze schrok ook van de
ontdekking hoe dicht onder de oppervlakte dat andere leven nog
steeds lag en nadrukkelijk bracht ze het gesprek weer op Constance.
'Waar hebben jullie verder nog over gesproken?'
Luke had de glans in haar ogen opgemerkt en zag die weer wegtrek-
ken. Pijnlijke droefheid beving hem. Hij verlangde ernaar haar te
troosten, maar hij wist niet wat voor troost hij kon bieden en hij be-
twijfelde of die welkom zou zijn en dus liet hij Jessica het gesprek leiden. 'Meestal haalden we herinneringen op. Of zij deed het en ik luisterde. Alsof ze probeerde mij in korte tijd alles te vertellen wat zij belangrijk vond.' Zijn blik dwaalde door de kamer, maar in zijn geest
zag hij Constances bibliotheek en haar terras met uitzicht op de heuvels van Umbrië.
Hij keek Jessica weer aan. 'Er is iets wat ik je wil vertellen. Ze schreef
me die week een bijzondere brief die ik na haar overlijden ontving.
Als het mooi weer was, placht ze op haar terras te zitten en ze schreef
– misschien niet helemaal woordelijk, maar toch bijna omdat ik het
zo vaak herlezen heb – "Als ik hier zit, neemt mijn hele wezen de
wonderen van dit weelderige, serene landschap in zich op en dan voel

171

ik mij de hoedster ervan. Maar dat zijn wij natuurlijk allemaal, niet-waar? Ons allemaal is een wereld geschonken met zoveel rijkdom en schoonheid en overvloed. Wij zijn...'"

'... de hoeders ervan,' viel Jessica spontaan in, 'en ook elkaars hoeders en er zou niets dan dankbaarheid in onze harten moeten zijn.'

Luke grinnikte. 'Ik had moeten weten dat zij die uitspraak meer dan eens zou gebruiken. Ze liet een pakkende zin of een mooie regel nooit verloren gaan. In jouw brieven citeerde je soms uitspraken van haar die ze tegen mij gezegd had. Ik wed dat ze die brief eindigde met "Ik ben dankbaar voor jou, beste Jessica."'

'En ik veronderstel dat de jouwe eindigde met "Ik ben dankbaar voor jou, beste Luke."'

Allebei lachten ze zachtjes. 'Je zult wel honger hebben,' zei Jessica opeens.

'Nee, dank je, maar...' Hij zag dat ze haar wenkbrauwen optrok en schoot in de lach. 'Eerlijk gezegd wel. Ik heb in het vliegtuig ontbeten, maar dat lijkt wel drie dagen geleden.'

Ze stond op en pakte haar stok. 'Dan gebruiken we een late lunch.'

Luke stond ook op. 'Mag ik even opbellen? Robert verwacht me al een hele poos. Ik denk dat Angie hem op de hoogte gebracht heeft, maar toch behoor ik te bellen.'

'De telefoon staat tussen de keuken en de eethoek. Als je privacy wilt...'

'Nee, dit is prima. Apropos, hééft Robert opgebeld om mijn komst te melden?'

'Waarschijnlijk wel. Hij is erg betrouwbaar. Ik heb al een paar dagen de telefoon niet opgenomen.'

Verbijsterd staarde Luke haar aan. 'En als je uitgever had opgebeld?'

'Hij weet dat ik soms niet opneem.'

Ze stak haar arm uit en draaide een staande lamp aan boven de koffie-tafel. De kamer kwam tot leven en opgeschrikt door de plotselinge helderheid keken ze elkaar aan over de lichtkring heen. 'Ik had me niet gerealiseerd hoe donker het was,' mompelde Jessica. Ze draaide zich om en strompelde met haar zwaaiende, onevenwichtige gang naar de keuken. Toen ze de koelkast opende, draaide ze zich weer om en zag dat Luke haar gadesloeg. Woede laaide op in haar ogen. 'Je zou Robert opbellen.'

'Ja.' Hij vond het nummer in de dunne telefoongids van de San Juan-eilanden en toen Robert antwoordde, vertelde hij hem waar hij was. 'Ik weet niet hoe laat ik bij u zal zijn, maar ik wil er alleen zeker van zijn dat u de kamer voor me vasthoudt.'

172

'Die is voor u. Ik zal het op prijs stellen te weten of u erg laat komt.'
'Dat zal ik niet.'
Hij hing op en liep naar de keuken. 'Wat kan ik doen?'
'Niets; het wordt heel eenvoudig.' Met haar rug naar hem toe draaide Jessica de vlam aan onder een afgedekte pan en begon toen plakjes eendenborst te snijden op een houten vleesplank die in het donkergroene, granieten, U-vormige aanrechtblad ingebouwd was. De indeling van de keuken was zodanig dat zij niet meer dan een paar stappen hoefde te doen om alles rondom het aanrecht te bereiken.
'Ik zou graag helpen,' zei Luke rustig.
Haar mes hield even stil en sneed toen weer verder. 'Kun je sla klaarmaken?'
'Ik meen het me te herinneren uit de dagen voor Martin.'
'Martin?'
'Butler, kok, beschermer en zedenmeester. Hij zegt of dingen al dan niet goed en gepast zijn.' Hij deed de koelkast open, pakte keukenkruiden en witlof en legde ze op het aanrecht.
Jessica gaf hem een houten plank en een mes. 'In het mandje naast je liggen tomaten. Vind je hem vermakelijk?'
'Ja, maar ook bewonderenswaardig. Hij gelooft in plichtsbetrachting, medeleven met anderen en wederzijdse verantwoordelijkheid en ik heb hem nog nooit van zijn overtuiging zien afwijken ter wille van het gemak of zijn eigen wensen. Dat tref ik zo zelden aan dat Martin heel bijzonder lijkt.'
'Tref je het zelden aan in de theaterwereld?'
'Overal.'
Ze zei niets. Ze had hem willen vragen hoe sterk hij zelf in die eigenschappen geloofde, maar dat zou het gesprek te persoonlijk gemaakt hebben. 'Woont hij bij je in de buurt?' vroeg ze.
'Hij woont min of meer bij me in. Ik heb in mijn appartement een aparte suite ingericht met een eigen ingang. Hij heeft mijn keuken tot de zijne gemaakt en hij zegt dat hij alles heeft wat hij nodig heeft.'
'Behalve een eigen woning en een gezin.'
'Veel mensen hebben geen gezin.' Hij wierp een blik op haar, maar ze deed juist een keukenkastje open en reikte naar een schaal. 'Laat mij dat doen.'
'Ik red me wel,' zei ze kortaf en haalde de schaal uit de kast.
Het was heel stil in de keuken. Luke keek hoe Jessica de dunne plakjes eendenborst op de schaal legde en ze garneerde met kleine Spaanse olijven. 'Heb je altijd eendenborst klaarstaan voor onverwachte gasten?' vroeg hij.

173

'Die had ik in de koelkast staan. Het zijn restjes van gisteren.' Luke stelde zich haar voor aan haar diner – geen alledaagse kant-en-klaar maaltijd die op het randje van een stoel opgeschrokt werd, maar een keurig voorbereid, elegant, met zorg bereid diner op een smaakvol gedekte tafel – en in eenzaamheid geconsumeerd, zonder tafelgesprek en zonder de gedeelde vreugd van goed voedsel en heerlijke wijn. Het kwam niet bij hem op dat hij zelf vaak alleen at; hij wist alleen dat hij weer die pijnlijke bedroefdheid voor haar voelde.

Jessica keek op en ving zijn blik op. 'De sla,' zei ze koeltjes.

'Die komt,' zei hij luchtig. Hij sneed het witlof in dunne reepjes en voegde er de keukenkruiden aan toe die hij versnipperd had. Hij keek rond waar hij de groente in wassen kon. 'In het kastje rechts,' zei Jessica. Hij pakte een slacentrifuge, draaide alles droog en pakte toen een tomaat uit het mandje. 'In plakjes of in partjes?'

'In plakjes.'

Jessica stelde de vlam onder de pan op het fornuis bij, maalde koffiebonen, deed water in de koffiemachine en stak de stekker in het stopcontact. Haar bewegingen waren resoluut en zinnig, maar bijna automatisch; ze voelde zich onbehaaglijk met Luke in de keuken die haar laden opentrok en dichtdeed, in haar kastjes rommelde, haar spullen gebruikte en water in haar gootsteen liet lopen. Hij was rustig en stil, waar ze dankbaar voor was, maar hij was groot en krachtig van postuur en hij nam veel ruimte in. Het was lang geleden dat iemand ruimte had ingenomen in een van haar woonvertrekken. We eten samen en dan gaat hij weg, dacht ze. De regen zal wel gauw ophouden en dan zie ik hem nooit meer terug.

Ze haalde een bruin brood met een harde korst onder een handdoek vandaan en pakte een broodmes.

'Dat snijd ik wel,' zei Luke. 'Of laat je me liever iets anders doen?'

Ze haalde diep adem. Hij stond erop overal deel van uit te maken. 'Ik hoef alleen dit nog te doen en de tafel te dekken.'

'Laat mij dan de tafel dekken. Mag ik? Het was de enige taak die Constance mij altijd toevertrouwde.'

Ze knikte na een korte stilte, met tegenzin dacht hij, en ze begon brood te snijden. Luke liep naar de eethoek en deed kasten open. 'Welk servies wil je?'

'Net wat jij wilt,' zei ze onverschillig.

Geërgerd omdat hij geen interesse bij haar kon opwekken, haalde Luke zijn schouders op en koos van het keurige stapeltje twee gevlochten placemats uit met een patroon van roodbruin, blauw en goudkleur. Hij vond bijpassende blauwe servetten en zilveren servetringen. Om de ronde tafel met een blad van zwart graniet stonden vier stoelen met witte kussens en Luke legde de placemats bij twee haaks op elkaar staande stoelen tegenover de ramen. Toen bedacht hij zich en legde ze recht tegenover elkaar. Een andere kast bevatte zes planken met serviesgoed in dichtgeritste beschermhoezen en daaronder twee boordevolle laden met zilveren bestekken: tafelgerei zoals gebruikt werd voor feestdiners in New York. Maar nu was het hier, alsof zij niet had kunnen besluiten waar zij afstand van kon doen. Maar hoe vaak werd het gebruikt?

Het kwam bij hem op dat Jessica's huis en inventaris dezelfde indruk maakten als zijn eigen appartement op de dag dat hij zich bewust geworden was van de leegte ervan en bedacht had dat hij vaker gasten zou moeten ontvangen. Sinds zijn aankomst had haar telefoon geen enkele keer gerinkeld. Dit kleine huis aan de rand van het water, afgekeerd van de bewoners van Lopez Island, leek even afgezonderd en eenzaam als een schipbreukeling midden op een uitgestrekte, gevoelloze oceaan.

Hij ritste de gevoerde hoezen open en pakte twee witte porseleinen borden met een gebloemde rand, twee slabakjes en twee kop en schotels. Uit de besteklaren nam hij bestekken van sterling zilver met een opengewerkt patroon en reikte toen naar de open planken erboven. 'Wat voor glazen?' vroeg hij.

'Voor rode wijn. En waterglazen als je wilt.'

Hij zette ze op tafel, pakte van een andere plank twee zilveren kandelaars en trok laden open tot hij kaarsen en lucifers gevonden had. 'Heb je hulp nodig met de wijn?'

Haar zwijgen beduidde dat zij nergens hulp bij nodig had, maar even later verscheen ze met een fles en een kurkentrekker. 'Wil jij hem soms opentrekken?' Ze gaf hem de fles en monsterde de tafel. 'Dat ziet er gezellig uit. Geen wonder dat Constance je vertrouwde.'

Hij schonk de wijn in. 'Ik haal het eten.' Hij bracht het plateau gesneden eendenborst binnen, de slakom en een mandje met brood. 'De soep staat naast het fornuis,' zei Jessica en hij zette de terrine op tafel terwijl zij soepkommen klaarzette. Luke schepte soep op en schoof haar stoel voor haar bij.

Het was alsof hij nog een deur naar het verleden geopend had. Zonder erbij na te denken rechtte ze haar rug, haar hoofd hief zich op en toen ze haar stok wegzette en ging zitten, bewoog ze zich gracieus en moeiteloos. Maar een ogenblik later veranderde dat en Luke zag dat ze pijn had.

'Het spijt me,' zei hij. 'Kan ik iets voor je doen?'

Ze schudde haar hoofd. 'Ga maar zitten.'

De regen was afgenomen, maar de wind blies nog steeds druppels tegen de ruiten met een geluid als van het aanhoudend geruis van lange rokken en de hemel was bijna zwart. Luke stak de kaarsen aan en de weerkaatste vlammetjes dansten op de ruiten. Jessica keek ernaar en zag de zwakke gloed van haar gezicht en dat van Luke. Onverwachts kwam er een gevoel van tevredenheid over haar dat haar ergernis over Lukes opdringerigheid onderdrukte en ook de pijnscheut in haar heup wegnam toen ze rechtop stond. Het was prettig gezelschap te hebben om de maaltijd en de wijn met haar te delen.

Natuurlijk wist ze dat al uit een verleden met meer dan haar portie gezelschap. En Luke was prettig en attent. Maar hij hoorde hier niet thuis en ze wist dat tevredenheid niet duurzaam was. Ze zou blij zijn als hij vertrokken was.

De soep was dampend hete minestrone, dik van de groenten en dat was al wat Luke nodig had ter bevestiging van zijn gevoel een toevluchtsoord gevonden te hebben. Als ik ooit een plek nodig zou hebben om me te verbergen, zou het hier zijn, dacht hij. Hoe ver was het van alles! Hoe ver voelde hij zich verwijderd van zijn appartement en kantoor, van het Vivian Beaumont theater, van New York, van alles en iedereen in zijn leven. 'Ik heb me in heel lang niet zo ontspannen gevoeld,' zei hij. 'Dank je.'

Ze knikte. Zwijgend zaten ze te eten. Ze aten hun soep op en schepten plakjes eend en gemengde sla op hun bord. Jessica hield Luke het broodmandje voor en hij nam nog een snee. 'Een heerlijke lunch. Doe jij je inkopen op het eiland?'

'Merendeels wel. Als ik iets bijzonders nodig heb, brengt Robert het voor me mee als hij naar Friday Harbor gaat.'

'Dan moet je voorraad hebben kunnen opslaan toen je aan *Pygmalion* werkte.'

Geschrokken keek ze hem aan en opeens dacht hij: Als ze zich zo afzonderde dat ze niet eens de telefoon opnam, hoe kon ze dan meewerken aan de regie van een musical? Maar dat was geen vraag die hij haar kon stellen en hij wilde niet doorzeuren over het feit dat hij haar brieven gelezen had en dus begon hij over iets anders. 'Vertel eens over je huis. Het lijkt me bijzonder goed gebouwd. Kwam de architect van Lopez? En de aannemer?'

'Ze komen uit Seattle, maar hebben hier allebei een huis. Het ís goed gebouwd; ik ben steeds bij de bouw geweest en Constance gaf me advies over wat ik moest verlangen en waarvoor ik moest oppassen. Ze vertelde me dat ze ooit een huis had laten bouwen, maar ze zei niet waar.'

'Zei ze je dat? Ze heeft nooit een huis laten bouwen. We hebben het erover gehad toen ik overwoog een weekendhuis te laten bouwen op een stuk grond dat ik bij Millbrook heb, maar ik heb er nooit tijd voor gehad en zij ook niet. Wat voor advies gaf ze je?'

'De hickory vloer was haar idee, en ronde hoeken in plaats van scherpe, en de haard in de hoek van de slaapkamer. Ik ontwierp de keuken omdat zij niet wist wat ik nodig had – ze had geen idee van keukens, maar wel allerlei andere ideeën. Denk je dat ze die zo maar verzon?'

'Door oude dromen die nooit verwezenlijkt werden.' Hun blikken kruisten elkaar en ze glimlachten allebei. 'Waarschijnlijk dacht ze aan jouw huis als de dichtste benadering van een van haarzelf. Jammer dat ze het nooit heeft kunnen zien. Ze zou zich er helemaal thuis gevoeld hebben.'

'Ik heb het haar beschreven in mijn brieven, maar op een keer belde ze op en zei dat ze zich mij voorstelde in mijn zitkamer, maar dat ik helemaal niet aangegeven had wat voor snuisterijen ik waar had staan en of ik dat maar onmiddellijk wilde goedmaken.'

Ze glimlachten weer. Het was gemakkelijk en veilig om over Constance te praten en dus deden ze dat omdat ze bijna gelijkgezind van haar hielden en haar misten, terwijl wind en regen de ramen striemden en de kaarsen langzaam opbrandden. Hope bedelde om restjes en Luke en Jessica voerden haar tot alles op was en zij voldaan ging slapen. Ze dronken de fles wijn leeg en ongevraagd haalde Luke de pot koffie uit de keuken en schonk hun kopjes vol. 'We praatten altijd over de stukken die ik regisseerde,' zei hij. Hij leunde achterover en strekte zijn benen. 'Ze hielp me elke keer op weg als ik alles nog niet goed in mijn hoofd had zitten. Ik heb haar het meest gemist toen ik bezig was met *De Tovenares*. Ik miste haar naast me terwijl ze hardop een scène voorlas met dat malle brilletje helemaal op het puntje van haar neus; ik miste haar gebiedend op de tafel tikkende vinger die moest garanderen dat ik haar argumentatie begreep; ik miste haar lach als we een grapje maakten...' Hij nam een slok koffie. 'Sorry, ik wilde niet sentimenteel worden.'

Jessica haalde diep adem. Hij had Constance in de kamer gebracht en dat bezorgde haar een schrijnend gevoel van verlies. Na enkele ogenblikken vroeg ze: 'Wat is *De Tovenares*? Ik heb er nooit van gehoord.'

Luke keek op. 'Een nieuw toneelstuk van een zekere Kent Horne, een briljante, jonge toneelschrijver, wat verbazingwekkend is gezien het feit dat hij totaal onervaren en gewoonlijk niet sympathiek is, maar hij heeft een magnifiek stuk geschreven. Zo goed, dat het zelfs Abby Deming getemd heeft.'

'Speelde Abby erin mee?'

'Ja. We openden drie weken geleden en het ziet ernaar uit dat we een lange looptijd zullen hebben.'

'Wie spelen er nog meer in mee?'

'Cort Hastings en Rachel Ilsberg. Zij hebben hoofdzakelijk voor de tv gespeeld, maar ze zijn goed, vooral Rachel.'

'In welk theater?'

'Een week in Philadelphia in het Forrest Theater, en daarna in het Vivian Beaumont.'

'Waren de recensies goed?'

'Uitbundig. Zelfs Marilyn Marks werd hoog geprezen in *The Times* en *The Wall Street Journal*.'

'Ontwierp zij de decors of de kostuums?'

'Allebei. Jij hebt ook met haar gewerkt, is het niet?'

'Ze ontwierp het decor voor *Virginia Woolf*. Ik vond haar sympathiek; ze vroeg Constance en mij zelfs waar wij de deuren wilden hebben als wij opkwamen en afgingen.'

'Wij moesten voor *De Tovenares* een deur verplaatsen.'

'Dan heeft ze niet eerst met Abby of jou overlegd. Ze kan haar vingers gebrand hebben aan *Virginia Woolf*; iedereen beschuldigde haar van voortrekkerij door te ontwerpen met Constance en mij in gedachten.'

'Dat deed ze.'

'Ja, maar als je zelf die favoriet bent, lijkt het heel redelijk.' Ze glimlachte toen Luke in de lach schoot, maar opeens waarschuwde een inwendige stem: *Het wordt te intiem, te ontspannen, er gaan deuren open die niet geopend dienen te worden. Verander van onderwerp, verander van onderwerp, verander...* Maar Lukes lachen vervulde het huis met een daar nog nooit gehoord geluid en ze negeerde de waarschuwing. *Het is van geen belang, want hij zal heel gauw vertrokken zijn.* 'Wie was toneelmeester voor *De Tovenares*?' vroeg ze.

'Fritz Palfrey. En Monte Gerhart was producer.'

'Monte en zijn maskers.'

Luke grinnikte. 'Hij zette ze af voor *De Tovenares*; ik geloof dat ik hem aardig goed heb leren kennen. En onze samenwerking was heel goed. Wanneer heb jij met hem te maken gehad?'

'Voor *The Children's Hour*. Ik vond hem een mompelende dwaas.'

'Zoals je al zei, is dat een masker.' Luke boog zich naar voren en schonk nog eens koffie in. 'Monte was degene die Abby Deming wilde hebben; ik had te veel over haar halsstarrigheid gehoord om haar te willen hebben. Ik had nog nooit met haar gewerkt, maar...'

'Ze was zo. Echt ontzagwekkend. Ik heb haar een cast zien opzwepen tot een slagorde en een repetitie in een burgeroorlog zien veranderen. Monte moet dat geweten hebben.'

Luke hoorde de verandering in haar stem: ze liet de volle resonantie doorklinken in plaats van haar stem vlak te houden. Ze zat naar voren geleund met haar handen om haar koffiekopje gebogen en haar armen op tafel. Bij het kaarslicht leken de groeven in haar gezicht zo diep alsof ze erin gebeeldhouwd waren zonder ook maar een schaduw van haar vroegere schoonheid. Maar Luke concentreerde zich niet op haar gezicht. Ze hield haar hoofd een beetje schuin alsof ze naar het verleden luisterde en in haar houding zag hij haar honger naar nieuws over de wereld die ze achter zich gelaten had. Het was alsof hij een deur zag opengaan. Ze hoefden zich nu niet langer te beperken tot het veilige onderwerp Constance. Nu konden ze over alles praten.

'Monte hoorde waarschijnlijk dezelfde verhalen als ik,' zei hij. 'Maar hij nam haar mee uit eten en ze keek hem recht in de ogen en dat schijnt de doorslag gegeven te hebben.'

'Ik heb haar dat zien doen. Abby heeft iets apostolisch over zich als ze met een man is, alsof ze hem laat kiezen tussen het paradijs en verandering in een zoutpilaar.'

Luke lachte schaterend. 'Zo gedroeg ze zich tegenover Cort, en naar ik zag ook tegenover Kent.'

'Heeft die scènes voor haar herschreven?'

'Alleen wanneer wij het allemaal nodig vonden. Ze was minder veeleisend dan ik verwacht had. Constance zou in haar tijd waarschijnlijk meer geëist hebben dan Abby, althans voor *De Tovenares*.'

'Constance doorgrondde karakters beter dan de meeste toneelschrijvers. Ze liet Hulbert Lovage eens de hele tweede akte van *Madame Forestier* herschrijven.'

'Dat was een knap geschreven stuk.'

'Omdat hij een knap schrijver is. Hij maakte een moeilijke periode door met het schrijven van afschuwelijke stukken waarvan hij beweerde dat ze prachtig waren en dat iedereen het mis had. Zijn agent en zijn vrouw probeerden hem over te halen zich een jaar terug te trekken, of zelfs twee of drie jaar, maar hij weigerde en bleef doorschrijven. Hij zei dat zijn toneelstukken perfect waren en dat er geen woord aan veranderd hoefde te worden. Het was uiterst deprimerend. Maar op de een of andere manier kwam hij eroverheen. Het was een van die mysteries die ons doen beseffen hoe onpeilbaar het universum van de geest is.'

'Zelfs voor Hulbert, denk ik, als hij niet kon erkennen dat wat hij geschreven had slecht was.'

'Hulbert kon nooit de waarheid spreken. Als hij dat doet, krijgt hij het op zijn heupen.'

Luke glimlachte. Haar opmerkingen verschaften hem hetzelfde genoegen als haar brieven. 'Hulbert doet me aan Kent Horne denken,' zei hij, en vertelde haar van de keren waarop hij Kent gedwongen had te buigen voor zijn eisen als regisseur. 'Ik had vriendelijker kunnen zijn, maar ik was ongeduldig...'

'Je streefde naar een bepaald doel en kon geen zijwegen zien,' zei Jessica. 'De meeste mensen in het theater...' Ze zweeg.

'... zijn zo,' maakte Luke de zin af en hun ogen ontmoetten elkaar in een ogenblik van volmaakt begrip van het leven dat zij vroeger gedeeld hadden. Jessica verbrak de stilte met een nieuwe vraag en daarna nog andere en ze luisterde gespannen naar alles wat hij zei, maar een deel van haar bleef twijfelen aan zijn oprechtheid. De Luke Cameron die zij gekend had en over wie zij al haar jaren in New York zelfs van Constance gehoord had, was nooit openhartig geweest over een van zijn tekortkomingen; hij had koud en hooghartig geleken, behalve tegenover degenen met wie hij gewerkt had. Ze vond zijn bekentenis merkwaardig aantrekkelijk omdat die hem niet kleiner, maar sterker scheen te maken: een man die zo verstrikt was in de tentakels van het toneelleven dat hij soms de zachtmoedige aanpak van problemen uit het oog verloor. Maar de enige reden waarom ik dat aantrekkelijk vind, is dat ik zelf aan het toneel ben, dacht ze. Maar toen corrigeerde ze zich nijdig: *Omdat ik lang geleden aan het toneel was.*

'En dat was die keer toen ik je manager opbelde over *Emily's Heirs*,' zei Luke. 'Ik wilde jou hebben voor de rol van Emily, maar je was in Londen.'

'Ik trad in Stratford op in *King Lear* met Hugh Welfrith.' Ze staarde met nietsziende ogen voor zich uit. 'Het was het jaar dat Constance naar Italië ging. Ze maakte een tussenstop in Londen en logeerde bij mij in mijn hotelsuite. We hadden vier zalige dagen samen; ze moest en zou *King Lear* drie keer zien en op mijn vrije avond zagen we *Cats*. Ik vond het heerlijk te weten dat zij in de zaal zat; ik speelde voor háár met kleine gebaren en intonaties waar we in de loop der jaren over gesproken hadden. Het was als een code. We hadden samen altijd zoveel plezier gehad; alles was zo harmonisch tussen ons.' Ze klemde haar handen samen en vocht tegen haar tranen. Voor Luke hoefde ze haar gevoelens niet te verbergen: hij had ook van Constance gehouden, maar ze was zo gewend alles in zich op te sluiten dat ze nu niet in zijn bijzijn kon huilen of zeggen dat de wereld sinds Constances dood naargeestiger geworden was. 'Weet jij hoe het Hugh vergaan is?' vroeg ze. 'Hij was ziek toen we Lear speelden, maar alleen zijn vriendin en ik wisten het en uit zijn optreden had niemand het kunnen afleiden.'

'Hij is drie jaar geleden gestorven. We hebben de laatste tien jaar heel wat steunpilaren verloren.'

Jessica knikte met gebogen hoofd. 'Hugh en ik waren goede vrienden. En hij was een groot acteur.'

Na een tijdje van stilte zei Luke: 'Je weet waarschijnlijk nog niet van Arcadia. Dat is een nieuwe toneelschool voor kinderen – ik zit in het bestuur – en een heel indrukwekkend instituut.' Hij vertelde over de directeuren van de school en over jonge acteurs die er vandaan kwamen en vervolgde met andere verhalen. Hoe meer hij vertelde, hoe meer vragen Jessica stelde. Hij weidde uit over de wereld die zij allebei zo goed kenden, haalde anekdotes op over mensen en plaatsen, beschreef nieuwe acteurs en regisseurs die afkomstig waren van de televisie of van regionale theaters, noemde nieuwe restaurants en oude nachtclubs en wist zelfs een boeiende beschrijving te geven van de hittegolf van de afgelopen zomer en van het uitzicht vanaf zijn terras op een versmachtend New York.

'Maar was je repetitieruimte koel?' vroeg ze, rechtstreeks inhakend op wat voor een acteur het belangrijkste is tijdens een hittegolf.

'Lawaaiig,' zei Luke, en ze lachten, want allebei hadden ze ervaring te over met aftandse zwoegende airconditioners in gehuurde repetitieruimten. Verrast door haar lachen keek Luke naar die kortstondige uiting van levendigheid die een glimp openbaarde van de vrouw die hij zich van vroeger herinnerde. Zo zou ze er nooit meer uitzien, bedacht hij, maar als ze vaker lachte en het leven luchthartiger opvatte... Maar nog terwijl hij dat dacht, kreeg haar gezicht weer dat afgetobde, grauwe voorkomen. Het was alsof de zon door dikke wolken gebroken was en er daarna weer achter verdween. Luke kreeg er behoefte aan haar weer te laten lachen en hij pijnigde zijn hersens op zoek naar een roddelpraatje of een vermakelijke anekdote, maar er wilde hem niets te binnen schieten. Om de stilte te overbruggen pakte hij de koffiepot, maar die was leeg. En toen drong het tot hem door dat het niet meer regende.

Ze draaiden zich tegelijk om naar het raam. Ze zagen hun zwakke weerspiegeling en die van de nu bijna opgebrande kaarsen, maar ze hadden zich niet omgedraaid om te kijken, maar om te luisteren. En ze hoorden niets. Er kletterde geen regen tegen de ruiten en de wind was gaan liggen. Luke voelde paniek in zich opkomen. Hij zou moeten vertrekken en het enige wat hij wilde, was blijven.

Geen van zijn vragen over Jessica was beantwoord; hun gesprek was oppervlakkig gebleven en hij had haar nauwelijks iets beter leren kennen dan voor zijn aankomst. Hij was zelf het meest aan het woord geweest en wat zij over zichzelf verteld had, had niets geopenbaard over de persoon die zij geworden was. Maar dat was niet de enige oorzaak van zijn paniek en zelfs niet de voornaamste. Hij wilde blijven omdat hij zich hier gelukkig voelde.

Maar hij kon zichzelf niet uitnodigen en om Jessica gelegenheid te geven hem tegen te houden legde hij langzaam zijn servet neer op de tafel, schoof zijn stoel achteruit en stond op. 'Ik denk dat mijn kleren en schoenen nu wel droog zullen zijn.' Ze wendde zich af van het raam en hij was verrast door de droefheid in haar ogen. Maar ze zei geen woord en dus liep hij langs haar heen door de zitkamer naar haar slaapkamer en sloot de deur achter zich.

Jessica bewoog zich pas toen zij de deur dicht hoorde gaan en begon toen automatisch de tafel af te ruimen. Ze dacht eraan Angie op te bellen om Luke naar de Inn te brengen, maar in plaats daarvan ging ze door schalen en borden op te stapelen en ze een voor een of twee tegelijk naar de keuken te brengen. *Een rustige avond. Eindelijk. Ik had hem al een poos geleden weg moeten sturen.*

Maar de avond die zij zich voorstelde was niet rustig, maar eenzaam, en voor ze daar iets tegen doen kon kwamen de woorden *Ik wil niet alleen zijn* bij haar op en wilden niet verdwijnen. Alleen in de eethoek met de afgeruimde tafel en de naflikkerende kaarsen in de gesmolten was, keek ze om zich heen naar het volmaakte thuis dat zij gecreëerd had en dacht aan de stilte van de komende uren. Ze kon haar kamers laten weergalmen van muziek en nog zou het er stil zijn. Ze kon in de keuken druk bezig zijn met eten klaarmaken bij het geluid van een suizende gasvlam, een koelkast die geopend en gesloten werd, kletterende potten en pannen en toch zou ze omringd zijn door stilte. Ze kon een videofilm afspelen en toch zou het stil zijn in haar huis.

Maar dat is wat ik wilde, dacht ze. Constance en ik leidden een zelfde leven.

Nee, dat was niet zo. Constance had de wereld binnengelaten in haar leven. Zij het niet in grote aantallen, de mensen kwamen, post en cadeautjes werden bezorgd en de telefoon was actief.

Beste Jessica,

Ik begrijp dit leven niet dat jij gekozen hebt en ik vind geen van je argumenten logisch. Wat is die kloof waar je over schrijft die het verle-

182

den scheidt van het heden? Als je kunt meewerken aan de regie van
Pygmalion, *wat let je dan terug te keren naar Broadway en Londen*
om te acteren of te regisseren als dat nu een uitdaging voor je is? Ik
heb je brieven talloze malen herlezen en ik kan alleen maar aanne-
men dat je nog steeds in een soort shocktoestand verkeert na dat vrese-
lijke ongeluk. Maar, lieve kind, als dat zo is moet je hulp zoeken. Sluit
je niet af van de wereld die je kent. Het is je voedingsbodem, je leven
en je wezen.

Dat had Constance vorig jaar geschreven en Jessica had er nooit
rechtstreeks op geantwoord; ze had alleen geschreven dat ze tevreden
was en niet zou terugkeren naar New York. Daarna waren hun brieven vervallen in het patroon van uitwisseling van nieuwtjes tussen oude vriendinnen, zonder de intimiteit die hen vroeger gekenmerkt hadden. En toen, juist dit voorjaar, was er een ander soort brief gekomen.
Kom me alsjeblieft opzoeken. Ik mis je en ik geloof dat jij me ook mist.
We moeten bij elkaar zijn. Toe, mijn lieve, dierbare Jessica, kom me
alsjeblieft opzoeken.

De slaapkamerdeur ging open en Luke verscheen in het lichte vierkant, nog steeds met haar tuinbroek aan en nog steeds blootsvoets.
'Een vochtige dag,' zei hij zielig. 'Niets droogt er. Als je het niet erg
vindt, houd ik je broek aan en geef hem aan Angie mee terug als ik bij
de Inn aankom.' Hij zag haar naar zijn blote voeten kijken. 'Als Angie er is, trek ik mijn schoenen aan.' Door de zitkamer kwam hij naar
haar toe. 'Jessica, ik vraag excuus. Ik verlangde er zo naar je te zien
dat ik kwam aanstormen zonder te letten op wat jij wilde. Toen je
mijn brief niet beantwoordde, liet je overduidelijk blijken dat je mij
niet hier wilde hebben, maar ik negeerde dat. Ik had niet moeten komen, ik had je huis niet moeten binnenvallen en beslag leggen op je
hele middag en je noodzaken mij te eten te geven...'
'Je noodzaakte me niet. Ik had medelijden met je hoorbare maag.'
Hij bleef als aan de grond genageld staan. Ze had hem zo overvallen
dat de rest van het excuus dat hij zich in haar slaapkamer ingeprent
had, hem ontglipte en hij niets anders wist te zeggen.
De hond stond op, schudde zich omstandig en trippelde door de kamer. Jessica sloeg het dier gade, blij met de afleiding. Ze wilde Luke
vragen te blijven; ze wilde hem zeggen dat hij haar verbindingsscha-
kel was met Constance en het theater, maar bovenal dat ze blij was bij
hem te zijn. Ze wist dat hij genoten had van de middag, maar ze wist
ook dat hij zichzelf niet kon uitnodigen te blijven. Dat moest van
haar kant komen en ze voelde zich onzeker en haperend. De woorden
wilden niet komen.

Luke deed de eerste aanzet en liep naar de telefoon. 'Mijn maag en ik zijn je dankbaar, maar het is ver voorbij mijn tijd van vertrek.' Hij nam de hoorn van de haak en draaide zich om met zijn andere hand boven de kiesschijf. 'Het is een heerlijke middag geweest. Ik voelde me heel erg thuis en dat hield verband met veel meer dan het feit dat ik jouw kleren droeg. Het spijt me dat we elkaar niet beter hebben leren kennen, maar misschien dat we nog eens...'

'Ik wil graag dat je blijft.'

Roerloos sloeg Luke haar gade. Ze had haar hand op Hopes kop gelegd als voor steun. 'We hebben nog heel veel te bepraten... we zouden laat kunnen dineren en dan zou ik je naar de Inn kunnen brengen. Als je dat wat lijkt.'

Hij legde de hoorn op de haak. 'Heel erg.' Hope liep naar hem toe en besnuffelde zijn hand. Hij hurkte neer, krabde haar achter de oren en keek glimlachend op naar Jessica. 'Ik had gehoopt dat je dat zeggen zou.'

11

De Inn at Swifts Bay sprankelde in de ochtendzon, schoongewassen door de stortvloed van de vorige dag. In de zitkamer keken de pluche konijnen in de kast Luke met glanzende ogen aan toen hij doorliep naar de keuken waar Robert bezig was pannenkoeken te bakken.

'Lieve hemel,' zei Robert en hield abrupt stil. 'Zo vroeg? En dat na zo'n late avond!'

Luke trok zijn wenkbrauwen op. 'Is elf uur zo laat?'

'Later dan ik verwacht had. Ik zag dat Jessica je een lift gaf; ik ving een glimp op van haar auto.'

'Ja,' zei Luke geamuseerd. 'Maar ik wil niet opnieuw een beroep op haar doen en je schijnt hier nergens een auto te kunnen huren. Zou het mogelijk zijn dat ik je truck weer gebruik? Ik betaal je wat een huurauto kost.'

'Hoe lang heb je hem nodig?'

'Dat weet ik nog niet.'

Nadenkend smeerde Robert zijn koekenpan in. 'Je hebt je kamer voor drie nachten geboekt, daarna komt er een ander in.'

'Als ik dan nog hier ben, verhuis ik naar een andere kamer.'

'Die hebben we niet. Er komt een fietsclub uit Vancouver.'

'Daar ga ik me nu nog geen kopzorg over maken.' Ongeduldig veegde hij het bezwaar terzijde. Hij was wakker geworden met een gevoel van innig welbehagen en hij keek uit naar de dag die komen ging. Hij had geen tijd voor pietluttigheden. 'Ik zou de truck graag drie dagen gebruiken als je hem zo lang kunt missen. Hoe het daarna moet, weet ik nog niet.'

Robert knikte. 'Wij gebruiken hem hoofdzakelijk 's winters, dus zal het geen probleem zijn. Ik wil er geen geld voor hebben, maar zorg voor een volle tank. Wil je ontbijten?'

'Nee, ik eet niet hier.'

Robert leek te schrikken van het idee dat iemand weg zou gaan uit de Inn met een lege maag.

'We gaan eerst paardrijden,' zei Luke. 'Je bent trouwens nog niet klaar om het ontbijt te serveren; het is veel te vroeg. Er is nog niemand op.'

'Ik maak uitzonderingen. Zelfs geen sneetje toast, of wat fruit?'

'Niets dan de autosleuteltjes.'

Robert diepte ze op uit een la en gaf ze aan Luke. Hij monsterde Lukes blauwe jeansbroek en katoenen coltrui. 'Ik kan je een rijbroek lenen.' Glimlachend schudde Luke zijn hoofd. 'Ik draag voor de variatie vandaag mijn eigen broek. Bedankt voor het aanbod.' Hij liep naar de deur, maar draaide zich nog even om. 'Ik weet niet hoe laat ik vanavond terug ben. Is dat een probleem?'

'Nee, de voordeur zal niet op slot zijn. Een prettige dag.'

'Daar reken ik op.' Hij liep terug door de zitkamer en haalde zijn leren jack en Jessica's tuinbroek die nu droog was na de hele nacht over de rugleuning van een stoel op zijn kamer gehangen te hebben. Buiten bleek het verrassend kil te zijn en naast de truck trok hij zijn jack aan. Daarna reed hij opnieuw langs de kust en toen landinwaarts langs het meertje en voorbij Lopez Hill naar de Watmough Bay Road waar hij uitkeek naar het houten bordje met de fontein. Anders dan bij zijn eerste rit over deze wegen zou hij nu niet voor een verrassing komen te staan; ditmaal hoopte hij op wat komen ging.

Hij dacht aan de honderden vrouwen met wie hij in de loop der jaren uitgegaan was. In gedachten zag hij zich weer kleden voor de gelegenheid en wegrijden om hen op te halen... maar hij kon zich niet een van die vrouwen meer herinneren. Alleen Jessica stond hem helder voor de geest zoals ze naar hem toe gebogen zat alsof ze zich alles inprentte wat hij zei en geen woord miste terwijl zij over het theater praatten en altijd weer over Constance. Ze kwamen altijd weer op haar terug alsof zij hun koers bepaalde.

Ze waren nooit van die twee onderwerpen afgedwaald, maar die schenen een onuitputtelijke hoeveelheid gespreksstof te bevatten en zodoende was de middag verstreken met anekdotes en herinneringen en technische discussies over stukken die zij allebei kenden. Jessica had verse koffie gezet, twee koppen binnengebracht naar de zitkamer en tegenover elkaar gezeten op de witte bank hadden ze gepraat en gepraat met geen andere onderbreking dan toen zij terugkeerde naar de keuken waar zij een pan uit de koelkast gehaald en in de oven gezet had. Luke had een salade klaargemaakt van plakjes tomaat, basilicum en *buffalo mozzarella* – jonge buffelkaas – en Jessica had de tafel gedekt met andere placemats en ander serviesgoed, maar net als Luke tegenover elkaar. Op haar aanwijzingen vond Luke een fles goede bourgogne in een kleine wijnkoeler bij de keuken en opnieuw waren ze aan de maaltijd gegaan en hadden met hun gesprekken de grote wereld van de New Yorkse en Londense theaters binnengehaald in dat door duisternis omgeven stille huis.

'Rijd je paard?' had Jessica gevraagd toen ze hun koffie met cognac op hadden.

'Ja, zo vaak ik kan. Ik heb paarden in New Jersey.'

'Ik ga elke ochtend nog voor het ontbijt uit rijden. Ik heb een paard dat je wel zal bevallen als je er iets voor voelt.'

'Heel veel.'

Dat was wat hij zich herinnerde toen hij in de heldere ochtendlucht naar haar huis reed. En wat hij voor zijn geest zag, was haar korte, bijna sombere hoofdknikje toen hij, op het moment dat hij de vorige avond voor de Inn uit haar auto gestapt was, gezegd had dat hij nog nooit zo'n fijne dag had gehad.

Ze stond al op hem te wachten en in de truck waren ze naar haar paardenstal gereden. In beslag genomen door haar aanwijzingen en het zadelen van het paard dat zij voor hem uitkoos, had Luke haar maar vluchtig aangekeken en pas toen ze opgestegen waren en wegreden van de weide en hij haar gezicht opnam, kon hij zijn verbazing nauwelijks inhouden.

Dit was een andere Jessica. Een duur rijkostuum verfraaide haar tengere gestalte, een amazonepet bedekte haar haren en een grote donkere bril verborg de lijnen onder haar ogen. Gemakkelijk in het zadel en met de teugels losjes in de hand vertoonde ze slechts een glimp van haar kreupele gang en geen spoor van onbeholpenheid. Voor het eerst sinds hij bij haar was, zag Luke zelfvertrouwen en gezag in haar houding, en een ongedwongenheid die het haar mogelijk maakte zich met iets van haar vroegere gratie te bewegen en opnieuw besefte hij hoe weinig hij van haar wist en hoe weinig hij over haar kon voorspellen.

'Waar wil je heenrijden?' vroeg ze.

'Jouw favoriete route.'

Ze reed voorop tot het pad zich splitste en koos toen de linkse aftakking naar een donker bos dat nog droop van de regen. De zon had de koude lucht nog niet verwarmd, maar de geur van vochtige naaldbomen en van het bladertapijt op de grond was zo zuiver dat Jessica het gevoel had één te zijn met de aarde en het was hier dat ze altijd haar rit begon. Maar ditmaal werd haar vertrouwde stilte doorbroken en ze voelde zich gespannen en niet op haar gemak in het bijzijn van een andere ruiter. Maar ze merkte al gauw hoe ervaren Luke was. Terwijl ze naast elkaar over het brede pad voortreden, paste hij de stap van zijn paard aan bij die van het hare en ze begon te genieten. Een paar minuten later sloeg ze een ander zijpad in en opeens was het ritmische geluid van gelijke stappen verdwenen en hoorde ze niets anders dan het zachte stappen van haar eigen paard en de schrille roep van een vogel. Ze kreeg een gevoel van eenzaamheid en wilde bijna stilhouden en omkeren. Maar toen was Luke weer naast haar, opnieuw in de pas en ze glimlachte blij dat hij er was.

Zwijgend reden ze door en spoedig werd het bos minder dicht tot ze op het open veld waren aan de rand van een steil klif dat bijna loodrecht afdaalde naar een smalle strook met keien bezaaid strand ver in de diepte met schuimende golven. De wolkenloze hemel welfde zich lichtblauw boven bossen en boerderijen, golvende weiden, grazend vee en omheinde erven waar boeren groetend de hand opstaken. En overal om hen heen kraaiden de hanen.

Luke hield zijn adem in. 'Prachtig. Landelijker dan ik gedacht had. Een perfecte tegenhanger...' Hij brak zijn zin af.

'Van New York,' zei Jessica neutraal, benieuwd wanneer hij zijn mond zou opendoen en haar vragen wat hij weten wilde. 'Maar hier komen niet veel toeristen van de Oostkust.'

'Hoeveel permanente bewoners zijn er?'

'Ik weet het niet precies. Misschien tweeduizend. Robert zal het wel weten.'

'En zijn dat voornamelijk boeren?'

'Dat weet ik niet.'

'Ik dacht dat de eenzaamheid misschien schrijvers en kunstenaars en mogelijk beeldhouwers zou aantrekken.'

Ze keek hem even aan. 'Ik geloof niet dat hier een soort kunstenaarskolonie is, als je dat bedoelt. Ik heb gehoord van één schrijver, van detectives geloof ik, en ik heb een beeldhouwer ontmoet.'

'Is er een school?'

'Een heel kleine.'

'Zijn de meeste huizen dan vakantiewoningen?'

'Veel ervan wel. Of weekendhuisjes voor mensen uit Seattle. Ik weet echt niet genoeg om je vragen te beantwoorden, daarvoor moet je bij Robert zijn. Hij weet alles over het eiland.'

'Maar je woont hier al jaren en je werkte met...'

'Ik heb heel weinig omgang met de eilandbewoners. Praat met Robert.'

'Die schijnt een goede vriend te zijn.'

'Hij is heel goed voor mij geweest.'

'En een goede beschermer van je privacy.'

'Hij beschermt iedereen. De meeste mensen zijn hier voor hun privacy.' Ze las op zijn gezicht dat hij meer op isolement dan op privacy doelde, maar ze wilde zich niet laten verleiden tot een discussie over haar levenswijze. 'Robert kan je feiten en cijfers noemen als je die

hebben wil. Voor roddelpraatjes ben je bij hem aan het verkeerde adres.'
'Hoe heb je hem gevonden?'
'Iemand in Arizona had in zijn Inn gelogeerd en beval die aan.' Ze zweeg even. 'Ik neem aan dat je weet dat ik twee jaar in Arizona gewoond heb.'
'Ja.'
Ze haalde diep adem. 'Heb je al mijn brieven gelezen?'
'De laatste niet. Ik hield ermee op toen ik wist dat ik je moest opzoeken.'
Ze was even stil en besloot toen er niet op in te gaan. 'Maar alle andere wel.'
'Ja. Je moet begrijpen...' Weer hield hij zich in. 'Ik probeer niet dit te ontwijken; ik wil er met jou over praten, maar niet hier. Het is ingewikkeld en ik wil liefst dat we er rustig bij zitten. Onder het ontbijt, de lunch of het avondeten. Of er tussenin. Wanneer het je schikt.'
Ze trok haar wenkbrauwen op. Hij plande hun hele dag en avond. Maar waarom ook niet? Hij had gezegd dat hij gekomen was om haar te leren kennen en hoe kon hij dat anders aanpakken? Als zij het toeliet.
'Onder het ontbijt lijkt me prima,' zei ze en bracht haar paard in galop. Weer hield Luke gelijke tred met haar en ze draafden langs het klif met de zeewind in hun gezicht, terwijl de zon de laatste sporen van de regenbui en van de dauw verdreef. Honden blaften en kinderen zwaaiden terwijl zij voorbijvlogen; een vrouw die de was ophing, pakte een kleine jongen op wiens roep 'Hallo Jessica!' meegevoerd werd door de wind. Paarden kwamen naar hun afrasteringen om hen na te kijken, een veulen dat door zijn moeder gezoogd werd, draaide zich, even afgeleid, naar hen om en twee fietsers op een geplaveide weg naast hen staken hun handen op met de formele groet van wederzijdse verkeersdeelnemers.
Jessica sloeg een pad landinwaarts in en zij matigden hun vaart tot een kalm drafje op een weg tussen lange hekken door die de afscheiding vormden van boerderijen met bloemen- en groentetuinen ervoor en weiden erachter met strakke rijen vierkante balen hooi die goudbruin werden in de brandende zon. Een monteur zei met een vluchtige groet: 'Mooi weer, hè, na al die regen,' en een vrouw die in haar tuin aan het wieden was, keek glimlachend op en vroeg: 'Heb je nog verse eieren nodig, Jessica? Ik kan er vanmiddag wat brengen.'
'Ja, graag,' zei Jessica, en sloeg even daarna een pad in dat terugvoerde naar het bos waar ze hun rit begonnen waren.

Ze hadden niets meer gezegd sinds de opmerking over maaltijden. Achter haar zei Luke nu: 'Al die mensen kennen je.'

'Ik rijd deze route bijna elke dag en we groeten elkaar.'

'Maar weet je niets over hen? Toen ik vroeg naar de mensen die hier wonen...'

'Ik zie hen alleen in het voorbijrijden.' Ze zei het kortaf. Hou op met aandringen! beval ze inwendig. Laat me met rust! Ze wist dat hij zich haar brieven herinnerde. Zij herinnerde ze zich ook, bijna woord voor woord.

Ik heb al veel vrienden – het eiland is zo klein dat ik bijna iedereen heb leren kennen – en ik heb mijn werk.

Ze voelde dat ze een kleur kreeg en een golf van woede overspoelde haar. Welk recht had hij om haar brieven te lezen? Welk recht had hij om hier te komen en haar ermee te confronteren? Laat hij doodvallen, dacht ze, hij kan barsten met zijn brutaliteit om binnen te dringen waar hij niet het recht heeft te komen!

Met een strak gezicht van woede reed ze vooruit. Toen ze de schuur bereikten en de paarden op stal gezet hadden, liep zij zonder om te kijken zwijgend naar de truck. Luke haalde haar in. 'Het spijt me. Ik had moeten weten dat wij met geen mogelijkheid over iets anders kunnen praten dan het theater en Constance voor we over je brieven gesproken hebben.' Ze bleef naast de truck staan zonder hem aan te kijken. 'Je wist gisteren al dat ik ze gelezen had,' zei hij en ze hoorde een zweem van ongeduld in zijn stem. 'We hebben uren samen doorgebracht en je hebt er geen punt van gemaakt.'

Ze keek naar de grond en trok afwezig cirkels in het stof met de punt van haar stok. Ten slotte knikte ze. 'Je hebt gelijk. Ik wilde er niet over praten en we hadden zoveel andere onderwerpen om over te praten.

En ik had een fijne tijd.

Maar dat kon ze niet hardop zeggen. 'Zullen we gaan ontbijten?' vroeg ze.

'Heel graag.'

Zwijgend reden ze naar haar huis. Hopes extatische begroeting onderving het pijnlijke feit gelijktijdig naar binnen te moeten gaan en Luke draaide zich om en gooide een stok weg die Hope ging ophalen en herhaalde dat nog eens en nog eens terwijl Jessica naar de keuken ging. Ze zette het koffiezetapparaat aan, haalde een pan uit de koelkast, zette die in de oven en keerde toen terug naar de voordeur. 'Ik heb iets klaargezet voor we weggingen, maar het duurt een minuut of twintig. Wil je fruit?'

'Ja, kan ik dat schoonmaken?'
'Dat is al gebeurd.' Ze haalde een schaal uit de keuken en zette hem op het terras op een houten tafel die glinsterde van de regen en de zon, en dekte met een paar gele placemats met kleine witte bloemetjes, en lichtgeel, groen en blauw Provençaals serviesgoed. Luke en Hope kwamen om het huis heen naar haar toe en ze zag dat Luke een van de koffiekoppen oppakte. 'Die heb ik in Roussillon gekocht.'
'In de winkel op de hoek van het plein,' zei hij. 'De placemats ook?'
'Ja.'
'Ik heb daar een tafelkleed voor Constance gekocht. En een stuk Chantilly-kant, heel mooi en heel apart, want het was wit en Chantilly-kant is haast altijd zwart. Ik weet niet wat ze ermee gedaan heeft, want ik heb het niet gevonden toen ik haar villa sloot.'
'Ze heeft het aan mij gegeven.'
Verrast keek hij haar aan.
'Ze zei dat ik het kon gebruiken voor een mantilla of voor iets gewoners: een tafelkleed of gordijnen. Als ik niets wist te bedenken moest ik het maar in mijn uitzetkist leggen, zei ze.'
'Heb je er een?'
'Nee.'
'En de kant?'
'Daar heb ik slaapkamergordijnen van gemaakt.'
'Ik moet te nat geweest zijn om ze op te merken. Mag ik gaan kijken?'
'Natuurlijk.'
Door de tuindeuren ging hij de zitkamer binnen en liep door naar de slaapkamer.
De fijne kant hing recht en licht opbollend over de hele breedte van drie grote ramen. De bloemen en bladeren waren geweven van gedraaide zijde en afgezet met contourdraden van platte zijde en ze slingerden en weefden zich over een ondergrond van zeshoekige mazen die het licht en de kleuren van het strand en de baai doorliet. De zon gaf de kant een zachtgouden kleur.
'Constance zou erg blij geweest zijn,' zei hij toen hij terugkeerde op het terras. 'Het komt hier erg mooi uit; het licht brengt het tot leven.'
'Ik heb er haar over de telefoon over verteld en een foto gestuurd.'
'Er waren geen foto's.' zei Luke nadenkend. 'Ik vraag me af wat ze ermee gedaan heeft.'
'Waarschijnlijk vernietigd, wat ze ook met de brieven had moeten doen.'
Luke ging er niet op in. 'Zou je me de rest van je huis willen laten zien? Daar hebben we toch nog wel tijd voor tot het ontbijt klaar is?'

191

Ze glimlachte flauwtjes. 'Veel tijd zal het niet kosten. Het meeste heb je al gezien.'

Leunend op haar stok en met Hope op haar hielen ging ze hem voor naar een deur aan het verste einde van de zitkamer. Iets achterblijvend keek Luke naar de fijn gevormde omtrek van haar hoofd en naar haar korte zilvergrijze haar dat in losse krullen tot de rand van haar hals hing. Vanuit die hoek gezien kon hij zich bijna verbeelden dat dit de Jessica Fontaine van vroeger was... tot zijn blik zich van haar fraaie lange hals verplaatste naar haar gebogen schouders en haar overhellende frêle lichaam als ze op haar stok leunde. Toen kon zelfs het dure rijkostuum niet verhullen dat dit een andere Jessica was.

Toen ze omkeek en zijn monsterende blik zag, verstarde haar lichaam. Luke zag dat ze zich in zichzelf terugtrok zoals een bang dier terugtrekt in de schutkleur van zijn pels en dat ze diep en gekwetst bloosde. 'Sorry,' zei hij automatisch, want het was hem opeens duidelijk geworden (en hij verwenste zichzelf voor zijn traagheid) dat een vrouw die geen spiegels in haar huis heeft, zich er beslist tegen zou verzetten aangestaard of zelfs maar scherp opgenomen te worden.

Zonder te reageren deed ze de deur open en stapte opzij om Luke te laten passeren. Onwillekeurig hield hij zijn adem in. Hij was in een broeikas die een explosie was van kleuren, een doolhof van lange roodhouten tafels van twee etages die bijna schuilgingen onder een weelde van orchideeën, amaryllissen, geraniums, cyclamen, theerozen en chrysanten. Een tafel was bestemd voor kruiden: Luke herkende tijm, rozemarijn, basilicum en bieslook tot hij een plant zag die hij niet kon identificeren. 'Dat lijken wel laurierbladeren.'

'Dat zijn het ook.'

'Die heb ik nog nooit zien groeien. En wat is dit?'

'Dragon.'

'En dit?'

'Een citroenboom. Die moet nog heel wat groeien.'

Maar ik heb een overvloed van tijd.

Luke hoorde haar woorden alsof zij ze hardop uitgesproken had. Daar praten we nog wel over, dacht hij, maar nu nog niet. Hij liep naar de tafel die vol stond met orchideeën: witte philaenopsis, lavendelkleurige cymbidiums, goudkleurige en paarse brassavola, oncidiums met gebogen stengels en grote trossen kleine, bruingevlekte gele bloemen en andere soorten die hij nog nooit gezien had. Op de tafel ernaast stonden grote amaryllissen met aan zware stengels grote bloemen van soms wel twintig centimeter doorsnee, van zuiver witte tot de zalmkleurig met witte dubbele Lady Jane die op de tafel domineerde. 'Dit vraagt een enorme hoeveelheid werk,' zei hij en liep naar de tafel met cyclamen en rozen. 'En je hebt de tuin buiten ook nog.'

Jessica zei niets en hij liep door, genietend van de zachte geur van vochtige aarde en bladeren en bloemen. Bij de deur stond een schoongeveegde poottafel en tuingereedschap was aan haken opgehangen aan de planken erboven met daarop verspeenpotten, plantenmest en zakken pootaarde. Dit is dus haar passie, dacht Luke, maar hoe dit het theaterleven kon vervangen... Maar toen herinnerde hij zich haar illustraties. Daar hadden ze het nog helemaal niet over gehad.

'En dit is mijn studio,' zei Jessica alsof ze zijn gedachte had opgevangen. Ze opende een dubbele deur met aan de andere kant overgordijnen ervoor die ze opentrok. 'Hiermee regel ik het licht, maar meestal laat ik ze open; als ik werk kijk ik graag naar de kas, vooral in de winter.'

Het was een groot vertrek met een bovenlicht en grote ramen in de verste muur.

Boeken bedekten de andere wanden rondom een grote open haard onder een gebeeldhouwde houten schoorsteenmantel. Op een van de planken stond Constances verzameling toneelstukken, geschoord door twee boekensteunen in de vorm van toneelmaskers, een tragisch en een komisch. Het vertrek was propvol met een grote sofa en bijpassende leunstoel, twee lange werktafels, diverse ezels met schilderstukken erop, en een overhellende tekentafel met daarvoor een hoge gestoffeerde kruk. Op de vloer lag een Indiaans kleed met leemkleuren die zich herhaalden in tientallen geglazuurde en ongeglazuurde potten die Luke voor Zuni of Navaho hield en die op tafels en vensterbanken stonden. 'Totaal verschillend van de rest van het huis,' zei hij. 'Alsof je naar een ander deel van het land reist.'

'Daar gaat het juist om.' Haar boosheid om zijn inspectie van haar voorkomen scheen verdwenen te zijn. 'Dit is precies wat ik wilde. Sommige mensen gaan naar kantoren...'

'En jij gaat naar het zuidwesten.' Ze lachten allebei. Luke liep van ezel naar ezel. 'Ik heb al je boeken,' zei hij terloops en uit zijn ooghoek zag hij de verrassing op haar gezicht. 'Ik heb er althans twaalf en de verkoopster in de boekwinkel dacht dat het de hele collectie was. Ik vond ze buitengewoon en bevredigend betoverend.'

'Bevredigend betoverend?'

'Het is altijd bevredigend om door iets betoverd te worden, vind je niet? Er is zoveel alledaags om ons heen en het vloeit over in andere alledaagse dingen en is dan verdwenen – en zo hoort het ook. Jouw tekeningen komen mij steeds weer voor de geest; ze duiken plotseling op bij waar ik ook mee bezig ben. Ze zijn erg mooi.'

'Dank je. Dat is het aardigste wat iemand er ooit over gezegd heeft. Zo gaat het mij met Constance. Ze weigert te verdwijnen.'

'En dat zal ze voor geen van ons beiden, want wij houden haar vast. Ik ben altijd van mening geweest dat een van onze grootste angsten is, dat datgene wat mooi en bijzonder is ons zal ontglippen omdat we ons niet genoeg ingespannen hebben of niet in staat geweest zijn het vast te houden.'

Jessica wierp een snelle blik op hem en vroeg zich af of hij probeerde slim te zijn. Hij had haar zo vaak aangegaapt dat zij zich niet op haar gemak voelde en kwaad werd, maar hij had totaal niets gezegd over haar figuur. En toen zij de vorige dag opengedaan had en zij elkaar voor het eerst zagen, had hij zelfs niet verrast geleken. Het was alsof hij geweten had wat hij verwachten kon. Maar hij kon het niet geweten hebben. Robert had haar verteld van Lukes eerste bezoek aan het eiland, zo kort dat het totaal onlogisch was: hij was na middernacht gearriveerd, had Robert gezegd en de volgende morgen vroeg weer vertrokken zonder tijd om iemand te bezoeken.

Het was veel waarschijnlijker dat toen zij haar deur voor hem opende, hij de Luke Cameron was over wie ze zo vaak gehoord had: een man die zijn emoties maskeerde en zijn mening voor zich hield.

Of dat hij, toen hij bij haar aanklopte, te nat en te koud was om aan iets anders te denken dan aan droge kleren.

Hij bestudeerde de schilderstukken op haar ezels intensief en geconcentreerd en het deed haar genoegen dat een oppervlakkige blik voor hem niet genoeg was. Hij verdiepte zich in de wereld waarin hij leefde; hij nam die niet als vanzelfsprekend aan en ging er niet met onverschillige ogen aan voorbij.

Waarom had hij dan niets gezegd over haar uiterlijk? Waarom verried zijn gezicht dan geen verrassing en afkeer, zoals dat van ieder ander ongetwijfeld zou doen als zij zich ergens zou vertonen waar men haar gekend had? Heel die heerlijke vorige dag hadden zij aan één stuk door gepraat en zijn gezicht had geen moment blijk gegeven van iets anders dan belangstelling voor hun gesprek en plezier bij haar te zijn. Als dat zo geweest was, zou ze hem niet uitgenodigd hebben om vanmorgen met haar te gaan paardrijden.

'Net droombeelden,' zei Luke toen hij voor de laatste ezel stond. 'Die indruk kreeg ik toen ik ze voor het eerst zag. Niets is precies wat het lijkt.' Hij keek haar aan. 'Dat geldt voor veel dingen. En ook voor veel mensen.' Voor zij kon reageren, keek hij op zijn horloge. 'Moeten we niet eens kijken hoe ver de oven is?'

'Gunst, die vergat ik helemaal.'

'Het is nu precies twintig minuten.'

Ze repte zich, woedend om haar onbeholpenheid doordat haar been met elke stap uitzwaaide en omdat ze wist dat Luke vlak achter haar liep. In de keuken trok ze de deur van de oven open. 'O, precies goed.'

'Ik zal hem voor je dragen als jij voor de koffie kunt zorgen,' zei hij.

'Dan heb je een pannenlap nodig. In die la daar.'

De grote onregelmatige stenen van het terras, vaalgeel tot grauw van kleur, leken bijna wit in het zonlicht en de rimpelingen op het water van de baai glinsterden bij hun lome deining naar het strookje strand en Jessica's tuin. In de vlekkerige schaduw van een mimosa had Jessica de tafel gedekt naast een serveerwagentje waar Luke de zware zwarte pan op deponeerde naast een groot mes en een lepel. 'Ik heb al heel lang geen appelpannenkoek meer gegeten,' zei hij en nam tegenover Jessica plaats. Hij keek toe terwijl zij een grote punt afsneed en op zijn bord legde. De warme geur van appels en kaneel steeg op in de zonnige lucht. 'Dit smaakt heerlijk,' zei hij na het eerste hapje. 'Een ander soort kaneel. Waar komt die vandaan?'

'Uit China. De meeste mensen zouden het verschil niet proeven.'

'De smaak is kruidiger en voller dan van gewone kaneel. Kun je deze werkelijk hier op Lopez kopen? Of in Friday Harbor?'

'Nee, ik bestel het bij Penzey's, een speciaalzaak in Wisconsin, waar ze de kaneel elke week vers malen. Ik heb een hele lijst van artikelen die ik bestel; het is de enige manier om alle boodschappen in huis te krijgen die ik hebben wil omdat ik het eiland niet verlaat.'

'Behalve om naar Seattle te gaan.'

'Nee, ik...' Ze hield haar vork roerloos in haar hand en keek hem verschrikt aan.

Luke legde zijn vork neer en Jessica zag de uitdrukking van zijn ogen veranderen alsof hij moed schepte voor een sprong naar een plek waarvan hij wist dat die anders zou zijn. 'Je schreef Constance dat je in de Elliot Bay-boekhandel boeken signeerde voor schoolkinderen.'

'Je hebt een voorsprong op mij,' zei ze koeltjes. 'Je beloofde me een verklaring.'

'Ja, die ben ik je schuldig.' Hij keek in de verte naar een klein, vlak eiland in de ingang van de baai en naar de ruim 3200 meter hoge Mount Baker daarachter, die met zijn besneeuwde top de horizon domineerde. 'De dag dat ik hoorde dat Constance overleden was, ben ik naar Italië gevlogen. Ik regelde haar begrafenis, deed haar villa in de verkoop en liep haar kamers door aan de hand van de aanwijzingen in haar testament voor zover ze die gegeven had en bepaalde verder naar

195

eigen inzicht wat ik zou houden en wat ik zou weggeven. Ze scheen overal te zijn; haar persoonlijkheid volgde mij, haar stem bleef bij mij... het was bijna alsof ik op bezoek was en we spoedig zouden gaan eten...' Zijn stem haperde. Toen de stilte voortduurde, nam hij doelbewust een hapje van de pannenkoek en daarna nog een en nog een en Jessica wist dat hij bezig was spoken te verjagen. Nee, geen spoken, dacht ze; de pijn van de wetenschap dat een geest alles is wat ons nog rest van een zo innig beminde.

Ze voelde zich nu heel nauw met Luke verbonden, ontspannen en gereed om te luisteren. Ze nam een hapje van haar eigen pannenkoek. Opeens realiseerde ze zich hoe hongerig ze was en at haar bord leeg. Ongevraagd gaf ze Luke nog een stuk en nam er zelf ook een.

'Dank je wel,' zei Luke en ze wist dat hij haar vooral bedankte voor het luisteren. 'Het kistje met jouw brieven stond in de bibliotheek naast de stoel waar ze het liefst op zat. Ik had het bij eerdere bezoeken al eens gezien en dacht dat het gewoon decoratie was, maar toen ik het opende... nou ja, ik heb je verteld dat ik je brieven zag en er uit nieuwsgierigheid een of twee las. Ik meen dat ik er nog een paar las en toen werd er opgebeld door een vrouw met wie ik vroeger getrouwd geweest ben.'

Jessica zag haar eigen verbazing weerspiegeld op Lukes gezicht en ze wist dat hij niet verwacht had dat te vertellen. Maar hij knikte even als om te bevestigen dat het wèl zijn bedoeling geweest was en leunde toen achterover en vertelde haar van die hele week in Italië en van zijn terugkeer naar New York. Het gezoem van bijen en het kwinkeleren van vogels vermengde zich met zijn diepe stemgeluid en Jessica wist dat hij, net als zij altijd, beïnvloed werd door de afzondering van dit plekje dat alleen voor zichzelf uitkeek over het open water met achterlating van de eilanden en het vasteland.

'Ik heb je niet verteld over Claudia.' In het kort vertelde hij haar over zijn huwelijk en over de vore die Claudia nog steeds door zijn leven trok. 'Waar ik me aan bezondigde, was dat ik Claudia met jou vergeleek. Natuurlijk niet fair tegenover Claudia, maar het werd zo duidelijk dat ik het niet kon vermijden. Ze is een vrouw die niet in staat is een eigen leven te creëren en zin en inhoud te geven aan haar dagen. En jij had vrijwel van de grond af een nieuw leven opgebouwd. Ik begreep niet waarom je daartoe gedwongen werd – niets in je brieven openbaarde waarom het spoorwegongeluk je dwong alles op te geven – maar ik wist dat je het gedaan had en klaarblijkelijk zonder op anderen te steunen. En terwijl Claudia verlangde dat ik een levensdoel en een richting voor haar zou uitstippelen, had jij zelfstandig twee carrières opgebouwd, twee levenswijzen gecreëerd, twee doelstellingen en twee richtingen uitgestippeld. Ik hoefde dat niet te doorgronden om te weten hoe moeilijk dat geweest moest zijn, maar ik had er enorme bewondering voor. Ik las in een tijdschrift een interview met jou waarin je zei dat je weleens over andere levenswijzen nagedacht had en dat je hobby's had waaraan je veel plezier beleefde, vooral schilderen, en daarna zei je: "Niets geeft mij het gevoel zo vol leven en in contact met mezelf te zijn als het theater. Ik denk dat ik me nooit meer volwaardig zou voelen als ik het zou opgeven." Dat ik me dat woord voor woord herinner, komt omdat ik precies hetzelfde voel. Daarom denk ik dat je door de hel gegaan moet zijn om te komen waar je bent.' Hij zweeg even en nam haar nadenkend op. 'En ik geloof dat ik het begin te begrijpen.'

Jessica legde haar handen op de rand van de tafel alsof ze haar stoel achteruit wilde duwen en vluchten. 'Ik ben niet gediend van jouw bewondering als die gepaard gaat met een vergelijking met je vrouw...'

'Ex-vrouw.'

'En ik wil niet vergeleken worden met haar of met wie anders ook. Ik wil er niet uitentreuren aan herinnerd worden wat ik was en wat ik zei alsof je me met mijn neus op het verleden drukt.'

'Ik zou nooit...'

'Ik wil met rust gelaten worden! Ik wil niet denken aan wat voorbij is; ik wil niet meegesleurd worden naar plaatsen die ik de rug toegekeerd heb. Ik wens geen vragen of raadgevingen. En ook geen medelijden.'

'Ik beklaag je niet. Ik sleur je nergens mee heen. Ik probeer je uit te leggen wat je brieven voor mij betekenden. En ik heb je de belangrijkste reden nog niet verteld waarom ik ze bleef lezen.' Hij staarde weer in de verte en zag de wazige contouren van een schip opdoemen alsof het een luchtspiegeling was. 'Ik begon me bewust te worden van mijn verlangen je nader te komen. In je brieven natuurlijk, maar dat betekende nader tot je stem en je beschrijvingen van mensen en je opmerkingen over het toneel. En je bracht Constance dichterbij, maar dat was de hoofdzaak niet. De voornaamste attractie was jij.' Hij keerde zich naar haar toe. 'Jouw gezelschap.'

Jessica bleef roerloos zitten. Hij had haar weer overrompeld en ditmaal stroomden zijn woorden in haar binnen en verwarmden haar. Maar toen hij zweeg, snauwde een stem in haar: *Nogal dramatisch uitgedrukt, maar drama is gemakkelijk – op een afstand. Maar nu hij me gezien heeft...* Weg was haar ontspannenheid en ze schoot overeind. 'Dat was fantasie,' zei ze vlakweg. 'Je bent nooit in mijn gezelschap geweest. En je kent me niet, ook al heb je nog zoveel brieven van me gelezen.'

'Dat weet ik. Daarom ben ik juist hier. Ik houd niet van mysteries met een open einde; ik heb antwoorden en conclusies nodig.'

'Omdat je gewend bent aan twee akten en daarna het doek.'

'Het komt omdat ik geen blinddoek draag,' bitste hij. 'Het komt omdat ik geloof in begrip. Theater is niet enkel illusie, zeker jij zult weten dat het beste ervan de waarheid vertelt. Een vriendin van mij, de regisseuse Zelda Fichhandler zei lang geleden eens iets dat jij ook kent, want je citeerde het in een van je brieven. Ze zei: "Toneel onthult onze innerlijke gevoelens zodat wij ze kunnen zien in plaats van ze in ons binnenste te laten rondfladderen." Je wist dat het betekende gevoelens te ontbloten en onder ogen te zien; je wist het en geloofde het en ik wed dat je het nog steeds gelooft.'

'Constance zei mij eens dat jij toneel verwart met het gewone leven,' zei Jessica nijdig. 'Je dacht dat je huwelijk net zo zou zijn als dat in een toneelstuk dat je regisseerde en toen dat niet het geval was...' Ze hield zich in. 'Sorry, dat had ik niet moeten zeggen.'

'Mijn grootmoeder schijnt jou heel wat meer over mij verteld te hebben dan mij over jou.' Zijn toon was luchtig, maar Jessica zag dat hij verbaasd en gekwetst was. 'Jammer dat ze jou dat zei; het was heel persoonlijk.'

'Dat waren mijn brieven ook,' kaatste zij terug.

'Ja, en ik snuffelde en daar bied ik excuus voor aan. Maar aangezien ik ze gelezen heb, heeft het geen zin meer om daarover te argumenteren.'

'Dat heeft het wel zolang jij ze blijft citeren. Je hebt het recht niet mij mijn woorden voor de voeten te gooien alsof je probeert me te dwingen ze te verklaren of terug te trekken of excuses aan te bieden...'

'Je hebt gelijk, nogmaals mijn excuus. Er schijnt heel wat te zijn waar ik spijt van moet hebben. Maar ik begrijp je niet, zie je. Hoe kon je het ene schrijven...'

'Je hóeft me niet te begrijpen. Wie vroeg je mij te begrijpen?'

'Ik wil je begrijpen. Ik wíl het. Dat is voldoende reden.'

'Voor mij niet.' Ze stond op en pakte haar stok. 'Je kunt maar beter gaan; we hebben niets meer om over te praten.'

'We hebben Jessica Fontaine om over te praten.'

'Dan doe je het maar met jezelf. Ik ben niet van plan je tegemoet te komen.'

Met de hond achter haar aan trippelend was ze al bij de tuindeuren toen Luke zei: 'Jessica, toe' en ze met haar rug naar hem toe bleef staan. 'Ik probeer je niet te dwingen iets te doen. Ik betwijfel trouwens of ik het zou kunnen. Maar ik wil je beter leren kennen en daarvoor ben ik bereid je halverwege tegemoet te komen. Dat heb ik al gedaan: ik ben in alle opzichten eerlijk tegen je geweest.'

Abrupt draaide ze zich om. 'Eerlijk? Je hing van leugens aan elkaar vanaf het moment dat ik mijn deur voor je opende.'

'Dat is niet waar.'

'Nou en of, jij bent dé expert wat de waarheid betreft, hè? Maar je gebruikt alleen datgene ervan wat je te pas komt. Waarvoor ben je eigenlijk hier?'

'Wel allemachtig.' Hij stond nu ook en als vijanden stonden ze tegenover elkaar op het terras. 'Hoe vaak moet ik herhalen dat ik je wil leren kennen en weten wie je nu bent...'

'Hoe kun je dan negeren wat je ziet? Kijk me verdomme maar aan! Zó ben ik nu. Waarom negeer je dat? Je behandelt me als een kind of een dwaas door hier uren te zitten praten over het theater, over Constance en over New York, alsof je toevallig langs kwam en een praatje maakte en alles precies zo aantrof als je verwacht had. Is dat waarheid voor jou? Of oprechtheid? Verwacht je van mij dat ik dat geloof?'

Stilte heerste op het terras. De vogels lieten zich niet horen, nauwelijks fluisterend klotsten de golfjes op het strand en zelfs geen briesje beroerde de lucht. Hope zat roerloos naast Jessica te wachten op de dingen die komen zouden. 'Nee,' zei Luke ten langen leste, 'als je denkt dat ik van leugens aan elkaar hang, zal het je moeite kosten iets te geloven wat ik zeg. Het probleem was dat ik niet wist hoe ik moest beginnen. Toen ik bij je aanklopte, wist ik wat ik verwachten kon, zie je, want ik had je de vorige keer dat ik hier was gezien.'

'Gezien? Je bent niet eens hierheen gekomen.'

'Halverwege. Je stond in de tuin rozen te knippen. Ik heb een paar minuten staan kijken en ben toen weggegaan. Ik veronderstel dat Robert je verteld heeft dat ik je wilde opzoeken.'

'Juist ja.' Langzaam herhaalde ze het. 'Je hebt een paar minuten staan kijken en bent toen weggegaan. Natuurlijk, waarom zou je ook niet? Je was ontsteld van wat je zag. Wat je zag, joeg je op de loop. Dat is er dus gebeurd; Robert en ik snapten er al niets van. Je las mijn brieven en voor de kick wilde je me opsporen, maar toen dat je gelukt was, was je zo overdonderd dat je niet eens voor den dag durfde te komen...'

'Ho even! Ik was niet overdonderd, ik was verrast. Ik ben van jou niet van streek geraakt. Niemand zou van jou van streek raken. Is dat de zekerheid waarmee je al die jaren geleefd hebt? Dat is niet logisch.'

'Hoe weet jij wat logisch is? Hoe kun jij het flauwste vermoeden hebben van wat voor mij logisch is?'

'Ballingschap niet.'

'Voor mij wel.'

'Omdat je bang bent voor de uitdrukking op het gezicht van mensen als ze je zien.'

Ze kromp ineen.

'Zo is het, nietwaar?'

'Gedeeltelijk.'

'En verder?'

Ze zei niets.

'Laat ik eens raden. Je verbeeldde je dat elke regisseur nee zal zeggen als jouw naam gesuggereerd wordt voor een nieuw toneelstuk. Je verbeeldde je dat elke producer het zou laten afweten. Je verbeeldde je dat toneelschrijvers manuscripten zouden toesturen aan de managers van alle topacteurs behalve de jouwe en dat al je collega's zouden weigeren met jou op de planken te staan. En je vertrouwde zelfs Constance niet genoeg om haar deelgenoot te maken van je angsten.'

'Het was geen kwestie van vertrouwen,' zei ze geraakt. 'Ze had geen sterk hart en maakte zich al zorgen over me; waarom zou ik haar nog bezorgder maken? Ik had haar een paar brieven geschreven waarin ik vertelde hoe ellendig de situatie was...' Ze zag Lukes gelaatsuitdrukking veranderen. 'Maar dat weet je natuurlijk. Je hebt die brieven gelezen.'

'Ik kon ze niet van me afzetten. Je wanhoop was zo verwoestend...'

'En zo verging het Constance ook. Ze kon die brieven niet van zich afzetten. Ze kon 's nachts niet slapen van het piekeren over mij. Ze belde me op en schreef me – ze dacht dat ik zelfmoordplannen had...'

'Daar had ze reden toe.'

'Dat weet ik, dat weet ik. Ik had mezelf nooit zo moeten laten gaan, maar zij was al wat ik had en ik hiield van haar.'

'En je was verzwakt en eenzaam en je had haar nodig. Je hoeft je er niet voor te schamen eerlijk tegenover haar geweest te zijn; als liefde íets inhoudt, is het dat.'

'Behalve dat zij ook ziek en verzwakt was. En ik kon de gedachte niet verdragen dat zij over mij in paniek zou raken. Zelfs toen ik niet meer schreef over mijn letsels en therapie bleef ze piekeren. Ze piekerde erover dat ik alleen was en ongelukkig en weg van het toneel en dat ik hier was gaan wonen. Ik wilde haar doen geloven dat er niets was om zich zorgen over te maken.'

'En dus...' Luke liep naar haar toe, 'verzon je een leven.'

'Nee. Ik schreef over het leven dat ik heb: een huis met een tuin, een baan, vrienden, een hond.'

'En over bezoek aan een boekhandel in Seattle. Maar daar ben je nooit geweest. Je verzon het.'

Met uitdagende ogen kruiste ze zijn blik. 'Die brieven waren voor Constance en voor niemand anders. Alleen haar vertelde ik iets, het bleef tussen ons.'

'Hoe kon het een onderonsje blijven als je de waarheid voor haar verzweeg? Voor jezelf verzon je een leven; je creëerde je eigen fantasie. Het was voor jezelf, niet voor haar.'

'Niet waar!'

'Vertel me dan wat wèl waar is. Je ging niet naar Seattle naar die boekwinkel.'

Haar blik bleef standvastig toen ze hem haar antwoorden toeslingerde. 'Nee.'

'Je hebt niet over het hele eiland vriendschap gesloten.'

'Nee.'

'En geholpen bij de regie van *Pygmalion*?'

'Een beetje. Ik maakte aantekeningen in het script van de regisseur en we hadden elkaar bijna dagelijks aan de lijn.'

'Maar je bent nooit naar het theater in Friday Harbor gegaan?'

'Twee keer. Ik zat in de zaal en maakte aantekeningen. En ik heb de première bijgewoond.'

'Hoe wist je van alles wat achter de schermen gebeurde?'

'De regisseur vertelde het me achteraf.'

'En die beeldhouwer? De man die je ontmoette bij het mosselen opspitten?'

'Mijn God, vergeet je helemaal niets?'

'Als het belangrijk is niet veel.'

Ze schokschouderde. 'Richard is een vriend. We hebben elkaars studio bekeken.'

'Hoe vaak zie je hem?'

'Niet vaak. Maar we zijn vrienden.'

'Bracht hij je in zijn boot naar repetities in Friday Harbor?'

'Ja, die twee keer heb ik het hem gevraagd en hij maakte er tijd voor vrij. En we zijn samen naar de première gegaan. In mijn studio staan een paar van zijn sculptures. Als het je interesseert, zal ik ze je laten zien. Weet je nu genoeg?'

'Nog niet helemaal, maar laten we eerst gaan zitten.' Hij pakte haar arm. 'Toe.'

Ze schudde zijn hand weg, maar keerde zich om en liep terug naar de tafel. Hope trippelde tussen hen in en ging aan Jessica's voeten liggen, af en toe opkijkend om zich ervan te overtuigen dat de luide stemmen beheerst zouden blijven.

'Ik probeer dit te begrijpen,' zei Luke. 'Ik val je niet aan en ik wil je niet kwetsen – mijn God, ik zou je nooit kunnen kwetsen – maar ik moet er wijs uit kunnen worden.'

'Waarom? Wat maakt het uit? Waarom kan het jou iets schelen?'

Hij deed zijn mond open om iets te zeggen, maar hield het in. 'Daar zal ik een andere keer op antwoorden. Ik beloof je dat ik het doen zal, maar eerst wil ik dit afronden. Waaróm deed je het? Waarom gaf je je al die moeite? Je had Constance kunnen overtuigen dat er niets was om over te piekeren zonder al die ingewikkelde scenario's... Apropos, wás ze overtuigd?'

'Niet helemaal. Ze was erg schrander.' Hun blikken ontmoetten elkaar in een van die momenten van volledige onderlinge harmonie waarin ze Constance begrepen, haar liefhadden en ernaar verlangden dat zij weer bij hen zou zijn.

Onzeker vanwege die harmonie wendde Jessica zich af om haar glas te pakken. Het water was lauw en ze overwoog op te staan om meer ijs in de karaf te doen, maar ze bewoog zich niet. De sfeer was geëlektriseerd van hun intensiteit, geladen van spanning terwijl zij van botsingen tot intimiteit heen en weer kaatsten en ze voelde zich aan haar stoel genageld door het tumult in haar binnenste. Zoals zij en Luke wild heen en weer slingerden tussen de ene emotie en de andere, zo slingerden haar gedachten ook. Enerzijds was het heel bijzonder samen te zijn met iemand die bijna een vreemde was en die toch zoveel over haar wist; het was eigenaardig en weerzinwekkend, en telkens als hij haar citeerde en liet blijken hoeveel hij wist en zich herinnerde, had zij zin hem te zeggen te verdwijnen met zijn glurende ogen.

Maar anderzijds begon zij zich met hem op haar gemak te voelen. Op een zeker moment in de afgelopen vierentwintig uur was er iets in haar ontspannen, als een knoop die plotseling losschiet zodat alle gespannen draden verslappen, en ze gaf zich over aan het gemak te kunnen praten over dingen die verder niemand wist, dingen waarvan zij dacht dat ze voorgoed in haar binnenste opgesloten waren en waarvan zij niemand deelgenoot zou maken.

'Ik moest haar schrijven,' zei ze langzaam. 'Ik hield heel veel van haar en zij was mijn verbinding met de wereld. Ik wachtte op haar brieven alsof het schatten waren – het wáren schatten – en ik las elke brief steeds weer over tot de volgende kwam en tussendoor schreef ik haar en telkens als ik dat deed, vulde ik de stilte van mijn huis met onze conversatie. En natuurlijk hadden we de telefoon.

Zij was altijd een deel van mijn leven. Maar de moeilijkheid daarmee was dat ik mijn verleden levend hield door haar bij me te houden. Ze was mijn verleden; we waren zo met elkaar verstrengeld dat het me soms moeite kostte ons in mijn gedachten gescheiden te houden. Terwijl ik dus mijn verleden probeerde te begraven, wekte ik het elke keer dat ik haar een brief schreef of een van de hare las weer op. En dus probeerde ik mijn brieven te vullen met dingen die verschilden van alles wat wij ooit gemeen gehad hadden, en ik dacht dat dat haar ook zou helpen, want ze wás ziek en zou er beter aan toe zijn als ze niet over mij piekerde. En na verloop van tijd...'

'Kleurde je de leegten in,' vulde Luke aan toen haar stem wegstierf. 'Een beetje arcering, een beetje kleur, een mozaïek van kleine stukjes...'

Ze zette grote ogen op van verrassing. 'Ja, precies. De lege plekken.' Ze lachte flauwtjes. 'Die waren er heel veel; ik had maar heel weinig om over te praten. Dus kleurde ik ze in en al heel gauw was het alsof ik optrad in een toneelstuk over Jessica Fontaine dat haar ervan zou overtuigen dat ik al datgene deed waar zij bij mij op aandrong.'

'En hielp dat het verleden af te weren?'

Weer had hij haar verrast door de woorden te gebruiken die zij zelf gebruikt zou hebben. 'Soms.'

'Maar je zei dat Constance niet helemaal overtuigd was.'

'Ik denk dat zij twijfelde. Ongeveer een jaar geleden schreef ze dat ik me niet moest afsluiten van de wereld die ik ken. Ze zei dat het mijn voedingsbodem, mijn leven en mijn wezen was.' Weer lachte zij flauwtjes en een beetje bitter. 'Ik dacht dat ik die fantasieën voor ons allebei schreef, maar geen van beiden geloofden we ze helemaal.'

'Je bedoelt dat je er niet door bedot werd.'

'Natuurlijk niet. Dacht je dat soms? Ik schreef ze graag, het was leuk een leven te pretenderen, zoals Walter Mitty wegdroomde in allerlei heldhaftige gedaanten om te loochenen wie hij werkelijk was. Maar ik heb het nooit als iets anders dan een spelletje beschouwd.'

'Er was iets in de manier waarop je over dat leven schreef... een soort koelte. Alsof je jezelf ervan distantieerde.'

'Is dat zo?' Ze fronste haar voorhoofd. 'Ik dacht nog wel dat ik zo behoedzaam was. Misschien heeft ze het daarom nooit helemaal geloofd. Misschien heeft ze zich altijd afgevraagd of het alleen maar een spelletje was.'

'Zo ja, dan zal ze geweten hebben dat het een spelletje was dat jij graag speelde. Het was net zo goed een fantasie voor jou als voor haar.'

Haar ogen verhardden. 'Móet jij altijd mensen afranselen om hen te dwingen hun zwakheden te erkennen? Kun je hun niet een paar illusies laten als zij dat belangrijk schijnen te vinden?'

Luke sloeg zijn ogen neer en er volgde een lange stilte. Toen hij haar weer aankeek, was het met een somber gezicht. 'Ik vermoed dat dat precies is wat ik doe. Waarschijnlijk heb ik dat altijd gedaan. Niemand heeft ooit zo precies aangewezen wat eraan schort. Het spijt me heel erg, Jessica. Het was niet mijn bedoeling je dat aan te doen. Ik zal het niet meer doen.'

'Waarom doe je het eigenlijk?'

'Ik weet het niet. Ik verafschuw veinzerij, de maskers die mensen dragen... Niemand kan een groot acteur of actrice zijn zonder eerst zichzelf te doorgronden – jij en Constance wisten dat beter dan enig ander – en ik vermoed dat ik mijn acteurs zoveel jaren opgejaagd heb dat ik het bij iedereen doe. Misschien. Of misschien vind ik het gewoon fijn mensen onder de duim te houden en doe ik het door de onderworpenheid erin te ranselen.'

'Ik hoor daar iemand zich op de borst kloppen,' zei Jessica droogjes. Hij lachte en de spanning was gebroken. 'Eerlijk gezegd parafraseerde ik mijn grootmoeder. Zij vond dat ik de noodzaak om de controle te hebben overdreef. Ik veronderstel dat ze jou dat ook verteld heeft.'

'Ja, maar niet boosaardig. Ze piekerde over jou.'

'Dat schijnt ze over ons allebei gedaan te hebben.'

'Niet voortdurend, maar vaak genoeg om erover te praten. Ze wilde altijd...'

'Wat?'

'Dat zal ik je een andere keer vertellen.' Ze zag de frons die opeens tussen zijn ogen verscheen. 'Nee, ik zeg dat niet om me op jou te wreken omdat je dingen voor me verzwijgt. We hebben allebei onze redenen.'

Luke leunde achterover en keek haar lange tijd nadenkend aan, maar ze wendde zich niet af, hoewel ze haar handen samengeklemd had in haar schoot en zij zichzelf moest dwingen zich stil te houden en zijn speurend onderzoek te doorstaan. Ze keek langs hem heen naar de wolkenflarden in de heldere lucht en naar een laverende zeilboot even buiten de baai, maar ze was zich er voortdurend van bewust dat zijn blik op haar gericht was.

'Ik neem je vanavond mee uit eten,' zei hij ten slotte. 'Kun jij een goed restaurant op het eiland aanbevelen?'

Ze pareerde zijn snelle blik. Ze wist dat zij allebei nog steeds heen en weer slingerden tussen spanning en harmonie als botsautootjes op een kermis, maar ze wist ook dat ze wilde dat hij niet weg zou gaan, althans nog niet. Ze was heel lang eenzaam geweest en nu daverde de lucht opeens van dingen om over te praten, onopgeloste kwesties die geregeld moesten worden en van het vooruitzicht van gezelschap bij de maaltijd en ze was niet bereid zich iets daarvan te laten ontglippen. 'Het Bay Café,' zei ze, 'als je geen bezwaar hebt tegen iets heel gewoons. Maar ik moet vanmiddag werken; is acht uur goed?'

'Uitstekend. Ik kom je ophalen.'

'Nee, ik zie je daar wel. Het is in het dorp en heel klein; je moet zelfs goed opletten om de naam te zien. Maar het is gemakkelijk te vinden.' Even was het stil. Toen knikte Luke. 'Om acht uur dan. Als je me voordien nodig hebt, ben ik in de Inn.' Hij stond op. 'Maar eerst doe ik de afwas nog.'

Bijna wilde ze dat ook weigeren; ze wilde alleen zijn en nadenken over alles wat er gebeurd was en ze wilde de middaguren werken aan haar tekentafel met muziek op de achtergrond en niemand die haar stoorde. Maar hij was de borden al aan het opstapelen en ze herinnerde zich hoe gemakkelijk zij de vorige dag samengewerkt hadden en zei hem niet ermee op te houden. Ze keek hoe hij de tafel afruimde en alles op een presenteerblad naar de keuken droeg, en toen ze zich daar bij hem voegde, stond hij zijn mouwen op te rollen. 'Ik kan dit alleen af, erg veel is het niet. Jij hebt het eten klaargemaakt.'

Ze pakte een schone droogdoek uit de la. 'We doen het samen,' zei ze.

12

Het Bay Café keek niet uit op de baai of op iets anders dan de brede lege weg die door het centrum van Lopez Village liep. Het restaurant was klein en bescheiden, met een kale houten vloer, eenvoudige houten tafeltjes en stoelen, witte opgenomen vitrages voor de ramen en een gebloemd gordijn als afscheiding van de keuken. Het was geen plek die Luke uitgekozen zou hebben om er te dineren als hij naar binnen gekeken had, maar het was Jessica's keuze en achterin het zaaltje wachtte hij haar op aan een tafeltje toen zij binnenkwam.

'Sorry dat ik laat ben,' zei ze. Ze droeg een blauwe denim jurk met lange mouwen, waarvan de rok bijna tot haar enkels reikte en een smalle leren ceintuur, en voor het eerst sinds Luke op het eiland was, droeg ze juwelen: een halsketting van gedreven zilveren kralen en zilveren oorbellen. Ze nam plaats op de stoel die hij voor haar klaar hield, haaks op de zijne. 'Ik had niet op de tijd gelet.'

'Dat moet je ook niet doen als je aan het werk bent.'

'Meestal doe ik het niet.' Maar ze zei het glimlachend, want hij mocht niet denken dat zij klaagde omdat zij avond aan avond niets te doen had, maar werkte zolang ze wilde.

Een paar uur eerder hadden zij elkaar vluchtig gedag gezegd als oude vrienden die wisten dat zij weer spoedig bij elkaar zouden zijn, en Jessica was naar haar studio gegaan terwijl Luke zichzelf uitgelaten had door de voordeur. Hij reed terug naar de Inn, denkend aan de felheid waarmee ze hem uitgedaagd had eerlijk te zijn. Ze wilde zijn sympathie niet en scheen maling te hebben aan zijn begrip. Wat ze verlangde was de waarheid tegenover elkaar. Hij dacht aan wat zij de vorige dag gezegd had bij hun gesprek over Mary Tylor in O'Neills *Long day's journey into night.*

Afhankelijkheid is een vloek en Mary gebruikte de hare als een wapen. Was dat wat haar al die jaren opgejaagd had? De angst afhankelijk te worden en dan te ontdekken wat voor een vernietigend wapen het kan zijn? Ze kon geen vrede hebben met haar leven als ze zich die trucjes en listen hoorde gebruiken die afhankelijken gebruiken. Nog een reden om zich te distantiëren van de verleiding van de sympathie en het medeleven van anderen.

In de Inn haalde hij het meegebrachte exemplaar van Kents nieuwe script uit zijn koffer dat nu twee akten omvatte en een ontwerp voor de derde. Die ochtend onder het ontbijt had het idee bij hem post gevat dat Jessica, zelfs met haar huidige figuur, misschien een mogelijkheid zou weten te bedenken om de hoofdrol te spelen en dat zij die misschien zelfs beter zou kunnen vertolken dan enige andere actrice die hij kende. Hij had het bijna hardop gezegd, maar zich nog juist op tijd ingehouden. Hij was er zeker van dat zij er nog niet aan toe was om dat te horen en hij moest ervan overtuigd zijn dat dit niet een van die fantasieën was die opbloeien in de warmte van goed gezelschap, uitstekend voedsel en het zonlicht van een gouden oktoberdag en die later in het niets verdwijnen.

'Je schreef Constance dat je het theater mist,' zei hij in het restaurant toen ze hun bestelling opgegeven hadden.

'Heel lang geleden. Dit is een lekkere wijn; ik had er nog nooit van gehoord. Ben je ook een wijnkenner, naast al je andere bekwaamheden?'

'Ik weet genoeg om te bestellen wat ik ken en de rest over te laten aan de sommelier. Ik merk dat, hoe vaak ik het onderwerp van jouw leven op het toneel ook aanroer, jij meteen iets even fascinerends ter tafel brengt om over te praten.'

Ze moest even lachen. 'Misschien.'

'Kies jij maar. Ik wil met genoegen praten over wat je maar wilt.'

'Vertel me iets meer over *De Tovenares* en hoe je dat stuk regisseerde.'

Dat was voor Luke een gemakkelijk en prettig onderwerp en hij vertelde erover terwijl ze hun voorgerecht van kersvers aangevoerde mosselen consumeerden, onder de salade en het hoofdgerecht, over de beslissingen die hij genomen had en het resultaat ervan, welke goed geweest waren en welke niet. 'Alles bijeen genomen geloof ik dat het verkeerd was om Cort te nemen voor de rol van Daniel. Uiteindelijk was hij goed, maar het kostte heel wat tijd voor het zover was en heel wat onenigheid die wij gemakkelijk hadden kunnen vermijden.'

'Waarom deugde hij niet voor die rol?' vroeg ze.

Luke dacht even na. 'Daniel is hem nooit sympathiek geweest. Hij hield dat voor zich tot hij de rol had – of misschien begon hij er pas later zo over te denken, maar toen we eenmaal goed en wel aan het repeteren waren, werd het bijna een obsessie voor hem en hij bleef eisen dat Kent veranderingen in Daniels karakter zou aanbrengen. Kent deed dat inderdaad en sommige ervan waren verbeteringen, maar voor Cort waren ze nooit genoeg en dus dwong hij zichzelf voortdurend iemand te zijn die hij niet mocht of niet begreep of in wiens huid hij niet kon kruipen. Hij bracht het er meer dan adequaat vanaf, hetgeen iets zegt over zijn kwaliteiten als acteur en in sommige scènes was hij heel goed omdat Abby hem pousseerde, maar het stuk had beter kunnen zijn met iemand anders voor die rol. Een regisseur dient nooit een acteur of actrice aan te trekken die niet van het begin af duidelijk laat blijken dat hij of zij zich echt kan identificeren met een karakter, of – als het een slechterik is – die persoon tenminste begrijpt.'

'Dat lijkt me voor de hand liggend,' zei ze.

'Zo hoort het wel, maar veel regisseurs zien het niet in.'

Ze boog naar achteren toen de serveerster hun borden afruimde. 'Hoe brengt Cort het er nu vanaf?'

'Ik heb hem sinds de première niet meer gezien, maar ik heb geen wanhopige telefoontjes uit New York gekregen, dus neem ik aan dat hij het goed doet. Begrijp me goed, hij is niet slecht, maar hij is...'

'Daniel niet.'

'Precies. Hij is een geroutineerd acteur die voorwendt Daniel te zijn.'

'Zoals een ouder een opgroeiende zoon zijn zin geeft, maar geen woord begrijpt van wat hij zegt.'

Luke lachte. 'Zo erg is het nog niet, maar je zit er niet ver naast. Dat was een heel mooie uitdrukking, die ik bij gelegenheid graag zou gebruiken. Zou je dat erg vinden?'

'Natuurlijk niet; het is geen onsterfelijk gevleugeld woord. Als je het deed, zou ik het trouwens niet eens weten.'

'Als je erbij aanwezig zou zijn wel.'

Jessica zette heel beslist haar wijnglas neer en vouwde haar handen op de tafel voor haar. 'Ik zou gewoon weer van onderwerp kunnen veranderen, maar in plaats daarvan zeg ik dit: ik keer niet terug naar het toneel of naar New York. Ik meen dat ik dat heel duidelijk gemaakt heb in mijn brieven aan Constance, die jij niet alleen gelezen, maar zelfs van buiten geleerd schijnt te hebben. God weet dat ik het vaak genoeg geschreven heb om iedereen te overtuigen, maar ik herhaal het nog eens. Ik ga niet terug. Ik heb hier een goed leven en er is voor mij geen reden om te proberen het verleden te herhalen.'

'De reden is dat je leven van toen je echte leven was en je echte identiteit en wat je nu hebt is Jessica Fontaine die voorgeeft volwaardig te zijn op Lopez Island.'

Ze schoof haar stoel achteruit. De houten poten krasten op de houten vloer en gooiden haar stok omver die achter haar tegen de muur stond. Het gekletter klonk als een donderslag in het kleine vertrek en Jessica kreeg een vuurrode kleur van verlegenheid. Luke sprong overeind, liep om hun tafeltje heen, zette de stok weer neer en kwam zo naast haar staan dat zij afgeschermd was van de andere tafeltjes. Hij boog zich voorover om zacht te kunnen spreken en zei: 'Sorry, ik zou dat terugnemen als ik kon; het was ruw en gevoelloos. Constance zou zeggen dat ik nog steeds probeer alles te overheersen: gebeurtenissen, mensen, gesprekken, de hele veldslag.' Hij wachtte, maar Jessica keek naar haar gevouwen handen zonder op te kijken of te antwoorden. 'Maar dit is geen veldslag,' vervolgde hij, 'ik wil er geen en jij beslist ook niet; wat wij nodig hebben, is vriendschap. Het spijt me, Jessica. Ik stormde op je af als een tank die een heuveltop probeert te veroveren. Dat was stom en ik beloof je het niet meer te zullen doen. Er zijn dingen waar ik met jou over wil praten, maar die vereisen een inleiding en als we niet door die inleiding heen kunnen komen, zullen we er helemaal niet over praten. Het zal voor mij genoeg zijn om bij jou te zijn.'

Nu keek ze hem aan. 'Waarom?'

'Omdat ik je graag mag. Omdat ik een heel fijne tijd heb. Omdat ik me dicht bij Constance voel als ik bij jou ben.'

Een flauw glimlachje speelde om Jessica's lippen. Als hij niet het volkomen verkeerde zegt, dacht ze, zegt hij het volkomen juiste.

En heel eerlijk gezegd had zij zelf ook een heel fijne tijd.

'Sorry dat ik ons zo te kijk zette,' mompelde ze.

'Dat is vergeten en vergeven; het eten is zo lekker dat iedereen alleen daaraan denkt. Jouw aanbeveling is me goed bevallen. Mag ik...?'

Met haar handen op de tafel richtte ze zich iets op zodat hij haar kon helpen weer te gaan zitten. 'Dank je,' zei ze.

Hij keerde terug naar zijn plaats. 'Ik hoop dat de nagerechten even goed zijn als al het andere.'

'Ik neem meestal geen dessert. Je kunt mij verslag uitbrengen.'

'Dan zal ik er meer dan een moeten proberen. Een van de beste restaurants in New York heeft een dessert dat een arrangement is van vijf verschillende caramel-composities...'

'Bernardin,' zei ze.

Hij knikte. 'Een van mijn favorieten. Maar er zijn nu een paar geweldige nieuwe gelegenheden, Nobu bijvoorbeeld...' Hij vertelde over restaurants en concerten en opera's van het afgelopen seizoen en toen over de modeshows in grote tenten op Bryant Square die evenveel publiek trokken als de shows in Parijs en Milaan.

'Heb je die allemaal bezocht?' vroeg Jessica verbaasd.

'Ik zou het gedaan hebben als ze niet gelijktijdig gehouden waren. Ze zijn een fascinerende vorm van toneel en ik ging erheen met een vriendin die een persoonlijk commentaar gaf dat zelfs de meest absurde creaties bijna logisch maakte.'

'Was zij een ontwerpster?'

'Nee.' Jessica zag dat hij zat te dubben of hij zou vertellen wie het

was. 'Iemand die jouw sympathie niet heeft. Tricia Delacorte.'
'De roddeljournaliste.' Ze zweeg en zag hem opeens als een allround man met een allround leven. Tot nu toe was er zoveel tussen hen gepasseerd dat ze hem zich alleen maar kon voorstellen als een regisseur wiens werk ze bewonderde; als Constances kleinzoon die brieven gelezen had die niet voor zijn ogen bestemd waren en als een onwelkome bode die New York en het theater in de stille spleten van haar leven gebracht had. Nu keek ze naar hem en zag een man die getrouwd geweest was en gescheiden... en misschien hertrouwd was? Ze wist het niet. Hij droeg geen trouwring, maar dat zei niets. Zijn omgang met haar leek niet die van een getrouwde man, maar dat zei nooit iets. In elk geval wist ze dat hij als regisseur en energiek man sterk betrokken zou zijn bij het rijk geschakeerde maatschappelijke leven van New York, en als hij ongetrouwd was, zou hij natuurlijk vrouwen hebben om zijn uitgaansleven en zijn bed mee te delen. Een scherpe steek van jaloezie trok door haar heen en ontzet hield ze haar adem in. Waarom zou zij daar iets om geven? Ze kende hem nauwelijks en was niet van plan om ooit met hem of een ander een relatie aan te knopen. Misschien komt dat door New York, dacht ze. Misschien ben ik afgunstig op zijn leven daar. Zou dat kunnen? Na al die tijd? O, wanneer zal dat ophouden?
'Ik ken haar sinds een paar maanden,' zei Luke toen de stilte voortduurde. 'Ik weet dat zij goed is in het schrijven van leuterpraat, maar zij heeft een eigen leven opgebouwd en ze is op haar beperkte terrein heel goed en daar heb ik bewondering voor.'
'Datzelfde kun je natuurlijk ook zeggen van een succesvolle insluiper.'
Luke trok zijn wenkbrauwen op en weer hield Jessica haar adem in. 'Maar ik denk dat zij vroeger een hard leven gehad moet hebben,' vervolgde zij snel. 'Ik geloof niet dat zij feilloos iemands zwakke plekken zou kunnen ontdekken als zij niet zelf veel tijd besteed had om de hare af te pleisteren.'
Niet veel beter. Tijd om het gesprek over een andere boeg te gooien.
Maar Luke was haar voor als om haar ervoor te behoeden te duidelijk te zijn. 'Het andere soort toneel op de modeshows was het publiek. Ongedwongener en spontaner dan in Europa volgens mij.'
'Je bedoelt dat die vrouwen niet onpeilbaar waren? Ik heb altijd gedacht dat zij maanden geoefend moesten hebben om die maskers te perfectioneren. Op de laatste dag van de shows zagen ze er allemaal uit als stenen Mayabeelden die uit het oerwoud weggesleept waren.'
Luke barstte in lachen uit. 'Ze zouden zich nooit meer in het openbaar durven vertonen als ze je dat hoorden zeggen.'

Ze spraken zacht en bogen zich onder het praten dichter naar elkaar toe. Luke bestelde drie desserts en Jessica nam van elk een hapje terwijl Luke er een helemaal en de andere gedeeltelijk opat en toen beoordeelden zij ze. 'Er zijn er een paar waar we niet aan toe gekomen zijn,' zei Luke. 'We zullen terug moeten komen.'

Ze dronken espresso en bestelden er nog een omdat zij nog niet wilden vertrekken. Nu praatten ze over theaters in Europa, over het Moskouse circus, Finse acrobaten... tot Jessica ten slotte zei: 'We moeten gaan. Het is erg laat.'

Opnieuw hielp hij haar met haar stoel. Bij de deur stak ze hem de hand toe. 'Bedankt voor het diner. Ik heb ervan genoten.'

Luke hield haar hand vast. 'Ik zou je morgen graag weer zien.'

En toen stelde Jessica de vraag die de hele avond in de lucht gehangen had. 'Ben je voor onbepaalde tijd hier?'

Hij glimlachte. 'Zo lang niet; ik moet weer terug. Maar ik wil nu nog niet vertrekken.'

Ze knikte alsof ze het begreep, hoewel ze geen flauw benul had van wat hij dacht of waar hij op wachtte. Ze trok haar hand terug. 'Zou je zin hebben om morgen weer te gaan paardrijden?'

'Heel veel.'

'Op dezelfde tijd dan.'

Op het parkeerterrein wensten ze elkaar kort goedenacht en toen reed Luke weg in de richting van de Inn en Jessica naar Watmough Bay. De maan was vol en zo stralend helder dat de sterren erdoor verbleekten. De hemel behoorde toe aan de maan, evenals de wateren die het eiland omspoelden en doormidden gesneden werden door een rimpelend lint van licht, en de dennen langs de weg waarvan elke naald glom als een dun, witglanzend lemmet. Jessica was verbaasd over alles: de geïntensiveerde schoonheid van haar eiland zodat het pas geschapen leek; de zacht glooiende velden die even licht en verwelkomend waren als verlichte vensters in de verte. Diep ademde ze de koele, frisse lucht in. De nachten waren nu kille voorboden van de winter, terwijl de dagen warm werden als de zon hoger rees en de tuinen nog in bloei stonden. En morgen gaan we paardrijden.

De volgende dag was het alsof ze al in een routine vervallen waren toen ze heel vroeg door koele bossen reden die nog nat waren van de dauw, langs kliffen aan de kusten langs de rand van open velden, waarna ze terugkeerden naar Jessica's huis voor het ontbijt op het terras en een lang, ontspannen gesprek en 's middags aan het werk gingen met de afspraak samen te gaan dineren. Ze waren minder gespannen dan de vorige dag, alsof zij een barrière van onbekendheid door-

211

broken hadden en zich op een plek bevonden waar ze vertrouwd waren met elkaar en in hun gesprekken de telegramstijl gebruikten waarvan oude vrienden zich gedachteloos bedienen.

'Waar zou jij willen dineren?' vroeg Luke toen hij het laatste ontbijtbordje wegzette.

'Veel keus is er niet. Het Bay Café is verreweg het beste.'

'Dan kan ik de andere nagerechten proberen. Moeten we vooraf reserveren?'

'Dat doe ik. Acht uur?'

'Ja. Ik wil je graag afhalen.'

'Prima,' zei ze vlot tot hun beider verrassing.

Hij wilde weglopen, maar draaide zich om. 'Apropos, ik moet een ander onderdak zoeken; Robert krijgt een groep fietsers. Kun jij me iets aanraden?'

Ze stond het aanrecht schoon te poetsen en haar handbeweging werd langzamer. 'Er zijn er verschillende, maar van niet een ervan weet ik iets naders, ik heb alleen in de Inn gelogeerd. Ik zal erover nadenken en dan bespreken we het later wel, goed?'

'Uitstekend. Robert zal ongetwijfeld ook suggesties hebben.'

'Vast wel,' zei ze afwezig en bedacht dat Robert een veel betere inlichtingenbron was dan zij. Terwijl ze probeerde zich de logementen te herinneren waarvan zij gehoord had, liefst een dicht bij haar huis, liep ze naar haar atelier en ging aan haar tekentafel zitten. Ze pakte haar potlood en boog zich over haar schets toen ze getroffen werd door de uitzonderlijke helderheid van het licht om haar heen. Het was dezelfde helderheid als van het maanlicht de vorige avond. Ze legde haar potlood neer en keek in de studio rond naar voorwerpen die zij alleen nog maar opmerkte als zij ze nodig had. Nu waren ze stuk voor stuk uniek: schijnbaar gepolijst tot een schitterende glans waardoor de kleinste details opvielen door hun volmaakte precisie. Het heldere licht viel ook op haarzelf. Haar nagels en de aderen op de rug van haar hand tekenden zich net zo scherp af als zij met haar fijnste penseel gekund had.

Jessica keek verwonderd. Net als de schoonheid van haar eiland de vorige avond was het alsof haar atelier pas geschapen was of dat ze er vandaag voor het eerst binnenkwam. Dit gevoel heb ik nog nooit gehad, dacht ze en ze wist dat het verband hield met Luke.

Het grootste deel van de afgelopen drie dagen waren ze samen geweest en hadden in die tijd alleen in het Bay Café andere mensen gezien. Niemand had hun conversatie onderbroken; er was niet opgebeld en niemand was aan de deur geweest. Niemand had hun samen-

zijn gestoord vanaf het moment dat hij bij haar aangekomen was.
En nu wilde ze niet dat hij zou weggaan.

Ze draaide zich om naar haar tekentafel en concentreerde zich op de potloodschets waaraan ze de vorige dag begonnen was. Een half uur later zette ze hem op een van haar schildersezels. Hope hief haar kop op om zich ervan te overtuigen dat alles in orde was en Jessica glimlachte. 'Niets veranderd, Hope, een heel gewone dag.' Ze klemde de schets op de bovenkant van een groot vel papier waarop ze de vergrote aquarelversie zou schilderen, trok haar karretje met tubes verf dichter naar zich toe en pakte haar penseel. Nadenkend beschouwde ze het vel papier. Die vreemde aarzeling beving haar altijd voor ze de eerste penseelstreek op het witte oppervlak maakte, alsof ze een aanloop nam naar een nieuw avontuur. Normaliter stelde ze zich haar eerste penseelstreek voor, dan haar tweede en derde en was dan klaar om te gaan schilderen. Maar ditmaal zat ze aan Luke te denken en aan logementen op het eiland. Ze reikte naar een tafeltje en schonk een kop koffie in uit een thermoskan. Ik weet er totaal niets van, dacht ze terwijl ze een slokje koffie nam; hij kan het veel beter aan Robert vragen.

Vijf minuten later zette ze haar koffiekop neer. Het was géén gewone dag; het was werkelijk een verrassend ongewone. Ze pakte de draagbare telefoon van de standaard en belde Luke op in de Inn at Swifts Bay. 'Heeft Robert je suggesties gedaan voor een ander onderkomen?'

'Ik heb het hem niet gevraagd. Ik vertrouw op jouw oordeel.'

Nadat ik hem gezegd heb dat ik er niets van weet? Hij heeft het uitgesteld, misschien in de hoop dat ik zou opbellen.

'Ik héb een idee. Je kunt...' Haar stem bleef steken in de woorden. Het was ook zo lang geleden dat iemand anders invloed gekregen had op het patroon van haar dagindeling. Maar ze wist dat dit was wat zij wilde en ze gooide het eruit voor ze van gedachten kon veranderen. 'Je kunt hier intrekken. De bank in mijn atelier kan uitgeklapt worden tot een heel comfortabel bed. Het atelier heeft een eigen toilet en is geheel afgescheiden van het huis zelf. Je bent er welkom...' ze brak weer af toen het koel-formele van haar woorden tot haar doordrong. 'Ik zal het fijn vinden je hier te hebben.'

'Hartelijk dank,' zei hij meteen. 'Heel edelmoedig van je. Mag ik over een paar uur komen? Ik wil je niet storen bij je werk.'

Ze keek op haar horloge. 'Over drie uur zou beter zijn.'

'Dan zie je me om een uur of zes verschijnen. Dank je, Jessica, ik ben je zeer erkentelijk.'

Wat zijn we formeel, dacht ze. En wat is dat geruststellend. Veel beter

dan de onmiddellijke intimiteit die men in New York schijnt te culti-
veren.
Maar het idee van intimiteit bracht haar op de gedachte dat ze een afschuwelijke fout begaan had. Waarom zou ze zich verlokken met andere opties als ze niet van plan was iets anders te kiezen dan ze gedaan
had? Met andere woorden, hield ze zichzelf voor met de meedogenloze directheid die zij al jaren in praktijk gebracht had, waarom zou
ze het risico nemen verliefd te worden?
Ze reikte naar de telefoon om Luke opnieuw op te bellen en een leu-
gentje te verzinnen dat hem zou beletten te komen. Maar haar hand
bleef in de lucht zweven tot ze het opgaf en haar hand in haar schoot
liet vallen. Ze wilde hem vaker zien. En ze wist – hoewel ze hem dat
niet gezegd had en het misschien nooit zeggen zou – dat dit was wat
Constance ook gewild had.
Ze ging weer voor de ezel zitten om aan het schilderij te beginnen.
Dit ging niet, dacht ze. Ze had een werkrooster en een contract met
haar uitgever. Maar toen dacht ze aan haar voordeur. *Als die open is,
kan hij binnenkomen en hoef ik niet op hem te letten.* Ze liep door de
kas en de zitkamer naar de foyer en zette de deur op een kiertje open.
Hope volgde haar, in de war gebracht door alle drukte in wat gewoonlijk vijf of zes uur volmaakte stilte waren en Jessica krabde de
hond achter de oren. 'Het is niet heel gewoon,' zei ze, 'en ik weet niet
waar het op uitdraaien zal, maar ik wil dit beslist doen en ik ga nu niet
terugkrabbelen.'
Daarna keerde ze terug naar haar schilderwerk en toen Luke arriveer-
de, zat ze aan haar ezel en ging geheel op in haar werk. Ze zou niet geweten hebben dat hij er was als Hope niet naar de broeikas gestormd
was om hem kwispelstaartend te begroeten en hem aan te stoten om
geaaid te worden. 'Hallo,' zei hij zachtjes en hurkte naast haar neer.
Hij keek op en ving Jessica's blik op. 'Hallo,' zei hij opnieuw.
Weerspiegeld op zijn gezicht zag ze de blijdschap van het hare en ze
vertrok haar gelaatstrekken tot een koel welkom. 'Ik ben voor vandaag bijna klaar. Daarna zal ik je wijzen waar alles is.'
'Mag ik zien waar je mee bezig bent?'
Automatisch deinsde ze terug. Niemand kreeg ooit haar schilderijen
te zien voor zij ze naar New York stuurde.
'Neem me niet kwalijk; je bent daar natuurlijk niet aan gewend,' zei
hij. 'Ik wacht wel in de zitkamer.'
'Nee, er is niets op tegen.' Ze schudde het van zich af. Alles was verschillend, dus waarom zou ze dit verschil ook niet accepteren? 'Ik wil
je dit graag laten zien.'

Met Hope bij hem stond hij naast haar en Jessica bekeek haar schilderij door zijn ogen. De centrale gestalte was bijna klaar: een vrouw op een marmeren bank die in de verte staarde met een hond aan haar voeten. De rest van het schilderij was alleen nog maar achtergrond, maar de potloodschets toonde wat het worden moest: aan de ene kant een man die een blokhut bouwde op een zonnige open plek, en aan de andere kant een oceaan met bliksemschichten die de donkere wolken erboven doorkliefden. Half verborgen in de plooien van de lange rok van de vrouw stonden de woorden *De open deur*.

De vrouw was Constance, de hond was Hope. De man was Luke.

Na een poosje van stilte vroeg Luke: 'Waarom bouw ik een blokhut?'

'Omdat je dat doet. Jij schept. Je bouwt.'

Hij knikte. 'Ik vind het mooi.' Na verdere nauwkeurige bestudering vroeg hij: 'En Constance? En *De open deur*?'

'Constance opende altijd deuren voor mij en wees mij de weg naar nieuwe ontdekkingen over mezelf en anderen en de hele wereld. Dat deed ze voor jou ook, is het niet?'

'Ja.' Hij deed een stap achteruit en bekeek gelijktijdig het schilderij en Jessica. 'Je hebt met Constance een knap stuk werk geleverd,' zei hij ten slotte. 'Ik kan me niet herinneren haar in je andere boeken gezien te hebben.'

'Dit is voor het eerst dat een figuur me aan haar herinnert. Ik heb al eens een portret van haar gemaakt. Ik zal het je later laten zien.' Ze begon haar penselen schoon te maken. 'Ik zal je helpen je bed op te maken. De hoekkast heeft ingebouwde planken en achter die andere deur is de badkamer. We hebben om acht uur een reservering in het Bay Café.'

'Ik haal mijn koffer. Die ligt in de truck.'

Jessica keek hem na. Ze wist dat hij probeerde zich aan te passen aan haar wisselende stemmingen en daar was ze dankbaar voor, want ze was niet van plan hem te vertellen dat die veroorzaakt werden door de schokjes die telkens door haar heen trokken als ze zich realiseerde dat ze wende aan het idee hem bij haar in huis te hebben.

Dat kwam vooral omdat hun gezamenlijke uren al snel een vast patroon kregen en ze was gewend aan patronen en schema's. Die avond aten ze in het Café en praatten daarna in de zitkamer tot ze elkaar welterusten wensten en Jessica de ene kant uitging naar haar slaapkamer en Luke de andere naar de studio. De volgende morgen gingen ze om zeven uur uit rijden en toen ze om tien uur terugkwamen, maakten ze samen het ontbijt klaar en aten op het terras. Om half een hadden ze de keuken opgeruimd en was Jessica naar haar

215

atelier verhuisd, terwijl Luke op het terras zat te werken aan meegebrachte scripts van toneelstukken. Om zeven uur kleedden ze zich en gingen naar het Café of ze maakten samen het avondeten klaar en sloten de dag af in de zitkamer met koffie met cognac en nog meer gesprekken.

'Het is erg rustgevend,' zei Luke op zijn derde avond in Jessica's huis. Hij maakte de haard aan terwijl Jessica koffie en cognac schonk. Uit de luidsprekers in de muren kwam muziek. 'Er valt veel te zeggen voor een vaste routine. Het is net als een deken die ik in mijn jeugd had en meenam naar Constance nadat mijn ouders verongelukt waren. Er stond een patroon op van schepen en bootjes en ik kende elke draad ervan. Ik had mijn ogen kunnen sluiten en de hele deken beschrijven tot op de bouten toe die de roeidollen op hun plaats hielden of de gestippelde gordijntjes op een van de jachten. Wat er verder ook gebeurde, als ik die deken om me heen trok was het alsof ik me innestelde. Ik was de zoon van mijn ouders.'

Jessica keek naar zijn rug toen hij kranten onder het aanmaakhout legde. 'Je mist de wetenschap dat zij thuis zijn en praten over wat je zult doen als je hen bezoekt,' mompelde ze bij de herinnering aan een brief die ze Constance geschreven had over de dood van haar ouders. Luke draaide zich om en citeerde uit dezelfde brief: 'Ik mis de wetenschap dat zij mij missen.'

Ze keken elkaar in de ogen. 'Zo lang geleden,' zei ze, 'maar nog steeds zo reëel. Ik vraag me af of we verdriet ooit vergeten.'

'Ik hoop van niet,' zei Luke snel. 'Ik hoop dat we er overheen komen, maar het nooit vergeten.' Hij keerde zich om, pakte een lange lucifer uit een houder en stak het vuur aan. De vlammen sprongen omhoog en gehurkt keek hij ernaar.

'Heb je die deken nog?' vroeg Jessica.

'Ja.'

'Kijk je er nog weleens naar?'

'Na Constances dood heb ik hem over een leunstoel in mijn slaapkamer gehangen.'

'Hangt hij daar nog?'

'Ja, maar meestal ben ik me er niet van bewust. Het is een deel geworden van de achtergrond van mijn leven. Net als verdriet.' Hij kwam naast haar zitten en hief zijn cognacglas iets naar haar op. 'Bedankt voor weer een heerlijke dag. Drie achter elkaar in een ritme en een patroon dat immens rustgevend is. Zo'n dag heb ik in New York nooit, laat staan drie.'

Jessica nipte aan haar cognac en staarde in het vuur. Het hout had vlam gevat en brandde rustig met incidenteel geknetter en kleine von-kenregens. De warmte straalde in de kamer en ze trok haar benen on-der haar lichaam. Ze voelde het welbehagen van de warmte op een avond die erg koud geworden was. Een vraag brandde op haar lippen. Ze had hem al eerder gesteld – 'Blijf je voor onbepaalde tijd?' – en had een vaag antwoord gekregen, maar nu had hij het er weer op aange-stuurd. Drie dagen van onveranderlijk ritme waren rustgevend. Hoe-veel verlangde hij er?

Hoeveel verlang ik er?

'Vertel me eens over je ouders,' zei Luke. 'Ik heb in je brieven over hen gelezen, maar ik zou graag meer weten.'

En dus werd de vraag niet gesteld en voor het eerst vertelde Jessica over zichzelf. 'Ik geloof dat ik een echt magische jeugd gehad heb, een jeugd van het genre dat we pas waarderen als we volwassen zijn en verlangen naar een klein beetje van die bescherming die wij haatten en waar we tegen in opstand kwamen toen we jong waren.' Ze zweeg even. 'Neem me niet kwalijk. Jij had die bescherming niet. Die kreeg je van een deken.'

'En van Constance met een overvloed van liefde, maar de bescher-ming verschilde sterk van de jouwe.'

Ze vergeleken de wijze waarop zij opgegroeid waren en Jessica had Lukes vragen niet nodig toen ze in haar geheugen zocht naar herinne-ringen die zij allang vergeten waande. Om beurten vertelden zij ver-halen en anekdotes en hun voorraad was nog lang niet uitgeput toen Jessica opstond. 'Het is een lange dag geweest. Morgen kunnen we verdergaan.' Luke dempte het vuur, vluchtig raakten hun handen el-kaar aan en met een zacht 'welterusten' gingen ze in tegengestelde richtingen naar bed.

Op hun rijtoer de volgende morgen begon het gesprek waar het geëindigd was met wederzijdse verhalen over families en scholen, fa-voriete leerkrachten, vriendjes en vriendinnetjes, tijden van eenzaam-heid en dagdromen. En die avond werd de vraag opnieuw niet ge-steld, want Luke zei: 'Robert beval eens een restaurant op Orcas aan: Christina's. Als ik een retourvlucht kan boeken voor morgenavond, zou je dan zin hebben om het te proberen?'

'O nee, ik...'

'Gun jezelf even de tijd om erover na te denken,' zei Luke rustig.

Ze hoefde er niet over na te denken; ze had hem al verteld dat ze het eiland nooit verliet. Dit kwam haar voor als de eerste stap van een eigenaardige campagne om haar weg te krijgen van huis: eerst naar Orcas... en dan naar New York?

217

'Alleen maar voor één diner,' zei hij. 'Ik vraag je niet je koffers te pakken voor New York.'

Ze voelde een vlaag van woede, op haarzelf dat ze zo doorzichtig was en op Luke om haar dat te laten merken. 'Dan moeten we een reservering hebben,' zei ze kort.

'Daar zorg ik voor.' Hij liep naar de telefoon en Jessica hoorde zijn stem als een zacht gemompel toen hij eerst een gesprek voerde en daarna een ander. Na een paar minuten was hij terug. 'Een klein probleem. We kunnen een toestel krijgen heen, maar niet terug. De piloot noemde een gelegenheid die Turtleback Inn heet; hij dacht dat daar in deze tijd van het jaar wel kamers te krijgen zijn. Als jij er akkoord mee gaat, zouden we een nacht over kunnen blijven en de volgende morgen vroeg terugvliegen.'

Hij keek haar strak aan en daagde haar uit om voor één avond haar vaste dagindeling te doorbreken en er daarna weer in terug te vallen als ze dat wilde.

'Ik bel de Turtleback op,' zei hij. 'Het heeft geen zin het te overwegen als ze volgeboekt zijn.'

Ze zag hem in het telefoonboek bladeren en een nummer draaien. 'We kunnen twee kamers krijgen als we dat willen,' zei hij met zijn hand op de hoorn. 'Zal ik ze reserveren?'

Instinctief hief Jessica haar hand op en streek haar haren naar achteren. Ze zag Lukes gelaatsuitdrukking veranderen en wist dat hij haar er voor het eerst in dagen bewust van gemaakt had dat zij een vrouw was en zij samen een paar.

'Jessica?'

'Ja,' zei ze.

Hij beëindigde het gesprek en vrijwel meteen daarna gingen ze uiteen, Jessica naar haar slaapkamer, Luke naar de studio. De volgende dag kenmerkte zich door een andersoortige nervositeit: het ontbijt duurde maar kort, zodat er een langere middag was om te werken. Ze spraken bijna geen woord tot ze in het kleine vliegtuigje zaten en Lopez beneden hen zagen terugwijken en zelfs toen was de piloot het meest aan het woord met een direct verslag terwijl zij over het oneffen Shaw Island vlogen en daarna over de gehele lengte van de omgekeerde U van het eiland Orcas met Mount Constitution die rechts van hen optorende en de kleinere Turtleback Mountain die zich links van hen boven de akkers verhief. 'Daar staat de Inn,' zei de piloot. 'Over dit smalle dal heen hebt u een direct uitzicht op de Turtleback Mountain. Een fijne plek.'

Jessica zei niets. Ze voelde zich van haar anker geslagen als een losgeslagen boot en weggevoerd van de kust door onzichtbare stromingen her en der meegesleept. Maar tegelijkertijd was ze opgewonden door datzelfde gevoel van losgeslagen te zijn en door de schemerige lucht te zweven met de zacht glinsterende avondster boven hen en bleke stroken strand die de donkere eilanden onder hen omzoomden, dat gevoel van steeds verder omlaag te drijven toen de landingsstrip van Orcas in zicht kwam. Het was alsof dit een toverkoets was die een koninkrijk binnenreed waar nog nooit iemand geweest was. In verlegenheid gebracht door haar eigen fantasie schudde ze haar hoofd en keek naar Luke om te zien of hij het opgemerkt had. Hun blikken ontmoetten elkaar en ze was zo verstomd van de tederheid in zijn ogen dat ze een beetje duizelig haar hoofd afwendde, loochenend wat ze gezien had omdat ze zich natuurlijk vergist moest hebben.

Hij had een auto gereserveerd en zwijgend reden ze over kronkelende wegen door bossen en akkerland zó identiek aan Lopez dat het was of ze daar nog waren, tot ze bij de Turtleback Farm Inn aankwamen. Het kleine erf was keurig omheind en de laatste zomerbloemen kwijnden langs de voorkant van de grote donkergroene boerderij en langs de weg. Susan Fletcher verwelkomde hen en wees hen hun kamers, die van Jessica opzij van de zitkamer en die van Luke boven, de brede trap van geschuurd hout op. 'We hadden er geen twee dicht bij elkaar,' zei ze zakelijk. Vriendelijk glimlachend wees ze Jessica waar ze extra kussens en dekens kon vinden en dirigeerde Luke naar boven zonder ook maar even nieuwsgierig te lijken.

En toch, dacht Jessica toen Susan een raam op een kiertje open zette en nog een lamp aandraaide, moeten we haar heel vreemd voorkomen: een grote man met een innemend gezicht en een zelfverzekerde houding die bewijst dat hij zijn wereld beheerst, en een lelijke invalide met grijs haar, een kromme rug en een strompelende gang die een stok noodzakelijk maakt. Misschien denkt ze dat ik zijn moeder ben. Ze schoot in de lach van het idee en ze zag dat Susan haar wenkbrauwen optrok vanwege de verandering in haar gelaatsuitdrukking. Laat haar maar raden, dacht Jessica; ik zal niets uitleggen en Luke ook niet. 'Dank u wel, het is prima,' zei ze tegen Susan en sloot de deur achter haar. De kamer was zo eenvoudig dat hij bijna kaal leek, maar het bed was zacht; op de kleine commode en het nachtkastje stonden gedroogde bloemen en lagen tijdschriften, en de badkamer was een vreemde combinatie van betimmerde wanden, een staande wasbak en een badkuip op klauwpoten met het douchegordijn eromheen gedrapeerd als een sjaal om een bejaarde man.

'Kan het ermee door?' vroeg Luke toen ze bij elkaar kwamen in de zitkamer.

'Ja, het is een erg prettige kamer,' zei Jessica en bedacht dat ze weer eens erg formeel waren.

Hij opende de voordeur voor haar. 'En heb je trek?'

'Heel veel. Het ontbijt lijkt al heel lang geleden.'

'Dat is het ook. En we hebben niet veel gegeten. Zenuwachtig, denk ik. Ben je het nu?'

Ze stond naast de auto en keek naar hem op. 'Nee. En jij?'

'Nee. Ik ben erg blij hier met jou te zijn.' Met een flauw knikje stapte ze in de auto. *Geen formaliteiten meer. Misschien hoeft het niet meer.*

Christina's was op de bovenverdieping en Luke vloekte toen hij de trap zag. 'Dat heeft niemand mij verteld.'

'Hindert niet.' Ze beklom de trap tree voor tree, bewust van haar langzame tempo. Luke probeerde haar een arm te geven, maar ze schudde haar hoofd en liep zelf naar boven. Toen ze het restaurant bereikten, was ze half buiten adem.

'Sorry,' zei Luke. 'Ik had het moeten vragen.'

'Ik ook. Zullen we het maar vergeten?'

De kleine eetzaal was bijna even kaal als hun kamers in de Inn, met een houten vloer en tafeltjes die ver uit elkaar stonden voor privacy. Een wand was gedeeltelijk bedekt met koperen gietvormen en een beglaasde veranda hing boven het water van de Eastsound. Jessica deed of ze bijzonder geïnteresseerd was in het weinige dat er te zien was en probeerde niet aan haar stuntelige lichaam te denken, klaar om alles af te wijzen wat Luke zou zeggen in een poging om haar te bemoedigen.

Maar hij verraste haar. 'Misschien vraag ik Christina of ik deze eetzaal mag kopiëren voor een decor,' zei hij. 'Er staat hier vrijwel niets; een uitstekende manier om geld uit te sparen voor ontwerp en decorbouw.'

Jessica glimlachte. 'Die koperen gietvormen zijn waarschijnlijk antiek en erg duur.'

'Die zou ik weglaten. Ze maken het rommelig, vind je niet?'

Ze lachten allebei en Jessica begon zich te ontspannen. Haar stok stond naast haar stoel tegen de muur, maar ze dwong zich rechtop te zitten met haar handen in haar schoot en ze stelde zich hen beiden voor als op een toneel: een dame en een heer die rustig zaten te eten in een eenvoudig restaurant op een eiland. Maar ze waren niet op het toneel; ze waren een deel van de werkelijke wereld, twee mensen te midden van andere mensen, en toen Luke een Woodward Canyon Cabernet bestelde en zij glimlachend naar elkaar hun glazen ophieven in een stille toast, wist ze dat zij een onzichtbare grens overschreden hadden en een echtpaar geworden waren.

'Ik heb je nog nooit een paar van mijn favoriete verhalen over Kent verteld,' zei Luke toen ze besteld hadden. Zijn stem was neutraal zonder de intimiteit van hun stille toast. Hij leunde naar achteren, dronk wijn en vertelde verhalen over Kent Horne en de weken dat *De Tovenares* ingestudeerd werd. 'Een van de verbazingwekkendste dingen,' zei hij toen ze hun voorgerecht op hadden, 'was dat Kent de aanwezigheid van publiek begon te voelen nog voor er iemand in de zaal zat. "We moeten hen gelijk met ons laten ademhalen," zei hij – het werd zijn favoriete opmerking – "als we dat horen, zullen we weten dat we hen boeien."'

'Hoe wist hij dat,' vroeg Jessica, 'terwijl hij zijn stuk nog nooit had zien opvoeren?'

'Hij zei dat hij het voelde in de collectieve geest op het toneel – regisseur, producer, acteurs, toneelmeester – die beter dan wie ook de reagerende collectieve geest van het publiek aanvoelde. Alsof zij gelijktijdig ademden.'

'Hij weet heel wat voor een jongeman. Is hij werkelijk zo jong als jij denkt?'

'Jonger zelfs. Jij zou het ook denken als je hem in actie gezien had. Daarom is zijn stuk min of meer een wonder. En zijn nieuwe ook.'

'Heeft hij er nog een geschreven?'

'Het is nog niet voltooid.'

De serveerster diende hun vis op en vulde hun wijnglazen. Luke praatte door over de repetities van *De Tovenares* en Jessica vroeg: 'Ken jij Orlando D'Alba?'

'Nee. Wel een pakkende naam.'

'Dat is het. Hij heeft hem vrijwel zeker verzonnen, maar waarom ook niet als hem dat gelukkig maakt? Acht jaar lang heeft hij mijn agent twee stukken per jaar toegestuurd, een in februari en een in augustus, met de smeekbede ze op Broadway te brengen met mij in de hoofdrol – altijd een vrouw die verschillende mensen vermoordde en ongestraft bleef. Ik vond het een heel vreemde obsessie; hij wist nooit een ander gegeven te bedenken.'

'En waren die stukken niet goed?'

'Ze waren afschuwelijk, maar hij was zo serieus en vasthoudend dat ik elke keer terugschreef met een paar suggesties, speciaal dat hij het volgende naar iemand anders moest sturen. Maar dat deed hij niet; de scripts bleven komen, altijd hetzelfde verhaal dat zich in andere steden afspeelde met andere namen voor de personages en andere manieren waarop de slachtoffers vermoord werden. Als je niet van hem gehoord hebt, zal hij wel nooit tot Broadway of ergens anders doorgedrongen zijn.'

221

'Hij zal nu dan wel een flinke stapel scripts hebben.'
'Ik veronderstel dat hij ze rondstuurt; hij leek me niet het type om ermee te blijven zitten. Meestal klampen mensen zich niet vast aan het verleden; ze laten het los en zoeken iets anders om zich aan vast te houden.'
Luke wilde iets gaan zeggen, maar toen werden juist de nagerechten geserveerd en kwam Christina Orchid vragen of het eten hun gesmaakt had. 'Jazeker,' zei Luke, 'het was voortreffelijk.'
Christina nam Jessica nauwkeuriger op. 'Bent u niet Jessica Fontaine? Natuurlijk bent u dat. Ik zag u lang geleden in *Anna Christie*, u was geweldig. Ik hoorde dat u op Lopez woont; bent u met vakantie?'
'Nee.'
'O. Ik ben blij u hier te zien. En ik hoop dat u ondanks de trap terug zult komen.'
'Dat hoop ik ook.'
'Laat het dessert u smaken.' Uit ervaring met de eigenaardigheden van cliënten had zij lang geleden geleerd een gesprek te onderkennen en te beëindigen dat op niets uit zou lopen en met een beleefde glimlach liep zij naar het volgende tafeltje.
Luke ving Jessica's blik op. 'Gebeurt dat vaak?'
'Natuurlijk niet. Hoe zou dat kunnen?'
'Je bedoelt dat men je onmogelijk zal kunnen herkennen?'
Ze bloosde. 'Ik bedoel dat niet veel mensen hier toneelstukken in New York gezien zullen hebben en als dat al zo is, zullen ze zich na al die jaren niet herinneren wie erin meespeelde.'
De serveerster bracht hun espresso en Luke veranderde van onderwerp. Ze bleven lang zitten en waren de laatste gasten die vertrokken, en toen ze eindelijk opstonden en naar de deur liepen bleef Luke boven aan de trap staan en liet Jessica zelf naar beneden lopen. In de auto zei ze: 'Het was een heerlijke avond,' en hij mompelde: 'Als altijd,' en daarna zeiden ze niets meer tot ze de Inn bereikten.
In de kleine zitkamer was het donker met alleen een paar nagloeiende houtblokken in de haard. 'Zullen we hier even gaan zitten?' vroeg Luke en zonder op antwoord te wachten legde hij twee blokken hout in de haard en keek hoe de vlammen oplaaiden. Hij liep naar een tafeltje in de hoek waar een karaf en glazen klaargezet waren en schonk voor hen allebei een sherry in. 'Ik wil je iets vertellen. Het is een antwoord op een vraag die je me dagen geleden stelde. Ik weet niet of jij je die vraag nog herinnert...'
'Jazeker.' Ze nam plaats op de tweezitsbank tegenover de haard en nam het glas aan dat Luke haar bracht. 'Dank je.' Een tafeltje voor de

222

bank was hoog opgestapeld met tijdschriften en fotoboeken over de eilanden en ze keek naar de weerspiegeling van de vlammen op de glanzende omslagen toen Luke naast haar kwam zitten. Ze waren dichter bij elkaar dan zij de hele week geweest waren, maar terwijl ze zich toen teruggetrokken zou hebben, bleef ze nu rustig zitten, gesust door de flikkerende vlammen en in het bewustzijn van het gevoel van Lukes lichaam naast het hare. Ze had een beetje het gevoel alsof ze aan een wedren deelgenomen had: vermoeid, maar nog niet bereid om te gaan slapen, niet langer rennend, maar nog niet aan de finish, nog onzeker wat ze bij het bereiken ervan zou aantreffen, maar vervuld van een merkwaardige verwachting.

Luke zette zijn glas neer en draaide zich naar haar toe. 'Toen ik je onlangs zei dat ik probeerde je te begrijpen, vroeg je me wat dat uitmaakte. Je vroeg me waarom het mij iets kon schelen.'

'En je zei dat je daar een andere keer op zou antwoorden.'

'Omdat ik zeker van mezelf wilde zijn.' Schaduwen van de wiegelende vlammen dansten over hen heen en de muren en het plafond schenen te vervagen, zodat Jessica, toen ze Lukes hand naar haar toe zag schuiven, dacht dat het een speling van het licht was. Maar toen voelde ze zijn handpalm tegen de hare en ze zag hem naar haar toe buigen en ook dat hun handen elkaar omvatten. 'Op zekere tijd toen ik je brieven las – ik heb je dit al verteld, maar het is begrijpelijker als ik het nog eens doe – begon ik ernaar te verlangen aan het eind van de dag thuis te komen en enige tijd met jou door te brengen. Je werd een deel van mijn werkelijkheid, een van de belangrijkste delen en het was toen dat ik wist dat ik verliefd op je was.'

'Nee.' Fluisterend kwam het eruit. Ze probeerde haar hand terug te trekken, maar Luke hield die te stevig vast. 'Ik zei je: het was fantasie. Het...'

'Het was heel reëel en ik...'

'... slaat nergens op.'

'... wist het nadat ik een paar dagen bij je was.'

Even schoten ze in de lach om hun door elkaar gepraat. 'Ik wist het,' herhaalde Luke. 'Ik heb gewacht met het je te vertellen tot ik er zeker van was. Wat ik in je brieven bewonderde, was heel reëel. Maar het was niet genoeg. Dat was de reden waarom ik jou moest vinden en waarom ik probeerde te begrijpen wat jij schreef en wat je bent. Jessica, je bent voortreffelijk, wat jij met je leven gedaan hebt...'

'Nee,' zei ze weer. Ze trok zich terug en klemde haar handen samen in haar schoot. 'Ik ben niet voortreffelijk – waarom beweer je zoiets absurds? Ooit was ik het, maar dat is allemaal voorbij en wat er overbleef is een wrak – een afstotende vrouw, een invalide, een heel gewone vrouw die schildert en een tuin verzorgt. Waarom romantiseer je dat? Je hebt jezelf wijs gemaakt van me te houden omdat het anders is dan alles wat je vroeger gedaan hebt en heel dramatisch. Alsof het een toneelstuk is. Maar als het dat was, zou het een komedie zijn: een man die over liefde praat met een vrouw die...'

'Hou op.' Hij begon door het kleine vertrek rond te lopen. Jessica hoorde zijn voetstappen toen hij achter langs de bank liep, ze zag zijn schaduw tegen de muur omhoogkruipen, zich ombuigen over het plafond en verspringen naar de andere muur toen hij op zijn schreden terugkeerde. 'Er is jou iets vreselijks overkomen – dat zal niemand ontkennen – maar je hebt je erin gewikkeld als in een lijkkleed, je stíkt erin.' Naast de haard bleef hij staan en toen Jessica naar hem opkeek was zijn gezicht beschaduwd en zijn stem hard. 'Je hebt jezelf beschreven als afstotend, invalide en gewoon; je hebt alles weggestopt wat een deel was van je grootsheid en je opgesloten in een huis zonder enige poster of foto uit het verleden en zonder één enkele spiegel.'

Een blok hout zakte in het vuur en deed een stroom vonken opspringen. Luke ging op de rand van de bank zitten en nam haar samengeklemde handen in de zijne. 'Maar, liefste Jessica, je woont in een huis vol spiegels. Je hebt je omringd met beelden en illusies die zichzelf weerkaatsen en hebt ze tot je werkelijkheid gemaakt. Die zijn wat je van 's ochtends vroeg tot 's avonds laat ziet, en wij anderen – áls je naar ons kijkt – hebben geen essentie. Je veegt ons weg alsof we spoken zijn.'

'Dat is niet waar. Deze week hebben we over van alles gepraat en ik ben open en eerlijk tegenover je geweest. Ik heb jou niet weggeveegd.'

'Maar bepaalde onderwerpen waren taboe. En je hebt mij zojuist terzijde geschoven toen ik zei dat ik van je houd. Waarom kun je dat niet accepteren?'

'Je kent het antwoord daarop,' zei ze fel maar met ingehouden stem in het stille huis. 'Je weet alles van me; je wist het meeste ervan zelfs al voor je hier kwam. Al die voor Constance bestemde brieven waren zo openhartig als ik maar zijn kan – jij hebt ze gelezen en je zou in staat moeten zijn ze te begrijpen. En mij ook. Ik ben het spook! Niemand die mij ooit gekend heeft, zou een volwaardig mens zien als hij me aankeek. Men zou een wrak zien en zich afkeren. O, waarom moest je dit ter sprake brengen? Het is een heerlijke week geweest, waarom kon je het niet zo laten? Jij zou teruggekeerd zijn naar New York en we zouden heerlijke herinneringen overgehouden hebben. In plaats daarvan dring je er bij mij steeds op aan iemand te zijn die ik niet ben, met je gepraat over terugkeren naar New York en je gepraat over liefde... Ik heb je gezegd dat dit het leven is dat ik verlang – ik heb het Constance ook verteld en jij hebt het gelezen, meer dan eens zelfs – waarom kun jíj dat niet accepteren?'

'Omdat ik dat niet wil.'

'Is het zo belangrijk wat jij wilt?'

'Voor mij wel. Jij doet gewoon wat jíj wilt en weigert te proberen...'

'Ik doe wat ik kán! Dit is alles wat ik kan!'

'Dat geloof ik niet. Ik geloof niet...'

'Is jou ooit iets overkomen dat je leven totaal ontwrichtte? Dat je alles deed bekijken alsof je in een volkomen vreemde wereld was waar niets hetzelfde leek of aanvoelde? Twee jaar heb ik hierover nagedacht; ik probeerde mezelf terug te zien gaan en al de brokstukken van mijn leven in elkaar te passen die vroeger vertrouwd geweest waren. Maar dat was niet mogelijk.'

'Je was bang.'

'Is dat zo erg? Natuurlijk was ik bang, doodsbang zelfs. Er was geen plaats meer voor mij. Er was altijd een plaats geweest voor Jessica Fontaine; ik wist het en ieder ander ook. Er gingen deuren voor mij open, iedereen verwelkomde mij, overal waar ik heenging, hoorde ik thuis. En opeens niet meer. Ik wist dat de deuren niet meer open zouden gaan, dat niemand me nog zou verwelkomen en dat ik buiten zou staan waar alles vreemd was. Kun je niet proberen dat te begrijpen?'

'Dat probeer ik al. Ik probeer het sinds ik je brieven gelezen heb. Je bent een moedige vrouw, waarom heb je zelfs geen poging gewaagd? Je had altijd nog weg kunnen lopen, waarom deed je het nog voor je zeker was van wat er gebeuren zou?'

Ze schudde haar hoofd. 'Je weet er totaal niets van.'

'Misschien niet. Maar ik weet dat elke vrouw die zoveel om het toneel gaf als jij, elke vrouw die schreef zoals jij aan Constance deed, over de macht die je op het toneel voelde, over...'

'Ik wil me niet door jou horen citeren!'

'Je hebt gelijk, dat behoor ik niet te doen. Ik probeer je te doen inzien hoeveel er op het spel staat.'

'Mijn God, denk je dat ik dat niet weet? Mijn hele leven staat op het spel! Jaren en jaren van bouwen aan een leven dat mij beschermt tegen...' Ze brak af.

'Herinneringen en pijn,' zei hij rustig. 'Dat begrijp ik. Maar zijn die zo verwoestend dat je niet eens wilt proberen terug te krijgen wat je groot gemaakt heeft? Toen ik zei dat je het weggestopt hebt, meende ik dat: wat je groot maakte is nog steeds aanwezig...'

225

'Dat is nog zo'n droom. Jij blijft maar fantasieën verzinnen, alsof je me zou kunnen veranderen door lang genoeg te praten. Wat in mij wás, is er niet meer. Waarom wil je dat niet geloven als ik het steeds weer zeg? Ooit wist ik wat mijn lichaam zou doen, hoe ik precies over een toneel moest lopen, hoe te zitten, hoe deuren te openen en hoe ik een borrel moest inschenken... Ooit was mijn lichaam een instrument dat het publiek haast even veel vertelde als mijn gezicht en mijn stem. Maar dat lichaam is er niet meer en mijn gezicht ook niet. Alles is verdwenen; er is niets weggestopt. Nu heb ik het allemaal gezegd; je hebt me ertoe gedwongen. Ben je nu tevreden?'

Even zei hij niets. 'Het spijt me. Je hebt gelijk: ik zou hier niet moeten zitten en je vertellen wat je wel en niet verlangt, of mezelf presenteren als een soort heiland die gekomen is om je te redden en terug te brengen in de maatschappij.' Hij stond op. 'Het was voor mij belangrijk je te vertellen dat ik van je houd en dat het voor mij een heerlijke week geweest is. Volgens mij heb ik je nooit voorgelogen, ik heb nooit beweerd dat je nog je schoonheid en volmaakte lichaam van weleer bezit. Maar hoe beter ik je leerde kennen, hoe onbelangrijker dat leek. Voor mij telde de manier waarop wij samen praatten, de manier waarop jij de wereld zag en die met mij deelde, de manier waarop je geest zich verheft en je gezicht verandert als je glimlacht en nog meer als je lacht. Voor mij bén je voortreffelijk en het spijt me dat je niet genoeg vertrouwen in me hebt om te geloven dat ik dat meen.'

Hij bleef even staan, een donkere gestalte in het afnemende licht van het haardvuur. Toen boog hij zich voorover en gaf haar een kus, een zachte maar geen vluchtige kus. 'Welterusten, liefste,' zei hij en liep toen met twee treden tegelijk de trap op naar zijn kamer.

Bevend bleef Jessica in de hoek van de bank zitten. Het tolde in haar hoofd. Het vuur in de haard stierf weg tot een laag gloeiende kolen en het werd kil in de kamer, maar ze bleef zitten met haar handen net zo samengeklemd als toen Luke ze vastgehouden had. De Inn sliep en er was geen geluid te horen, maar haar gedachten waren luidruchtig.

Hoe lang was het geleden dat een man haar gezegd had dat hij van haar hield? O, al heel lang, vele jaren geleden... Maar dat was niet wat haar in verwarring gebracht had. Dat kwam door iets anders.

Ze was verliefd op hem.

Nee, dacht ze snel. Niet helemaal. Maar het scheelde zo weinig dat ze wist het te zullen worden, zo vurig en hartstochtelijk als ze nog nooit geweest was – als ze het tenminste toeliet.

Maar ze kon het niet riskeren. Ze had een leven te beschermen.

Je hebt je erin gewikkeld als in een lijkkleed; je stíkt erin.

Een lijkkleed, dacht ze. Wat een afschuwelijk woord. Alsof ik dood ben. Welnu, de oude Jessica Fontaine is dood – dat weet iedereen – maar ik ben het niet; ik leef en heb het druk en ben gelukkig.

Je hebt je omringd met beelden en illusies die zichzelf weerkaatsen en hebt ze tot je werkelijkheid gemaakt.

Woede welde in haar op. Als dat haar werkelijkheid was, was het haar eigen keus. Wie was hij om te zeggen dat het voor haar niet deugde? Hij had zijn eigen werkelijkheid, zijn leven in New York en zodra hij daarnaar terugkeerde zou er voor hen geen reden zijn om elkaar ooit nog weer te zien.

Ze pakte haar stok die tegen de leuning van de bank stond en liep naar haar kamer. Ze hield zich voor op te houden met denken, de avond uit haar hoofd te zetten en te gaan slapen.

'Lekker geslapen?' vroeg Luke beleefd de volgende morgen aan de ontbijttafel.

'Nee.'

'Ik ook niet.'

Susan Fletcher kwam binnen uit de keuken. 'Het is buiten vrij zacht en er is een beschut plekje op de veranda. Wilt u daar soms ontbijten?'

Luke keek Jessica aan.

'Uitstekend,' zei Jessica met de gedachte dat het een geforceerd ontbijt zou worden waar ze ook zaten, maar omdat het nog bijna twee uur zou duren voor hun vliegtuig aankwam, moesten ze maar een hapje eten. 'Ik zal mijn sweater halen.'

'Dat doe ik,' zei Luke. 'Ligt hij op je kamer?'

'Op het bed.'

Terwijl hij weg was, ging Susan Jessica voor door de openslaande deuren naar een rond tafeltje op de veranda met een wit tafelkleed erop, waar heel dicht bij elkaar voor twee personen gedekt was. 'Ik veronderstelde al dat u hier zoudt willen ontbijten.'

Jessica slaakte een diepe zucht. 'Wat een bekoorlijk plekje!' De lange, brede veranda keek uit over een diep dal met welig hoog gras dat glinsterde in de vroege oktoberzon en daarachter de zacht glooiende helling van de Turtleback Mountain. De bomen hadden hun mooiste kleuren verloren en waren gedeeltelijk al kaal, maar andere pronkten nog met rode, brons- en goudkleurige bladeren die zich koppig aan de takken vastklemden, en op de dalbodem waren dezelfde kleuren te zien van egelantiers, duizendblad en struiken met felrode bessen. Links van de veranda glinsterde een vijver door dicht geboomte en een man achter een kruiwagen volgde een pad door een tra en ver-

dween in een ander bosje. 'Totaal verschillend van Lopez,' fluisterde Jessica. 'Wij hebben geen dalen. En geen bergen ook.'
'Orcas is verreweg het mooiste van alle eilanden,' zei Susan Fletcher. 'Ik hoop dat u tijd zult hebben om het te bekijken.'
Jessica glimlachte. Op elk eiland beroemden de bewoners zich erop het mooiste van allemaal te bewonen. Allemaal moeten we ons eigen plekje als het echte paradijs beschouwen, dacht ze. Zelfs als het een ballingsoord is. Ze schrok op van die gedachte en ze wist dat de verrassing nog op haar gezicht te lezen stond toen Luke door de openslaande deuren naar buiten kwam.
'Wat een prachtige omgeving,' zei hij en sloeg Jessica's sweater om haar schouders. Ze verwachtte dat hij zou vragen wat haar verrast had, maar hij deed het niet. 'Nog een ideale retraite.'
'Ik hoop dat u voor uw vertrek iets van ons eiland zult gaan bezichtigen,' zei Susan Fletcher.
'Ik hoop het. Ik denk dat we er nog tijd voor hebben. Het hangt ervan af wanneer het ontbijt klaar is.'
'Het is klaar.' Ze ging naar binnen en toen Luke en Jessica een ietsje van elkaar af waren gaan zitten, was ze terug met vruchtensap en koffie. 'De pannenkoeken komen eraan,' zei ze.
Luke dronk zijn vruchtensap op en nam het panorama in ogenschouw. Hij scheen tevreden de stilte te laten voortduren. Susan diende hun ontbijt op en vertrok na een vluchtige blik op hen en opnieuw heerste er volmaakte stilte. 'Er zouden vogels moeten zijn,' zei Luke en meteen hoorden ze er een, toen twee en daarna een derde.
'Perfecte timing,' zei Jessica en ze lachten allebei. Ze wachtte tot hij iets zou zeggen over de vorige avond, maar hij deed het niet.
'We kunnen een stukje van het eiland rondrijden,' zei hij na een paar minuten.
'Ik zou graag zo veel mogelijk zien als jij er iets voor voelt.'
'Ja, dat lijkt me leuk.'
'Ik heb gisteravond iets over de geschiedenis van de eilanden gelezen. Wist jij dat er op San Juan zoiets als een Varkensoorlog geweest is?'
'Ja, maar was dat niet een gewone ruzie over het doodschieten van iemands varken?'
'Zo was het. Een Amerikaanse boer schoot het varken van een Britse boer dood en het Britse bestuur van Canada, dat destijds de San Juan-eilanden opeiste, vaardigde een arrestatiebevel tegen hem uit. Amerikaanse troepen arriveerden om de uitvoering ervan te beletten. Zij kampeerden op het ene eind van het eiland en de Britse troepen op het andere eind, maar er werd geen schot gelost.'

'Behalve op het varken.'

Hij grinnikte. 'En het duurde dertien jaar voor de kwestie opgelost was.'

'Dertien jaar?'

'Soms hebben mensen lang nodig om zich te bedenken.'

Jessica wierp een snelle blik op hem, maar hij scheen in beslag genomen te worden door het snijden van een schijf ananas. 'Was er een winnaar?'

'Niet in de traditionele betekenis. Er werd een verdrag gesloten waarbij de San Juan-eilanden aan de Verenigde Staten toevielen, maar ik weet niet of het de Britten veel kon schelen.'

'Volwassen mannen die zich als kwajongens gedragen,' zei Jessica. 'Met vuurwapens binnenvallen. Had de grens niet zonder legers vastgesteld kunnen worden?'

'Misschien wel. Als we de klok terug konden zetten en het zo spelen, zouden we het weten.'

'Het zou een goed toneelstuk kunnen worden. Misschien waren er zelfs drie scenario's.'

'Net als gezichtspunten in *Rashomon*. Maar het heeft mogelijkheden, weet je. Misschien probeer ik het nog eens.'

'Om het te schrijven?'

'Ja.'

'Maar... ben je toneelschrijver?'

'Hoofdzakelijk als hobby. Ik heb er de afgelopen zes jaar twee geschreven. Ik heb er de tijd niet voor, maar ik vind dat het veel voldoening schenkt.'

'Maar heb je niet geprobeerd ze te produceren?'

'Zelf zou ik het niet willen doen en ik heb ze niemand laten lezen. Maar ik zou wel graag jouw mening horen.'

'Ik heb niet de vakkennis om te bepalen wat een goed toneelstuk is.'

'Volgens mij heb je die wel. Niemand kan beter beoordelen wat karakters tot leven brengt en of ze zich lenen voor de interpretaties van goede acteurs.'

Weer voelde Jessica zich in zijn leven getrokken, weg van Lopez. Maar hij zal intussen weten dat er niets van kan komen. Na gisteravond is er voor hem geen reden om nog een dag te blijven.

'Ik heb ze toevallig bij me. Ik heb ze overgelezen op die rustige middagen op je terras. Ze zijn geloof ik niet slecht. Maar natuurlijk liggen ze mij nogal na aan het hart.'

Ze glimlachte afwezig. De waarheid was dat zij ze graag wilde lezen. Daardoor zou ze hem op een andere manier leren kennen. En of het nu logisch was of niet, ze wilde het. 'Kun je ze hier achterlaten als je teruggaat naar New York? Ik stuur ze dan weer gauw terug.'

'Natuurlijk,' zei hij zonder aarzeling en even voelde ze zich lichtelijk teleurgesteld. 'Maar je zou ze vandaag en vanavond kunnen lezen als je zin hebt. Het ziet ernaaruit dat ik nog hier zal zijn; het vliegtuig is volgeboekt en er is pas plaats op de eerste vlucht van morgenochtend. Ik heb te lang van jouw gastvrijheid gebruik gemaakt, maar er zullen op Lopez kamers genoeg te krijgen zijn. Oktober is niet bepaald een hoogseizoen.'

'Daar komt niets van in. Het zou voor jou absurd zijn om weer te verhuizen.'

'Bedankt, dat maakt het veel eenvoudiger,' zei hij luchtig.

Jessica keek uit over het dal naar de Turtleback Mountain. Zij en Luke wisten allebei dat er een regelmatige veerdienst was van Lopez naar het vasteland en er zouden huurauto's beschikbaar zijn voor de rit naar Seattle. Waarom praatten ze daar niet over?

Susan Fletcher haalde hun borden weg en vroeg of zij nog iets anders wilden. 'Nee, alles was uitstekend,' zei Luke. 'Over een paar minuten gaan we weg. Kunt u een goede rondrit aanbevelen? We hebben ongeveer een half uur tijd.'

'Ik zal een kaart halen.'

Het moment van praten over de veerpont was voorbij. Luke en Susan bogen zich over de kaart en markeerden wegen met een pen en voor de rondrit over het eiland waren er winkels en huizen en gerestaureerde openbare gebouwen te bespreken. Het vliegtuig stond te wachten toen ze op de luchthaven aankwamen. Luke en de piloot praatten samen op de vlucht terug, maar Jessica zei niets. Haar auto stond bij de landingsstrip op Lopez geparkeerd en ze reden naar haar huis. Samen naar huis na een uitstapje, dacht Jessica. Wat klinkt dat huiselijk. Wat een knus gevoel is dat.

'Ik zou graag nog een keer samen gaan paardrijden,' zei Luke. 'Kan dat?'

'Ja, een heel goed idee.'

Ze zadelden de paarden en reden twee uur, zo ver het over de paden kon. Het was als een afscheidsrit met de daarmee gepaard gaande droefheid. Als bij wijze van bevestiging werd de lucht wazig en daarna donkergrijs van een opkomende dichte mist uit zee met nog maar een paar meter zicht. Jessica liet haar paard stapvoets gaan en vlak achter haar zei Luke: 'Stortregen toen ik aankwam en mist bij mijn vertrek. Maar wat een heerlijk zonnige week daar tussenin.'

Het huis was ingesponnen als een verpoppende rups, de ramen waren grauw van de mist en de kamers donker. De hond sprong uitgelaten om hen heen toen Luke lampen aandraaide, met vertrouwd gemak van de ene naar de andere liep en kleine bundeltjes licht creëerde die de somberheid verdreven. Hij bracht Jessica's koffer naar haar slaapkamer en streek met zijn hand over zijn kletsnatte haren van de mist. 'Ik geloof dat we ons moeten afdrogen.'

Jessica keek uit het raam van de zitkamer. 'Ja.'

Aan de overkant van de kamer vroeg hij: 'Wat zie je?'

'Mist.'

'En vind je dat interessant?'

Ze gaf geen antwoord. Luke liep naar haar toe en legde zijn handen op haar schouders. Haar spieren spanden zich, maar ze bewoog zich niet. Hij streek over haar haar zoals hij over het zijne gedaan had. Het was doornat en plakte aan haar schedel en ze voelde dat zijn vingers de omtrek van haar voorhoofd volgden tot haar hals. 'Wil je me soms niet aankijken?'

Allebei kenden ze het antwoord. Hij had lampen aangedraaid toen zij haar rijpet afzette en zich abrupt afgewend had. Ze wist hoe ze er uitzag: mager, grijs, gekweld. Als een natte muis.

Luke draaide haar om in zijn armen. 'Het doet er niet toe. Begrijp je het niet? Ik hou van je. Wat heeft het er dan mee te maken hoe jij eruitziet?'

Jessica keek hem in de ogen. Ze zag er geen weerzin in, geen veinzerij, geen onzekerheid. Alsof er een dam doorgebroken was, stroomde warmte door haar heen en haar lichaam vormde zich naar dat van Luke toen ze hem omhelsde. Warm, buigzaam, opeens vrij, kwam ze hem tegemoet met evenveel hartstocht als de zijne, een hartstocht waarvan ze gedacht had die nooit meer te zullen kennen.

Maar in werkelijkheid had ze deze hartstocht nooit gekend. Wat ze voor Luke voelde, was nieuw voor haar en allesomvattend. Zonder het toneel om beslag op haar te leggen stelde ze zich voor hem open en voor de persoonlijkheid die ze geprobeerd had uit te bannen, met een intensiteit die haar met opengespalkte ogen deed terugdeinzen.

'Het is in orde,' mompelde Luke.'Ik kan het aan als jij het kunt.'

Ze schoot in de lach. 'Ik zal het proberen.'

'Het vereist ervaring. Jaren en jaren...'

Ze kuste hem. Over de toekomst praten zou alles kapot maken.

'Jessica,' zei Luke, 'als jij het niet wilt.'

'Ja,' zei ze. 'Ja, ja, ik wil het.'

Een korte zucht ontsnapte aan zijn mond en ze wist dat hij zelfs nu nog bang geweest was dat ze hem zou afstoten. Nu niet, dacht ze. Vandaag niet. Stijf gearmd liepen ze naar haar slaapkamer. Haar been

231

sleepte zonder haar stok en even probeerde ze zich in te houden. Sinds het ongeluk had geen enkele man haar lichaam gezien en niet een had haar bed gedeeld. Maar Luke ondersteunde haar bij het lopen en ze verlangde naar hem – *O, ik verlang naar hem, ik bemin hem en wat er daarna ook gebeurt, ik verlang er nú naar; laat het alsjeblieft fijn zijn, laat hij mij beminnen zonder bijgedachten* – en dus liet ze zich gedeeltelijk door hem ondersteunen tot ze naast haar bed stonden.

Mist verduisterde de ramen en deed de kamer een spelonk lijken toen ze elkaar uitkleedden en hun natte kleren op de vloer lieten vallen. Jessica rilde; haar huid was vochtig en koud. Ze sloeg het dekbed terug toen Luke de lamp aandraaide en toen ze op het gladde laken lagen, trok hij het dekbed over hen heen. Ze bleven stil in elkaars armen liggen tot Jessica's rillingen afnamen en toen ze warm begonnen te worden, begonnen hun lichamen naar elkaar toe te schuiven, welving tegen welving en bot dat zich in bot nestelde als stukjes van een legpuzzel die precies in elkaar pasten. Alles gebeurde zo moeiteloos – Lukes mond op haar borst, haar hand die met lange, onderzoekende strelingen over zijn lichaam streek, zijn lichaam op het hare, het hare dat zich opende om hem te ontvangen – dat zij in elkaar vloeiden alsof zij geluid geworden waren en zich verstrengelden tot één zuivere noot.

Jessica's lichaam kwam tot leven. Het was zó lang zowel gevangenis als gevangene geweest dat de plotselinge stroom van warmte en stimulering de boeien verbrak die zij gesmeed had en ze voelde haar geest zich verheffen. Ze voelde de blijdschap van onbelemmerde vrijheid, van binnenhalen in plaats van wegduwen, en voor het eerst sinds jaren wist ze dat het blijdschap was die ze voelde: iets anders, zoals liefde, waarvan ze gedacht had dat zij die nooit meer deelachtig zou worden. En dus liet ze alles varen: de angsten en uitbarstingen van woede van de afgelopen jaren, de strenge controle waarmee ze haar verlangens onderdrukt had, het in zichzelf gekeerde, afgesloten leven van de kluizenares. Ze liet alles los.

Nu, met deze man, was ze open voor alles. En toen ze omlaagkeek naar haar lichaam onder het zijne, was het bekoorlijk.

'Mijn God, je bent heerlijk,' fluisterde Luke toen hij zich met haar verenigde en voelde dat zij hem dieper in zich trok en hem nog vollediger een deel van haar maakte. Aanvankelijk was hij bang geweest haar te stevig vast te houden; haar botten schenen zo broos en haar lichaam zo tenger en bleek. Maar hij ontdekte hoe sterk ze was, hoe vurig haar passie, en bij alles wat hij voelde – zijn liefde voor haar, zijn genot van haar, de opluchting dat zij hem spontaan tegemoet gekomen was –

voelde hij diep medelijden met de diepte van haar behoefte. Ze had te veel eenzame maanden doorleefd en haar angsten schenen bevestigd te hebben dat het altijd zo blijven zou. Maar dat zal niet gebeuren, dacht Luke. Ze zal nooit meer eenzaam zijn. En toen sloeg ze haar armen om zijn schouders terwijl haar heupen zich met kracht ophieven om hem te bevredigen, en zijn gedachten losten op in haar heerlijke sensualiteit met een uitstraling die elk gevoel zo levendig, elke respons zo intens maakte dat het was alsof alles nieuw was, alsof ze de geslachtsgemeenschap nu voor het eerst ontdekten en alles wat dat betekenen kon.

Die hele, lange, grauwe middag lagen ze bij elkaar. Hope lag als een waakhond bij de deur en het lamplicht hulde het bed in een gouden gloed. Ze bedreven de liefde met hun mond en hun handen, met dolle uitbarstingen van hartstocht waar ze verbijsterd en buiten adem van raakten, en met lome bewegingen die hen langzaam tot een hoogtepunt brachten dat zij uitrekten tot ze zich niet langer konden inhouden en zich verenigden in een roes van blijdschap en vervoering die zich weerspiegelde in de bewondering in hun ogen. Hun lichamen wikkelden zich om elkaar als ranken die zich naar elkaar toe buigen en zich verstrengelen in zonlicht en regen tot zij geheel versmelten. Ze verloren het gevoel voor tijd en ruimte; ze waren zo intiem dat ze gelijktijdig ademden, en wat de een verlangde voelde de ander aan, zo instinctief dat het leek of het altijd zo geweest was.

'Het lijkt niet mogelijk,' zei Luke in de loop van de middag. Hij leunde op zijn ene elleboog en streelde Jessica's gezicht. 'Mijn hele leven heb ik naar je uitgekeken en je was er altijd, dicht bij Constance en daarom dicht bij mij. Waarom heeft zij me niet over jou verteld? Over je brieven?'

'Dat heb je nog niet eerder gevraagd,' mompelde Jessica dromerig. Ze was apathisch en tevreden; ze verlangde niets meer dan dit moment, deze middag en deze man.

'Ik heb erover nagedacht, maar vermoedelijk heb ik het meer als een van haar kleine buitenissigheden beschouwd. Maar ik zie daar eigenlijk de logica niet van in. Jij wel?'

'Zij vond het logisch.'

Lukes hand hield op zich te bewegen. 'Weet jij waarom ze het me niet vertelde?'

'We hebben het er eens over gehad toen ik in Italië was.' Ze keek naar hem op.

'Kijk niet zo dreigend, Luke. Dan lijk je wel een middeleeuwse monnik.'

'Kun je na deze middag een monnik in mij zien?'

233

Ze lachte lang en vrolijk. 'Nee, hoe zou ik dat kunnen? Goed, dan zie je eruit als een samenzweerder uit de Renaissance.'

'Veel beter en kleurrijker. Waarom praatte Constance niet met mij over jou?'

'Omdat ze ons verenigd wilde zien. Getrouwd.'

Luke staarde haar aan. 'Als je dat voor twee mensen op het oog hebt, praat je er met hen over.'

'Niet als je al geprobeerd hebt je kleinzoon ervan te weerhouden met een vrouw te trouwen en hij je gezegd heeft dat je geen expert bent op het gebied van het huwelijk en niets afweet van de feiten.'

Hij fronste zijn voorhoofd, maar trok het snel weer glad. 'Jij weet te veel over mij.'

'Dat moet jij nodig zeggen.'

'Nou ja, dat is waar. Maar, lieve hemel, Constance en ik hadden dat gesprek heel lang geleden.'

'Ja, maar er schijnen anderen geweest te zijn en elke keer vertelde je haar, niet al te beleefd, dat jij je eigen vrouwen wel zou zoeken. En herinner jij je die keer na je scheiding, dat je tegen Constance gezegd hebt dat je waarschijnlijk boos op haar was omdat zij niet getrouwd was en jou geen vader gegeven had? Na dat alles was ze er zeker van dat als ze mij naar voren schoof als kandidate voor een huwelijk, je er niet eens over zou willen nadenken. Dan zou je haar opnieuw gezegd hebben dat het niet op haar weg lag om advies te geven en dat jij zelf wel op zoek zou gaan.'

Luke zweeg. 'Waarschijnlijk had ze gelijk,' zei hij eindelijk. 'Ik gaf haar niet zo vaak een grote mond als ik anderen deed, maar af en toe keerde ik me tegen haar en zei haar me met rust te laten. Een keer, of misschien meer dan eens, noemde ze me onbuigzaam. Anderen zeiden dat ik koud was. Dat zei jij ook van mij toen we kennis maakten op een van je premièreparty's. En je had gelijk.'

'Ben je veranderd?'

'Ik denk van wel. Ik hoop het.'

'Waardoor?'

'Gedeeltelijk door je brieven. Daardoor leerde ik mezelf door jouw ogen bekijken. En door Constances ziekte en haar verhuizing naar Italië. Het begon tot me door te dringen dat zij ooit zou sterven – het is verbazingwekkend hoe wij dat feit negeren tot we erdoor overvallen worden – en dat ik alleen zou zijn. Ik hield van niemand anders dan van haar.' Hij zweeg even. 'Maar als ze werkelijk wilde dat wij een paar zouden worden, had ze met mij over jou moeten praten. Weet je zeker dat zij dat wilde?'

'Wil je me het kistje met haar brieven even brengen?'
Luke liep naar de zitkamer en haalde het. Jessica richtte zich op, pakte een zijden housecoat die naast het bed hing en sloeg die om haar schouders tegen de kou in de kamer. Ze pakte het kistje en streek met haar vingers over de opgevouwen brieven die erin geperst zaten. Het kistje, in- en uitwendig identiek aan dat in zijn bibliotheek thuis, gaf Luke een plotseling gevoel van ontwrichting, alsof hij op beide plaatsen tegelijk was. En op grond daarvan wist hij met absolute zekerheid hoe onverenigbaar Lopez en New York waren en dat Jessica er niet gauw in zou toestemmen met hem mee terug te gaan. 'Jessica, ik wil praten over...'
'Hier,' zei ze. Ze vouwde een brief open en gaf die aan Luke.

*Beste Jessica, dit wordt een korte brief, want ik heb maar heel weinig energie. Ik heb overwogen mijn brieven aan jou te dicteren, en misschien komt dat ook nog, maar nu nog niet. Ik denk graag dat ik de dramatische veranderingen kan tegenhouden die allemaal naar de dood wijzen. Luke is zojuist vertrokken; het was een heerlijk bezoek. Hij is eenzaam en meestentijds ook boos, maar ik kan hem niet naar het geluk leiden... of zelfs maar veronderstellen dat ik hem de weg erheen kan wijzen. Ik denk dat hij gelukkig zou zijn met jou en jij met hem, maar ik wil hem niet op jou wijzen met een van die razend makende duwtjes die moeders in Victoriaanse romans hun dochters en zoons altijd gaven. Ik laat het aan jou over, lieve Jessica. Probeer alsjeblieft een weg naar hem te vinden; geef mijn scenario een kans. Als het lukt, moeten jullie allebei een toast uitbrengen op mijn nagedachtenis en mijn voorwetenschap. Zo niet, dan heb je niet meer verloren dan de tijd die het kost om een paar maal uit eten te gaan. O, mijn liefste Jessica, je bent al zo lang mijn kind en mijn beste vriendin; ik zit 's avonds in mijn bibliotheek en stel me jou en Luke hand in hand voor en dat schenkt me grote vreugde. Ik ben verdikkeme helemaal niet bereid om te sterven. Ik zou jullie dolgraag samen zien, maar dit is een rol die ik niet kan manipuleren of verhaasten. Ik heb je brieven niet vernietigd zoals je me ooit gevraagd hebt te doen, want ik ben er zeker van dat Luke – mijn heerlijke, speurende Luke – ze zal lezen en misschien degene zal zijn die jou vindt. Allerliefste Jessica, pas goed op jezelf en strik mijn kleinzoon. Hij heeft jou nodig en ik geloof jij hem. En van heel ver weg zal ik jullie mijn zegen geven.
Ik hou van je,
Constance*

235

Jessica huilde. 'Dat was de allerlaatste brief die ik van haar ontvangen heb.' Ze raakte de tranen op Lukes wangen aan. 'Ik heb haar in de steek gelaten, weet je, en dat kan ik niet vergeten. Ze schreef me en vroeg me naar haar toe te komen. Ze zei dat ze mij miste en dacht dat ik haar miste – wat had ze het bij het juiste eind! – en dat we bij elkaar moesten zijn. Ze smeekte me te komen, maar ik deed het niet. Ik kon haar niet laten zien wat er met mij gebeurd was, helemaal niet na al die brieven die ik geschreven had... al die fantasieën.'

'Ze zou het net zo min erg gevonden hebben als ik.'

'Ze zou gepiekerd hebben over mij, getobd over wat ik doen zou. Ze zou mensen hebben willen opbellen, brieven schrijven en mensen opporren om aardig voor me te zijn. Daar kon ik niet tegen.'

'Maar ze wilde samen zijn met jou en ze was stervende.'

'Dat weet ik,' zei ze bijna onhoorbaar. 'Ik had moeten gaan. Ik dacht er steeds over het te doen... de een of andere dag. Maar toen las ik dat ze gestorven was en ik kon aan niets anders denken dan dat ik bij haar had moeten zijn; ik zou misschien zelfs bij haar geweest zijn toen ze stierf. Ik kan maar niet ophouden daaraan te denken.'

'En je bent ook niet gekomen om mij te strikken.'

Ze glimlachte flauwtjes. 'Daar was het te laat voor.'

Luke trok haar naar zich toe. Hij schoof de housecoat van haar schouders, nam haar in zijn armen en kuste haar. Gelijktijdig gingen hun monden open en raakten hun tongen elkaar aan en op de een of andere manier werden alle onuitgesproken woorden die hen achtervolgd hadden – tussen Luke en Constance en tussen Constance en Jessica – tot rust gebracht terwijl zij elkaar omarmden en in elkaar opgingen. 'Alsof ze ons gadeslaat,' fluisterde Luke, 'en een manier vindt om er eer voor op te strijken.'

Jessica glimlachte. 'Maar ze zou gelijk krijgen. Ze liet mijn brieven voor jou achter en jij deed precies wat zij dacht dat je doen zou. De speurende Luke.'

'Maar goed ook,' zei hij en trok haar omlaag zodat ze naast elkaar elkaar lagen aan te kijken, en toen kreeg het verlangen de overhand en verenigden zij zich met hernieuwde vurigheid en verlangen alsof ze nu geloofden dat het zo bedoeld was en dat alle verloren jaren ingehaald konden worden.

Luke nam Jessica's borst in zijn mond en zijn handen zochten de erogene plekken van haar lichaam die schenen te smelten onder zijn vingers en toen haar ademhaling versnelde, gleed ze omlaag en nam zijn penis in haar mond. Ze hoorde hem hijgen van wellust en genietend van wat ze voor hem betekenen kon, keek ze glimlachend naar hem op. Even later bewoog hij zich alsof hij op haar wilde komen liggen, maar ze schudde haar hoofd. 'Mijn beurt.' Ze ging op hem liggen, omvatte hem met haar dijen en duwde hem in haar met langzame bewegingen, daarna sneller en toen heel langzaam terwijl zij elkaar in de ogen keken en allebei glimlachten. Ze voelde de seksuele kracht die zij aan elkaar onttrokken en ook een nieuw soort verrukking dat zij ook dit gevonden hadden: het schenken en uitwisselen van genot dat niet voortkwam uit hebzucht, maar uit liefde.

'Ik hou van je,' zei Luke toen ze weer zij aan zij lagen. De avond was gevallen en de donkere ramen weerkaatsten hun verlichte bed. 'Je bent alles waarop ik verliefd werd en nog veel meer. Onvoorstelbaar veel meer.'

Jessica schudde haar hoofd. 'Je werd verliefd op iemand uit je verbeelding. Je kende me niet uit mijn brieven.'

'Ik kende een stem en een intellect. Ik miste alleen de rest van jou.'

Ze glimlachte. 'En dat was heel wat. Zelfs nu...'

'Ik weet het. Maar we hebben nog jaren om de hiaten op te vullen. Een heel leven.'

Jessica werd heel stil. 'Je hebt het over New York.'

'Nu niet,' zei hij haastig. 'Daar moeten we over praten, dat weet je, maar vanavond niet. Deze avond scheuren we weg uit de tijd, weg uit de klok en weg uit de kalender. Deze avond staat op zichzelf en niemand kan hem aanraken.'

'Wat een mooi sprookje,' zei Jessica zacht, maar ze probeerde niet hem tegen te spreken. Even later trok ze haar housecoat weer aan en vond in haar klerenkast een zijden kimono die bijna groot genoeg was voor Luke. Ze gingen naar de keuken waar ze met een in de afgelopen dagen verkregen harmonie een maaltijd klaarmaakten van uit Orcas meegebrachte verse vis en aardappelen en peulen uit Jessica's tuin. Onder het eten praatten ze over Orcas. 'Ik zou Mount Constitution wel eens willen beklimmen,' zei Luke. Jessica reageerde daar niet op, want zij zou die berg nooit kunnen beklimmen en het was een verwijzing naar alles wat zij nooit samen zouden doen. Zichzelf inwendig verwensend veranderde Luke van onderwerp en ze praatten over Robert en Chris in de Inn at Swifts Bay, waarbij Jessica de paar verhalen vertelde die zij kende over mensen op het eiland. Ze hadden al heel wat gezamenlijke belevenissen, het soort dat de basis kon worden van een relatie, maar Jessica wist dat het geen basis was die zij legden, maar een verzameling herinneringen die zij ophaalden.

'Ik wil morgen nog niet weg,' zei Luke. 'Kunnen we hier nog één dag samen zijn? We hebben nog zoveel om over te praten.'

'Ja.' Nog meer herinneringen. Ze wilde er zoveel hebben als ze maar krijgen kon.

Die nacht sliepen ze in Jessica's bed. Hope, die stond te wachten om Luke naar de studio te brengen, begreep er niets van en liep door het huis in hoeken en gaten te snuffelen als om zich ervan te overtuigen dat er verder niets veranderd was.

'Zij wil alles graag in orde hebben,' zei Luke grinnikend.

'Net als wij. Het verbaast me niet dat ze in de war is; ze heeft in een week meer veranderingen meegemaakt dan in de afgelopen twee jaar.' Luke draaide het licht uit en toen Jessica zich in zijn armen nestelde, drukte hij haar tegen zich aan en kuste haar. 'Soms gedijen we van verandering,' zei hij.

De volgende morgen was het eiland nog in dichte mist gehuld, maar ze wilden buiten zijn en zoveel mogelijk vasthouden aan hun dagindeling en dus gingen ze toch uit rijden, een kort ritje over de velden en door het bos dicht bij de stal, twee spookgestalten in een onwezenlijke schemering die de bomen verdoezelde en de oceaan, de kliffen en de hemel onzichtbaar maakte. Bij hun thuiskomst konden ze niet op het terras ontbijten en dus dekten ze binnen en keken weer naar egaal grauwe vensters die maakten dat het huis wel in watten gehuld leek.

'We zijn net schipbreukelingen,' zei Jessica en haar stem leek gedempt. 'Geen horizon, geen bakens, niets om ons aan de rest van de wereld te kluisteren.' Glimlachend keek ze Luke aan. 'We zouden kunnen zweven in de ruimte of ronddrijven op de oceaan of op de zeebodem zitten; we hebben geen houvast en zelfs geen aanwijzing. Wat een vreemd gevoel.'

Luke vulde hun koffiekopjes. 'Ik mag het wel. Afgesneden van iedereen behalve jou, met de hele dag voor ons en geen andere plannen dan de onze.' Met zijn kopje in de hand leunde hij achterover. 'Ik zou graag willen dat je de scripts leest die ik meegebracht heb. Zou je dat vandaag kunnen doen in plaats van dat ik ze bij jou achterlaat?'

'Ja, dat wil ik graag doen.'

'Als je er niet doorheen komt, zou ik...'

'Ik ben een snelle lezer en ik heb tijd zat.'

Luke haalde twee gebonden mappen uit zijn koffer. 'Ik heb nog een paar brieven te schrijven, ga je hier zitten of in je atelier?'

'In mijn atelier.'

Opnieuw brachten zij de dag niet in elkaars gezelschap door, Jessica met opgetrokken knieën op de bank in het atelier, Luke schrijvend aan de glazen tafel in de zitkamer. Het kostte hem moeite zich te concentreren. Om de paar minuten keek hij op, staarde naar buiten in de mist en vroeg zich af wat zij van zijn werk dacht. Hij had haar willen zeggen dat het pas ruwe concepten waren die nog bijgeschaafd moesten worden met uitwerking van de details en een betere ontwikkeling van bepaalde karakters... maar die excuses had hij zo vaak van zo veel toneelschrijvers gehoord dat hij er zelf niet bij Jessica mee kon aankomen. Het zou er trouwens niet toe doen, dacht hij: ze zal precies zeggen wat ze ervan vindt. Ze is het type niet om haar mening op te smukken om hem makkelijker verteerbaar te maken.

Was dat wel zo? Het was iets dat hij gezegd zou hebben om Constance te beschrijven en geweten hebben dat hij gelijk had. Maar wist hij dat ook van Jessica. Eerlijk gezegd niet, en dat was nog maar een van de duizenden dingen die hij niet van haar wist.

Maar wat hij wel wist was dat er twee dingen niet gebeurd waren in de dagen die zij samen doorgebracht hadden. Haar telefoon had geen enkele maal gerinkeld, hetgeen voor hem het bewijs was van een zo volledige en wrede afzondering dat hij zich die niet kon voorstellen zonder diep medelijden met haar te hebben en te zweren dat hij alles zou doen wat hij kon om haar daarvan te verlossen.

En ze had niet gezegd dat ze hem beminde.

Natuurlijk scheen ze ook niet genegen haar eiland te verlaten, haar afzondering en haar heel besloten leven. Maar daar zouden ze het nog over hebben. Later, als ze zijn scripts gelezen had en nadat hij haar (al wist ze nog niet dat hij het van plan was) de eerste twee akten van Kents nieuwe stuk had laten lezen met een hoofdrol waarvan hij hoopte dat zij die onweerstaanbaar zou vinden.

Om vijf uur deed hij alle lampen aan, legde vuur aan in de haard en zette muziek op. Met de vertrouwdheid die hij helemaal niet vreemd vond, ging hij vervolgens naar de keuken, vond twee soorten paté in de koelkast en een pain de campagne dat ze van Orcas meegebracht hadden. Hij schikte alles op een dienblad, bracht dat naar de koffietafel in de zitkamer, zette er een fles Cabernet Franc en twee glazen bij, bedacht dat hij servetten vergeten had, ging die halen en toen hij terugkeerde, botste hij bijna tegen Jessica op die langs hem heen keek naar de zitkamer.

'Wat ziet dat er knus uit,' zei ze. 'Martin mag wel oppassen, je neemt hem zijn werk uit handen.'

'In New York heb ik hier geen tijd voor en geen zin in. Het verbaast me dat jij je hem herinnert; ik heb het geloof ik niet meer over hem gehad sinds mijn eerste avond hier.'

'Nee, maar ik herinner me alles. Soms vind ik dat bijna hinderlijk.' Ze

ging op de bank zitten tegenover de open haard. 'Bedankt dat je dit gedaan hebt. Ik heb het gevoel bediend te worden.'
'Dat word je ook. Je verdient het.'
Jessica sloeg hem gade toen hij de fles ontkurkte en hun wijnglazen vol schonk. 'Ik heb genoten van je stukken. Je bent een heel goed toneelschrijver.'
'Dank je,' zei hij. 'Hoor ik iets van een ingehouden "maar"?'
'Ik vind dat er nog heel wat aan gedaan moet worden. Tekst bijslijpen, meer aandacht voor details, betere ontwikkeling van bepaalde karakters... Wat is er?' vroeg ze toen Luke begon te grinniken.
'Dat was precies wat ik je wilde vertellen dat er nog aan mankeerde, maar ik wilde niet de indruk wekken excuses te zoeken. En je ook niet vragen niet al te kritisch te zijn. Welke personen?'
'Speciaal twee. Salk en Justine worden bijna onzichtbaar juist als ze in het brandpunt dienen te staan. Het is alsof je bang was de confrontatie tot uitbarsting te laten komen die al twee akten dreigt, en dus laat je anderen erover vertellen in plaats van het te laten gebeuren.'
Hij knikte. 'Ik wist niet hoe ik het schrijven moest zonder hen boosaardig te doen lijken.'
'Zoals jij bent in veel van je eigen confrontaties?'
Kwaad keek hij haar aan. 'Hoe zou jij daar iets van kunnen weten?'
'O, Luke, je had een reputatie op dat gebied toen ik in New York was. Waarschijnlijk heb je die nog. Twee voorbeelden: je koos alleen knappe vrouwen om je tijd mee door te brengen en je was een gevaarlijke tegenstander, een boosaardige zelfs, als je gedwarsboomd werd. Wist je niet dat je die naam had? Constance wist het.'
Er viel een stilte. 'Waar moet verder nog iets aan gedaan worden?'
Ze bladerde een van de manuscripten door terwijl Luke haar gadesloeg. Hij was van streek door hun verandering van rol. Het grootste deel van de week was hij de doordrijvende bezoeker geweest uit een agressieve stad; de succesvolle toneelregisseur van Broadway die de leiding genomen had bij veel wat zij gedaan hadden. Nu was Jessica de gezaghebbende, die over zijn werk en zijn karakter sprak met een koele afstandelijkheid die haar ontmoedigend de rol van regisseur toebedeelde. Maar als het ontmoedigend was, was het ook intrigerend en hij voelde zich op nog weer een andere manier tot haar aangetrokken: nu niet meer medelijdend, maar met oprechte bewondering.
'Hier,' zei ze. 'Je dialogen worden op verscheidene plaatsen hoogdravend en dit is een goed voorbeeld.' Luke boog zich over de passage, maar Jessica las die hardop voor en zei toen: 'Hoor je het verschil? Een goede cast zal die zinnen veranderen en ze wat minder stijf ma-

ken, maar je moet doen wat je kunt om dat te voorkomen; het is jouw geesteskind en ieder woord behoort te klinken zoals jij het in je hoofd hebt.'

'Wat nog meer?'

'Er mankeert iets aan de plot van het tweede stuk. Sommige scènes lijken mij nogal onlogisch.'

Luke schoof erbij en ze bladerden het manuscript door, bespraken de haken en ogen en toevallige gebeurtenissen waardoor vrijwel iedereen in het verhaal in de knoei raakte. Hier en daar las Jessica een passage hardop voor en dan hield Luke zijn adem in vanwege de bijzonder knappe manier waarop ze in de huid van de medespeler kroop. Dat deed ze zonder na te denken of te overwegen of een poging om indruk te maken; zodra ze begon te lezen werd ze gewoonweg iemand anders, man of vrouw, oud of jong. Een groot actrice houdt nooit op een groot actrice te zijn, dacht Luke, zelfs als zijzelf denkt van wel.

En wat was het buitengewoon om zijn teksten tot leven te horen komen uit de mond van Jessica Fontaine!

'Dank je wel,' zei hij toen ze de laatste bladzijde omsloegen. 'Ik heb een eerste versie hiervan aan Constance voorgelegd, maar zij was te vriendelijk; misschien dacht ze dat ik haar zou zeggen dat zij net zo min een expert was op het gebied van toneelstukken als van het huwelijk.'

'Maar ze was wel een expert op toneelgebied.'

'Dat weet ik. Ik hoop dat ze niet bang voor me was.'

'Voor jou nooit. Voor je hardvochtigheid misschien.'

'Ben jij daar bang voor?'

'Ik heb er niets van gezien. Ik heb niets in jou gezien om bang voor te zijn.'

'Daar dank ik je voor, lieve schat. Vooral daarvoor.' Hij drukte haar tegen zich aan en toen ze haar armen om hen heen sloeg en ze elkaar kusten, gleden de scripts van haar schoot en vielen op de grond. Ze hadden er geen van beiden erg in. 'Ik heb de hele dag naar je verlangd,' fluisterde Luke, 'elke minuut van elk uur. Bijna was ik een dozijn keer naar de studio gelopen om je in mijn armen te nemen.'

'Maar je wilde mijn lezen van je toneelstukken niet onderbreken,' plaagde ze.

Hij lachte met zijn gezicht dicht tegen het hare. 'Dat is een punt voor jou.'

'Maar ik verlangde ook naar jou,' zei ze. 'Ik dacht aan jou daar in de zitkamer, zo vlakbij – ik verbeeldde me dat ik je zag schrijven en nadenken over een woord, of dagdromen – maar daarna dacht ik: o, hij denkt vast dat zijn stukken mij vervelen als ik naar hem toekom.

Maar ze verveelden me niet, ik vond het fijn ze te lezen, maar het meest verlangde ik ernaar met jou samen te zijn, naakt, met jou op me of in wat voor houding we...' Met haar hand tegen zijn achterhoofd trok ze zijn mond naar de hare.

En opnieuw vonden ze bij elkaar de hartstocht en de uitgelaten blijdschap van onbelemmerde stimulering en bevrediging. Samen lagen ze op de diepe, zachte bank met het spel van de vlammen op de muren dat hun huid een gouden glans gaf toen ze elkaar uitkleedden en elk deel van hun lichaam kusten en streelden of eraan zogen om elke beweging en elke houding vertrouwd te maken en volkomen de hunne, zodat zij telkens en telkens weer net als de vorige nacht het gevoel hadden altijd verenigd geweest te zijn.

Vol overgave bedreven ze de liefde en toen langzamer en bezadigder, en later, met dezelfde housecoats aan als eerder, maakten ze het eten klaar en namen hun borden mee naar de bank in de zitkamer waar Luke weer een fles wijn opentrok. Ze aten en dronken langzaam en op hun gemak, soms in behaaglijke stilte luisterend naar de muziek, soms zacht en ontspannen met elkaar pratend tot onder de koffie Luke ten slotte zei: 'Ik heb nog een scenario dat ik je wil laten lezen. Niet het hele stuk, alleen de eerste twee akten. Zou je dat willen doen?'

'Nog een stuk van jou?'

'Nee, een nieuw van Kent Horne.'

'De schrijver van *De Tovenares*.'

'Ja.'

'Waarom wil je dat ik het lees?'

'Om je mening te horen. Vooral over de hoofdrol.'

Ze wilde zeggen dat ze wist waar hij op afstuurde, maar ze deed het niet. Luke had haar zoveel over *De Tovenares* verteld dat ze benieuwd was naar Kent Horne, en het kon geen kwaad een deel van een nieuw stuk te lezen. Ze zou haar mening geven en het hem teruggeven en daarna zouden ze praten over zijn vertrek. Want natuurlijk moest hij vertrekken; ze had hem eerder op de dag telefonisch het vliegtuig voor de volgende dag horen bespreken.

Maar ik wil niet...

Ze brak de gedachte af. 'Natuurlijk zal ik het lezen,' zei ze op luchtige toon, 'hoewel ik over maar twee akten niet veel kan zeggen.'

Luke liep naar het atelier en kwam terug met een zelfde map als de zijne, maar veel dunner. Hij gaf die aan Jessica, ging toen bedrijvig het vuur opporren en de laatste koffie in hun kopjes schenken. Toen hij niets meer te doen had, kwam hij naast haar zitten en staarde afwachtend in de vlammen.

Hij hoorde dat ze de map dichtsloeg, maar ze zei niets. Hij draaide zich om. Haar ogen waren gesloten, maar er biggelden tranen over haar wangen die ze probeerde weg te vegen.

'Wat is er?' vroeg hij zacht, hoewel hij dat al wist en innerlijk leed om wat zij doormaakte. Maar daar wapende hij zich tegen. Ze zou met hem mee teruggaan naar New York. Dat had hij besloten. En hoewel hij wilde dat zij mee zou gaan omdat ze bij hem wilde zijn, was hij van plan zo nodig Kents stuk te gebruiken als aanvullende ammunitie. 'Wat is er?' vroeg hij nogmaals.

Ze opende haar ogen. 'Hij schrijft mooi. Het zal een geweldig stuk worden.' Ze stak hem de map toe.

Luke nam die niet van haar aan. 'En de hoofdpersoon? Felicia?'

'Sterk en spannend. Maar dat wist je al.' Ze legde de map op de koffietafel en even schaamde Luke zich dat hij dit spelletje met haar speelde, alsof hij haar had kunnen dwingen het script te behouden. 'Je zou me niet gevraagd hebben het stuk te lezen als het niet het soort rol geweest was waar toneelspelers hun hele leven naar uitkijken.' Ze keek in het vuur. 'Maar ik treed niet meer op, Luke, en dat wist je ook. Ik vertrouw mezelf niet meer als actrice – hemeltjelief, ik kan mezelf nauwelijks over het toneel slepen – ik heb er geen vertrouwen meer in dat mijn lichaam of mijn gezicht in mijn voordeel zullen werken; het publiek zal van me walgen als het mij ziet in plaats van te geloven in mijn vertolking. Is dat genoeg? Moet ik nog meer zeggen? Dit is de tweede keer dat je me dwingt al mijn argumenten op te sommen, alles wat mij weerhouden heeft als ik dacht aan een rentree. Denk je dat ik er niet over nagedacht heb? Maandenlang heb ik aan niets anders gedacht. Maar ik kan het niet. Wat je ook denkt of wilt denken, ik ben niet dezelfde die ik was.'

'Je houdt nog steeds van het toneel, nog steeds mis je New York en het theaterleven. Als je verder kon kijken dan je angst, zouden we een manier kunnen vinden om al het andere uit de weg te ruimen.'

Even keek ze op en ving zijn sombere blik op voor ze haar ogen weer afwendde. 'Ik ben bang. Daar ben ik eerlijk voor uitgekomen. Maar jij bent niet eerlijk tegen mij geweest. Je hebt al dagen lopen denken aan manieren om me terug te krijgen naar New York, maar je hebt er niet over gesproken.'

'Jij verbood het.'

Er viel een stilte. 'Je hebt gelijk. Ik heb je gezegd op te houden. Maar het zou er niet toe gedaan hebben, Luke. Ik ga niet terug. Hier is mijn huis en hier is waar ik blijf.'

'Na alles wat wij samen gevonden hebben.'

243

'Wát hebben wij gevonden? Hoe weet je of iets ervan reëel is? Ik zeg je: niets ervan is reëel. Neem ons maar. Twee mensen in absolute eenzaamheid, zonder stad of samenleving, zonder andere stemmen, interrupties of werkroosters of klokken. "We scheuren deze avond weg uit de tijd." Dat waren jouw woorden. "Weg uit de klok, weg uit de kalender en niemand kan hem aanraken." En ik zei je dat het een mooi sprookje was. Meer is het niet. Het mooist denkbare sprookje en het heeft niets gemeen met die wereld buiten waar jij morgen naar toe zult gaan en meteen in zult passen, in je eigen hoekje, je eigen machtige plekje. Je kunt een sprookje niet naar die wereld overbrengen, Luke, het zal tot stof vergaan.'

'Jíj zult vergaan. De wereld zal verder gaan, vlak langs je heen, maar jij zult hier blijven en uitdrogen en je uitstraling zal verbleken tot...'

'Er is geen uitstraling! Goeie genade, heeft een beetje seks je zo verblind?'

'Een beetje seks?'

'Het spijt me, sorry. Het was meer dan dat. Het was...'

'Het was liefde, verdomme, en je kunt niet beweren dat het iets minder was dan dat. Je hebt het nooit gezegd, maar je kunt niet net doen alsof het niet waar was.'

'Dat heb ik nooit gedaan. Ik heb alleen geprobeerd het niet te zeggen.'

Ze nam zijn hand in de hare, boog haar hoofd en legde haar wang op zijn handpalm. Met ogen vol tranen keek ze naar hem op. 'Ik hou van je, Luke. Ik hou van je met heel mijn hart en met alles wat ik ben. Ik hou van je en ik heb je nodig en deze week heeft me alles gegeven waarop ik ooit had durven hopen. Maar langer was het niet, lieveling, één week. Jij kunt jouw leven niet hier leven en ik het mijne niet in New York. Dat hebben we allebei van het begin af geweten. Wat we niet wisten, was hoe hard' – haar stem stokte – 'hoe hard het zou zijn om vaarwel te zeggen.'

'Zeg het dan niet. We hoeven het niet, begrijp je dat niet? Onze levens zijn veranderd; je kunt nu met mij meegaan. Mijn God, Jessica, geef ons een kans! Je hébt een uitstraling; ik zie het en anderen zullen het ook zien. Ik weet dat je dat niet gelooft; ik hoop dat je het ooit wel zult geloven. Maar ga wat nu betreft met mij mee. Zolang je maar wilt, hoef je niets over het toneel te beslissen, maar ga met me mee; trouw met me. Deze week was ons begin, dat laat ik jou niet weggooien.'

'Ik zal het nooit kunnen weggooien. Het bevat alle herinneringen die ik vast zal houden. Luke, je kunt dit niet laten gebeuren door het beslist te willen. Wat heb je gedaan, jezelf voorgehouden dat je beslist had dat ik met je mee zou gaan naar New York?' Ze zag zijn gezicht vertrekken. 'Dat heb je dus gedaan. Je besliste. O Luke, liefste Luke, ditmaal heb jij niet de touwtjes in handen. En je kunt niet regisseren wat er met ons zal gebeuren, al zul je het natuurlijk wel proberen. Maar wat denk je dat er gebeuren zal als ik met je meega? Wat verwacht je dat ik doen zal? Teruggaan naar het toneel? Dat zal ik nooit kunnen. Met jou leven en jou toneelstukken zien regisseren met andere actrices in rollen die ik graag zou spelen? Nooit, nooit en nog eens nooit.'

Ze keek naar zijn onbewogen gezicht. 'Ik zal je zeggen wat ik denk dat er zal gebeuren. Op de een of andere dag zal ik een telefoontje krijgen van een regisseur of producer met een honingzoete stem die me een rol aanbiedt. Hij zou er niet bij zeggen dat jij hem gevraagd had het te doen, maar ik zou het toch wel weten. Of misschien zou je het een van hen niet eens hoeven te vragen; je bent zo machtig dat enkelen van hen zelf op het idee zouden komen. En als ik de rol afwijs, zou ik terugkeren naar het leven dat ik voor mezelf opgebouwd heb in raden van bestuur en liefdadigheidscomités en vrijwilligerswerk doen in scholen en ziekenhuizen – al wat ik maar kan verzinnen om me nuttig en druk bezet te voelen, terwijl alles in mij ernaar snakt om te zijn waar jij bent, op de plaats...'

'Op de plaats ter wereld waar je het meest van houdt,' maakte hij de zin af.

Ze boog haar hoofd. 'Luke, ga terug naar New York. Dit sprookje heeft geen happy end. Ik wist het, maar ik liet het voortduren omdat ik je liefheb op een manier die ik nooit eerder gekend heb en die zo uitzonderlijk was dat ik dacht dat het zo goed zou zijn... Maar dat was het niet. Ik had ermee moeten kappen. Toe, Luke, ik wil hier geen afschuwelijke ruzie van maken. Ik wil je een afscheidskus geven en onthouden dat alles volmaakt en heel mooi was.'

'Je spreekt als een echte martelares.

Ze hield haar adem in. 'Een gevaarlijke en boosaardige tegenstander,' zei ze.

'Nee, daarmee ben je er niet vanaf. De waarheid mag dan boosaardig klinken, maar het blijft de waarheid. Jij wentelt je in je lijden en je hebt geen recht ons dat aan te doen.'

'Ho even, ho even. Daar is heel veel fout van. Het is niet de waarheid. Weet je wat je zojuist gedaan hebt? Je hebt bijna alles genegeerd wat ik geprobeerd heb je te vertellen. Me beschuldigen van wentelen, wat ik niet doe; ik bouw een leven op van wrakstukken waar ik elke dag en elke nacht mee te maken heb en niemand kan me vertellen hoe ik

245

dat doen moet, niemand! Ik heb het volste recht mijn eigen leven te leiden op de manier die ik wil, de manier waarop ik me op mijn gemak voel. En als dat onze verhouding aantast, kan ik er niets aan doen. Ik heb je niet gevraagd hier te komen of te blijven of mij te beminnen; je kwam eigener beweging in mijn leven en als jou grieft wat ik doe, is dat pech. Verdikkeme, Luke, nu heb ik dingen gezegd die we ons met pijn in het hart zullen herinneren en dat wilde ik niet. Toe, Luke, kunnen we nog één nacht samen zijn en dan als vrienden afscheid nemen? Alsjeblieft – daar vraag ik je om.'

Luke stond op en beende de zitkamer rond, door de eethoek naar de broeikas en het atelier en terug, en maakte dezelfde ronde toen nog eens alsof hij probeerde voor het laatst het huis als een geheel te zien. Hij keerde terug naar de bank en bleef naast Jessica staan. 'Laten we een cognacje nemen voor we zeggen dat het voor vandaag genoeg geweest is.'

Hij vertrok de volgende morgen vroeg. Ergens in de loop van de nacht had hij Angies taxidienst opgebeld en hij was weg voor Jessica wakker werd. Ze had niet geslapen tot het aanbreken van de dag, toen ze ingedommeld, wakker geworden en weer ingedommeld was en toen ze daarna haar hand uitstak, was de andere kant van het bed leeg. De mist was opgetrokken en een bleek zonnetje scheen door de kanten gordijnen. *Dus zal ik kunnen vluchten. Hij zal geen bed nodig hebben voor nog een nacht.* Maar zelfs als dat zo was, zou het haar bed niet zijn. Nooit meer.

Wezenloos, automatisch deed ze wat ze altijd deed: ze trok haar rijkostuum aan, reed naar de stal, pakte haar zadel en overwoog welk paard ze zou nemen. *Nee, dat niet, dat is Lukes paard.*

Ze begon de andere staldeur te openen en hield stil.

Ja, dat paard. Luke is weg.

Ze hoorde het gedreun van een vliegtuig en hinkte naar buiten om omhoog te kijken in de lucht, juist op tijd om het vliegtuig te zien stijgen en afzwenken naar Seattle. De piloot had laag over haar huis gevlogen en toen een bocht gemaakt naar het oosten en Lopez Island achter zich gelaten. Jessica voelde zich slap en leunde tegen de stal. Het was akelig stil. Er klonk geen stem van een andere ruiter in de koude morgenlucht en er zongen geen vogels. *Er zouden vogels moeten zijn.* Die waren er geweest en ze hadden samen gelachen. *Perfecte timing.*

Maar dat was het niet geweest, dacht ze. We hadden elkaar jaren geleden moeten vinden, toen ik nog recht van lijf en leden was. Dan zou

Constance bij ons geweest zijn, ze zou ons toegelachen hebben en met ons drieën zouden we een gezin geweest zijn.

Leunend tegen de stal huilde ze stille tranen. Ze hield haar hand boven haar ogen en probeerde ze in focus te brengen op het kleiner wordende wazige vliegtuig dat een klein stipje werd en toen verdween in zware wolken boven de Puget Sound. *Het zal gauw winter worden. Ik heb meer brandhout nodig.*

Ze reed de hele morgen en de volgende en de daaropvolgende. Zonder erbij na te denken werkte ze het overbekende rooster af. Paardrijden. Ontbijten. Werken. Eten. Lezen voor het haardvuur. Naar bed. Telkens en telkens weer. *Een ritme en een patroon die erg rustgevend zijn.* Nee, dacht ze. Niet rustgevend. Afstompend.

De vierde dag na Lukes vertrek rinkelde de telefoon en Jessica viel bijna in de haast om op te nemen. Maar het was haar uitgever Warren Bradley die wilde weten of de nieuwe illustraties al vorderden. Ze hadden er een verhaal aan toegevoegd, kon ze er een paar extra maken? Natuurlijk kon ze dat. Het was haar beroep.

'Apropos,' zei Bradley, 'ik wist niet dat Luke Cameron een bewonderaar van je was.'

Haar hart begon wild te kloppen. 'Hoezo?'

'Hij heeft al je boeken, wist je dat? Jessica? Ben je er nog?'

'Ja. Heeft hij het je verteld... heb je hem gesproken?'

'We waren onlangs op een diner en iemand zei dat ze *De Broeikas* gekocht had – je eerste voor ons, is het niet? – voor haar zesjarige dochtertje en Luke hield niet op te vertellen hoe betoverend je illustraties waren. Dromerig, zei hij, en natuurlijk was ik het met hem eens. Hij zei ook – en dat zul je wel leuk vinden – dat hij overweegt een paar ervan te bewerken voor het toneel. Voor volwassenen uiteraard. Hij zei dat hij met een andere schrijfster over hetzelfde onderwerp gesproken had en ze waren het erover eens dat haar boeken niet geschikt waren voor een toneelbewerking, maar hij dacht de jouwe wel. Wie weet? Ik zal hem nooit ontraden er een proef mee te nemen.' De lijn was even stil. 'Maar misschien weet je dit allemaal al. Is hij je ooit komen opzoeken? Een poosje geleden heeft hij ons hele kantoor op stelten gezet om achter je adres te komen. Ten slotte belde hij mij op en natuurlijk wilde ik hem niets vertellen, maar toen hij vroeg of je nog op Lopez woonde, was ik zo verbouwereerd dat ik me liet ontvallen dat je daar nog was.'

'Ik spreek niet veel mensen, Warren, dat weet je. Misschien zul je een volgende keer je verbouwereerdheid onder controle weten te houden.'

'Wat zullen we nou hebben? Hij wist het al, Jessica.'

'Sorry, ik had je niet zo moeten aanvallen. Jullie zijn geweldig geweest, allemaal. Ik moet nu weg. Stuur me het nieuwe verhaal maar; schuif je de inleverdatum op?'

'Een maand. Voel je je goed, Jessica?'

'Natuurlijk. Wil je me een schriftelijke bevestiging sturen van de nieuwe datum?'

'Die is al geschreven; over een paar dagen heb je hem. Pas op je gezondheid, Jessica, je klinkt me niet tiptop in de oren.'

'Ik maak het prima. Tot wederhoren, Warren.'

De volgende dag verstreek in stilte volgens de oude routine en de dag daarna ook. Maar de daarop volgende dag snakte ze zo naar een andere stem dat ze op haar ochtendrit afboog naar de Inn at Swifts Bay en Robert in de keuken aantrof.

'Was het een goed bezoek?' vroeg hij terloops.

'Ja. Vertel me eens over je gasten, Robert.'

'Dat zijn er op het ogenblik maar een stuk of wat, het is de stille tijd, hè?'

Maar hij merkte haar behoefte aan conversatie op en vertelde onderhoudend over het echtpaar dat nu in de Inn logeerde en vervolgde met verhalen over andere bezoekers uit de afgelopen maand. Onderwijl legde hij flensjes en wat fruit op een bord en zette dat voor haar neer op de keukentafel. 'Eet op. Je bent te mager.'

'Ik ben altijd mager.'

'Je bent magerder dan altijd.'

Ze glimlachte flauwtjes. 'Dank je wel, Robert. Je bent een ware vriend.'

Na de maaltijd reed ze langzaam huiswaarts. De akkers begonnen bruin te worden, de bomen waren kaal en de wolken ijlden door de lucht, zodat het leek of de wereld haar ontvluchtte. *De wereld zal verder gaan, vlak langs je heen, maar jij zult hier blijven en uitdrogen...*

Hou op! Dat was wat ze de laatste tijd deed: haar gedachten de kop indrukken om te voorkomen dat ze zouden terugkeren naar Luke.

Maar op deze dag, nu ze zwijgend door het grimmige bos reed over pas afgevallen bladeren, kon zij ze niet wegduwen. *Jij zult vergaan. De wereld zal verder gaan en jij zult uitdrogen...*

De wereld zal verder gaan.

Opeens wist ze dat ze het zover niet wilde laten komen. Haar beslistheid verraste haar en ze herhaalde het in zichzelf. Ik wil de wereld niet zonder mij verder laten gaan. Ik wil de wereld niet missen. Ik wil er deel van uitmaken.

248

Waarom? Waarom plotseling nu?

Maar het was echt niet zo plotseling. Een week lang had Luke de wereld in haar huis gebracht, ze hadden gepraat over alles wat zij gekend en waarvan zij gehouden had, bijna alsof ze er werkelijk deel van uitmaakte. En ze wist dat het gevoel van verlies dat haar bevangen had toen ze Lukes vliegtuig zag verdwijnen, niet alleen veroorzaakt werd door het feit dat hij weg was, maar dat de buitenwereld ook weg was. Maar dat was niet zo. Ze moest haar weg erheen terugvinden.

Maar wat kon ze doen?

Het voor de hand liggende. Ze was een illustrator van kinderboeken; ze kon daarheen gaan waar haar uitgever was en in het centrum van de uitgeverswereld komen. Maar dat was in New York.

Ga dan naar New York. Ga naar Luke. Hij wacht op je.

Ze schudde haar hoofd. Ze kon die argumenten niet opnieuw aanhoren. Maar wat was er anders?

Het theater.

Nee, onmogelijk. Ik heb Luke gezegd...

Jawel, maar de theaterwereld zonder Luke dan? Wat dacht je van het theater zonder Luke?

En wat daar te doen? Niet acteren, dat nooit meer. Maar misschien... zou ik agenten en producers kunnen helpen met het beoordelen en kiezen van stukken. Of ik zou assistent-regisseur kunnen worden, zoals ik met *Pygmalion* deed. Ze zeiden allemaal dat ik onschatbaar was bij het klaarmaken van dat stuk voor de première.

Dat zou ik kunnen doen, dacht ze. Ik zou assistent-regisseur kunnen worden in een kleine plaats en een klein theater. Het zou geen Broadway of Londen zijn, maar het zou de toneelwereld zijn en ik zou er deel van uitmaken.

Maar... een klein theater? In een kleine stad? Hoelang zou ik dat kunnen doen? Het zou erger zijn dan hier, want het zou zijn als een hapje van een feestmaal waar ik nooit als gast zou kunnen aanzitten en meegenieten.

Een groot theater dan. In een stad. En waarom zou ik assistente moeten zijn? Ik zou regisseur kunnen worden.

Waarom ook niet? Ik weet evenveel als de meeste regisseurs, misschien zelfs meer. Niet meer dan Luke, maar meer dan heel wat van hen. En ik heb al eerder aan de regie gedacht. Constance en ik hebben er veel over gepraat.

In New York of San Francisco of Los Angeles zou het niet kunnen zijn. Maar misschien... in Londen.

Nee, Londen en New York liggen praktisch naast elkaar. Allemaal pendelden we voortdurend heen en weer; we wisten allemaal wat zich in hun theaters afspeelde en waarschijnlijk ook in hun bed, en zij wisten het van de onze.

Dat kan ik dus niet doen.

Het aan zichzelf overgelaten paard had haar teruggebracht naar de stal. Ze steeg af en begon het met lange, regelmatige streken te roskammen. Het ritme kalmeerde haar en haar gedachten werden rustiger. Ik heb het hier best; ik weet wat ik doe en ik kom niet voor verrassingen te staan. Waarom zou ik hier dan weggaan? Dat is dus afgedaan, ik doe het niet.

Maar die nacht lag ze rusteloos in bed te woelen, zodat ze ten slotte maar opstond en toen ze in de zitkamer voor de koude haard zat, wist ze dat het niet afgedaan was. En hoe meer ze er in die lange nacht over nadacht, hoe meer Lukes woorden in haar hoofd nadreunden.

... je wentelend in je lijden.

Jij zult hier blijven en uitdrogen.

De wereld zal langs je heen gaan.

Die woorden wilden haar maar niet met rust laten; ze bleven haar bij tijdens de ochtendrit en terwijl ze aan tafel zat te ontbijten. Het is niet eerlijk, dacht ze.

Ik mankeerde niets tot hij me meer deed verlangen. Ik was tevreden. Nu snak ik zo naar de wereld waarheen hij teruggekeerd is; ik kan het niet uitstaan dat anderen er deel van uitmaken en ik niet, en dat het aan me voorbijgaat. Ja, hij had gelijk, dat is precies wat er gebeurt: langs me heen gaan... o God, ik wil het terug en ik weet niet hoe ik dat bereiken moet.

Ga weg van hier. Ze hoorde de stem van Constance. *Je moet die wereld de rug niet toekeren, het is je voedingsbodem, je leven, je wezen.*

Dat weet ik! dacht ze nijdig. Maar ik ga niet naar New York of Londen, dus wat heeft het voor zin om...

Australië dan.

Ze sprong op van tafel. Australië. Daar heb ik helemaal niet aan gedacht.

Haar hoofd tolde terwijl ze de tafel afruimde. Zij en Constance waren allebei in Sydney geweest; het publiek daar had hen toegejuicht. En wat kon verder weg zijn van de plaatsen waar zij bekend was?

Maar... zo ver weg. Met niets of niemand om haar toevlucht toe te nemen als...

Maar was dat niet precies wat ze wilde? Niets vertrouwds en niemand die haar kende. Een nieuwe plek om opnieuw te beginnen. Ze herinnerde zich de verpleegster die zo goed voor haar geweest was toen ze hulpbehoevend was, een jonge vrouw uit Sydney die de brieven aan Constance geschreven had die zij dicteerde. Een lieve jonge vrouw, warmhartig en bemoedigend, pretentieloos en vriendelijk. *Misschien zijn ze daar allemaal zo. Toen wij er waren, vonden Constance en ik iedereen erg aardig. Misschien zullen ze me het gevoel geven thuis te zijn en mij de kans geven mijn eigen weg te vinden.*

Sydney. Een bruisende stad, Engelssprekend, met een beroemde opera, een symfonieorkest en tal van theaters. En Melbourne met *zijn* theaters niet ver daarvandaan. Overwegend goed geoutilleerde nieuwe theaters; verzorgde producties, zij het minder verfijnd dan die in New York en Londen, enthousiast publiek.

En zo ver weg, dacht ze opnieuw. Zo ver van New York als je maar gaan kon zonder de terugreis om de wereld te beginnen.

Als ik daarheen zou gaan... als ik het echt deed... zou ik voor de theater-maatschappij van Sydney kunnen gaan werken. Of als die me niet zou willen hebben, zou ik een producer kunnen zoeken en samen met hem een theater huren. We zouden twee of drie stukken per seizoen kunnen brengen, zo veel als we er aan zouden kunnen. Ik zou weer bij het theater zijn, niet op het toneel, maar er deel van uitmaken en zijn waar ik thuishoor.

Ze liep naar haar atelier. Luke had het bed weer opgeklapt en alles precies zo achtergelaten als hij het aangetroffen had. Het leek wel of hij er nooit geweest was. Jessica ging voor een van haar schildersezels zitten en staarde met nietsziende ogen naar een onvoltooid schilderij. Gedachteloos pakte ze een penseel en een tube verf en meteen voelde ze zich beheerst door de voldoening die ze altijd kreeg als ze rustig zat te werken in de beslotenheid van haar atelier.

Als ik wegga, zou ik dit allemaal op het spel zetten. Waarom zou ik dat doen?

Omdat het scheen dat die voldoening nooit meer terug zou komen. Die werd nu al aangetast door de herinnering aan de wereld die Luke bij haar binnengebracht had en door hetgeen hij tegen haar gezegd had.

Sydney, dacht ze onder het schilderen. Ik zou het kunnen doen. Ik heb het geld om opnieuw te beginnen en zo nodig zelfs mijn eigen toneelstukken een poosje te financieren. Ik zou het kunnen.

Alleen?

Ja, net als in de afgelopen jaren. Ik weet hoe ik dat moet aanpakken. Haar moed begaf haar. *Ik wil niet alleen zijn. Ik wil bij Luke zijn.*

Maar dat was niet mogelijk. Misschien dat ze ooit, nadat ze carrière gemaakt had en een succesvol regisseur geworden was met prestige en invloed, naar hem toe zou kunnen gaan...

Onzin. Zo lang zal hij niet wachten, en waarom zou hij ook? Hij moet zijn eigen leven opbouwen. Ik wil daar niet aan denken.

Denken aan een nieuw leven opbouwen. Denken aan mijn eigen weg te vinden, mijn eigen plaats te veroveren en naam te maken. Niet aan de zijlijn de wereld langs me heen laten gaan, maar er deel van uitmaken, een deel van de theaterwereld. Dat moet ik realiseren. Zonder banden met het verleden. En zonder band met Luke.

En als er niets van terechtkomt, kan ik altijd hierheen terugkeren.

Natuurlijk komt er iets van terecht. Zó lang ben ik er niet uit geweest; ik herinner me alles nog. Ik kan dit; ik weet dat ik het kan. Luke heeft gelijk: ik kan alles als ik het werkelijk wil.

Aan het eind van de werkdag verliet ze haar studio en ging naar de zitkamer. Ze had vergeten de verwarming aan te draaien toen ze ging werken en de kamers waren kil en verlaten alsof ze al vertrokken was. Ze keek om zich heen naar de vertrouwde kamers die haar zo lang beschut hadden en even schrok ze terug van de gedachte het huis achter te laten. Ze wachtte tot de angst zou verdwijnen, maar dat gebeurde niet. De angst zette zich vast in haar binnenste als een beklemming op haar borst. *Wat haal ik in mijn hoofd? Ik kan hier niet weggaan en mensen onder de ogen komen en proberen...*

Luke dacht dat ik het kon. Constance dacht dat ik het kon.

Als zij dat werkelijk geloven...

Zwaar en koud drukte de angst op haar. *Nu ja, ik zal ermee moeten leren leven... voor een tijdje.*

Ze liep haar kamers door en terug naar de kas en begon afwezig vergeelde bladeren van een geranium af te plukken. *Robert kan iemand zoeken die het huis wil huren, of er althans op wil passen. En ook op de paarden.*

Er waren geen redenen meer om niet te gaan. Na het eten maakte ze de open haard aan en ging ervoor zitten als om zich te warmen alvorens naar buiten te gaan in de kou. De wind was opgestoken en een tak kraste tegen het raam, zodat de hond begon te blaffen. Jessica klopte op de bank en Hope sprong erop, nestelde zich naast haar en besnuffelde haar om aandacht. Jessica streelde haar gladde rug en kop. *Al het andere laat ik achter, maar Hope neem ik mee.*

SYDNEY

13

Weer keek ze uit over water, maar nu vanaf grote hoogte, alsof het witgepleisterde villaatje met zijn oranje dakpannen door de blauwe lucht boven de haven van Sydney dreef en de grote ramen de bedrijvigheid beneden omlijstten. Het was net een theater, dacht Jessica terwijl ze in haar zitkamer zat te kijken naar zeilboten en veerponten, catamarans en watertaxi's, jachten, vrachtboten en oceaanschepen die kriskras door de haven voeren, op wonderbaarlijke wijze aanvaringen voorkomend die tot het allerlaatste moment onvermijdelijk leken. En het was haar dichtste benadering van theater in de tien dagen die ze nu in Sydney was.

Eind november was ze hier aangekomen. Ze had zes weken nodig gehad om haar illustraties af te maken en regelingen met Robert te treffen voor de verzorging van haar paarden en haar huis. Kort voor haar vertrek schreef ze een verzoek om een onderhoud aan drie producers die zij jaren tevoren in Sydney ontmoet had. Alle drie antwoordden ze met vleiende brieven waarin haar gevraagd werd direct na haar aankomst contact op te nemen. Maar vanaf het moment dat zij uit het vliegtuig stapte, had Sydney haar overweldigd.

Zes jaar geleden was ze voor het laatst in een grote stad geweest. Na al die jaren dat zij zo rustig in Arizona en daarna op Lopez gewoond had, was zij vergeten hoe een grote stad klonk en aanvoelde. Sydney, met zijn drie miljoen inwoners en bruisende energie, leek enorm, oorverdovend, dolzinnig en even vreemd alsof ze op een andere planeet terechtgekomen was.

Vanaf de haven spreidde de stad zich naar alle richtingen uit met oude en nieuwe gebouwen die tegen elkaar gestapeld lagen als blokken die uit een speelgoedkast gerold waren. De met palissander- en vijgenbomen omzoomde straten stegen vanaf de waterkant tegen lange heuvels op. Het drukke verkeer was snel en meedogenloos: een eindeloze stroom van personenauto's en vrachtwagens die in de ogen van een Amerikaan het ongeluk tegemoet snelden, omdat zij net als in Engeland links reden. De trottoirs wemelden van geüniformeerde schoolkinderen, toeristen, zakenlieden en winkelende mensen die elkaar instinctief ontweken en dan weer geduldig samenklonterden bij stoplichten, zelfs als er nergens verkeer naderde. Vaak kreeg Jessica op straathoeken een duw als zij niet gelijk met de menigte overstak. Elke keer werd haar beleefd excuus aangeboden, hoewel ze dacht dat zij degene was die excuus diende te vragen omdat zij traag en dom was door zich niet moeiteloos aan te passen aan het stadsverkeer – uitgerekend zij die jarenlang onbezorgd in New York rondgewandeld had zonder bewust aandacht te schenken aan het lawaai.

Maar ze had alle herinneringen aan New York weggedrukt tot het straatbeeld en het verkeerslawaai hier alles weer naar boven bracht en haar ervoor deed terugschrikken de producers op te zoeken die zij aangeschreven had. Wat doe ik hier eigenlijk? dacht ze. Ik hoor hier niet thuis. Wat dacht ik hier te kunnen doen? Ik behoor terug te gaan naar waar ik wel thuishoor en waar ik weet wat ik kan doen.

Maar ze ging niet terug. In plaats daarvan begon ze om zich heen te kijken en te luisteren en ontdekte al spoedig dingen waar ze genoegen in schepte. Allereerst de taal, want haar hele leven was taalgebruik geweest. Het Australische dialect vond ze leuk: een grappige versie van het Londense cockney, met klanken die als muzieknoten de toonladder op en af huppelden, even luchtig en vrolijk als de mensen zelf. En de plaatsnamen vond ze grappig: klanken en lettergrepen die als poëzie of muziek over haar tong rolden. 'Kirribilli,' zei ze. 'Woollahra. Taronga. Woolloomooloo. Parramatta.' Ze deden haar glimlachen, ook al was ze er niet voor in de stemming.

Daarna begon ze Sydney te verkennen, eerst aarzelend en later doelbewuster. Telkens en telkens weer ging ze naar de Harbour, een reusachtige natuurlijke baai die in tweeën gedeeld werd door de Harbour Bridge, met langs de hele omtrek landtongen die zich als vingers uitstrekten tussen kreken, havens, inhammen en tientallen kleine strandjes. Op Circular Quay stapte ze op een veerpont vol toeristen met een gids die een doorlopend verslag gaf van de bezienswaardigheden terwijl ze een rondvaart maakten door de havens, compleet met anekdotes over Sydneys geschiedenis en inwoners, onder wie Amerikaanse filmsterren die de huizen en appartementen bezaten op de heuvels langs de oevers. Met andere veerboten bezocht ze de voorsteden in de nabijheid van het stadscentrum en keek onderwijl uit naar woongelegenheid. Op een dag nam ze een veerpont naar de op een steile heuvel liggende dierentuin van Taronga Park, waar ze in een gemotoriseerd invalidenwagentje over de geplaveide paden reed en zich urenlang vergaapte aan koala's en kangoeroes, emoes, wombats en honderden andere dieren en prachtig gekleurde vogels die in Amerika totaal onbekend waren.

In een ander gemotoriseerd wagentje reed ze over de paden van de uitgestrekte Royal Botanic Garden door tropische wouden, rozen- en kruidentuinen, en grote grasvelden met bloeiende struiken, enorme eucalyptussen, palmen en Moreton Bay en Jackson Bay-vijgenbomen met stammen van in elkaar verstrengelde dikke kabels en takken die horizontaal naar buiten staken als gebogen en lusvormige armen. Voor bezoeken aan de rest van de stad nam ze taxi's en zei bij zichzelf dat ze voor alles belangstelling had. Maar ze was eenzaam en kon zich moeilijk concentreren.

Ze was altijd alleen. Ze ontmoette overal sympathie en vaak maakte men ruimte voor haar als ze een veerboot opstrompelde of een drukke straat overstak, maar de enigen met wie zij sprak waren de kelners in de restaurants waar ze at. Als ik aan het toneel kom, zal ik met mensen kennismaken, dacht ze. Dat zal heel gauw gebeuren. Maar tot zolang miste ze haar huis en haar tuin met het vertrouwde uitzicht; ze miste haar paarden en de groetende boeren als zij voorbijreed; ze miste haar incidentele praatjes met Robert, het geluid van de golven als ze op haar terras zat en het door haar slaapkamerramen binnenvallende maanlicht. Ze miste Luke.

Ze miste hem in korte flitsen met een herinnering aan een opmerking, een zin of een glimlach die even snel verdwenen als ze opgekomen waren, maar een innerlijke pijn achterlieten. Ze miste het geluid van zijn voetstappen in haar huis, zijn rustige manier van werken naast haar in de keuken en de warmte van zijn lichaam in haar bed. Ze miste zijn aanraking. Als ze zich maar even liet gaan, voelde ze zijn armen om haar heen en zijn lippen op de hare. Ze voelde hem in zich als ze hem dieper in zich trok en zijn zucht van genot hoorde; ze zag zijn glimlach en de lange, peinzende blik in zijn ogen als ze bij kaarslicht eindeloos zaten te praten... o, wat hadden ze veel gehad om over te praten!

Hij had haar geschreven, korte, luchthartige brieven die om de paar dagen aankwamen terwijl zij haar werk op Lopez afrondde.

Martin heeft een nieuw kookboek gevonden en besloten een proef te nemen met ieder recept van de eerste tot de laatste bladzijde. Mijn kansen om iets in de keuken te presteren zijn vervlogen. Maar ik weet ook niet of ik het echt wil. Ik keek er eens rond op de dag van mijn terugkeer en het trof me dat er iets ontbrak: er was iets nodig om het tot een geheel te maken. En wat ontbrak was natuurlijk jij en wij samen die naast elkaar alledaagse dingen deden die betoverend leken omdat wij samen waren.

Onlangs sprak ik je uitgever op een diner. Misschien heb ik te uit-

bundig je lof verkondigd, want een van de gasten vroeg me of ik in mijn vrije tijd literair agent geworden was. Alleen voor buitengewone mensen, zei ik.

Vanavond heel laat zat ik op mijn slaapkamer met de deken in mijn handen met schepen en zeilboten waarover ik je vertelde en die mij herinnerde aan mijn ouders. Toen kwam de gedachte bij mij op dat ik van Lopez niets heb meegenomen dat een aandenken is aan de week die ik daar doorgebracht heb. Ik wou dat ik het gedaan had. Dat was een sentimentele gedachte die veel mensen die denken mij te kennen, verbaasd zou hebben.

Ik heb besloten de tekeningen uit je boeken die ik het mooist vind uit te knippen en in te lijsten. Een muur van mijn slaapkamer waar het zonlicht op valt is daar uitstekend geschikt voor.

New York is als een dolzinnig circus na de boerderijen en bossen van Lopez; ik ben vanavond thuis gebleven om op adem te komen. Het kost tijd om aan alle uitbundigheden te wennen om te overleven. Na het avondeten heb ik mijn scripts voor den dag gehaald en nagedacht over jouw buitengewoon scherpzinnige kritiek. Ik ga hele scènes herschrijven. In gedachten hoor ik jouw stem de dialogen voorlezen met het knappende haardvuur op de achtergrond en Hope die over ons waakt en ik weet dat de magie die wij vonden niet beperkt bleef tot de keuken. Ik denk een poosje aan de toneelstukken te gaan werken en ik ben dankbaar voor de tijd die jij eraan besteedde.

Dankbaar, dacht Jessica. Dankbaar. Ik deed het omdat ik van je houd. Ze had hem twee keer geantwoord. Haar brieven waren koeler geweest dan de zijne en ze had Lopez verlaten zonder hem te melden waar ze naar toe ging. *Het kan zo niet voortslepen; het is achter de rug. Het was het verleden en dit is het heden en ik begin opnieuw.*

En dus nam ze veerponten en taxi's, ging overal heen en leerde zo snel mogelijk zo veel mogelijk over haar nieuwe woonplaats. Er waren houten huizen met stalen balkons van siersmeedwerk die zo uit New Orleans overgeplaatst hadden kunnen zijn; een deel van George Street daverde van de spreektrompetten van straatventers die met schorre stemmen hun waren aanprezen; Castlereagh met opzichtige gooi-en-smijtzaken naast sjieke Europese boetieks, en William Street waar ze voor het eerst een boemerangschool zag. Ze dacht dat het een stad was zonder centrum totdat haar taxi bij een reeks torenflats bij de haven kwam met dichtere drommen mensen, waar parken en restaurants de straten omzoomden, fonteinen spoten en het ziekenhuis, een zuiver negentiende-eeuws roodstenen complex van torentjes en pilaren, een geheel stratenblok besloeg. Dicht opeen gedrongen kantoorgebouwen, winkels en hotels leken een eigen stad te vormen.

Een paar straten verderop waren wijken die voorsteden genoemd werden met villa's met privé-strandjes, andere die zich schenen vast te klampen aan de heuvelhellingen, en verspreide appartementencomplexen ertussenin. Verder landinwaarts was de ene straat na de andere bebouwd met kleinere huizen en villaatjes die wegzonken onder de omringende bomen, allemaal met een eigen tuin. Sydney in november was een stad van bloemen.

Drie avonden achtereen ging ze naar een theater, applaudisseerde met het publiek en maakte in haar hoofd een kritische balans op van wat ze uitstekend gevonden had en wat zwak was. Voor het eerst sinds haar aankomst trok daarbij een trilling van verwachting door haar heen en een vleugje opwinding. *Ik ben hier klaar voor. Ik ben te lang weggeweest. Als ik bij het theater ben, doet het er niet toe in welke stad. Ik kan me overal thuis voelen als ik aan het toneel ben.* Niet tevreden over taxichauffeurs die te hard reden als zij wilde slenteren, huurde zij op haar vierde dag in de stad een auto en stelde tot haar verbazing vast dat het maar heel weinig tijd kostte om aan het links rijdende verkeer te wennen. Dat gaf haar een gevoel van triomf en opnieuw dacht ze: misschien kan ik dit toch; misschien kan ik me hier echt thuis voelen.

En dus huurde ze op de zesde dag een huis, een spierwitte cottage met oranje dakpannen die haar aan de Provence deed denken, meubilair van een genre dat zij zelf misschien gekozen zou hebben, en een over de heuvelhelling uitstekend terras, vanwaar ze neerkeek op de huizen die naar haar omhoog schenen te klimmen vanaf de havenkant, en op de haven zelf met zijn inhammen en kreken die zich in en uit de voorgebergten in de verte rechts van haar kronkelden tot de grote boog van de Harbour Bridge links van haar. Op een in de haven uitstekend schiereiland naast de brug stond de opera met zijn dak in de vorm van grote witte zeilen die majesteitelijk zeewaarts bewogen. Een theater en water, dacht Jessica, en bovenal een rustig eigen plekje. Ze voelde zich haast net als op Lopez: alleen en beschut. Veilig.

Snuffelend inspecteerde Hope de kamers, maar keerde steeds weer terug naar Jessica om zich op haar gemak te laten stellen temidden van al dat onbekende. De kamers bevatten te veel meubilair en geen twee meubels pasten bij elkaar. Na de strakke, eenvoudige lijnen van haar huis op Lopez dacht Jessica dat ze in zo'n ratjetoe van kleuren en patronen niet zou kunnen leven, maar op de een of andere manier kwamen de strepen en bloemmotieven en meetkundige figuren bij elkaar en waren ongewoon harmonieus.

Ze zette het kistje met Constances brieven op het mozaïek van de koffietafel in de zitkamer en rangschikte haar verzameling toneelstukken op een plank in de slaapkamer. *Ik wou dat ik iets van Luke had, een kleinigheidje dat ik hier of daar neer kan zetten en waar ik af en toe naar kan kijken. Maar dat heb ik niet. Totaal niets. Hij zei hetzelfde. We zijn met lege handen uit elkaar gegaan.* Ze legde een uit Lopez meegebrachte kasjmieren kleedje met een Schotse ruit over de rugleuning van een van de banken en schikte verse bloemen in een majolica vaas uit de eetkamer. Het hotel liet haar bagage bezorgen en ze borg haar kleding op in hangkasten en ingebouwde laden. De bezorgdienst bracht kruidenierswaren waarmee ze haar provisiekasten en de koelkast vulde. De huiseigenaar kwam zich ervan overtuigen dat het hete water heet was en het koude koud en dat de airconditioning functioneerde, omdat het november en bijna zomer was in Sydney. Een vrouw belde op met de mededeling dat zij vijf jaar huishoudster in het huis geweest was en met de vraag of Miss Fontaine haar wilde aanhouden. Heel nadrukkelijk zei Jessica ja. Toen ze de haak op de hoorn legde, keek ze om zich heen en zuchtte. Het was bijna huiselijk.

Toen voerde ze eindelijk het eerste van haar telefoongesprekken en had die middag een onderhoud met Alfonse Murre, een producer die ze lang geleden in Sydney had leren kennen. Ze droeg een lange zijden zomerjurk met lange, bijna doorzichtige mouwen en toen de secretaresse haar aandiende, kwam Murre haar met uitgestoken hand en een brede glimlach tegemoet. Hij was dikker en kaler dan Jessica zich herinnerde en had een heel fijn snorretje dat anticiperend trilde voor hij iets zei. Hij bleef abrupt staan toen hij haar zag. 'Jessica? Lieve hemel.' Zijn gezicht verstrakte en ze schudden elkaar de hand. Die van Jessica was koud. 'Kom binnen en neem plaats.' Hij schoof een leunstoel bij en keek toe toen Jessica op het randje ging zitten en haar stok tegen de armleuning zette. Hij liep voorbij de armstoel naast de hare en zette zich achter zijn bureau. 'Wat brengt je helemaal naar Sydney? Ik was verbaasd toen ik je brief ontving.'

In zijn antwoord had hij niets over verbazing geschreven, maar wel dat hij uitkeek naar haar bezoek.

'Ik ben hier al eerder geweest, zoals u weet.'

'Natuurlijk. In *A moon for the misbegotten*. Je was fantastisch. Ik was hier toen pas en jij deed Sydney beschaafd schijnen, terwijl het voor mij het eind van de wereld leek.'

Jessica glimlachte flauwtjes. 'Ik ben hier driemaal geweest en ik houd van het toneel hier. En nu ik besloten heb toneelstukken te gaan regisseren, wil ik er hier mee beginnen.'

'Regisseren. Je wilt gaan regisseren.'

'Het heeft me altijd geboeid; volgens mij is dat niet ongewoon. U weet hoeveel musici dirigent willen worden en zo is het ook met acteurs. Die denken meestal dat zij meer inzicht hebben in een karakter dan...' *Leg niet te veel uit; het klinkt als bedelen.* 'Welnu, dat is wat ik nu wil gaan doen. De laatste keer dat ik hier was, zag ik uw productie van *American Buffalo* en die vond ik uitstekend. Ik hoop dat u een paar scripts ter beoordeling hebt liggen en dat we voor een ervan kunnen samenwerken.'

'Hm. Interessant. Ik had niet gedacht...' Hij trommelde met zijn vingers op het bureaublad en keek nijdig naar het karpet. 'Je stopte natuurlijk met acteren omdat... Ik bedoel dat niemand... Ik bedoel dat je onmogelijk... Lieve help, Jessica, het lijkt niet waarschijnlijk, hè? Ik wil zeggen dat er aan het regisseren van een van mijn stukken, het in de publieke belangstelling staan, interviews geven, besproken worden in de kranten, heel veel publiciteit vastzit. Je denkt misschien dat het zich helemaal achter de coulissen afspeelt, maar zelfs hier, waar je acteurs en technici vertrouwen moet inboezemen, moet je iemand zijn waar ze tegen opkijken. Wacht even, een ogenblikje...' Jessica was opgestaan en hij sprong van zijn stoel op toen zij leunend op haar stok wegliep. 'Jessica, lieve help, je moet niet denken dat ík niet het volste vertrouwen heb in jou en je capaciteiten, daar gaat het niet om, waar het om gaat is...'

'... om jouw bekrompen, bange, domme vooringenomenheid,' zei Jessica op ijskoude toon. Wetende dat zijn secretaresse zat te luisteren, draaide ze zich in de deuropening naar hem om. 'Omdat ik lichamelijk veranderd ben, denk jij dat ik mijn verstand, mijn competentie en mijn vermogen verloren heb om op enigerlei wijze te functioneren, en helemaal niet als regisseur. Jij...'

'Ho eens even, je kunt niet zo maar...'

'Jij denkt niet, je reageert.' Haar stem verhief zich daverend door het kantoor en overspoelde hem zoals zij vroeger het publiek overspoeld had. 'Je krabbelt weg als iets je verrast. Als je me aankijkt, wat zie je dan? Iemand die geen schoonheid meer is. Wat heeft dat te maken met mijn bekwaamheid om een toneelstuk te regisseren?'

'Ik heb niet gezegd...'

'Dat is precies wat je zei. Niemand zou tegen mij opkijken, niemand zou vertrouwen in mij hebben, niemand zou mij bewonderen. Hoe

259

weet je dat? Jouw armzalige bekrompen geest verbeeldt zich dat, maar dat zijn uitvluchten om het feit te verdoezelen dat mijn uiterlijk je niet aanstond, je had geen...'

'Verdomme, ik luister niet naar zulk geouwehoer. Wat mankeert jou in vredesnaam? Je was vroeger nooit een kreng. Je bent verzuurd en gemeen en denk maar niet dat ik dit zal vergeten. Ik vergeet het niet, Jessica, ik laat me niet beledigen door...'

'Idioot die je bent,' zei ze met een wanhopige zucht. Ze draaide zich om en strompelde door het voorkantoor. Ze probeerde te hollen, hoewel ze wist dat ze dan nog onbeholpener zou lijken. Ze was zich ervan bewust dat de secretaresse haar gadesloeg en ging weg met het beeld van Murre voor ogen die met vooruitgestoken onderlip en woeste blikken bij de deur van zijn privé-kantoor stond. Ze beefde van woede en ze had een prop in haar keel.

Verdomme, verdomme, verdomme! Ik wist het, dat is de reden waarom ik op Lopez bleef. Ik had gelijk, ik wist dat dit zou gebeuren.

In een café een eindje van Murres kantoor zakte ze neer aan een tafeltje in de schaduw van een markies. 'IJskoffie,' zei ze tegen de kelner en klemde haar handen samen om het beven te onderdrukken. Hij is maar één man, dacht ze, en geen schrandere. Er is geen enkele reden om te veronderstellen dat de anderen net zo zullen reageren met dezelfde uitdrukking op hun gezicht...

Verdomme, dacht ze, hoe kon ik me zo door hem laten overdonderen? Hoe kon ik zo stom zijn? In elke stad is de theaterwereld maar erg klein; hij zal het aan iedereen vertellen.

En dat deed hij. Toen Jessica de beide andere producers opbelde, vertelden hun secretaresses dat zij uitstedig waren en ook na hun terugkeer niet beschikbaar zouden zijn; ze hadden het zo druk, ze zaten middenin een van Sydneys drukst bezette theaterseizoenen; het speet hun heel erg... na afloop van het seizoen misschien... ze wisten dat Miss Fontaine het zou begrijpen.

Vanuit de geborgenheid van haar zitkamer staarde ze naar de haven en de kapen in de verte. Ze was een halve wereld van New York verwijderd, maar de nachtmerries die haar zes jaar achtervolgd hadden, waren haar hierheen gevolgd. Ze voelde zich gehavend en levenloos; ze had nog nauwelijks fut om Hope te aaien die haar besnuffelde en haar gezicht likte en haar verbijsterd volgde terwijl zij onaandoenlijk door het huis dwaalde. Doelloos beende ze rond. Voortdurend werd ze gepijnigd door Murres instinctieve afwijzing en hoorde ze het verwijt in zijn stem, alsof ze had moeten weten dat een regisseur zozeer in de publieke belangstelling stond dat ze hem het hele interview had moeten besparen. 'Hij kan barsten,' zei ze hardop, maar hij bleef als een klit aan haar gedachten plakken.

Opnieuw werd haar huis haar toevluchtsoord. Ze ging de deur niet uit. Met Hope aan haar voeten die even melancholiek keek als zij zich voelde, zat zij voor de ramen en vulde haar blocnotes met schetsen van de haven en beelden van Sydney die zij zich herinnerde. Ze luisterde naar muziek, las boeken en het ochtendblad dat elke dag bezorgd werd; bestelde telefonisch haar boodschappen en liet ze bezorgen. En als ze 's nachts in bed lag, bleven haar gedachten onstuitbaar afdwalen.

Ik heb nooit beweerd dat je nog je schoonheid en je volmaakte lichaam van weleer bezit. Maar hoe beter ik je leerde kennen, hoe onbelangrijker dat leek. Voor mij ben je voortreffelijk.

Luke, liefste Luke, dacht ze, dat is niet genoeg. De rest van de wereld is het er niet mee eens.

Ik hou van je. Wat heeft het er dan mee te maken hoe jij eruitziet?

Niets, als het alleen maar om ons beiden gaat. Dat kan ik nu geloven. Maar voor de rest van de wereld doet het er alles toe hoe ik er uitzie.

Kom met mij mee. Kom met mij mee naar huis. Trouw met me.

Goddank deed ik het niet. Als dit in New York gebeurd was, zou jij je verantwoordelijk gevoeld hebben; je zou met de Murres van New York geargumenteerd en mij verdedigd hebben... en waarvoor? In die sfeer zou ik niet bij het toneel kunnen werken. Het zou ons heerlijke sprookje vergiftigd en ons berooid achtergelaten hebben.

Maar het schijnt dat ik in deze sfeer hier ook niet bij het toneel zal kunnen werken.

Ze sleet haar dagen in een soort van trance met wachten... waarop? Op een uitweg. Op het moment waarop ze vastberaden opstaan, haar koffers pakken en vertrekken zou. Maar ze deed het niet. Ze schetste en las en luisterde naar muziek en at en sliep. Het was alsof het al heel lang zo ging, maar op een ochtend viel haar oog op de datum van de krant en zag toen dat er pas vier dagen verstreken waren sinds haar onderhoud met Murre. En op hetzelfde moment rinkelde de telefoon. Ze sprong op – hemeltjelief, wat een vreemd en schel geluid! – en dacht toen: *Luke*. Nee, hoe zou dat kunnen? Hij wist totaal niet waar zij was. *Een van de producers dan.* Onwaarschijnlijk. *Dan zal het de huisbaas zijn. Niets belangrijks.* Toen de telefoon voor de derde keer rinkelde nam ze op.

'Met Jessica Fontaine?' Het was een schrille, krachtige stem, een vrouwenstem die het midden scheen te houden tussen een stoomfluit en een trombone. Een stem die de muren van Jericho kon doen in-

storten, dacht Jessica, en voor het eerst in dagen schoot ze in de lach.
'Ik ben op zoek naar Jessica Fontaine; spreek ik daarmee?'
'Ja,' zei ze. 'Wat kan ik voor u...'
'Met Hermione Montaldi. U weet natuurlijk wie ik ben.'
Jessica ging rechtop zitten. 'U bent de producer van *The secret Garden*. Ik heb het stuk een paar dagen geleden gezien. Het was heel goed. Het beste dat ik hier gezien heb.'
'Hoeveel hebt u er gezien?'
'Drie.'
Gelach schalde zo hard door de telefoon dat die ervan kapot had kunnen springen. 'Een kleine selectie, maar als u ze allemaal gezien had, zou u nog zeggen dat dit het beste was. Ik hoorde van Al Murre dat u hem benaderd hebt om met hem samen te werken, maar dat u hem met alle tien uw klauwen aanviel toen hij u vertelde dat hij niet meteen iets had.'
'Nee.'
'Nee wat?'
'Ik viel op hem aan, maar om andere redenen.'
'Mag ik weten welke?'
'Ik wil liever van u horen waarom u opbelt.'
'Heel begrijpelijk. Ik werd door dit alles geïntrigeerd. Ik herinner me u met veel genoegen van de keren dat ik u hier en in New York gezien heb en ik wil graag eens met u praten. Ik heb een stuk dat u misschien zal interesseren en ik wil graag bekijken of wij zouden kunnen samenwerken. Zijn dat voldoende redenen?'
'Zelfs nadat u Murre gesproken hebt?'
'Uw fout was dat u die klootzak au sérieux genomen hebt. Niemand anders doet het. Nou ja, op een paar na, maar mensen met gezond verstand zijn te nuchter om zich iets van hem aan te trekken. Kunnen we vanavond samen dineren? We zijn zo goed als buren; u kunt in vijf minuten hierheen lopen en ik kan een lekkerder ossobuco klaarmaken dan u ergens krijgen kunt en mijn huis is veel geschikter om rustig te praten dan een restaurant; niemand zal komen vertellen dat iemand anders ons tafeltje wil bezetten.'
'Hoe weet u waar ik woon?'
'De telefoondienst is een onuitputtelijke inlichtingenbron. Kom vroeg, is zes uur te provinciaal? Dat doet er niet toe; ik wil van start en u ook. Ik woon op nummer 45, het roze gepleisterde huis heuvelafwaarts met palmbomen ervoor, een smeedijzeren hek en een hoge muur. Ik wil niet door toeristen aangegaapt worden. Komt u?'
'Ja.'

'Tot straks dan. Apropos, heel informeel, geen avondjaponnen of ruisende zijde.'

Jessica glimlachte. Ze voelde zich luchthartig, bijna gewichtloos; opgewondenheid stroomde door haar heen en beurde haar op. De afgelopen vier dagen waren vergeten. Het stemde haar niet eens tot nadenken dat dit misschien niets zou opleveren. Dat wilde ze niet geloven. Hermione Montaldi (wat een prachtige naam!) zou niet opgebeld hebben als ze gedacht had dat er niets van terecht zou komen. Haar stem verried duidelijk dat dit een vrouw was die spijkers met koppen sloeg.

Ze ging boodschappen doen en ontkwam daarmee weer aan de zelf opgelegde gevangenschap. Bij David Jones mengde ze zich onder het winkelende publiek alsof ze zich niet nog pas enkele dagen geleden overspoeld had gevoeld door de stad. Ze kocht Armani sportbroeken en shirts, katoenen Valentinojurken, en gebloemde en gestreepte lange zijden rokken van Yanono. Ze lunchte in het restaurant van Dymocks boekhandel op het gebogen balkon en kocht daarna boeken over de Australische geschiedenis en romans van Australische auteurs. *Misschien blijf ik hier toch nog een heel poosje.* Op de terugweg parkeerde ze in een van de winkelstraten in Double Bay en kocht badzout, toiletzeep en luxueuze lotions en crèmes voor zichzelf en een boeket orchideeën in een rieten mandje voor haar gastvrouw. 'Spectaculair,' zei Hermione zodra ze de deur opende. 'Alle vier mijn favorieten. Hoe wist je dat? Ken je hun namen?' Pratend over haar schouder ging ze Jessica voor het huis binnen. 'Red Beard, Flying Duck, Large Tongue en Dotted Sun. Of ze aan een Chinese spionageroman ontleend zijn, hè?' Ze zette het mandje op een tafel voor een groot raam en draaide zich met uitgestoken hand om. 'Welkom. Ik ben blij met je kennis te maken.'

Hun handen omklemden elkaar. In het felle zonlicht dat de kamer binnenstroomde keek Jessica haar strak aan om haar de kans te geven zich verrast of verbijsterd te tonen. In plaats daarvan zag ze een brede glimlach op een lang, smal gezicht zonder enige make-up, met hoge jukbeenderen, dicht bij elkaar staande zwarte ogen onder zware wenkbrauwen, een spitse kin, dat alles omlijst door een halo van krullend zwart haar. Ze was bijna een hoofd groter dan Jessica en droeg een wijde zwarte pantalon en een lange katoenen sweater met korte mouwen. Gouden hoepels bungelden aan haar oren. Ze was blootsvoets.

'Je hebt het zwaar te verduren gehad,' zei ze met Jessica's hand nog steeds in de hare. 'Eigenlijk verbazingwekkend, hoe gevoelig onze arme omhulsels zijn voor verandering. Wat heb je al die tijd gedaan sinds die treinramp? Niet acteren, dat weten we allemaal, maar ook niet regisseren, nietwaar?' Ze liep de kamer door naar een open bergkast met planken vol glaswerk en een ingebouwde afwasbak en deed een deurtje daaronder open. 'Ik heb een fantastische rode wijn als je daarmee akkoord gaat. Dan kunnen we het daarbij houden voor de ossobuco.'

Jessica had zich niet verroerd. Ze was stomverbaasd. Nog niemand had haar zo onbevangen benaderd met vragen over het ongeluk en welke gevolgen dat voor haar gehad had.

'Rode wijn?' herhaalde Hermione.

'Ja. Uitstekend.' Ze wist niets anders te bedenken en keek de kamer maar eens rond. Het uitzicht door de grote ramen was identiek aan het hare, evenals het eigenaardige contrast van brandend zonlicht en gekoelde lucht. De kamer was lang niet zo volgepropt als de hare – de meeste kamers in de meeste huizen zouden het wel zijn, dacht ze – maar haast even kleurrijk en gemeubileerd met diepe, comfortabele banken en stoelen, bekleed met aardkleurige stoffen uit Bhutan en Nepal en afgezet met diepblauwe biezen. De geweven vloerkleden hadden blauwe, rode en zwarte motieven en de lampenkappen waren heel opvallend met franjes versierd. Aan de muren hingen schilderijen van oude mensen met gegroefde gezichten, droevig, vermoeid en levenswijs, die allemaal langs de toeschouwer heen in de verte staarden.

'Zij maken dat ik me jong voel,' zei Hermione lachend en gaf Jessica een glas wijn. 'Maar dat is niet de voornaamste reden. Ze brengen me vooral in herinnering dat er veel wijsheid op de wereld is, en dat, als ik schrander ben en er oog voor heb, ik op zijn minst iets ervan zal kunnen verwerven voor ik sterf.'

'Mooi gezegd,' zei Jessica, opschrikkend uit haar in-zichzelf-gekeerdheid. 'Wat mooi om daarin te geloven.'

Hermione hief haar glas op. 'Op goede overtuigingen en nieuwe vrienden.'

'Dat vind ik ook mooi gezegd.' Hun glazen raakten elkaar en de zachte galm deed Jessica denken aan het belletje dat hen naar hun plaatsen op het toneel riep vlak voor het begin van het stuk.

Hermione nam plaats in een hoek van de lange bank tegenover de ramen. Op een ruwhouten koffietafel stonden schalen met toastjes, mosselen en kipsaté. 'Ik ga je Jessie noemen. Vind je dat erg?'

'Mijn ouders noemden me zo. Later niemand meer. Nee, ik vind het niet erg.'

'Mooi zo. Ga zitten en bedien je – het wordt laat eten, want ik vergat de oven aan te zetten – en vertel me alles. Zo niet alles, dan toch het meeste.'

'Het meeste weet je al door mijn uiterlijk en je gesprek met Al Murre,' zei Jessica nors.

'Vertel het me toch maar. Als het me verveelt, zeg ik het je wel.'

Jessica lachte. Ze deed wat hapjes op een bord, pakte een servet en ging tegenover Hermione in de andere hoek van de bank zitten. Ontspannen en plotseling gelukkig voelde ze dat de bank zich welfde naar haar lichaam. 'Ik mag deze kamer wel,' zei ze. 'En jou ook.'

Hermione knikte. 'Hier dito. We zullen het samen best kunnen vinden. Maar eerst hebben we nog heel wat te bespreken. Eet wat en praat daarna.'

'Als jij het ook doet.'

'Ik kan je de oren van je hoofd praten als je het geduld hebt om te luisteren. Maar jij bent het eerst aan de beurt. Gun je de tijd; we hebben de hele avond voor ons.'

Ze praatten het grootste deel ervan. Hun intimiteit in de knusse kamer, bij de donkerder wordende hemel en Hermione die een serie kaarsen in keramische kandelaars aanstak op de koffietafel, deed Jessica denken aan de lange avonden met Luke in de veilige beschutting van haar huis. Maar ditmaal waren het twee vrouwen die samen beschut waren en dat was iets heel anders. Het bracht haar terug, verder dan met Luke, naar haar dagen met Constance: een hechte, duurzame vriendschap die ertoe bijgedragen had haar te maken tot wat zij nu was.

En dus begon ze te praten over Constance, helemaal vanaf het begin toen zij zestien was. Op vragen van Hermione vertelde zij over de gedeelten van haar carrière die Hermione niet kende, tot zij ten slotte tot het spoorwegongeluk en Arizona en Lopez kwam. 'Ik maakte het goed, ik was gesetteld en ik dacht dat ik daarin berustte. Wat ik deed, deed ik met plezier en ik denk dat ik er eindeloos mee door had kunnen gaan, maar het zou nooit kunnen tippen aan het toneel.'

'Wat de hartstocht betreft, bedoel je.' Hermione nam haar nauwkeurig op. 'Er zat geen enkele hartstocht in wat je na het ongeluk gedaan hebt. Geen theater... en geen man? Goeie genade, zes jaar zonder man? Had je geconcludeerd dat een mank been en grijs haar je seksloos maakten?' Toen Jessica daar niet op inging, vervolgde ze: 'Geen schoonheid, geen sexy lichaam en dus een seksloze vrouw. Klopt dat? Wacht eens,' zei ze na een nieuwe stilte, 'er dook iemand op en veranderde dat allemaal. Ben ik warm? Waar is hij nu?'

Weer een pauze. 'In New York.'

'En hij wilde dat je met hem meeging en je zei nee. Je zei dat je niet van het plakkerige soort was en wat kon je in New York doen? Je had natuurlijk ook in New York kunnen besluiten regisseur te worden. Waarom heb je het niet gedaan? Waarom Sydney? Jessie,' zei ze hartelijk, 'je beloofde te zullen praten.'

'Hij is regisseur,' zei Jessica kort. 'Ik wil liever niet over hem praten, althans nu niet. Later misschien als ik... Och, ik weet het niet. Waarschijnlijk helemaal niet.'

'Jij arme schat, je bent dol op hem en stuurde hem terug naar die dierentuin vol alleenstaande vrouwen en kwam toen helemaal hierheen om zelf weer naam te maken. Correspondeer je met hem? Dat is mijn laatste vraag; meer zal ik er niet stellen.'

'Nee.'

'Weet hij dat je hier bent?'

'Dat is toch weer een vraag.'

'Het is een deel van de eerste. Schrijf je hem en zo niet, weet hij dat je hier bent?'

Ze lachten allebei en het was een prettig geluid. 'Nee. En nu is het jouw beurt. Ik wil over jou horen.'

'Ik ga even de kalfsschenkel keuren; het zal bijna etenstijd zijn. Neem nog wat wijn.'

Jessica verdeelde het restje in de fles, ging er makkelijk bij zitten en knabbelde op een toastje.

Buiten glansden de wolken aan de avondhemel van de weerkaatsing van de lichtjes van Sydney. Lichtjes glinsterden op het water beneden, waar veerboten en watertaxi's nog steeds heen en weer voeren, en in de huizen en flats van Noord-Sydney aan de overkant van de brede haven. Net een sprookjesland, dacht Jessica, net als vanuit mijn huis.

Het was voor het eerst dat ze die woorden gebruikte. Mijn huis. Mijn stad. Mijn vrienden. En misschien binnenkort mijn werk.

'Het schiet op, maar het zal nog een half uur duren,' zei Hermione en ging weer op de bank zitten. 'En dus over tien minuten de salade. Kun je nog zo lang wachten?'

'Jazeker. Ik voel me prima.'

'Daar gaat ie dan. Ik ben tweeënzestig, een keer gescheiden, een keer weduwe, en heb twee zoons, een op Harvard in de V.S. en een in Cambridge in Engeland. Ze zijn schrander en leuk en ik mis hen, maar ze gingen het huis uit, goddank vrijwel zonder achterom te kijken, want ik zou meer over hen gepiekerd hebben als het anders verlopen was. Ik ben geboren in een klein dorp in het zuiden van Illinois waar mijn vader een kleine kruidenierswinkel had met in de achterkamer een ijzerwarenhandel – kistjes met spijkers en schroeven en hang- en sluitwerk waar ik urenlang mee speelde; heerlijk speelgoed dat nu niet meer bestaat – en daar verdiende hij zo ongeveer zijn brood mee tot er in de buurt een supermarkt kwam met spijkers en schroeven in keurige kleine plastic verpakkingen en dat draaide ons zo goed als de nek om. Ik had al een hekel aan het dorp gehad voor wij straatarm werden; in mijn jeugd was ik in mijn verbeelding iemand anders geweest die ergens anders woonde – bijna overal elders. Ik was groter dan de andere kinderen; ik las veel en gebruikte moeilijke woorden en wij waren de enige joodse familie in het dorp en dus waren er redenen te over om te denken dat ik buitenissig was, zoiets als een vreemdeling en daarom onbetrouwbaar en ze spanden tegen mij samen of ze keken me met de nek aan. Natuurlijk werd ik dus een kreng op school en ook thuis. Ik pleegde winkeldiefstalletjes, haalde kattenkwaad uit en joeg mijn klasgenoten de stuipen op het lijf. Op een keer stopte ik een levende kikker in iedere bank in de klas, ook in de mijne. Je had de gezichten eens moeten zien toen dertig kinderen hun bank opklapten om er hun boeken en potloden uit te halen. Ik geniet nog van de herinnering. Ik heb altijd zin gehad om er een scène in een toneelstuk van te maken, maar de kikkers zouden in de zaal terechtkomen en niet iedereen zou dat grappig vinden. Hoe het zij, zelfs toen ensceneerde ik al toneelstukjes in de hoop mijn ouders zo gek te krijgen dat ze mij naar een kostschool zouden sturen of in militaire dienst of wat ook. Dat deden ze niet en dus deed ik het op een na beste: ik trouwde toen ik vijftien was, met de volkomen verkeerde man, maar daardoor kwam ik weg uit Illinois en daar ging het me om. We scheidden in New York kort voor mijn zestiende verjaardag en ik kreeg een baantje als schoonmaakster in een paar hotels en daar maakte ik kennis met een geweldige vrouw, de kleedster van een Brits repertoiregezelschap dat een maand in de stad verbleef en die mij vroeg of ik haar assistente wilde worden. Ik ging met haar naar Londen, haalde mijn einddiploma aan het college, hertrouwde en kreeg twee zoons. Toen mijn man stierf en mij een klein kapitaaltje naliet, besloot ik producer te worden. Ik begon in Londen, maar Sydney bood meer mogelijkheden en dus vestigde ik me hier. De concurrentie wordt nu feller, maar ik doe nog steeds mijn best de gang erin te houden. Wou je verder nog iets weten?'

'Waar houd je van?'

'Van lekker eten, vooral als ik eraan denk de oven aan te zetten, rode wijn, het latere werk van Mozart, Beethoven, de missen van Bach, alles van Schubert en het meeste van Poulenc. Romans en geschiedenis, biografieën, avonturenfilms mits geen bloedbaden – die worden op den duur stomvervelend – opera, ballet en alles wat het toneel betreft.'

'Geen sport?'

'Zeilen. Ik houd van racen. En paardrijden; ik heb met vrienden een stal ongeveer een uur ten noorden van de stad.'

'Geen mannen?'

'Op het moment niet. Ze komen en gaan. De keuze wordt beperkter en minder interessant naarmate je ouder wordt. Anders nog iets?'

'Waar heb je een hekel aan?'

'Aan Alfonse Murre, aan mensen die altijd over geld praten, aan branieschoppers die altijd om aandacht schreeuwen, aan mensen die geen verantwoordelijkheid voelen tegenover hun naasten, aan iedereen die het als een deugd beschouwt niet te denken. Een eenvoudige opsomming: stomheid, arrogantie, gewichtigdoenerij en pretenties. Er zijn er ongetwijfeld meer, maar daarmee heb je een idee.' Ze stond op. 'Laten we aan tafel gaan.'

Ze praatten door onder het diner, het dessert en de koffie met port in de zitkamer en in de uren tot middernacht. 'O nee!' riep Jessica toen ze eindelijk op haar horloge keek. 'Ik ben veel te lang gebleven.' Ze reikte naar haar stok. 'Ik had er geen idee van dat het al zo laat was.'

'Voor mij is het niet laat en ik heb een fijne tijd.' Hermione zat nog lui in haar hoek van de bank. 'Tenzij jij te moe bent om te blijven. Is dat zo?'

'Nee, maar je moet niet denken dat ik...'

'Ik zal je zeggen wat ik denk. Ik denk dat je snakt naar vriendschap, vooral naar een vriendin. Ik denk dat je een eenzaam vogeltje bent dat in Sydney rondfladdert op zoek naar een plekje waar jij je thuis kunt voelen en dat je niemand hebt om mee te praten. Ik denk dat jij je New Yorkse regisseur mist en tot vanavond niemand gevonden hebt om je tevreden te voelen over jezelf of over de wereld. En ik vind dat je dient te blijven en nog een glas port te drinken en mij te vertellen waarom je toneelstukken wilt regisseren.'

Jessica zette haar stok tegen de armleuning van de bank. 'Dank je voor je begrip van dat alles.'

Hermione boog zich naar voren en schonk hun glazen vol. 'En je wilt regisseren omdat...'

'Omdat ik niet terug kan keren op de planken.'

'Waarom niet?'

En voor het eerst gaf Jessica tekst en uitleg, zelfs nog onomwondener dan tegenover Luke. 'Mensen voelen zich onbehaaglijk als ze me aankijken. Als ik op de planken sta, als een groep acteurs op het toneel staat, creëren we een intieme onderlinge band, maar tegelijkertijd richten we ons tot het publiek en betrekken het in ons verhaal. We zijn zowel karakters als vertellers. Geen enkele bezoeker zou zich kunnen identificeren met mijn uitbeelding of meegesleept worden door mijn verhaal, omdat men voortdurend overheerst zal worden door de gedachte hoe onprettig het is om naar mij te kijken.' Ze lachte onderdrukt. 'Sorry, dat klinkt als een lezing over toneelkunst. Wat ik bedoelde was...'

'Ik weet wat je bedoelde. Maakte ik vanavond een onoprechte of ontwijkende indruk? In het algemeen niet op mijn gemak? Voelde je New Yorkse regisseur zich niet op zijn gemak als jullie bij elkaar waren?'

'Dat is niet hetzelfde. Jullie hebben geen van beiden geld uitgegeven om prettig beziggehouden te worden, om uit het dagelijks leven overgeheveld te worden naar een sprookjesachtige plek die toneelspelers voor je creëren.'

'Hm,' zei Hermione droogjes, 'ik wed dat jouw regisseur de indruk had dat jij een sprookjesachtige plek voor hem creëerde.'

Jessica moest even slikken van de stekende pijn van het gemis. Het was sprookjesachtig geweest, dat had hij herhaalde malen gezegd.

'Neem me niet kwalijk,' zei Hermione. 'Dat was ontactisch. We hebben allemaal demonen te bestrijden en ik behoor de jouwe niet in twijfel te trekken. Terug naar ons onderwerp. Je hebt me verteld waarom je niet meer kunt acteren, maar niet waarom je wilt regisseren.'

'Omdat ik weet wat goed toneel is. Ik weet hoe een script tot leven gebracht kan worden. Ik weet hoe ik met acteurs moet omgaan. Ik weet tegelijkertijd mysterie en realiteit te scheppen, zodat de toeschouwers onvoorwaardelijk geloven in wat zij zien. Ik heb dat allemaal op het toneel gedaan. Achter de coulissen kan ik het ook.'

'En bovendien snak je er zo naar om weer bij het toneel te komen dat je er gek van wordt.'

Jessica lachte even. 'Kort maar krachtig. Je hebt gelijk. Ik weet geen andere manier om me echt te voelen leven.'

'Je weet zeker dat je het kunt, maar je hebt het nooit gedaan. Klopt dat?'

'Ik heb nog nooit een toneelstuk geregisseerd, maar ik ben ervan overtuigd dat ik het kan.'

'Laat ik je dan dit zeggen: ik weet ook vrij zeker dat je het kunt. Ik heb een paar scripts in overweging. Wil je er een paar dagen voor uit-

trekken om ze te lezen en erover na te denken en mij dan bellen?'
'Ja, heel graag. Dank je wel.'
'Je had als eerste bij mij moeten komen in plaats van bij die lul. Wacht even.' Ze verliet de kamer en keerde terug met een stapel blocnotes. 'Zes stuks. Neem er de tijd voor; ik wil beoordelingen. Ik denk dat ze allemaal bewerkt moeten worden, sommige meer en andere minder. En nu stuur ik je naar huis, je ziet er uitgeput uit.'
'Dat ben ik ook. Hartelijk bedankt. Bedankt voor alles. Ik kan je niet zeggen hoezeer ik je nodig had.'
'Daar heb je geen geheim van gemaakt.' Ze stonden op en omhelsden elkaar impulsief. Hermione kuste Jessica op beide wangen. 'Ik ben blij dat ik jou gevonden heb, Jessie. Ik voorspel grote triomfen voor ons allebei. Ga maar lekker slapen.'
In een dankbaar ogenblik hield Jessica haar wang tegen die van Hermione gedrukt. Iemand om vertrouwen in te hebben. 'Ik bel je heel gauw.'
'O, nog één ding,' zei Hermione terloops toen ze de voordeur opende.
'Wat dan?'
'Ik zou hem schrijven als ik jou was. Het kan geen kwaad om contact te onderhouden.'
Leunend op haar stok bleef Jessica in de deuropening staan. 'Goedenacht,' zei ze toen en vertrok.
Maar de woorden bleven haar bij en al heel vroeg de volgende morgen nam ze een vel van haar nieuwe briefpapier en begon te schrijven.

Lieve Luke,
Ik ben nu iets meer dan twee weken in Sydney. Ik zal niet ingaan op al het nadenken dat ik gedaan heb om hier te komen, maar toen puntje bij paaltje kwam, móest ik onderzoeken of ik weer deel kon uitmaken van het theaterleven. In zekere zin bracht je het zo on-loochenbaar in mijn leven, dat ik het niet langer kon negeren en dus zocht ik naar een plaats waar ik als het ware met een schone lei kon beginnen, niet op de planken maar als regisseur, en die plaats bleek Sydney te zijn.
Ik heb een huis gehuurd en de toeristische attracties bezocht en ik begin eindelijk te denken dat ik het misschien fijn zal vinden om hier te wonen. Het is merkwaardig hoe een plaats vreemd en zelfs enigszins vijandig kan lijken en dan door toedoen van één speciaal persoon verwelkomend begint aan te doen. Dat overkwam mij gisteravond. Ik heb kennis gemaakt met een fantastische vrouw, een

producer van wie jij misschien gehoord hebt: Hermione Montaldi, en gedurende een heel lange avond bij haar thuis zijn we vriendinnen en – misschien – partners geworden. Als dat gebeurt – ze gaf me scripts mee om te beoordelen of er iets bij is dat ik kan regisseren – zal alles waarop ik gehoopt had door hier te komen bewaarheid worden.

Sydney is een bekoorlijke stad met haar eigen merkwaardigheden. Alle staal-en-glas wolkenkrabbers aan de haven zijn splinternieuwe gebouwen van de laatste twintig jaar en daarachter staan gebouwen uit de vorige eeuw met alle decoratieve tierelantijnen die architecten toepasten toen tijd en geld geen strakke silhouetten dicteerden.

Op de straten is het druk en aanvankelijk dacht ik dat de mensen elkaar onder het lopen vriendelijk toewuifden, tot ik erachter kwam dat ze vliegen verjoegen. Het is heel fascinerend, dat constante zijwaartse zwaaien van handen voor gezichten, plus het feit dat iedereen een bijna onzichtbare kleine draagbare telefoon in de hand heeft, en wat je dus ziet zijn stromen voetgangers die vliegen wegslaan terwijl ze schijnbaar in zichzelf lopen te praten. Absoluut levend theater.

Mijn huis ligt in de wijk Point Piper, hoog boven de haven met prachtige panorama's van Double Bay (een sjieke wijk die een voorstad genoemd wordt) en de stad. Hope is bij me en we hebben ons hier allebei heerlijk genesteld. Ik hoop dat De Tovenares goed loopt en dat met jou alles goed is.

Jessica

Een koele brief, dacht ze toen ze hem ondertekende. Maar ze wist niet hoe ze anders schrijven kon. *Ik mis je en als ik 's nachts wakker word, steek ik tastend mijn hand naar je uit.* Dat kon ze met geen mogelijkheid schrijven. *Ik loop door de stad en merk dat ik dingen voor jou beschrijf.* Dat kon ze ook niet schrijven. *Ik hou van je.* Nee, natuurlijk niet. Al wat ze doen kon, was vriendelijk zijn.

En waarom deed ze dat?

Omdat ze hem niet kon opgeven. Ze had wanhopige behoefte aan innig contact met hem, al was het maar schriftelijk, zoals eertijds brieven voor haar het middel geweest waren om zich innig verbonden te voelen met Constance, en nu Hermione het een goed idee genoemd had, was het alsof Constance toestemming gegeven had. Jessica had gedacht dat ze hem volledig kon opgeven, maar dat was te moeilijk, vooralsnog tenminste. Misschien dat ze hem later, als ze een toneelstuk te regisseren had en andere vrienden kreeg, uit haar leven zou kunnen bannen, maar nu niet. Nog niet.

De brief lag op de eetkamertafel die ze als haar schrijfbureau gebruikte, en ze keek ernaar terwijl zij die dag tot laat in de avond scripts zat te lezen en de volgende dag ook. Die middag belde Hermione op. 'Ik ben benieuwd of je al vriendschap met een van die scripts gesloten hebt.'

'Vooral een ervan bevalt me erg goed.'

'Maar je vertelt me nog niet welk.'

'Niet voor ik ze allemaal gelezen heb.'

'Een goed idee. Zo zou ik het zelf ook aanpakken. Ben je helemaal gesetteld of is er iets dat je nodig hebt? Kan ik iets voor je doen?'

'Nee, dank je. Ik vind het fijn om hier te wonen; het is mooi en erg rustig.'

'Niet de allersjiekste voorstad, maar absoluut mijn favoriet. Bel me op als je klaar bent voor de bespreking. Mijn handen jeuken om weer een stuk in productie te hebben.'

Nu was het dus zover: ze had een vriendin en een toekomst. *Ik ben niet afhankelijk van Luke, dus kunnen we nu vrienden zijn.* En ze verzond de brief.

Hij antwoordde per kerende post.

Allerliefste Jessica,

Wat ben je ver weggegaan om te vinden wat je zoekt. Ik weet dat je zult zeggen dat het nodig was en daar zal ik niet over redetwisten, maar als ik aan jou denk (en dat doe ik meestal als ik wakker ben) krijg ik een verontrustend beeld van jou terwijl je balanceert op het randje van de wereld en je vastklampt aan Point Piper (ik vind dat een leuke naam) of aan je nieuwe vriendin Hermione Montaldi (die naam vind ik ook leuk).

Ik heb nooit eerder van haar gehoord; het is verrassend hoe weinig wij in New York van de toneelwereld in Sydney weten, of zij van ons voor zover ik weet. Maar natuurlijk heb jij het juist daarom gekozen: omdat het ver weg was en geen deel van de tweebaansweg tussen New York en Londen.

We zitten hier midden in een vroege koudegolf en ik geniet van de avonden thuis waar ik werk aan mijn toneelstukken, oude films kijk en aan jou denk. Martin is een gelukkig man: ik ben thuis om te eten, zodat hij in de keuken kan experimenteren en we zijn het er allebei over eens dat hij hard op weg is om een meesterlijke kok te worden. Hij zou gelukkiger zijn als ik gezelschap had, want het

is veel leuker om voor twee te koken dan voor een, maar ik heb
hem gezegd dat hij het althans voorlopig met mij alleen moet stel-
len.
Je weet hoeveel geluk ik je wens. Ik hoop dat je vaak zult schrijven
om me alles te vertellen wat je doet; dan kan ik me verbeelden dat
jij vlak bij me zit te praten.
Veel liefs,
Luke

Bijna even koud als de mijne, dacht Jessica. Op één zinnetje na.... Ze
las het nog eens: *ik kan me verbeelden*... Tja, daar zijn we allebei mee
bezig: met verbeelden.
En hij was bezorgd geweest: haar brief naar hem was vier dagen onderweg geweest, maar hij had de zijne per expresse gestuurd. Dat zou
ik ook kunnen doen, dacht ze, als het bij gelegenheid belangrijk zou
zijn.
De volgende dag belde ze Hermione op met de uitnodiging ditmaal
bij haar te komen eten. Hermione kwam om zes uur en overzag vanuit de deuropening de propvolle kamer.
'Kijk nou eens aan: de opslagplaats voor rondzwervende meubelen.
En ook rondzwervende dessins. Maar het is niet onprettig. Op de een
of andere manier heeft het effect. Word je er niet duizelig van om in
deze bedoeïenentent te wonen?'
'Het bevalt me wel. Aan drie kanten bescherming en de vierde is enkel lucht en water.' Ze bloosde toen Hermione een snelle blik op haar
wierp. 'Bescherming is iets waar ik aan denk.'
'Dat zie ik, ja.'
Net als in Hermiones zitkamer zaten ze allebei in een hoek van de
bank met papieren en manuscripten uitgespreid tussen hen in. Ze namen Jessica's aantekeningen over elk ervan door en verdiepten zich in
de veelbelovendste. Na het diner namen ze hun koffie mee naar de
zitkamer en werkten door tot ze ten slotte bij het stuk kwamen dat
Jessica wilde regisseren.
'Dan zijn we het er van het begin af aan over eens,' zei Hermione voldaan. '*Journeys End.* Titels zijn verdraaid moeilijk te bedenken, maar
bij Shakespeare vind je altijd wel ergens de juiste. Maar vertel me nu
eens waarom je het wilt regisseren.'
'De figuren en het verhaal trekken me aan. Slechts vier medespelers,
wat alles gemakkelijker maakt, maar vooral door een soort magie
waarop ze uiteindelijk tot elkaar komen als ze beseffen dat alles wat
ze gezocht hebben voor het grijpen lag, maar dat ze het niet onder-

kend hebben en zelfs niet wisten hoe ze het moesten zoeken. Er steekt een mysterie in hoe mensen elkaar vinden in een zo gecompliceerde en uitgestrekte wereld, en dat trekt me aan. Het beste toneel is vol mysterie: alle wonderen die liefde en vriendschap en gezin en saamhorigheid mogelijk maken.' Ze zweeg even. 'Neem me niet kwalijk. Dat klinkt weer als een lezing – en nog een sentimentele ook.' Hermione keek Jessica indringend aan. 'Heb je hem geschreven?'

'Wat? O, ja.'

'En heeft hij teruggeschreven?'

'Ja.'

'Mooi zo. Het klonk overigens niet als een lezing en je was niet sentimenteel. Het hele complex van liefde en vriendschap en gezin is een mysterie: hoe sommige mensen vijftig jaar getrouwd kunnen blijven en anderen het nog geen zes maanden volhouden, hoe sommige huwelijken floreren hoewel er zoveel spanningen zijn dat je zou denken dat ze uit elkaar zullen springen, terwijl in andere de leden elkaar voortdurend naar de keel vliegen. God zij dank begrijpt niemand het. Waar zouden we zijn zonder mysterie? Dan zouden we kookboeken op de planken brengen. Apropos, hoe heet hij?'

Jessica begon scripts en aantekeningen bij elkaar te rapen. 'Lucas Cameron.'

'Een betere kun je niet treffen. Als hij je komt opzoeken, wil ik graag eens kennis met hem maken. En laten we dan nu over schema's praten. We hebben nu de tweede week van december. Het Dramatheater van de Opera is voor maart en april beschikbaar; ze willen het voor me reserveren als ik het meteen laat weten.'

'Meer dan genoeg tijd om klaar te zijn,' zei Jessica.

'Als je met alles bekend bent wel, maar dat ben je niet. Je zult je op mij moeten verlaten voor aanbevelingen van acteurs om de rollen in te studeren, voor een toneelmeester en een secretaresse. Je zult de beschikking hebben over het rekwisietenmagazijn van de Wharf, de chef-belichter en technici van het Dramatheater, maar het kost tijd om hen te leren kennen en je met hen op je gemak te voelen en zij met jou.

Jessica kromp ineen in de hoek van de bank. *Hen met jou op hun gemak te laten voelen*. Dat was ze vergeten. Alles met Hermione verliep zo vlot en natuurlijk dat ze zichzelf verleid had het te vergeten. *Op hun gemak met jou*. Dat zouden ze zich natuurlijk niet voelen. Net zo min als Alfonse Murre het geweest was.

'Ik heb het over elkaar leren kennen,' zei Hermione vriendelijk. 'Dat kost altijd een poosje, onverschillig over wie we het ook hebben.

274

Maar laten we elkaar goed begrijpen. Jij dacht dat ik bedoelde dat ze niet met jou zouden willen samenwerken omdat jij met een stok loopt. Waar of niet?'

'Nee, alleen maar...'

'O, en ook omdat je geen glamour girl bent. Is het hem dat? Zullen ze daarom weigeren met jou samen te werken? Ze zullen zeggen: "Goeie genade, ze heeft grijs haar..." Apropos, waarom verf je het niet?'

'Omdat het verder niets zou veranderen. Het zou pathetisch lijken.'

'Dat weet ik zo net nog niet, maar daar zullen we het nu niet over hebben. Waar was ik? O ja, als jij binnenkomt zal iedereen zeggen: "Goeie genade, ze hinkt. Ze heeft grijs haar en een kromme rug. Wij werken principieel niet samen met iemand die hinkt of strompelt."'

Na een lange stilte begon Jessica te glimlachen. Ze had Murre gezegd dat het er niets toe deed hoe ze er uitzag, maar klaarblijkelijk had ze het zelf niet geloofd. Maar nu deed Hermione haar angsten absurd lijken. En misschien – heel misschien – waren ze dat ook.

'Zo is het beter,' zei Hermione opgewekt. 'Nu weten we waar we aan toe zijn. Ik ga *Journeys End* produceren en jij gaat het regisseren en we zullen van begin tot eind samenwerken. Ik vermoed dat jij een snelle leerlinge bent en onze typische Australische manieren in een wip onder de knie zult hebben. Er is nog een ander klein probleem: de man die het stuk schreef stierf een maand na de voltooiing. Het was nog een jonge vent en hij viel plotseling dood neer. We zullen het dus zonder de auteur moeten doen om zo nodig iets uit te leggen of te herschrijven.

Soms is dat een voordeel, maar soms ook niet. En laten we dan nu eens naar data kijken. Je zult je ideeën op een rijtje moeten zetten en nadenken over het soort acteurs dat je hebben wilt. Hoe snel kun je klaar zijn om met de casting te beginnen?'

Hermione spreidde een kalender uit op de koffietafel en ze begonnen plannen te maken.

Beste Luke,

We zijn begonnen. Hermione en ik liepen dezer dagen door het Dramatheater en het was nog even bekoorlijk als ik het me herinnerde uit de tijd dat ik daar optrad. Het heeft maar 544 stoelen (vervaardigd van wit Australisch hout en bekleed met blauwe Australische wol waar iedereen vol trots over spreekt), maar de akoestiek en de gezichtslijnen zijn heel goed. Het is een van de twee theaters op de benedenverdieping van de Opera, met boven de concertzaal en de eigenlijke opera, zodat het hele gebouw soms galmt

van de repetities. Onze decors worden gemaakt in het Wharf-
theater, een echte scheepswerf die omgebouwd is tot boven twee
theaters en beneden enorme ruimten voor decorbouw, rekwisieten,
kostuums enzovoort. We repeteren daar ook, in een repetitiezaaltje
met achterin een klein balkon met telkens een paar studenten als
toeschouwers. Hermione vroeg me of ik dat hinderlijk vond en ik
zei dat ik dacht van niet. Hoe moet ik weten wat ik hinderlijk zal
vinden? Ik heb nog nooit iets van deze aard gedaan.
Het stuk heet Journeys End *en is geschreven door een Australiër*
die kort na het schrijven ervan op tragisch jonge leeftijd stierf. Het
gaat over een rijke vrouw, een van de grootste weldoeners van
Sydney die, naar we ontdekken, rijk geworden is door een echtpaar
op te lichten dat zij het grootste deel van haar leven gekend heeft.
Ze is een invloedrijke, beroemde vrouw, maar gespeend van enig
gevoel. Zelf zegt ze dat ze zich dood voelt zonder te weten waar-
om. De zoon van het bestolen echtpaar koopt het appartement
naast het hare (ik hoop draaischijven voor de twee appartementen
te gebruiken, als wij ze betalen kunnen) en de rest van het verhaal
gaat erover hoe ze elkaar ontdekken (ze hebben elkaar sinds hun
kinderjaren niet meer gezien) en de manier waarop zij tot leven
komt, niet slechts door hem, maar door zijn ouders die bij hem op
bezoek komen. Het is een verhaal over hoe een onmenselijke
vrouw menselijk wordt – een sprookje, zul je zeggen. Welnu, we
hebben behoefte aan sprookjes en ieder sprookje dat ik ken is opge-
bouwd rondom een kern van waarheid, zodat zelfs onmenselijke
lieden er misschien van kunnen leren te veranderen. En dit verhaal
bevat een flinke dosis realiteit, want aan het eind begrijpen de ou-
ders haar, maar vergeven haar niet, zodat zij niet de schone lei
krijgt waar ze op hoopt. Ze heeft de liefde gevonden, ze kan mee-
voelen, ze zal gelukkig worden, maar ze kan het verleden niet uit-
wissen.
Volgende week beginnen we met de casting. Hermione heeft ver-
scheidene acteurs opgebeld en ook een bemiddelingsbureau; ze
denkt dat we heel snel onze cast zullen vinden. Ik hoop het, want
ik verlang ernaar dit stuk tot leven te zien komen.
Ik hoop dat jouw schrijverij goed vlot.
Jessica

Ze aarzelde voor ze de envelop dichtplakte. Er waren nog zoveel andere dingen die ze kon schrijven. Ze kon hem schrijven hoe bang ze
was te zullen falen, Hermione teleur te zullen stellen, maar vooral

voor het werken aan een stuk zonder erin mee te spelen. Ze wist niet of ze dat zou kunnen opbrengen.

Ze schudde haar hoofd. Dat was te persoonlijk. Ze had hem genoeg verteld. Ze plakte de envelop dicht, frankeerde hem en deed hem op de post op weg naar de Wharf voor de eerste castingsessie.

Liefste Jessica,
Ik wikkel deze brief om een kerstcadeau en hoop dat je het zult accepteren, want het komt niet alleen van mij, maar ook van Constance. De armband is afkomstig uit de collectie juwelen die ze mij in haar testament naliet met de opmerking dat zij hoopte dat ik ooit nog eens een vrouw zou vinden aan wie ik ze zou willen geven. Ze zou erg blij – en triomfantelijk? – geweest zijn te weten dat jij die vrouw bent. Tevens zend ik je mijn beste wensen voor een heel gelukkige Kerst en voor een vrolijk en voorspoedig nieuwjaar. Zojuist ontving ik je brief over de Wharf en het Dramatheater. Ik ken de opwinding die jij voelt; het vergaat mij net zo als een stuk vorm begint te krijgen. Het is als het werken met een kluit boetseerklei en daar opeens de vorm van een hoofd in te zien, de golving van paardenmanen, een blad, een bloem of een vogel... vaag nog, maar wachtend om geopenbaard te worden. Dat is wat je gaat doen: de verborgen delen van het toneelstuk openbaren – waarom mensen doen wat ze doen, de bewijzen van liefde of haat die zij geven of ondergaan, hoe ze het leven om hen heen leren begrijpen (of het nooit leren!).
Niets ter wereld geeft ons hetzelfde heerlijke gevoel als dat. Het vergoedt bijna het feit dat wij ons leven niet altijd zo vorm kunnen geven als we zouden willen. Bijna. Uiteindelijk compenseert niets de afwezigheid van een dierbare.
Hermione lijkt me geweldig. Ik denk dat jullie een fantastische tijd zullen hebben. Wat het stuk betreft, dat klinkt interessant, met een sterk gegeven, maar dat valt uit een samenvatting niet op te maken. Zou je me een exemplaar van het manuscript willen sturen?
Met al mijn liefde,
Luke

Het was een armband van vierkante diamantjes en een robijnen sluiting. Toen Jessica hem omdeed en haar arm uitstak, fonkelden de diamantjes in de zon. Ze had iets van Luke willen hebben. Nu had ze tevens iets van Constance.

Nu kwam er elke dag een brief van hem. Soms was het een krabbeltje dat hij in een taxi neergepend had, maar heel dikwijls was het een brief van een kantje met nieuws over de stad en het theater, verhalen over mensen die zij kenden of anderen die Jessica nooit ontmoet had, herinneringen aan Constance, suggesties voor een film die het aankijken of een boek dat het lezen waard was, het weer of Martins nieuwste menu. Hij schreef nooit over een party of een afspraakje met een vrouw. Uit zijn brieven zou je kunnen opmaken dat hij werkelijk een monnik geworden was.

Luke Cameron? Nooit. Natuurlijk had hij contact met vrouwen, escorteerde hij hen in de stad en deelde hun bed. Er was voor hem geen reden om haar over hen te schrijven; het eerste wat zij te horen zou krijgen was als hij haar zou schrijven – want ze wist zeker dat hij het doen zou – dat hij ging trouwen.

Maar daar wilde ze niet aan denken. Ze bewaarde zijn brieven – een lade vol in de kast in haar zitkamer. Maar op een avond op weg naar huis stopte ze in Woolhara en zag in een etalage een Italiaans kistje, bekleed met donkergroen leer en een gedreven gouden rand op het scharnierende deksel. Ze nam het mee naar huis, borg er Lukes brieven in op – zo veel al! – en zette het kistje op de koffietafel naast dat met Constances brieven. Ze deed een stap achteruit en staarde ernaar.

Niet veel persoonlijk contact in mijn leven, maar op papier heel wat.

'Een mooi kistje,' zei Hermione later die avond. Ze aten crème vichysoise – koude gebonden aardappelsoep met uien, prei en koude kip aan de koffietafel. 'Goed leer. Twee Italiaanse kistjes. Allebei voor brieven?'

'Ja.' Jessica vulde hun wijnglazen en hield het hare omhoog. 'Op de cast die we een dezer dagen zullen vinden.'

Hermione klonk met haar. 'Dat kan nu elke dag gebeuren. Een kistje voor Constance, daar heb je me over verteld. Het andere voor Lucas Cameron?'

'Ja. Hij vraagt om een exemplaar van *Journeys End*. Vind je het erg als ik hem er een stuur?'

'Welnee, waarom zou ik? Het boek komt trouwens over een maand of twee uit; dan zal hij het overal kunnen kopen.'

Zwijgend aten ze even door. 'Wat is er eigenlijk?' vroeg Jessica. 'Er zit je iets dwars. Is het dat we zo laat beginnen met de casting?'

'O nee. We beginnen er pas mee als jij je er klaar voor voelt. Dat zit me totaal niet dwars.'

'Dan is het iets anders. Kom op, Hermione, uiteindelijk zul je het me toch vertellen, dus waarom zou je het nu niet doen?'

'Inderdaad, waarom niet. Welnu, de kwestie is dat ik geen investeerders kan vinden. Ik heb er een, Donny Torville, een beste knul en een zuiplap die geen snars om toneel geeft, maar die mij aardig vindt. Ik hoopte er nog twee of drie te vinden, maar die schijnen hier niet te bestaan.'

'Omdat ze denken dat ik het stuk niet kan regisseren.'

'Zo is het. Ik wil het liever niet zo bruut zeggen, maar we moeten het onder de ogen zien. Ze vragen me waarom ik denk dat jij terug kunt komen na al die jaren én terug kunt komen als regisseur, wat je nooit geweest bent. En als je het echt kunt, waarom dan niet in New York?'

'Hoe noemen ze me?'

'Dat doet er niet toe. Weet je wat het is, Jessie? Ze zijn kwaad op je omdat je terugkomt. Ze herinneren zich je uit de tijd dat je de meest betoverende vrouw en de briljantste actrice was en ze zijn kwaad omdat ze niet willen weten dat schoonheid kan verwelken en dat lichamen beschadigd kunnen raken; ze willen niet weten dat er nare dingen gebeuren, want dan zouden ze het feit onder ogen moeten zien dat er hun iets naars kan overkomen. Ze willen dat je weggaat en hen in de waan laat dat schoonheid en volmaaktheid duurzaam zijn. Wat een stel hufters om het leven met de nek aan te kijken.'

'Hoe noemen ze me?'

'Ik heb je al gezegd dat het er niet toe doet.'

'Voor mij doet het er wel toe.'

'Jessie, het heeft niets te maken met...'

'Hoe nóemen ze me?'

'Verdomme, je bent nog koppiger dan ik. Als je het dan echt wilt weten... afgedaan en een mankepoot.'

Jessica knikte, wachtend tot de stekende pijn zou verdwijnen. En even later gebeurde dat. Ze had het al eerder gevoeld, heel vaak, maar nu was alles anders. 'Welnu,' zei ze rustig, 'we zullen moeten bewijzen dat zij het mis hebben.'

Hermione trok haar wenkbrauwen op. 'Hoor ik Jessica Fontaine praten? Een transformatie. Misschien komt het omdat het over twee dagen Kerstmis is. Maar ik dacht niet dat jij in kerststemming was, want het is buiten 32 graden en zo vochtig als in een sauna.'

Jessica glimlachte. 'Het maakt beslist geen kerstindruk. Besef je hoe vreemd het is kerstversieringen te zien naast bloeiende grevillea's, al die zomerse roze bloemen die als honderden vogels op de takken zitten? Ik kan er maar niet aan wennen.'

'Dan komt het dus niet door Kerstmis. Waardoor dan wel?'

'Door jou. En Luke. En de wetenschap dat jullie in mij geloven. En de terugkeer. Telkens als ik die repetitiezaal binnenloop, voel ik me levend en volwaardig omdat ik ben waar ik thuis hoor. En geen van jouw jammerende investeerders zal me dat ontnemen.'

'Halleluja. Je bent geweldig, ik hou van je en ik heb onbegrensd en volledig vertrouwen in je. In ons. Dit stuk zal geld opleveren. Daarom heb ik besloten het zelf te financieren. Ik zou het je wel eerder verteld hebben, maar ik wilde eerst weten hoe jij er tegenover stond.'

'Hermione, dat moet je niet doen. Je weet dat je het risico moet spreiden; je kunt het niet helemaal alleen dragen.'

'Vergeet Danny niet.'

'Je hebt nog minstens twee anderen nodig.'

'Die zijn er niet. Voor je tweede stuk zullen ze er zijn, maar niet voor dit. Ik kom er best, Jessie, ik ben niet bezorgd.'

'Je zou het moeten zijn. Je hebt een onbekende toneelschrijver en een beginnende regisseur, en dat is bepaald geen houvast.'

'Ik kom er best.'

'Welnu dan.' Jessica liep naar de eetkamertafel die bezaaid was met papieren en boeken, schetsen en scripts waarin elke rol met kleurenstiften aangegeven was en woelde erin tot ze haar chequeboek gevonden had. 'Hoeveel steekt Danny erin?'

'Wacht even jij. Dit is jouw taak niet. Jouw taak is het stuk te regisseren.'

'Laten we niet kibbelen over geld, Hermione, dat is zo stomvervelend. Hoeveel heeft hij je gegeven?'

'Tweehonderdduizend. Geld is wel stom, maar nooit vervelend.'

'Erover kibbelen wel. Ik steek er hetzelfde bedrag in en dat kun jij ook doen. Kunnen we dit stuk voor zes ton produceren?'

'Ja.'

'Met de draaischijven?'

'Dat weet ik niet. Ik weet de kostprijs niet. Jessie, weet je zeker dat je dit doen wilt?'

Jessica zat een cheque uit te schrijven. Zonder op te kijken zei ze: 'Jij en Luke zijn niet de enigen die in mij geloven. Ik begin ook in mezelf te geloven.'

Ze gaf Hermione de cheque. 'Dit is een cheque op mijn depositorekening in Amerika, maar ik denk dat hij zonder moeite geaccepteerd zal worden.' Ze hief haar glas op. 'Ik vind dat we moeten klinken op ons stuk. En op al die lieden die er spijt van zullen hebben dat zij het niet gesteund hebben.'

Hermione grinnikte. 'Ik heb me in lang niet zo uitgelaten gevoeld. We zullen hen paf doen staan.'

Laat hen paf staan, dacht Jessica twee weken later na de feestdagen, toen zij voor hun eerste castingsessie in de repetitiezaal in de Wharf waren. Zij en Hermione hadden op Eerste Kerstdag cadeautjes uitgewisseld en toen samen gekookt voor een paar vrienden van Hermione. Op oudejaarsavond waren zij naar een echtpaar in Melbourne gegaan en op nieuwjaarsmiddag teruggekeerd. 'We willen niet dat je gaat kniezen over feestdagen,' had Hermione gezegd en de door Jessica gevreesde week was bijna zonder pijn verstreken.

Beste Luke,
Bedankt voor de prachtige armband. Het betekent heel veel voor
me dat hij van jullie allebei afkomstig is. Ik droeg hem op een rus-
tig kerstdiner met maar tien mensen en een nog rustiger oudejaars-
avond in Melbourne met alleen Hermione en ik en het echtpaar
waar we op bezoek waren. Hij heeft een bouwonderneming en zij
is een dichteres, zodat het gesprek alle kanten uitging. Jij zou ervan
genoten hebben. Ik hoop dat je prettige feestdagen gehad hebt en
ik wens je een voorspoedig nieuwjaar.
Nogmaals bedankt. Ik houd van de armband.
Jessica

Ze had de brief gepost op weg naar de Wharf en toen ze in de repetitiezaal zat, bedacht ze dat het niet haar bedoeling geweest was die laatste zin eraan toe te voegen, maar op het laatste moment had ze geweten dat ze hem niet een zo koele brief kon sturen over zoiets bijzonders. *Ik houd van de armband. Ik houd van jou.* Die link zou hij niet leggen.

Naast Hermione gezeten zag ze twee acteurs naar het midden van de zaal komen. Ze was nerveus en de hitte in de zaal maakte het nog erger. De deuren naar de havenkant stonden open, maar het zwakke zeebriesje scheen de moed te verliezen voor het hen bereikte en de enige luchtstroming in de zaal kwam van twee ventilatoren die al lang geleden hun nederlaag erkend hadden. Op de tafel waaraan zij zaten stonden thermoskannen met ijsthee en koud water en Jessica nam een lange teug ijswater. 'Laten we beginnen bij de eerste akte waar Helen ontdekt dat Rex naast haar is komen wonen.' Ze sloeg de bladzijden van haar script om met hier en daar zoveel markeringen dat ze nauwelijks haar eigen aantekeningen kon lezen. Ze keek op toen de deur openging en er iemand binnen kwam: een kleine, kalende man met kromme benen, lange armen en helderblauwe ogen in een tanig gezicht.

'Sorry, heel veel excuus dat ik te laat ben; dat zal niet weer gebeuren.' Hij stak zijn hand uit. 'Dan Clanagh. Uw toneelmeester. Een afschuwelijke manier van kennismaken, maar bij een stoplicht botste iemand tegen me op en alleen ik had haast om door de papierwinkel heen te komen om onze waanzinnige race door het spitsverkeer te hervatten. Hoe het zij, aangename kennismaking. Ik kijk uit naar de samenwerking met u. Dit is een heel mooi toneelstuk.'

Glimlachend schudde Jessica hem de hand en dacht aan wat Hermione gezegd had: 'Er is geen betere dan hij; je zult hem sympathiek vinden.' En dat deed ze.

'Eerste akte,' zei ze opnieuw.

Ze had dit zo vaak gedaan dat ze zich in de war voelde toen de acteurs hun rollen begonnen voor te dragen. Ze zat op de verkeerde plaats, aan de verkeerde kant van de tafel. Waarom zei zijzelf niets terwijl deze lieden de tekst van het stuk voordroegen? Ze voelde Hermiones hand op haar arm. 'Opletten, Jessie. Jij regisseert dit stuk.'

Och, natuurlijk. Zij regisseerde dit stuk. Zij zou niet op het toneel verschijnen, maar onzichtbaar en anoniem achter de coulissen blijven. *Maar ik heb Hermione gezegd dat ik me levend en volwaardig voel en dat is zo. Zolang ik hier ben, is alles in orde.*

Ze begon kritisch te luisteren. Acteurs kwamen binnen, lazen hun tekst en verdwenen, en af en toe voelde ze een vonkje belangstelling, maar het was geen grote vonk en nooit een die nagloeide. 'Het moet aan mij liggen,' zei ze die avond aan het diner tegen Hermione. 'Ze zijn allemaal competent, dus moet er iets aan mij mankeren als ik niet een van hen geschikt vind voor dit stuk. Misschien' – ze dwong zichzelf het te zeggen – 'misschien ben ik jaloers.'

'Dat zou kunnen,' zei Hermione luchtig,' maar ik vond hen ook niet goed en ik heb niets ter wereld om jaloers op te zijn. Misschien gaat het morgen beter; Angela Crown komt voor de rol van Helen en zij is indrukwekkend. En wat die ene voor Rex betreft sta ik in twijfel, maar misschien kan hij ermee door. Als het niet om iets anders is, zal zijn naam je bevallen. Whitbread Castle.'

'Wat?'

'Je hoorde wat ik zei. Zijn moeder heeft die naam mogelijk opgepikt uit een keukenmeidenroman. Als we hen allebei contracteren, hebben we een kroon en een kasteel. Wat kan er dan nog misgaan?'

'Iemand met zo'n naam kun je niet serieus nemen,' zei Jessica, maar toen ze hem de volgende dag op de auditie hoorde, ging ze plotseling belangstellend rechtop zitten. Hij was buitengewoon knap, met een diepe stem en een sterk aura van seksualiteit en toen hij en Angela Crown samen declameerden, was het of ze al iets van de spanning aanvoelden die in de loop van het stuk tussen Helen en Rex zou ont-

staan. Jessica liet hen doorgaan zonder te onderbreken. 'Hij is te geforceerd,' fluisterde ze Hermione op een bepaald moment toe. 'Zijn
stem en zijn lichaam. Maar we kunnen hem een beetje losser maken,
denk je ook niet?'
'Het is te proberen,' fluisterde Hermione terug. 'Hij is wel goed.'
'En Angela?'
'Beter dan hij. Ik mag hen allebei wel. En jij?'
Jessica knikte. 'Angela,' zei ze, 'zou je de laatste twee regels nog eens
willen voordragen? Maar vertel ons eerst of je geërgerd of benieuwd
bent, of dat jij je misschien bedreigd voelt nu hij je buurman is.'
Angela Crown was een struise vrouw, een tikje te zwaar, met een
weelde van blond haar. Een vleugje grofheid in haar gezicht belette
haar een schoonheid te zijn, maar ze was aantrekkelijk en het publiek
herinnerde zich haar gemakkelijk, gedeeltelijk vanwege haar gestalte.
Ze droeg een rode zonnejurk met smalle bandjes en een rondgesne-
den hals en Jessica vond zoveel blote huid behoorlijk imponerend
voor een vrouw van bijna een meter tachtig. 'Geërgerd, benieuwd,
bedreigd,' herhaalde Angela op goed gemoduleerde toon. 'Misschien
alle drie wel, maar waarschijnlijk vooral benieuwd. Ik weet immers
nog niet of hij wist dat ik hier woonde of dat het puur toeval is dat hij
hier is komen wonen.'
'Maar als je denkt dat hij misschien geweten heeft dat jij hier woonde
en met opzet dat appartement gekozen heeft, denk je dat jij je dan
overvallen zult voelen?'
'Overvallen. O, u bedoelt, wat die knul uit mijn jeugd verdorie op
mijn volwassen parcours te maken heeft? Dat lijkt me wel.'
'Zou je daaraan dan willen denken als je die regels herleest? En ga
vandaaraf verder, allebei.'
'O, veel interessanter,' zei Hermione toen Angela opnieuw begon. 'Ze
is vlug van begrip, en dat hebben we nodig, behalve talent.'

... dus hebben we haar gecontracteerd,

schreef Jessica aan Luke,

> *... en Whitbread ook. Ik overwoog hem te vragen zijn naam te ver-*
> *anderen (door te zeggen dat een kortere naam voor het publiek ge-*
> *makkelijker te onthouden zou zijn), maar ik was er vrij zeker van*
> *dat ik er niets mee op zou schieten en dat ik beter alleen maar om*
> *datgene kan vragen waarvan ik een goede kans heb het te krijgen.*
> *Als we zijn houding wat ongedwongener kunnen maken, zal hij*

283

heel goed zijn als Rex. Een van zijn problemen zou kunnen zijn dat hij nog nooit met een vrouwelijke producer én een vrouwelijke regisseur gewerkt heeft, en de arme kerel zal misschien het gevoel hebben dat zijn moeder hier in twee gestalten zit en moet kiezen of hij een opstandige of een gehoorzame zoon zal zijn. Ik heb onze toneelmeester Dan Clanagh gevraagd een beetje aandacht aan hem te besteden, zodat hij ten minste één man heeft om mee te praten. Zodra we spelers hebben voor de andere twee rollen komt er een man bij en dat kan hem over het gevoel heen helpen een minderheid te zijn; dan kunnen ze samen smiespelen als twee schooljongens die stiekem een sigaret roken. We hopen morgen de casting af te ronden en uiterlijk maandag onze eerste ononderbroken repetitie te hebben. O, wat is het vertrouwd! Maar vreemd ook. Ken je het gevoel als je door het raampje van een vliegtuig omlaag kijkt naar je woonwijk in New York en in dat griezelige perspectief de helft van de gebouwen niet kunt identificeren? Zo voel ik me nu en soms is het zo afschrikkend dat ik me gedesoriënteerd begin te voelen alsof ik niet zeker meer weet waar ik ben. Maar dat zal wel overgaan, ik zal er wel aan gewend raken en meestentijds geniet ik volop van mijn uitzicht vanuit het vliegtuig. Ik hoop dat je het script ontvangen hebt, stond het je aan?
Jessica

Ik begin een beetje warm te worden, dacht ze toen ze de brief overlas. Waar is die koele afstandelijkheid gebleven waar ik zo goed in was – met alleen feiten en geen emoties? Misschien moet ik de brief herschrijven en een paar zinnen veranderen; zo lang duurt dat niet.
O, maar het is zo heerlijk hem dit alles te kunnen vertellen.
En ze verzond de brief.

Liefste Jessica, heb je een faxapparaat? Liefs, Luke

'Ik heb er een,' zei Hermione toen Jessica het haar de volgende ochtend vroeg. 'Maar je zou er zelf een moeten hebben. Ik zal mijn secretaresse je er vanavond een laten brengen. Is dat goed?'
'Ja, dank je wel.' Een man en een vrouw kwamen de repetitiezaal binnen en stelden zich voor. 'Laten we bij de tweede akte beginnen,' zei Jessica, 'waar u uw zoon voor het eerst komt opzoeken en ontdekt dat Helen in het appartement ernaast woont.'
Ze was die ochtend rusteloos en vond niemand goed. Het was hun derde auditiedag en ze werd steeds verlangender om met de repetities

te beginnen, zodat ze de premièredatum konden bepalen. Ze wilde ontdekken hoe goed ze was als regisseur en daar wilde ze nu achter komen. Nu ze teruggekeerd was uit haar isolement, was het of ze in die jaren op Lopez haar tijd afgewacht had en nu wilde ze opeens alles tegelijk: prestatie, succes en bijval. Ze wilde dat men zou zeggen dat ze geweldig was, dat ze ondanks alles wat haar overkomen was, ondanks haar tegenwoordige figuur bewondering en lof en liefde verdiende.

Ik hou van je. Wat doet het er dan toe hoe jij eruitziet?

Ze verdrong zijn stem. Het was niet genoeg. Ze moest zich op andere manieren waar maken, op zichzelf staan en de persoon worden die Jessica Fontaine van nu af zijn zou.

'Dank u,' zei ze tegen het tweetal dat de tekst voorgedragen had. 'U hoort nog van ons.' Natuurlijk zouden ze niets positiefs horen, want er zou niets te zeggen zijn.

'Lunch,' zei Hermione, en ze liepen naar het restaurant boven. Dat was luchtig en open, met glazen wanden en open glazen deuren, zodat het scheen over te gaan in het terras en vervolgens naar de haven en de tegenoverliggende oever, waar op een verlaten lunapark een op een reuzenrad geschilderd gezicht hen toegrijnsde. Ze aten vlug en spraken weinig, want allebei waren ze gefrustreerd, bezorgd en afgemat door de hitte. 'Ik bied je mijn excuus aan,' zei Hermione toen ze weer naar beneden liepen. 'Ik schijn hier niets goed te kunnen doen.'

'We hebben Angela en Whitbread aangenomen; dat was geweldig. Hoeveel hebben we er vanmiddag?'

'Vier. Een van de vrouwen is misschien goed. De mannen heb ik niet gehoord; die komen van het bemiddelingsbureau.'

Jessica nam weer plaats. Ze voelde zich heet en plakkerig en lichtelijk verveeld. Er moet hier een betere aanpak voor zijn, dacht ze. Ongeïnteresseerd liet ze haar blik door de repetitieruimte dwalen over Dan Clanaghs glimmende kale knikker en het bezwete shirt van een technicus, en daarna omhoog naar een groepje mensen die zich verdrongen op het balkonnetje. Op één na waren het allemaal studenten en ze richtte haar blik op die ene: een lange, broodmagere man met grijs haar en een droevig gezicht, en diep liggende, beschaduwde ogen. Ze tikte Hermione op de arm. 'Wie is die man?'

Hermione draaide zich om. 'Het hoofd van de afdeling dramaturgie van de Universiteit van New South Wales. Hij is hier pas een paar maanden. Gunst, hij ziet er ongelukkig uit.'

'Hij ziet eruit als Stan.'

Hermione keek hem strak aan. 'Je hebt gelijk. Ik ben benieuwd of hij kan acteren.'

'Hij is hoofd dramaturgie.'

'Dat garandeert niets. Dan,' zei ze, naar voren buigend, 'kun je even naar boven lopen en die droevige figuur daar vragen even bij ons te komen?'

Toen Dan met hem aankwam, stak Hermione haar hand uit en stelde zich voor. 'Ik ben slecht in het onthouden van namen en de uwe is me ontschoten.'

'Edward Smith.'

'Er is nauwelijks excuus voor om die te vergeten. Neem het me niet kwalijk. Dit is Jessica Fontaine en we wilden graag even met u praten. Kunt u uw studenten een paar minuten alleen laten?'

'Die hebben bezit genomen van het restaurant boven. Wat kan ik voor u doen?'

'Wij zijn een nieuw toneelstuk aan het voorbereiden,' zei Jessica. 'Ik ben de regisseur en Hermione is de producer. We zouden u willen inschakelen voor een van de rollen.'

'U hebt natuurlijk geacteerd,' zei Hermione.

'In Canada,' zei hij. 'Ik heb het nooit ver geschopt. Waarom wilt u dat ik die rol instudeer?'

'Omdat u het voorkomen hebt voor die persoon,' zei Hermione. 'Hij heet Stan, is ongeveer van uw leeftijd met een zoon van tweeënveertig en hij en zijn vrouw hebben een moeilijke tijd gehad, want twintig jaar tevoren heeft iemand hen van hun laatste cent beroofd en hij heeft zich er nooit meer bovenop kunnen werken.'

'Een verliezer.'

'Een slachtoffer. Maar hij kómt er bovenop, zij allebei en in zekere zin zijn zij de uiteindelijke winnaars. De plot is wat ingewikkelder en interessanter, maar als u met dat kleine beetje informatie en een snelle lezing van het script een scène zou willen proberen, willen we u graag horen.'

Hij wendde zich tot Jessica. 'Hebt u weleens gehoord van iemand die zo maar ergens opgepikt werd en precies bleek te zijn wat u zocht?'

'Nee, het zou voor het eerst zijn.'

Hij nam haar aandachtig op. 'Geef me tien minuten de tijd.'

Hij liep naar buiten, de brede balustrade op die om het hele gebouw heenliep en bleef in een beschaduwd hoekje staan om het stukje te lezen dat Jessica gemarkeerd had. Toen hij terugkeerde, vroeg hij: 'Wie repeteert er met mij?'

'Nora Thomas,' zei Hermione. 'Onze laatste hoop voor Doris, althans voor vandaag. Nora? We zijn er klaar voor.'

Een kort en gedrongen vrouwtje met staalgrijs haar, een stompe neus en hoogrode wangen, sloot haar boek en kwam van haar stoel in de hoek naar hen toe. Ze nam het script aan dat Jessica haar gaf, wierp er een blik in en knikte.

Zij en Edward Smith schudden elkaar de hand, keken elkaar aan, gingen toen op enige afstand van Jessica en Hermione tegenover elkaar op een stoel zitten en begonnen een dialoog tussen Stan en Doris voor te dragen. Jessica vouwde haar handen in haar schoot, luisterde naar wat later uitgesponnen kon worden en naar wat er nu al was. Toen de stemmen zwegen, zei ze: 'Dank u. Wilt u zo goed zijn buiten even te wachten?' Toen ze vertrokken waren, wendde ze zich tot Hermione. 'En?'

'Geen van beiden. Dit gaat verdorie eindeloos duren. Hij heeft een mooie stem en een paar maal dacht ik bijna dat hij het onder de knie had, maar hij liet me koud. Geen vuur en geen hartstocht. Hij is zo dówn. En wat Nora betreft, ze is niet slecht, maar haar uiterlijk staat me niet aan.'

'Wat betekent dat?' vroeg Jessica op effen toon.

'Niets persoonlijks. Ze lijkt kleinburgerlijk. We moeten iemand hebben die er uitziet alsof ze weet wat het is om rijk te zijn, hoewel ze het niet meer is.'

Jessica knikte bedachtzaam. 'Ik zou hen allebei willen engageren.'

'Je schertst.'

'Nee, ze staan me allebei wel aan. Laat ze een paar weken repeteren en je zult het met me eens zijn.'

'Geen denken aan. Weet je hoe vaak ik dit gedaan heb, Jessie? Vaker dan...' Ze brak haar zin af. 'Akkoord; ik heb beloofd dat nooit te zullen doen. Ik reken het je niet aan dat je nog nooit eerder geregisseerd hebt; alleen twijfel ik in dit speciale geval aan de juistheid van je inzicht.'

'Twee dingen. Ze zijn beter dan jij denkt, Hermione. Ik veronderstel niet; ik weet het zeker.'

Er viel een stilte en toen zei Hermione; 'Dan hebben we een kleine onenigheid. En alles was tot nu toe koek en ei. Stel eens dat ik zeg absoluut niet?'

'Op hypothetische vragen geef ik geen antwoord. Je zult het niet zeggen omdat je gelooft in de juistheid van mijn inzicht. Als dat niet zo was, waren we niet zover gekomen.'

'Dat is inderdaad waar.' Hermione roffelde met haar potlood op de tafel. 'Je weet dat er heel wat geld op het spel staat.'

'Een derde daarvan is van mij en ik ben niet van plan het te verliezen.'

'Oké.' Ze legde het potlood neer en sloeg met haar vlakke hand op de tafel. 'Afgesproken. Ik hoop bij God dat je gelijk hebt. Ik ga hen halen.'

Toen ze terugkeerden en Jessica hun vertelde dat zij de rollen van Doris en Stan kregen, keek Edward Smith Jessica aan. Ze schrok van de intensiteit van zijn blik. Hij was knapper dan ze gedacht had en hij keek haar aan met een soort peilende belangstelling die zij aantrekkelijk en intrigerend vond.

'Kunt u onbetaald verlof krijgen?' vroeg ze hem. 'Vanaf nu tot minstens eind april. En als we het stuk daarna ergens anders gaan opvoeren, zelfs nog langer.'

'Ik zal het navragen.' Hij liep naar de telefoon aan de muur. Er is niets aarzelends aan hem, dacht Jessica.

'Ik wil u bedanken,' zei Nora. 'Ik ben zó enthousiast over dit stuk, zo ongelooflijk enthousiast. Ik heb een week lang schietgebedjes gedaan.'

'Bent u ooit rijk geweest?' vroeg Hermione botweg.

'Wat? Rijk? Nou, toen ik opgroeide, hadden wij geld zat. Hoezo?'

Jessica liet hen praten. Haar gedachten dwaalden af. Toen Edward ophing, zich omdraaide en zag dat zij naar hem keek, begon hij te glimlachen, de eerste glimlach die Jessica van hem gezien had. 'Het is een beetje moeilijk omdat ik deze functie nog maar pas bekleed, maar ik denk dat we het kunnen regelen. De zomervakantie komt goed uit. Ik heb u nog niet bedankt voor uw vertrouwen. Het betekent voor mij heel veel dat juist u denkt dat ik enige kwaliteiten heb voor het toneel.'

Jessica trok haar wenkbrauwen op. 'Juist ik?'

'Ik ben vanuit Toronto verschillende malen naar New York geweest om u te zien optreden. Ik had nooit durven hopen dat wij nog eens kennis met elkaar zouden maken. Ik zou u willen uitnodigen om te dineren; is dat ongepast nu we zullen gaan samenwerken?'

Jessica glimlachte. 'Ik denk van niet.'

'Vanavond dan?'

Hij had grijze ogen; dat was haar nog niet opgevallen. 'Ik heb om vijf uur een bespreking met onze toneelmeester; zullen we zeggen om acht uur?'

'Ik kom u afhalen. Als u me uw adres wilt opgeven...'

Jessica schreef het op en gaf hem het papiertje. 'We moeten zekerheid hebben over uw verlof. Als er enige twijfel bestaat, moeten we iemand anders zoeken.'

'Er is geen twijfel,' zei hij rustig. 'Ik speel die rol.'

Toen hij en Nora vertrokken, zei Hermione: 'Hij fleurde op. Misschien zit er toch iets in hem. Wanneer ga je met hem uit?'

Jessica schudde haar hoofd. 'Het verbaast me voortdurend dat jij een gesprek kunt voeren en tegelijkertijd naar een ander kunt luisteren.'
'Ik kon niet alles opvangen; Nora ratelt aan een stuk door, zonder komma's, punten of nieuwe alinea's. We zullen haar spraakwaterval een beetje moeten indammen. Welke avond?'
'Vanavond.'
'Hij laat er geen gras over groeien. Heb je erover nagedacht? Misschien is het geen al te goed idee. Allereerst heeft hij iets over zich dat me doodsbenauwd maakt. Vraag me niet wat; ik kan het nog niet definiëren. Maar ik zou hem niet vertrouwen.'
'Hermione, je weet totaal niets van hem.'
'Het is puur en simpel instinct. Maar mijn instinct en ik laten elkaar gewoonlijk niet in de steek. En er is nog iets. Als jij zijn regisseur bent, vind je dan niet dat het daarbij moet blijven? Althans terwijl je regisseert. Een ding tegelijk, een serie complicaties tegelijk.'
'Ik zie geen probleem.'
'Ik wel, Jessie. Ik vind dat je niet met hem uit moet gaan.'
'Een dinertje. Daarna zal ik erover nadenken.'
Na een korte pauze haalde Hermione haar schouders op. 'Je bent volwassen; ik kan jou niet voorschrijven wat te doen. Kom je toch om vijf uur naar de bespreking met Dan?'
'Kom nou, Hermione.'
'Och, ja, dat was een stomme opmerking. Ik weet dat dit stuk bij jou op de eerste plaats komt. En ook op de tweede, derde en vierde. Wat ga je tot zolang doen?'
'Jij en ik blijven hier zitten en maken plannen. Ik zou de tekstlezing graag op maandag bepalen als jij het ermee eens bent, en dan beginnen we woensdag met de repetities. Ik moet nog een keer terug naar het Dramatheater voor opmetingen en ik wil het achtertoneel fotograferen: kleedkamers, rekwisietenkamer, de hele rataplan. Kun jij dat arrangeren? En jij zei dat je deze week zou zorgen voor inspiciënten en belichters met wie ik kan overleggen.'
'Maandagmiddag voor Augie Mack, de decorontwerpster. Ik ben nog in gesprek met een paar belichters, geef me daar tot volgende week de tijd voor. Ik laat je het tijdstip nog weten voor het Dramatheater, waarschijnlijk dit weekend vroeg in de morgen, voor de uitvoeringen van de Opera beginnen. Heb je er enig idee van hoezeer je veranderd bent sinds onze eerste kennismaking?'
Jessica keek op van haar paperassen. 'Veranderd? Hoe?'
'Hoe, zegt ze. Moet je dat horen. Opeens ben je helemaal de oude; je weet wat je wilt en hoe je het klaar moet spelen, of hoe je anderen het

voor jou kunt laten doen. Ik ben erg onder de indruk. Vooral omdat ik meen een kleine, maar belangrijke bijdrage geleverd te hebben om je uit de put te halen.'
'Dat is zo.' Jessica glimlachte. 'En nu commandeer ik jou. Ik bied mijn excuses aan.'
'Niet doen. Ik houd van doortastende mensen. En hier is mijn lijst van wat er gedaan moet worden. Apropos, ben je om half acht thuis?'
'Ja.'
'Mooi, want dan komt het faxapparaat.'

Beste Luke, hier is mijn faxnummer. Ik sta op het punt om uit te gaan en kan dus nu niet schrijven, maar dit weekend vertel ik je alles over Journeys End. *We hebben een cast en zijn op weg.*
Jessica

Liefste Jessica, hier is mijn faxnummer. De Tovenares *is tot en met maart uitverkocht, wat iedereen erg blij maakt. Monte maakt zich niet langer bezorgd over wat hij zijn 'allergrootste succes' noemt; voor wat hem betreft hebben we dat geboekt en hij kijkt al rond naar een volgend stuk. Ik heb hem zojuist het nieuwe van Kent gegeven, alle drie de akten, hoewel we het erover eens zijn dat er aan de derde nog heel wat bijgeschaafd moet worden. Wil je het nu al lezen of als hij klaar is met de herziening?*
Ik heb het weekend doorgebracht in het buitenhuis van Monte en Gladys op Kiawha Island (even groot als hun villa in Amagansett). Het strand is vlak voor de deur met joggers op alle uren van de dag, en 's nachts als iedereen slaapt alleen het geluid van de golven die de stilte breken. Het was veel ruimte en veel stilte voor één persoon en ik heb het hele weekend aan jou gedacht. Je zou genoten hebben van de gesprekken en de mensen. Het was een weekend waarop alle vakantiehuisjes bezet waren door echtparen en ik was me er meer dan ooit van bewust hoe de wereld partners prefereert en subtiel de alleenstaanden opzijschuift die, naast veel logistieke problemen, anderen eraan herinnert dat zij een deze dagen misschien ook alleen zijn – en wie wil daarbij bepaald worden?
Ik hoop dat dit niet klinkt als zelfbeklag. Ik genoot van het gezelschap van Monte en Gladys, maar ik miste jou. Gefeliciteerd met de afsluiting van je casting; heb je foto's van je vier acteurs? Vertel me over hen en ook over jezelf. Met al mijn liefde,
Luke

P.S. Aan het tijdstip van je fax merk ik dat je om een uur of acht uit zou gaan. Heb je een druk sociaal leven?

Lieve Luke,
Ik ben gaan dineren met een van onze acteurs die onbetaald verlof neemt als assistent-directeur van de afdeling dramaturgie van de universiteit. Ik plukte hem uit een groepje studenten dat hij rondleidde door de Wharf. Misschien wordt het een mislukte gok, maar wat een triomf voor hem en ons als het een succes wordt!
Het is nu maandag laat in de middag, erg heet en vochtig, maar in mijn zitkamer is het heerlijk koel en rustig. Vandaag hadden we onze eerste tekstlezing, zodat ik je tegelijkertijd daarover en over de acteurs kan vertellen.

Ze schreef een uur lang door en vulde haar beschrijvingen aan met veel van haar ideeën voor de opvoering van het stuk. Het was als hardop denken, als een gesprek met zichzelf. Het was als schrijven aan Constance.

Bedankt voor het luisteren naar dit alles. Schrijven helpt me lijn te brengen in alle facetten van een theaterproductie. Ik had me nooit gerealiseerd hoeveel duizenden details regisseurs moeten onthouden en waar ze tijd voor moeten uittrekken. Ik leer zoveel dat het soms lijkt of ik uiteen zal barsten van de hoeveelheid ervan, maar dan denk ik aan schrijven aan jou en aan alles op een rijtje te zetten en dat is voldoende om alles weer hanteerbaar te doen lijken.
Zijn faxen niet fantastisch? Het is de dichtste benadering van een gesprek.
Jessica

Liefste Jessica, een telefoon is nog verkieslijker. Liefs, Luke

De telefoon rinkelde. 'Jessica, met Edward. Ga je vanavond met me dineren?'
'Nee, ik wil vanavond liever thuis blijven, Edward. Sorry.'
'Morgenavond dan. Nog één diner voor de repetities beginnen. Ik ben bang dat er daarna heel veel zal veranderen.'
Even was het stil. 'Goed dan, morgenavond.'
'Ik kom je als gewoonlijk afhalen. Om acht uur?'
'Ja.'
Als gewoonlijk. Na één gezamenlijk diner probeerde hij haar naar ge-

zamenlijke geschiedenis te drijven. Ze vond hem sympathiek, ze werd tot hem aangetrokken en ze genoot van zijn gezelschap, maar nu voelde ze zich onder druk komen te staan en ze reikte naar de telefoon om hem te vertellen dat ze morgenavond ook niet met hem uit kon gaan. Maar toen keek ze naar het uit één zin bestaande briefje dat ze die dag van Luke ontvangen had. Iedereen dringt aan, dacht ze. Iedereen wil althans iets van controle. En met Edward dineren zal gezellig zijn.

Lieve Luke, ik prefereer de fax. Jessica

14

Edward reed met een strak gezicht vanwege het verkeer en ze gingen naar Bilson's op de hoogste verdieping van de International Passenger Terminal op Circular Quay. Het in zacht glanzende zilveren, zwarte en grijze kleuren uitgevoerde restaurant met op elke tafel een bloem, deed Jessica denken aan een toneeldecor met de haven als dramatische achtergrond. Edward had een tafeltje gereserveerd naast de halfronde ramen die een panoramisch uitzicht boden op het Opera House, de enkele stalen overspanning van de Harbour Bridge en het drukke verkeer van schepen die schuimend wit kielzog achterlieten. Beneden hen wandelden verliefde paartjes en gezinnen over de Quay, bleven staan kijken naar koorddansers en mimespelers, naar een modellenbouwer van zeilschepen en naar toeristen die in de rij stonden voor een raderboot waar een jazzband op het bovendek speelde. Het daglicht vervaagde terwijl Edward en Jessica zaten te eten en de lichtjes van Sydney gingen aan, markeerden de brug en de wolkenkrabbers van de stad, verlichtten het zeilvormige dak van het Opera House en wierpen een bleke glans op het water die weerspiegeld werd in het zilverkleurige plafond van het restaurant.

Jessica glimlachte terwijl ze naar de rimpelende golfjes keek die zich boven hen schenen te bewegen, en door de ramen naar de zee. 'Ik voel me als een meermin, of althans van mijn voorstelling ervan. Wat zou dit een mooi decor vormen.'

Edward wuifde de kelner weg en schonk zelf hun wijnglazen nog eens vol. 'Je kunt het misschien gebruiken voor je volgende toneelstuk.'

'Misschien ja.' Ze glimlachte weer, inmiddels vertrouwd met zijn pogingen om haar over zichzelf te laten vertellen. Bij hun eerste diner had zij al hun gesprekken teruggevoerd naar hem door altijd een nieuwe vraag of opmerking klaar te hebben als een van zijn antwoorden begon te verzanden. Ze wist nu van zijn familie in Canada, van zijn broers en zusters en van zijn vaders carrière als concertpianist en plotselinge overlijden door een hartaanval toen Edward zestien was. 'Mijn moeder hertrouwde en we voelden ons verraden: een huwelijk in nog geen jaar na de dood van onze vader en een vreemdeling bij ons in huis. Toch was hij goed voor ons en we hadden een goed tehuis, maar een voor een trokken we allemaal weg nadat we de middelbare school doorlopen hadden. Drie van ons gingen naar college en de anderen vonden werk in Toronto, Detroit en Los Angeles. We zijn nooit meer bij elkaar geweest.'

'Je zult hen wel missen.'

'Helemaal niet. Af en toe mis ik de wetenschap dat er ergens nauwe verwanten zijn, maar dat is een zwakheid die ik probeer te overwinnen; een terugvallen op de tijd toen ik jong was en behoefte had aan een luisterend oor als ik een klacht of een probleem had. Ik denk dat de meeste mensen hun leven lang naar zoiets zoeken, maar ik ben er lang geleden mee opgehouden.'

'Omdat je het in het theater vond. Is dat niet wat je bedoelt? Dat benadert een familie zo dicht als je maar denken kunt. Ben je nooit getrouwd?'

'Een keer. We zijn nog steeds bevriend, maar zij is in Canada en we zijn geen van beiden goed in brieven schrijven. Tja, het theater. Ik ben er niet echt bij, weet je, tot nu toe was ik het althans niet.'

'Maar je zei dat je in Canada toneelspeler geweest was.'

'Niet in grote theaters.'

'Maar dat gevoel van samen iets delen, in harmonie iets te scheppen, schenkt je dat geen genoegen als je het hebt?'

'Ik weet het niet. Ik schijn heel slecht mijn emoties te kunnen delen. Er staat zoveel op het spel als je je openstelt voor kritiek...'

'Die kritiek zou bewondering kunnen zijn.'

'Misschien, maar dat is niet waarschijnlijk. De meeste mensen vinden wel iets in mij om te bekritiseren. Dat is geen klacht; ik begrijp wat zij zien. Ik ben niet soepel of verfijnd of geestig; ik koester mijn emoties, ik ben een zwartkijker. Mijn moeder zei dat ik een lief jongetje was dat zijn leven sleet in lege kamers en op wegen die ik in eenzaamheid bewandelde.'

Jessica's adem stokte. 'Slíjt je zo je leven?'

'Grotendeels. Ik sta op goede voet met studenten, dus ben ik geen kluizenaar, maar ik ken geen echte intimiteit. Maar dat is ook geen klacht. Wij maken van ons leven het beste wat wij kunnen en dat is gewoonlijk genoeg om ons enigszins gelukkig te maken. Ik vertel je meer dan ik ooit iemand verteld heb; je bent een goed luisteraar en wekt niet de indruk van iets hiervan misbruik te zullen maken.'

'Misbruik? Lieve help, waarom zou ik?'

'Men doet het gewoonlijk om macht te verwerven.'

Daarna was zij van onderwerp veranderd, omdat zij niet in dit naargeestige landschap wilde blijven toeven. Maar nu, terwijl zij in Bil-

son's tegenover hem zat, bracht ze hem ertoe er weer over te praten.
'Waar is je moeder?'
'Zij en haar man hebben een appartement in San Diego gekocht. Ze houden van warmte.'
'Zie je ze helemaal niet meer?'
'Al jaren niet meer. En we corresponderen niet; alles schijnt te lang en te ingewikkeld om het op papier te zetten. Sommigen van ons bellen af en toe op, maar we zijn zo van elkaar vervreemd dat we over het weer praten. Ik denk zelfs niet meer aan hen als een deel van mijn leven; zij zijn iets dat ik achtergelaten heb, als mensen die ik ontmoet en appartementen die ik bewoond heb. En dat is prima; ik heb hen niet nodig en zij geven er geen blijk van mij nodig te hebben. De waarheid is dat ik er mijn hele leven tevreden mee geweest ben alleen te zijn. Ik heb moeite datgene te geven wat mensen nodig schijnen te hebben en dus eindigt alles ongelukkig. Ik ben op mijn best in mijn werk, waar altijd een onderlinge afstand is en geen onzekerheid bestaat over waar we behoren of hoe we elkaar geacht worden te benaderen. Daar ben ik tevreden mee.'
Jessica nam hem peinzend op en bedacht dat hij haar leven van de afgelopen jaren een dartele, sociale draaikolk deed schijnen. 'Ik geloof dat je in sommige opzichten erg moedig bent en dat bewonder ik, maar volgens mij heb je meer behoefte aan menselijk gezelschap dan je wilt toegeven. Waarom zou je me anders mee uit eten vragen?'
'Ik vroeg je te dineren omdat je prachtige ogen hebt en ik er heel lang naar wil kijken. Waarom ben jij hier?'
'Om naar extravagante lof te luisteren.'
'Waarom weer je me af als ik je vragen stel over jezelf?'
'Omdat ik het over jou wil hebben. Hoe kun je toneelspeler zijn als je zo eenzaam bent? Acteurs leren door een deel van de wereld te zijn. Je bent sinds de middelbare school alleen geweest.'
'Op die korte periode van een huwelijk na die zes maanden heeft geduurd. Maar ik observeer mensen, ik analyseer ze in mijn geest en denk over hen na. Het enige wat ik niet doe is vertrouwelijk met hen worden.'
'Arme man,' zei Jessica zacht.
Hij reikte over de tafel en bedekte haar hand met de zijne. 'Je moet me niet beklagen. Vooral nu niet, nu ik jou heb om mee te praten. Bedankt dat je zo begrijpend bent; ik heb me in geen jaren zo met iemand op mijn gemak gevoeld. Je bent een verbazingwekkende vrouw, mysterieus, fascinerend, gevoelig...' Hij stopte. 'Jij zult dat extravagante lof noemen.'

'Ja,' zei ze, maar ze hád medelijden met hem. Ze bewonderde zijn oprechtheid en de warmte van zijn hand op de hare was genoeg om haar lichaam te doen trillen en open te stellen voor gevoelens die zij meteen na Lukes vertrek geprobeerd had te blokkeren en dus was haar stem zacht en trok ze haar hand niet weg.

'Ik wil je heel vaak zien,' zei hij. 'Zoveel mogelijk. We zijn zo mooi begonnen... en ik pieker over wat er zal gebeuren als de repetities beginnen.'

Jessica voelde een opwelling van ergernis en trok haar hand weg. 'We kunnen beter over het stuk praten voor we verder gaan. Als we het daar niet over eens worden, zullen we het nergens over eens worden.'

Zijn gezicht groefde zich in de lange, weemoedige lijnen die het gehad had toen ze hem voor het eerst zag. Hij trok zijn hand terug op zijn schoot. 'Je gaat me vertellen dat het stuk voor alles gaat.'

'In precies dezelfde bewoordingen. Ik zou graag willen dat jij er ook zo over dacht.'

'Hoe moet ik dat kunnen, net nu ik je gevonden heb? Nee, kijk niet dreigend, Jessica, luister alsjeblieft. Het is waar dat ik eenzaam kan zijn – dat ik eenzaam bén – maar als ik met jou samen ben, zelfs na een zo korte tijd, is het alsof ik een anker gevonden heb. Ik deins ervoor terug om vertrouwelijk te worden met mensen, maar jij maakt dat ik me op mijn gemak voel met mezelf en met de wereld. Ik heb nooit de bedoeling gehad te zeggen dat het toneelstuk niet belangrijk is, maar ik zou het meteen overboord gooien als ik dacht dat het kapot zou maken wat wij hebben.'

'We hebben maar heel weinig,' zei ze koeltjes. 'Twee diners, wat beslist niet neerkomt op een hartstochtelijke liefdesverhouding. Dit stuk betekent alles voor mij. Als ik faal... Ik kán niet falen. Dit moet mijn succes worden, het soort succes waarop ik kan voortbouwen en niets kan me daarvan afhouden. Ik ben blij dat we vrienden zijn, maar verder wil ik niet gaan. Nog niet.'

Hij aarzelde en knikte toen bruusk. 'Net zo je wilt.' Hij wenkte de kelner. 'Afrekenen alstublieft.'

'Ik ben nog niet aan weggaan toe,' zei Jessica bedaard. 'Ik wil graag nog een kop koffie. En cognac.' Ze werd heen en weer geslingerd tussen medelijden, hem door elkaar schudden en ergernis. Ze wist dat hij dit als een afwijzing beschouwde – en kennelijk was hij in zijn leven heel vaak afgewezen, anders zou hij niet zo verbeten een deugd gemaakt hebben van eenzaamheid – en ze wilde die glimlach weer zien die heel even op zijn gezicht verschenen was. Ze wilde zijn hand weer op de hare hebben, de warmte en het gewicht van een man dichtbij haar die naar haar verlangde. Maar de moeilijkheid was, dat toen ze overwoog met hem naar bed te gaan, haar gedachten meteen afgleden naar Luke en naar elk ogenblik dat zij samen doorgebracht hadden, in bed en erbuiten. Maar ik zou toch niet met Edward naar bed willen, dacht ze, niet zolang hij zich gedraagt als een jengelende jongen die pruilt omdat hij niet precies op het moment dat hij iets hebben wil zijn zin krijgt. Hij zal goed zijn in het stuk – geweldig zelfs als hij er zijn best voor doet – en dat is alles wat ik van hem wil. Voorlopig althans.

Liefste Jessica,
Bedankt voor de toezending van Journeys End. *Het is een goed stuk, je hebt ermee geboft. Ik ben benieuwd hoe je Helen en Rex ontwikkelt en hoe je hun toenadering aan het eind onvermijdelijk wilt maken.*
(Acht jij het onvermijdelijk dat mensen die van elkaar houden op een bepaald moment tot elkaar komen? Ik denk graag van wel.)
Ik zit in mijn bibliotheek en wil het beeld voor je beschrijven. Drie voet sneeuw heeft de stad verlamd. Geparkeerde auto's hebben als enorme witte truffels een gladde hoed op; skiërs glijden over Fifth, Park en Madison Avenue, hoewel de sneeuwploegen als donkere vingers van het noodlot hen spoedig zullen inhalen. Een vreemde en zalige stilte is over Manhattan neergedaald, zodat we plotseling beseffen hoeveel lawaai we dag in dag uit accepteren zonder erover na te denken. (Natuurlijk was ik me er op Lopez van bewust, maar dat is een ander verhaal.) Nu het heeft opgehouden te sneeuwen is de temperatuur tot iets beneden het vriespunt gedaald en Martin houdt alle drie de haarden aan. Het is hier nu dinsdag en even na middernacht, hetgeen betekent dat het bij jou woensdagmiddag omstreeks drie uur is – ik heb een klok gekocht die ik op de Sydney-tijd afgesteld heb, zodat ik geen rekening hoef te houden met tijdverschillen en de internationale datumgrens als ik aan jou denk – en jouw zomerse dag is volgens je brieven en de weerkaarten op de tv heet en vochtig, zodat wij ons op het weerspectrum op de beide uiteinden bevinden. Ik ga deze fax over een paar minuten verzenden, zodat hij op je zal liggen te wachten als je terugkeert van je repetitie. Je eerste repetitie. Ik hoop dat hij zo goed verloopt dat je al contouren ziet van de vorm die het stuk zal aannemen en van de band die je acteurs met elkaar en met het publiek zullen smeden. Meer kan ik je op het ogenblik niet toewensen.
Er zijn deze week twee nieuwe toneelstukken in première gegaan.

*Het ene zal waarschijnlijk niet lang lopen – het hangt als droog
zand aan elkaar en komt nooit ter zake – maar het andere veroorzaakt heel wat beroering en ik heb er enorm van genoten. Jij zou
er ook van genieten en het spijt me dat je niet hier bent om ernaar-
toe te gaan. Wil ik je het script soms opsturen? Apropos, je hebt me
niet geschreven of je Kents stuk nu wilt lezen of na de revisies. Of
helemaal niet. Laat het me weten.*
Met al mijn liefde,
Luke

Hij kan niet elke avond thuis zitten, dacht Jessica, niet in New York
waar alles en iedereen lokt. Waar is hij 's avonds voor hij me schrijft?
Wat doet hij? En met wie?

De volgende avond had Edward kaartjes voor een toneelstuk in het
Footbridge theater en nam Jessica daarna mee naar de Regency voor
een laat souper. Ze bleven heel lang napraten over het stuk dat zij gezien hadden, en over andere toneelstukken en boeken en muziek.
Voor het eerst brachten ze een hele avond samen door zonder over
Edward te praten en toen ze opbraken had Jessica een heel fijne
avond en speet het haar dat die bijna om was. 'Houd je van musicals?'
vroeg Edward toen ze naar haar huis reden. 'Ik heb voor vrijdag
kaartjes voor het Theatre Royal. Ik had ze voor morgen willen hebben, maar ze waren uitverkocht. Maar ik heb daarna gereserveerd
voor het souper. Voel je er iets voor?'
'Ja,' zei ze glimlachend. 'Je bent een grondige planner, Edward.'
'Gewoonlijk is dat kritiek: wat een saaie kerel, wat een grondige, star-
re plannenmaker. Maar er is niets saais aan plannen maken om met
jou samen te zijn; het is het spannendste wat ik doe.' Hij parkeerde
voor haar huis, sloeg zijn armen om haar heen en kuste haar. 'Ik hou
van je, Jessica. Met jou voel ik me vol leven.' Hij boog zich weer naar
haar toe en Jessica stelde zich voor hem open. Ze absorbeerde zijn
warmte, de omhelzing van zijn armen, de druk van zijn lippen op de
hare. Hij hief zijn hoofd op en ze keek hem in de ogen, zachtgrijze
ogen in het licht van de straatlantaarns. 'Ik wil met je mee naar binnen,' zei hij. 'Ik kan je nu niet loslaten.'
Zijn hand rustte op haar borst; hij kuste haar mond, haar wang en
haar hals. Met gesloten ogen hief Jessica zich naar hem op toen zijn
mond verschoof naar de holte van haar keel, de ronde halslijn van
haar japon volgde en verder omlaag. Door de dunne zijde heen was
zijn adem warm op haar borst; de warmte doorstroomde haar en trok

haar in hem. 'Laat me vannacht bij je blijven,' fluisterde hij. 'Ik wil bij je zijn.'

Ja, dacht ze. Dit is het heden, dit is nu mijn leven. Luke is het verleden.

Hij kan niet geloven dat iemand zich echt tot hem aangetrokken zou voelen en hij is doodsbang afgewezen te zullen worden.

Haar ogen vlogen open. Ze had dat heel lang geleden aan Constance geschreven. Welke man was dat? Ze kon het zich niet herinneren. Iemand die haar aangetrokken had door zijn behoefte om gestreeld, aangemoedigd en opgestuwd te worden.

'Ik heb je nodig,' mompelde Edward. 'Mijn anker. Een plek waar ik thuishoor en me vol leven voel.'

Ik schijn een blinde vlek te hebben wat mannen betreft; ik heb heel lang nodig om hen te doorgronden. Daar zal ik aan moeten werken.

Niet wat Luke betreft, dacht ze. Niet wat Luke betreft. Maar hem buiten beschouwing gelaten heb ik totaal niets geleerd.

Haar lichaam verkoelde onder Edwards lange zucht. 'Edward,' zei ze. Hij hief zijn hoofd op en toen hij haar ogen zag, veranderde zijn gezicht. 'Wat scheelt eraan?'

'Ik kan dit niet doen, het spijt me, maar...' Ze voelde hem terugdeinzen, ze kon zijn gezicht bijna zien verschrompelen. 'Ik wil dit niet, nog niet. Het gaat niet om jou, maar...'

'Wat kan het anders zijn?' Hij trok zich van haar terug en liet zijn handen en zijn voorhoofd op het stuur rusten. 'Ik liep te hard van stapel. Ik moet wel een hitsige jongen geleken hebben die uit is op...'

'Hou op, Edward.' Ze trilde nog van de seksuele prikkeling, maar die trok snel weg. 'Is het ooit bij je opgekomen dat ik een verhouding met iemand anders zou kunnen hebben?'

Geschokt keek hij haar aan. 'Nee.'

'Waarom niet?'

'Omdat ik dacht dat jij die niet kon hebben.'

Vanwege mijn uiterlijk. Je dacht dat niemand anders in mij geïnteresseerd zou zijn, is het niet zo?

'Jij bent pas in de stad, je woont alleen, je bent voortdurend bezig met het stuk... en je gaat met mij uit. Waarom zou een vrouw mij een tweede blik waardig keuren als haar belangstelling naar iemand anders uitgaat?'

Jessica keek hem aan en schoot in de lach.

'Wat betekent dat?' vroeg hij bars.

'Neem me niet kwalijk.' Even beroerde ze zijn gezicht. 'Ik dacht aan iets waarvan Hermione me zei dat het dwaasheid was, en ze had waarschijnlijk gelijk. Edward, er is een man met wie ik me verbonden voel. Meer zeg ik niet over hem, behalve dat ik je vertel dat ik niet bij hem ben, dat jij en ik vrienden zijn en dat dat voorlopig genoeg is. Bovendien werken we samen, waarom zouden we het risico nemen dat te bemoeilijken? We hebben alle tijd om erachter te komen hoeveel we om elkaar geven.'

'Ik had het over liefde. Als je je hele leven op iets gewacht hebt...'

'... kun je niet langer wachten.' Ze deed het portier open. 'Bedankt voor vanavond en tot morgen.' Ze boog zich iets naar hem toe om hem een kus op zijn wang te geven, maar zag er toen van af. Met het minste of geringste beetje aanmoediging zou hij plannen maken voor de komende tien jaar. 'Mag ik mijn stok?' Hij pakte hem van de achterbank en gaf hem aan haar. 'Dank je wel. Welterusten, Edward.'

Ze sloot het portier en strompelde het korte stukje naar haar voordeur. Ze wist dat hij haar peinzend nakeek. Ik heb iemand nodig die veel lacht, dacht ze. Ze deed de deur open en ging naar binnen zonder om te kijken. Denk ik dat Edward ooit zo iemand zal worden? Het zou kunnen. Hoe groot is de kans? Misschien een op de duizend.

Maar bij haar ontwaken de volgende morgen dacht ze aan hem, omdat ze wist dat zijn eenzaamheid en neerslachtigheid juist nu een grote aantrekkingskracht op haar uitoefenden omdat ze het gevoel wilde hebben iemand te helpen die nog minder zelfvertrouwen had dan zij.

'Heb je diepe gedachten?' vroeg Hermione toen zij om zeven uur aankwam. 'Het is veel te vroeg voor iets anders dan het ontbijt.'

'Croissants, een brioche, muffins, fruit en koffie,' zei Jessica en ging voorop naar het ontbijtbuffet. 'Help jezelf.' Een paar minuten later kwam de projectleider voor *Journeys End* binnen en gedrieën namen ze plaats aan de overvolle tafel om het budget voor het stuk door te nemen. Ze waren een uur lang bezig met optellen en aftrekken om de kosten zover te reduceren dat zij op de premièreavond quitte stonden. 'Als we uitverkochte voorvertoningen hebben, zitten we goed,' zei Hermione. 'Kiele-kiele, maar uit de brand. De theaterparty's zullen ons door de eerste twee vertoningsweken heen helpen, maar die zullen we wel moeten krijgen.'

Jessica zuchtte. 'We zullen moeten afzien van de draaischijven en de ingebouwde draaiende vloeren moeten gebruiken. Ik ben er niet erg gelukkig mee omdat de ene in de andere zit en het publiek de beide appartementen niet gelijktijdig kan zien, maar dat is waar we over kunnen beschikken en dus zullen moeten gebruiken. Of we moeten een gesplitst toneel bouwen met aan elke kant een appartement.'

'Saai en voorspelbaar,' zei Hermione. 'Laten we Angies blauwdrukken en begroting afwachten en daarna beslissen.'

Om acht uur ging de projectmanager naar zijn volgende vergadering en Jessica en Hermione verlieten de koelte van haar appartement om naar de Wharf te gaan waar Dan Clanagh op hen zat te wachten. In de repetitieruimte begon het al benauwd te worden, zodat ze de ventilatoren aanzetten en hun thermoskannen met ijsthee openden. In het uur daarna voerden ze besprekingen met de chefs van de belichting, het kostuummagazijn en de rekwisieten en met de theaterdirecteur. Toen om half tien iedereen vertrok, was Jessica een half uur alleen tot de aankomst van de acteurs en de productiesecretaresse.

Ze liep naar het eind van de repetitieruimte waar lichtblauw tape de grens van het toneel aangaf en volgde die leunend op haar stok met haar gedachten bij de eerste akte van *Journeys End*. Ze ging de manieren na waarop de vier acteurs bij elkaar zouden komen, hoe ze elkaar aankijken en hun eerste teksten spreken zouden die onmiddellijk de spanningen zouden creëren die het hele stuk zouden beheersen. Maar haar gedachten bleven wegspringen als druppels water in een hete braadpan tot ze ten slotte niet meer probeerde zich te concentreren en stil voor zich uit bleef staan staren.

Ze sloot haar ogen. Ze zag zich midden op het toneel naar het publiek kijken. Ze zag de schijnwerpers die het toneel verlichtten en haar in het brandpunt plaatsten. Ze hoorde het geritsel van programma's terwijl iedereen ging zitten. Ze zag de toneelmeester in de coulissen en de andere acteurs die zich gereed maakten om op te komen. Ze voelde de energie en de schroom die haar elke keer beving als zij zich vermande voor haar eerste zin. Ze voelde de zuivere blijdschap en uitgelatenheid die na dat eerste moment in haar opborrelde en haar bijbleven tijdens het optreden en de verdere avonden, weken en maanden dat het stuk opgevoerd werd.

'Gossie, wat is het heet!' riep Hermione die kwam binnenstormen en haar strooien hoed afzette. 'Te heet om boodschappen te doen en zelfs te heet om te denken; ik reed met inwendige radarbesturing hierheen terug.' Ze bleef abrupt staan. 'Barst, wat ben ik een stommerd om zo maar binnen te vallen en erop los te kletsen. Sorry, Jessie. Dit is echt vreselijk voor je, hè? Een van de moeilijkste momenten die je ooit... Hier.' Ze haalde een zakdoek te voorschijn.

Jessica veegde haar ogen af. 'Dank je. Het zal me niet weer overkomen; een van die zwakheden die nergens toe leiden. We zouden onze herinneringen zo moeten kunnen bewerken dat zij aansluiten bij de wijze waarop wij veranderd zijn en de tijden waarin wij leven.'

'Dan zouden het geen herinneringen meer zijn, maar leugens.'

'Nou ja... fantasieën.'

'En daar is niets op tegen zolang je er je leven niet naar richt.' Ze keek Jessica scherp aan. 'Doe je dat?'

'Nee. Niets dan voortdurend de harde werkelijkheid.' Ze liepen naar de tafel toen de acteurs binnenkwamen en hun plaatsen innamen voor de eerste akte. En Jessica wist dat de harde werkelijkheid was dat zij bij hen wilde zijn, daar op die met blauwe tape gemarkeerde rechthoek, daar waar Angela Crown stond, haar mond opende en de eerste zinnen van het stuk uitsprak.

Ik ben jaloers. God, ik wou dat ik het niet was, maar ik ben het. En ik zal me er overheen moeten zetten, anders ruïneer ik het stuk en maak mezelf bespottelijk.

'Angela, sorry, ik zou graag opnieuw beginnen. Die eerste paar minuten moeten we kunnen geloven dat je woedend bent, maar ook dat je er zeker van bent je woede te kunnen beheersen. We moeten die indruk van zelfbeheersing al heel vroeg krijgen, want die manifesteert zich in je begroeting van Rex als hij bij je aanklopt.'

Angela knikte. Met gebogen hoofd bleef ze even staan, nam toen een paar stappen, begon toen te ijsberen en declameerde toen opnieuw haar eerste zinnen.

Jessica onderbrak hen niet opnieuw, maar liet hen alle drie de akten doornemen terwijl zij en Hermione en Dan Clanagh bladzijden vol aantekeningen maakten. 'Goed,' zei ze toen de laatste zin uitgesproken was. 'Wat vonden jullie er zelf van?'

'Goed,' echode Whitbread Castle. 'Ik voel de dynamiek al aan.'

'Het vraagt een enorme hoeveelheid werk,' zei Edward.

Jessica glimlachte. Als ze ooit gevaar liepen zich blij te voelen, konden ze ervan op aan dat Edward hen prompt tot andere gedachten zou brengen. 'Ja, dat is zo, maar ik ben het ermee eens dat dit een goed begin is. Wij hebben hier een massa aantekeningen, maar ik wil jullie ideeën ook horen. Dit stuk is van ons allemaal en we moeten al onze suggesties, problemen en vragen bespreken, alles wat we denken dat het stuk ten goede zal komen. Ik wou dat de auteur hier was, maar aangezien dat niet zo is, zullen we onze eigen interpretaties van de dialogen en de karakters moeten uitwerken en ik wil dat jullie daar allemaal toe bijdragen.'

Whitbread fronste zijn wenkbrauwen. 'Maar jij bent de regisseur, jij hebt het laatste woord. Het toneel is geen plaats voor democratie – ik wil dat soort chaos beslist niet! – ik verlang een regisseur die regisséért.'

'Als Jessica onze ideeën wil horen, stel ik voor dat wij ze aandragen,' zei Hermione opgewekt. 'Laten we dan nu even pauzeren...'

Whitbread stak zijn hand op alsof hij een verkeersagent was. 'Omdat je bezorgd bent, is het dat?'

'Bezorgd?'

'Mensen kletsen, Hermione. Zie je, ík word een beetje bezorgd als ik hoor dat mijn regisseur geen ervaring of vakkennis heeft en geen...'

'Ik gooi hem eruit,' mompelde Hermione.

'Nee, dat doe je niet,' zei Jessica rustig.

'... en geen – wat zal ik zeggen – opvatting heeft over regisseren, behalve dan ons allemaal te vragen ideeën en zo aan te dragen en ik moet zeggen dat ik dat alarmerend vind...'

'Heb je wel eens van Lucas Cameron gehoord?' vroeg Hermione scherp.

'Nee.'

'Och gunst, ik wou dat Sydney aandacht besteedde aan New York. Welnu, te uwer informatie, Lucas Cameron is een van 's werelds beste regisseurs en hij vraagt iedere ploeg waar hij mee werkt bij hem te komen met ideeën, vragen, problemen of wat ook en hij heeft aandacht voor hen. Hij geeft iedereen zelfs zijn privé-telefoonnummer, zodat ze hem te allen tijde kunnen opbellen om het stuk te bespreken. Dat komt op mij niet als bezorgdheid over; het bewijst dat hij genoeg zelfvertrouwen heeft om naar anderen te luisteren. Dat geldt ook voor Jessica. Zij heeft heldere eigen ideeën, maar ze wil die van jullie ook horen. Is er iemand die het daarover niet met mij eens wil zijn?'

Niemand deed zijn mond open.

'Waar heb je die geruchten gehoord, Whit?' vroeg Jessica vriendelijk alsof het niet echt belangrijk was, maar omdat ze toch aan het praten waren, kon het maar beter ronduit gezegd worden.

'O, nou...' Hij was van zijn stuk door haar mildheid. 'Zo hier en daar, niet specifiek...'

'Echt niet? Het klonk mij erg specifiek in de oren.'

'Nee... het waren meer flarden, brokstukken van gesprekken... misschien heb ik me zelfs vergist, je weet hoe luidruchtig party's soms zijn... Jessica, ik wíl met je samenwerken. Ik zíe de dynamiek van dit stuk; ik bewonder wat je tot nu toe gedaan hebt en je casting was briljant. Ik wil niet...'

'Oké, we hebben alles behandeld,' verklaarde Hermione. Ze keek Jessica aan. 'Een half uur om te lunchen?'

'Ja, niet langer.'

'Over dertig minuten hier weer present,' zei Hermione tegen de acteurs. Ze keek hen na en wendde zich toen tot Jessica. 'Je casting was briljant,' bauwde ze na en ze schoten in de lach. 'Maar het is niet echt grappig; we moeten hierover praten. Onder het eten. Ik heb je gezegd dat ik de lunch meebracht, is het niet?' Ze dook in haar plastic tas en haalde er twee sandwiches uit, een bakje tomatensla, een thermoskan, plastic bordjes en bekers en een punt chocoladecake. 'Grotendeels restjes van een klein dinertje. Tast toe.'

'Wat valt er te bepraten?' vroeg Jessica.

'Besloten repetities. Geen bezoekers, niemand van de pers, geen studenten meer.

Alleen Dan, de productiesecretaresse als ze volgende week begint, en de cast. Meer niet. Ik heb hier zelfs al aan gedacht voor Whitbread met zijn verhaaltje op de proppen kwam. Regisseur zijn vereist praktijkervaring; je moet je voeten nat gemaakt hebben voor je kunt zwemmen en je vleugels kunnen uitslaan voor je kunt vliegen – lieve help, moet je mij horen, een en al clichés vandaag – kortom, je hebt tijd nodig om de regisseur te worden die je zijn wilt en ik wil niet dat iemand zich daarmee bemoeit. Jij hebt ruimte en privacy nodig en die zul je krijgen.'

'Hoe vaak gaat dit zo?' vroeg Jessica.

'Af en toe.'

'Maar veronderstellen de mensen niet altijd het slechtste als ze ergens buiten gehouden worden?'

'Dat kan gebeuren.'

'En dat kan de voorverkoop schaden.'

'We hebben zoveel theaterparty's gearrangeerd dat ik me daar maar geen zorgen over zou maken.'

'Je zei dat theaterparty's de eerste twee weken voor volle zalen zorgen. Maar je hebt ook losse kaartverkoop nodig, anders heb je geen continuïteit. Je eigen geld zit erin, Hermione.'

'En het jouwe ook. En je hebt gelijk wat de verkoop aan de kassa betreft, maar ik wil niet dat je daar nu over piekert. Zorg jij maar voor de beste regie die deze stad ooit gekend heeft, dat is alles wat ik vraag. Laat al het andere maar aan mij over; vergeet het. Beloof me dat je dat doen zult.'

'Zo maar.'

'Zo maar. Denk aan het stuk. Denk aan dineren. Denk aan Edward. Die was overigens opvallend stil, vond je niet? Niet bepaald een ridder in glanzende wapenrusting die je in dat hele dispuut te hulp kwam.'

'Is dat het gesprek dat je me zojuist vroeg te vergeten?'

'O jee, je gaat me een beentje lichten. Goed, we zullen het er niet over hebben. En ook niet over Edward. Maar ik wil wel zeggen dat hij op de repetities goed was. Hij heeft het stuk bestudeerd en erover nage-dacht. Dat strekt hem tot eer.'

'Ja. Bedankt voor de lunch. Wil jij deze lijst eens bekijken die ik voor Dan heb en er je eigen opmerkingen aan toevoegen? Ik wil hem die geven als hij terugkomt, dan kunnen we het na de repetitie bespreken. En ik heb hier een lijst van rekwisieten, een paar suggesties voor de kostuums en dan heb ik het er vanmorgen nog niet over gehad, maar ik heb een paar alternatieve schetsen voor het decor. Wat zou je den-ken van één draaischijf met een appartement aan elke kant? Dan kun-nen we beide appartementen tegelijk of er maar één laten zien. Ik wil-de dat na de repetities met Augie bespreken. Kun je blijven?'

'Je weet dat ik dat kan. Het lijkt wel of je dag en nacht hebt zitten werken en geen tijd had om te slapen.'

'Ik heb niet veel slaap nodig.'

Hermione zag haar opkijken toen Angela Crown binnenkwam. 'Krijg je dan boze dromen?' vroeg ze.

'Nee, dan lig ik... te veel te denken.'

'Je weet, Jessie, dat ik voor je klaar sta als ik het je iets gemakkelijker kan maken.'

'Dat weet ik en ik vind het lief aangeboden, maar ik kom er wel. Hou jij je maar met theaterparty's bezig en ik pas wel op mezelf. Vergeet het maar. Beloof me dat.'

'Zo maar.'

'Zo maar.'

Ze schoten allebei in de lach. 'Ik beloof het je niet, maar ik zal probe-ren er niet over te blijven doorzeuren. Regel jij het maar. Je bent goed, weet je, flink en intelligent. Daar kan ik niet tegenop.'

Niet zo erg flink, dacht Jessica later die avond. Na de repetities had ze een uur met Hermione en Augie overlegd en had daarna tot tegen achten de ontwerpen voor de kostuums doorgenomen. Toen ze daar-mee klaar was, voelde ze zich moe en eenzaam en verlangend naar ge-zelschap. Zelfs niet naar conversatie, dacht ze, alleen maar naar de aanwezigheid van iemand anders. Ze had de hele dag niet met Edward gesproken en ze miste zijn lugubere commentaren en de droefheid op zijn gezicht die iets minder werd als zij samen waren.

Maar toen ze door de avondspits manoeuvreerde en sneller begon te rijden toen ze Point Piper naderde, bedacht ze dat er een brief van Luke op haar zou liggen te wachten. Er was altijd een brief. Hij schreef elke avond, rond middernacht New Yorkse tijd, en zijn brief kwam meteen in Sydney aan, in de hete zomermiddag als Jessica in het repetitielokaal was. En hij zou in haar faxapparaat liggen als zij om zeven of acht uur thuiskwam, met de in zijn handschrift beschreven bladzijden naar boven. Ze zou het lezen ervan uitstellen door Hope uit te laten en aan de extra lange lijn te laten rondhollen en daarna zou ze een glas wijn inschenken en zich in een diepe leunstoel bij de ramen neervlijen. En dan zou ze eindelijk beginnen te lezen en zich verbeelden dat hij bij haar was in de stilte van haar propvolle kamers, met Hope naast haar terwijl de hemel geleidelijk oker- en amberkleurig werd boven het silhouet van de stad en het rusteloze scheepvaartverkeer in de haven beneden.

Liefste Jessica,
Al een paar dagen geen brief van jou, maar ik weet hoe druk het is bij het begin van de repetities. Je hebt geen ja of nee gezegd over het stuk van Kent en dus heb ik het je opgestuurd zonder de herschrijvingen in de verwachting dat jij misschien suggesties hebt die ons voor de derde akte van pas kunnen komen. Natuurlijk niet meteen, pas wanneer je even wilt uitblazen van Journeys End. *Kent kennende wil hij meteen van start gaan, de rollen verdelen en onder de repetities de derde akte bijwerken, een methode die het koude zweet bij mij doet uitbreken. Soms wou ik dat ik net zo jong was als hij, vervuld van die absolute zekerheid dat alles mogelijk is, zo niet door intellectueel inzicht dan door brute kracht. Maar dan denk ik dat het beter is te zijn wat ik ben, bijna zesenveertig en volkomen bereid het kalmaan te doen als ik niet zeker ben wat er om de volgende hoek wacht of als ik voor het bestaande probleem geen oplossing heb waar geen speld tussen te krijgen is. Maar dat doe ik met jou ook, is het niet? Kent zou waarschijnlijk al lang geleden in Sydney aangekomen zijn om jou het hof te maken en de betovering levend te houden van die week op jouw eiland. Misschien zou ik dat gedaan hebben. Telkens als ik een kantoor van een luchtvaartmaatschappij zie, bedenk ik hoe gemakkelijk het zou zijn naar jouw nieuwe woonplaats te reizen, bij jou aan te bellen en, misschien met Kents vrijpostigheid, jou uit te nodigen voor het diner. Af en toe ben ik ervan overtuigd dat jij dat fijn zou vinden. Maar alle andere keren ben ik er even zeker van dat jij me zult zeggen op te hoepelen, dat je veel te bewijzen hebt en dat je nooit met jezelf in het reine zult komen als je het niet zelf bewijst.*
En misschien zul jij me nooit meer in jouw leven terug willen hebben, want voor jou beteken ik New York en jij bent vastbesloten daar nooit meer te zullen gaan wonen. Misschien heb je iemand

anders leren kennen die van je houdt en geen banden heeft met je
verleden. Misschien weet je niet wat je hierna zult doen; misschien
wacht je af wat je om de volgende bocht zult zien of wat voor de
bestaande problemen de oplossingen zijn waar geen speld tussen te
krijgen is.
Wat het ook is, ik wacht tot je erachter bent. Zolang als je me blijft
schrijven en me een deel maakt van je leven, kan ik wachten. Maar
misschien moet je niet al te lang wachten; als je ooit zou komen kij-
ken, zou je me misschien vergrijsd, verzwakt en strompelend aan-
treffen. Maar niet minder verliefd op jou.
Als altijd,
Luke

'Laten we het nog eens proberen,' zei Jessica de volgende dag, 'vanaf
Stans opkomst.'
Ze stond op, alsof dat hun een gevoel van dringende noodzaak zou
geven, misschien zelfs van spanning, want in deze scène was het haar
om spanning te doen en die had zij niet gevoeld, hoewel ze de scène
vandaag al tienmaal gerepeteerd hadden en het pas halverwege de
middag was. Maar het was zo drukkend heet dat zij allemaal amechtig
waren en dat maakte het moeilijker zich te concentreren. 'Ik heb een
idee. Edward, probeer het eens zó: blijf in de deuropening staan in
plaats van meteen de kamer binnen te komen. Je dacht dat dit het appartement van je zoon was en je bent zo geschokt als je Helen herkent
dat je letterlijk aan de grond genageld bent.'
'Maar hoe kom ik binnen als hij de deur blokkeert?'
'Dat hoef je niet, althans niet meteen. Je begint te praten, vlak achter
Stan en Helen hoort je stem voor ze je ziet. Dan komt Stan binnen, jij
volgt hem en alle drie zien jullie elkaar voor het eerst in twintig jaar
terug. Laten we het zo eens proberen.'
'Dat lijkt me wel wat,' zei Hermione toen Jessica ging zitten. 'Wanneer heb je dit bedacht?'
'Vannacht om een uur of twee.'
'Je maakt het nog steeds laat.'
'Ja.' *Maar enkele van die uren werden besteed aan het lezen en herle-*
zen van een heerlijke brief, zodat het moeilijk was aan iets anders te
denken.
Angela nam haar plaats in op de bank en even later deed Edward of
hij aanklopte en binnenkwam. 'Rex, hier zijn we...' Hij brak af en
hijgde alsof hij een stomp in zijn maag gekregen had. Zijn lichaam
scheen ineen te krimpen terwijl hij Helen aanstaarde.

'Mooi, mooi,' fluisterde Hermione.

'Rex? Waar is mijn jongen?' vroeg Doris achter Stan. Helen sprong overeind. 'Stan, je staat in de weg. Ik wil mijn jongen zien!'

Stan deed twee stijve stappen de kamer in, bijna voortgeduwd door Nora vlak achter hem. Helen deed een stap terug toen ze elkaar alle drie aankeken.

'Veel beter,' zei Jessica. 'Nora, bedankt voor het improviseren van die zin. Die nemen we op; hij is heel goed. Hoe vonden jullie drie dat?'

'Leuk,' zei Nora. 'Het lijkt natuurlijker.'

'Angela?' vroeg Jessica.

'Ik zie niet veel verschil met alle andere varianten die we geprobeerd hebben, maar zo is het goed.'

'Een verschil is dat we nu weten dat je Doris' stemgeluid niet vergeten bent; dat verduidelijkt veel van wat er volgt. En nu wil ik dat jullie allemaal – jij ook, Whit – improviseren waar jullie waren voor je het toneel opkwam.'

Ze staarden haar aan. 'Wat?' stamelde Whitbread ten slotte.

'Bedenk zinnen, bedenk bezigheden, wat je maar geschikt vindt. Ik wil zien waar jullie waren en wat jullie deden vlak voor jullie binnenkomst in het appartement. Angela, dat betekent waar jij was en wat je in het appartement deed voor de anderen binnenkomen.'

'Waarom?' vroeg Angela.

'Omdat je leven niet begint op het moment dat je opkomt. Je bent een compleet mens en de actie op het toneel speelt zich af tussen andere delen van je leven in. Je komt altijd ergens vandaan en daarna ga je altijd ergens heen. Als je dat niet kunt aanvoelen, zal niets wat je op het toneel doet waarheidsgetrouw zijn.'

'Daar heb ik over horen praten,' zei Angela, 'maar om het te spélen... Waarom moet dat eigenlijk?'

'Omdat ik het je vraag. Whit, wil jij beginnen?'

Pijnlijk moeizaam begon elk van hen dialogen en handelingen te verzinnen. 'Ik snap het niet,' mompelde Whitbread. 'Ik heb er geen flauw idee van waar jij naar streeft.'

Jessica zuchtte. 'Ik streef híernaar.' Ze pakte haar stok en liep naar het geïmproviseerde toneel. 'Vooruit, Angela.' Angela stond op van de kist die een bank moest voorstellen. Jessica ging op haar plaats zitten en deed of ze een stuk papier in haar ene hand en een potlood in de andere had. 'Aanstaande vrijdag de liefdadigheidsactie voor de dierentuin,' zei ze. Ieder woord was verstaanbaar, maar het was duidelijk dat ze in zichzelf praatte. 'De kankerbestrijding, het diner voor de Botanische Tuin, het diner voor de kunstgalerie en het gekostumeerde

bal van Dinges... lieve hemel' – ze verhief haar stem vol trots en voldoening – 'ik moet een staf personeel hebben, een secretaresse is niet
genoeg; dit is voor mij veel te veel geworden om het alleen af te kunnen.'

Ze klopte op de koffietafel als een nabootsing van Stans klop op de
deur, keek scherp op en sprak toen een paar regels uit van de dialogen
voor elk van de drie rollen. 'Dat is waar ik naar streef,' zei ze en stond
op. 'Natuurlijk weten we nog niet wat Stan en Doris deden voordat
Stan op de deur klopte, maar we weten dat Helen heel tevreden was
over zichzelf en daarom is de schok, haar verleden opeens in de deuropening te zien verschijnen, des te vernietigender. Nu is het jullie
beurt. Nora of Edward, een van jullie begint.'

Nora staarde haar aan. 'Dat was formidabel. Je deed Doris klinken...
Als ik zo zou kunnen overkomen...'

'We zitten te wachten,' zei Jessica kortaf en ging weer aan de tafel zitten.

Hermione boog zich naar haar toe. 'Zag je dat gezicht van Angela?
Totaal geschokt. Ik wed dat ze denkt dat jij nu in haar schoenen zou
moeten staan.'

'Angela? Denkend dat iemand een betere actrice kan zijn dan zij? Dat
geloof je niet echt.'

'Vanuit dat oogpunt gezien waarschijnlijk niet. En ze is werkelijk vrij
goed.'

'Ze is een goed actrice; ze zal het prima doen.'

'Dat weet ik. Luister nu maar eens naar hen. Ze hebben het idee te
pakken. Ze stuntelen nog een beetje, maar ze doen echt hun best.'

Jessica knikte en ze luisterden zwijgend. 'Goed,' zei ze na een paar
minuten.

'Speel nu de scène nog eens, maar bedenk wat eraan voorafging, want
het is de basis van je rol.'

Ze namen de eerste vijf minuten van de scène door. 'Maakte het enig
verschil uit?' vroeg Angela. 'Mij scheen het niet verschillend.'

Jessica haalde diep adem. 'Het was een tikje anders. Mettertijd zal het
wel beter worden. Zo niet, dan heeft repeteren niet veel zin. Laat ik
jullie zeggen wat ik probeer te bereiken. Jullie hebben het ongetwijfeld al eerder gehoord, maar ik denk dat jullie het van mij moeten horen. We streven naar waarheidsgetrouwheid. Dat betekent dat als er
iets verrassends op het toneel gebeurt, je echt verrast bent. Ik weet dat
jullie vinden dat dit zo elementair is dat het niet gezegd behoeft te
worden, maar acteurs vergeten het voortdurend. Jullie zijn allemaal
zo goed dat je vrijwel iedere emotie kunt uitbeelden, maar verrast of

bang of woedend acteren overtuigt een publiek nooit even goed als verrast of bang of woedend zijn. Als je de zaal eenmaal overtuigd hebt... och, dat weten jullie uit ervaring uit het verleden: dan word je geloofd en in alles gevolgd, in andere emoties en andere situaties totdat – dat hopen we althans – ze iets nieuws ontdekken in wat het betekent mensen te zijn. Voor mij is dat de echte betovering van het toneel.'

Edward schudde zijn hoofd. 'Dat is te hoog gegrepen. Hoeveel acteurs kunnen het publiek werkelijk nieuw begrip bijbrengen voor de betekenis van het mens zijn? Een handjevol op de hele wereld? Je hebt het over een formidabel talent, een heel zeldzaam talent.'

'Beschouw het als iets om naar te streven,' zei Jessica koeltjes. Ze begon Edwards zwartgalligheid steeds minder aantrekkelijk te vinden. 'Ga nu alsjeblieft terug en begin weer aan de tweede akte.'

Liefste Jessica,
Ik stuur je twee boeken waar ik van genoten heb. Ik hoop dat je tijd kunt vinden om ze te lezen. Ik ken het gevoel dat je te veel te doen hebt tot de premièreavond (geven jullie voorvertoningen?), maar mijn advies voor vandaag luidt: kleine pauzes voor de ontspanning maken alles hanteerbaarder, zoals kleine teugjes wijn een maaltijd smakelijker maken en korte scheidingen van geliefden hun gevoelens intensiveren. Gun jezelf wat tijd.
Veel liefs,
Luke

Lieve Luke,
Ik heb een probleem met de opening van de tweede akte; ik kan de explosieve spanning niet bereiken die ervoor nodig is. Het is beter dan eerst, met Stan als door de bliksem getroffen in de deuropening en Doris achter hem, die door Helen gehoord (en herinnerd) worden voor zij hen ziet, maar het is nog steeds niet genoeg. Is er iets anders dat ik kan doen?
Jessica

Liefste Jessica,
Haal Helen van die bank af. De scène is te statisch op het moment dat Stan binnenkomt. Misschien is ze op de slaapkamer geweest en staat ze haar haren nog te borstelen of trekt ze een vest aan of doet juist een sjaal om – iets dergelijks – juist als Stan de deur opent. Dan komen ze staande tegenover elkaar te staan, allebei een paar

310

seconden als aan de grond genageld tot Doris achter Stan haar tekst
opzegt (een heel goede zet). Ik hoop dat dit helpt.
Veel liefs,
Luke

'Ja!' juichte Hermione toen zij en Jessica Angela en Edward tegen-
over elkaar zagen staan op het geïmproviseerde toneel. 'Geweldig!
Eindelijk heb je het.'
'Een vriend suggereerde het,' zei Jessica.
'Aha, de wonderen van een faxapparaat.'
'En van vriendschap.'
'Over vriendschap gesproken, wil je vanavond komen eten? Kom om
een uur of zeven, dan huur ik een film en we praten niet over werk.'
'Dat klinkt heerlijk, maar zou het morgenavond kunnen?'
'Natuurlijk. Zal ik de vraag voor me houden wat er vanavond ge-
beurt?'
Jessica glimlachte. 'Tegen zulke subtiliteit kan ik niet op. Edward
neemt me mee uit eten in Manly en een bezoek aan iets dat Oceanworld heet.'
'Wat romantisch. Is dit een romance?'
'Nee. We vinden het prettig samen te zijn.'
En dat was wat ze die avond tegen Edward zei toen ze op het terras
van het Headlands Restaurant in Manly zaten. Ze waren erheen geva-
ren met de Jetcat die met hoge snelheid over het woelige water van de
haven danste, en waren naar Oceanworld gegaan, een reusachtig zee-
waterreservoir met een bewegend looppad onder de glazen bodem,
zodat ze omhoogkeken naar haaien, inktvissen, palingen en tientallen
andere bewoners van de oceaan en het Great Barrier Reef. 'Grappig,'
zei Jessica. 'Het is de beste manier om je te verbeelden dat je een pa-
ling of een haai bent. Je ziet de dingen nu tenminste vanuit hun oogpunt.'
'Niet lang geleden voelde je je een zeemeermin,' zei Edward. Ze wandelden langzaam naar het restaurant en tot haar ergernis had hij haar
vrije arm gepakt, maar ze zei niets zodat hij zich niet afgewezen zou
voelen. 'Heb je genoeg van het leven op het land?'
'Ik heb nergens genoeg van,' zei ze. 'Ik houd van nieuwe ervaringen
en nieuwe gevoelens. Nieuwe manieren om dingen te beschouwen.'
In het restaurant hield hij haar stoel voor haar klaar en zette haar stok
tegen de muur. 'Ben je tevreden over onze repetities?'
'Ik dacht dat we afgesproken hadden niet over werk te praten.'
Hij pakte de spijskaart en keek die vluchtig door. 'Alles hier is heel

goed. Je zou de Moreton Bay molkreeft eens kunnen proberen als je die nog niet geproefd hebt.'

'Nee. De naam klinkt erg onappetijtelijk.'

'Het is een piepkleine lokale zeekreeft. Verder is er de Victorian yabby, een erg lekkere holengravende kreeft. En de barramundi is een uitstekende vis, een longvis die alleen hier leeft. Gebakken Tasmaanse kammossels smaken ook heerlijk. Een van die gerechten kan ik je aanbevelen. Rode wijn of witte?'

'Rode. Edward, vanwaar die plotselinge belangstelling voor eten? Je leek altijd zo onverschillig, alsof een maaltijd alleen maar iets was dat tussen jou en de hongerdood stond.'

'Maar ik ben samen met jou en dat maakt alles anders. Jessica, ik kan alleen maar zeggen hoe totaal anders mijn leven is met jou.'

'We zeiden dat we daar niet over zouden praten.'

'Dat zei jij.'

'Goed dan, ik zei het. Is dat niet genoeg?'

Hij keek sip. 'Ik heb je teleurgesteld.'

'Een beetje, maar niet overmatig. Laten we het luchtig houden, Edward.'

Daarna liet hij haar het gesprek leiden, resoluut niet over hen beiden pratend tot zij het dessert op hadden en aan de koffie waren. Edward haalde diep adem om zich te wapenen. 'Ik heb je net gevraagd of je tevreden was over onze repetities. '

'En ik zei je...'

'Dat weet ik, maar we moeten erover praten.' Hij pakte haar hand en hield die stijf vast. 'Ik heb heel veel vertrouwen in je, Jessica, meer dan in enig ander op dit moment. Maar nu moet ik je toch vragen hoe jij vindt dat we het ervanaf brengen, want heel veel mensen in Sydney zeggen dat het stuk een flop is en ik ben er te nauw mee verbonden om te weten of ze gelijk of ongelijk hebben en daarom vraag ik je het mij te vertellen.'

Jessica's woede laaide op. 'Je vraagt me jou ervan te overtuigen dat het stuk geen flop is? Wat denk je te doen als ik zeg dat het dat is?'

Geschokt zei hij: 'Dat weet ik niet. Ik had niet verwacht dat je dat zou zeggen.'

'Waarom vraag je het dan?'

'Omdat ik jou moet horen zeggen dat het geweldig is. Ik heb al mijn energie erin gestoken en al mijn hoop erop gevestigd, meer dan iemand zich kan voorstellen en ik heb behoefte aan geruststelling. Is dat te veel gevraagd?'

Ze maakte haar hand los. 'Ik wil naar huis, Edward.'

'Nee, nee, we zijn hier nog niet mee klaar. Waarom word je vijandig als alles zo goed is tussen ons? Ik stelde je een eenvoudige vraag: ben je tevreden over de repetities?'

'We gaan de goede kant uit. We hebben nog twee weken de tijd en dan volgen de voorvertoningen. Wat wordt er verder nog gezegd over het stuk? Of over mij?'

'Dat zul je niet allemaal willen horen. Ik roer het alleen aan omdat wij vieren een beetje bezorgd zijn. Angela denkt dat de besloten repetities het probleem zijn, maar zeker weten doen we het niet en dus zei ik het jou te zullen vragen.'

'Ben jij de aangewezen boodschapper? Betekent het dat niemand van jullie denkt dat de repetities goed verlopen?'

'Dat vonden we allemaal, tot we begonnen te horen... '

'Wat begonnen jullie te horen? Ik wil het weten, Edward.'

'Jessica, dit valt me niet gemakkelijk. Maar we moeten kunnen geloven dat wat wij doen goed is; we kunnen geen twee weken doorgaan met ons af te vragen of het misschien... of het misschien...'

'Een flop wordt. Is dat wat je gehoord hebt?'

'Ja, onder andere... Maar niets ervan is waar...'

'Als je dat echt geloofde, zou je er niet over begonnen zijn. Ga door. Ik wil weten wat er gezegd wordt.'

'Het is niet waar, dat weten we allemaal, maar sommige mensen zeggen dat je stuntelt, dat je niet weet hoe je een toneelstuk in elkaar moet zetten en opbouwen en hoe je spanning moet ontwikkelen en dat je niet kunt samenwerken met een ploeg technici of een cast...'

'En ben je het daarmee eens? Met iets of alles daarvan? Neem het laatste punt: dat ik niet kan samenwerken met een cast.'

'Natuurlijk niet. Ik zei je al, we weten dat ze het mis hebben. Allemaal vinden wij je de beste regisseur met wie we ooit gewerkt hebben. Dat zei zelfs Angela en zij heeft de meeste ervaring van ons allemaal.'

'Waarom hebben we dan deze discussie?'

'Omdat het moeilijk voor ons is het onderwerp van geruchten te zijn.'

'Ik dacht dat ik het onderwerp was.'

'Wij zijn erbij betrokken. En weet je, het creëert een sfeer van argwaan en wantrouwen, van bezorgdheid, en wij moeten ons kunnen concentreren op het stuk in plaats van te piekeren over wat "men" zegt.'

'Daar ben ik het mee eens.'

'Waarmee?'

'Dat jullie je moeten kunnen concentreren op het stuk. Dat jullie niet dienen te piekeren over wat "men" zegt. Je hebt jezelf een uitstekend advies gegeven.'

'Jessica, je bent koppig. Je weet wat ik bedoel te zeggen. We willen niet piekeren, maar we kunnen er niets aan doen. De sfeer, weet je...'

'Ja, ik heb het gehoord. Jullie vinden me allemaal de beste regisseur waar jullie ooit mee gewerkt hebben, maar je begint te denken dat je het mis hebt zodra je stommelingen hoort roddelen.'

'Nee, nee, dat is niet wat ik zei.'

'Misschien kun je me dan vertellen wat je wél zei.'

'Er heerst een gevoel van onzekerheid, een miasma van onzekerheid. Ik dacht dat jij dat zou begrijpen; jij hebt een sterke antenne voor de gevoelens van anderen. Angela vroeg of ze een paar vrienden – invloedrijke vrienden – voor de repetities mocht uitnodigen, maar Hermione wilde het niet toestaan. Waarom niet? Wat kan het voor kwaad? Het zou de kaartverkoop kunnen bevorderen en sommige mensen vragen zich af of we zelfs wel tot een première zullen komen als dit miasma voortwoekert en de kaartverkoop schaadt. Het zou je niet moeten verbazen dat wij bezorgd zijn over de toekomst.'

Jessica zweeg. Iedereen maakt zich bezorgd over de toekomst, dacht ze, maar ze kon Edward geen deelgenoot maken van haar eigen zorgen. 'Dit is wat we zullen doen,' zei ze. 'We beginnen vroeg met de publiciteit en de reclame, en als Hermione het voor elkaar kan krijgen, beginnen we een paar dagen eerder met voorvertoningen in Melbourne. Dat betekent dat we vroegtijdige recensies zullen krijgen van critici die al jullie griezelige geruchten niet gehoord hebben. Ik zal al mijn schema's een beetje naar voren moeten schuiven, hetgeen betekent dat ik tot de première voor niets anders tijd zal hebben, maar dat zal jullie allemaal ervan kunnen overtuigen dat dit stuk mijn onverdeelde aandacht zal hebben en dat wat er gedaan moet worden, gedaan zal worden. We zullen succes hebben, Edward. Niemand hoeft in te zitten over de toekomst.'

Hij knikte somber. 'Je wilt zeggen dat je niet meer met mij zult dineren.'

'Wel allemachtig,' zei ze ontploffend. 'Heb je naar me geluisterd? Ik heb het over het stuk en over de toekomst. Heb je me zojuist niet gezegd dat jullie je daar allemaal bezorgd over maken? Luister goed, Edward. Ik zeg je dat er niets is om bezorgd over te zijn. Hermione en ik hebben alles onder controle. Kun je dat begrijpen? Kun je het lang genoeg onthouden om het voor de andere leden van de cast te herhalen? Zo niet, dan stuur ik jullie allemaal een brief. Misschien doe ik dat toch wel.' Ze zweeg even. 'Geen slecht idee,' mijmerde ze alsof hij er niet was. 'Onze vorderingen opsommen, vertellen over de komende paar weken... Zoiets als een hoofddirecteur die rapporteert aan de raad van bestuur. Ja, dat zal ik doen. Vanavond nog.' Ze keek op. 'Ik moet naar huis, Edward. Er is werk aan de winkel.'

Liefste Jessica,
Wat een goed idee. Hoe kwam je erop? Ik kan tientallen moeilijke situaties bedenken die vermeden hadden kunnen worden als ik tijdens de repetities een of twee keer zo'n soort brief geschreven had. Het is verrassend hoe onachtzaam we worden als we mensen elke dag zien; na een poosje veronderstellen we dat zij net zo denken als wij. Een erg gevaarlijke veronderstelling. Hoe het zij, je idee staat me wel aan en ik hoop dat je het een soort vleierij vindt die ik in de toekomst zal nabootsen. Apropos, je erg korte brief klonk ongelukkig. Houdt dat verband met je rapport aan je technici en je acteurs? Of met een maatschappelijk leven waar ik niet van weet? Of met Moreton Bay molkreeftjes? (Ik heb over Australië gelezen en ik bedacht dat je er in een ogenblik van neerslachtigheid misschien een paar hebt gegeten en nog last hebt van de bijverschijnselen.) Goede vrienden vertrouwen elkaar, waarvoor zijn we anders hier? Met al mijn liefde,
Luke

Ze vroeg zich af wat ze in haar briefje van een alinea geschreven had dat haar verraden had. Het was erg laat geweest toen ze het geschreven had, nadat ze klaar was met haar brief aan de technici en de auteurs. Ze was doodop geweest en bezorgd en had zich heel erg alleen gevoeld. Ze verlangde naar iemand die niets te maken had met deze stad of deze angsten. Maar zodra ze aan Luke was begonnen te schrijven, had ze er niet toe kunnen komen hem te vertellen wat eraan schortte. Iemand om hulp vragen bij het ensceneren van een toneelstuk was één; hem haar persoonlijke problemen vertellen was iets anders. Er was trouwens niets dat hij eraan kon doen en niets dat ze hem wilde laten doen. Ze was hierheen gekomen om haar eigen strijd uit te vechten en haar eigen weg te banen en daar was niets aan veranderd. Ze zou dit alleen opknappen.
Met uitzondering van Hermione, dacht ze met plotselinge opluchting. Want ze was natuurlijk niet alleen; ze had een vriendin. En nog een machtige ook.
'Dus heeft de rotzak het je verteld,' zei Hermione met een exemplaar

315

van Jessica's rondschrijven in de hand. Ze zaten op de bank in haar zitkamer, met borrelhapjes en een fles wijn op de koffietafel. 'Het eten kan zo klaar zijn,' had ze gezegd toen Jessica aankwam. 'Koude soep, koude salade en warm brood. Maar je hebt toch geen haast, hè? Je hoeft niet haast-je-rep-je naar huis om weer aan het werk te gaan?'

'Nee. Kleine pauzes voor de ontspanning maken alles hanteerbaarder.'

'Is dat zo? Wanneer ben je daarop gekomen?'

'Goede raad van een vriend. Ik was van plan hem op te volgen, maar ik heb het zo druk gehad.'

Ze schoten in de lach, maar toen ze op de bank zaten en Jessica haar de brief aan de acteurs liet zien, schoten Hermiones ogen vuur. 'Ellendeling. Er was geen enkele reden om het je te vertellen. Jij hebt een taak te verrichten en dat doe je fantastisch – iedereen is volkomen weg van je.'

'Iedereen?'

'Bijna iedereen. Je moest hen eens over je horen praten. Whit heeft tussen de repetities in nog af en toe zijn twijfels, maar zodra hij met je werkt is hij helemaal de jouwe. Je galante zwijn Edward is een ander verhaal. Wat is hij toch een misselijke kleine rotzak! Waar is hij zo bang voor?'

'Voor de hele wereld. En momenteel schijnt de hele wereld hem te vertellen dat zijn regisseur een mislukkeling is.'

'En een regisseur is als een moedertje en hij wil dat zijn moedertje hem vertelt dat alles rozengeur en maneschijn is en dat zij altijd voor hem zal zorgen.'

'Zoiets ja.'

'En jij gaat uit met deze... figuur?'

'Voorlopig niet. Ik zei hem dat ik het te druk had met het stuk.'

'En hij kniesde.'

Jessica zei niets.

'Oké, hij is weggebonjourd. Laten we nu praten over wat je hem gezegd hebt. Natuurlijk blufte je, maar we kunnen bijna alles verwezenlijken. De reclame- en publiciteitscampagne zijn vorige week al begonnen, maar met ingang van vandaag maken we er een Blitzkrieg van. Advertenties in kranten hier en in Melbourne en Canberra, overal affiches en een serie interviews met Edward – "docent dramaturgie wordt acteur," dat soort dingen. Ik heb ook een overeenkomst getroffen met een vriend die over twee weken een sponsoractie – heel sociaal – organiseert ten bate van aids-slachtoffers. Aansluitend aan het diner is er een programma van musicalnummers en dansmuziek, en als je ermee akkoord gaat zullen Angela en Whit als onderdeel daarvan een korte scène uit *Journeys End* spelen. Het is een heel sjieke aangelegenheid waar jij je ook dient te vertonen.' Ze zag Jessica's gezicht betrekken. 'Ja, je zult een avondjapon moeten kopen. Daar wordt het trouwens hoog tijd voor. Voor succesvolle regisseurs en producers is het belangrijk om in societykringen te verkeren – dat weet je, Jessie – en daar hoort bij naar enkele van zulke erg saaie en erg noodzakelijke soirees toe te gaan.'

'Ik zal erover nadenken. Zijn er theaterparty's geannuleerd?'

'Een paar. Nou ja, bijna de helft. Maar dat is geen onoverkomelijke ramp; ik beschouw het als een kleine tegenvaller die iemand met mijn overredingskracht en opkomende woede in korte tijd kan oplossen.'

'Wat betekent dat?'

'Het betekent dat ik hier in de stad heel wat beteken. Ik word gerespecteerd door heel wat mensen hier die denken dat zij iets in de melk te brokkelen hebben en ze staan bij mij in het krijt voor verschillende diensten uit de afgelopen jaren. Ik oefen niet lukraak druk uit, maar wacht op echt belangrijke evenementen en dit is er een van. Jessie, ik zie dat je nog steeds weifelt. Liefje, je weet alles van theaterparty's: magnaten die banken en grote maatschappijen besturen, reserveren hele theatervoorstellingen voor cliënten, zakenrelaties en vrienden. Sommigen kopen per jaar dertig- of veertigduizend kaartjes voor verschillende musicals en toneelvoorstellingen, en elke producer die ik ken vertrouwt op hen, want zij doen een stuk al voor de première een daverend succes lijken. Mijn vriend Harry Miller zegt dat zoiets een stuk kritiekbestendig maakt.'

'En zijn dat de mensen op wie jij druk gaat uitoefenen?'

'Degenen die mij iets verschuldigd zijn. Ik kan je verzekeren dat zij niet de beslissing namen party's voor ons stuk te annuleren; een lager geplaatste op de ladder deed dat. Als je tot de top doordringt, verandert alles op slag. Ik zal dat varkentje wel wassen, Jessie; het kan misschien even duren, maar we komen er wel bovenop. Denk je nu werkelijk dat ik mijn stuk in de grond laat boren door een stel gniffelende ellendelingen? Dan ken je me maar heel slecht.'

'Misschien moeten we de repetities vrij toegankelijk maken.'

'Geen sprake van. We doen het prima. Jij wordt met de dag beter en ik rol geen rode loper uit voor klootzakken die jou belasterd hebben. We zouden er niets mee opschieten, weet je, ze zouden op zoek gaan naar iets om hun leugens te staven en dan dát praatje in de stad gaan rondstrooien. Vertrouw mij maar, Jessie; we laten het zoals het is. En luister nu eens goed. Ik ga jou vertellen wat jij Edward vertelde. Dit stuk wordt een klapper. Andere theaters zullen op hun blote knieën (als theaters knieën hadden) bij ons komen bedelen om *Journeys End* na afloop van de twee maanden opvoering hier naar hun theater over te brengen. Ik zeg je: ga niet zitten piekeren. Wees alleen maar de allerbeste regisseur die Sydney ooit gezien heeft. Meer vraag ik niet.'

Jessica lachte beverig. Ze was zo moe dat ze haast niet meer op haar benen kon staan. 'Gisteravond leek alles zo afschuwelijk...'

'Te veel emoties, arme schat, je bent uitgeput. We gaan jou een hapje eten geven en naar bed sturen.' Ze stak haar hand uit, die Jessica aannam en ze voelde dat ze overeind getild werd. 'Wat jij nodig hebt is eten en slapen. Wat gebeurt er met ons stuk als jij instort? Niemand in de stad zou je plaats kunnen innemen. Jij en ik en Donny Torville zouden erg bedroefd zijn als jij in het ziekenhuis belandde.'

Jessica dacht dat er iets aan die zin niet klopte, maar ze was te moe om zich erin te verdiepen. Ze at het eten op dat Hermione haar voorzette, dronk haar koffie op en stond op om te vertrekken. 'Ik hou van je,' zei ze bij de deur. 'Ik dank je voor je aanwezigheid hier.'

Hermione drukte haar tegen zich aan en even voelde Jessica zich als een kind in haar moeders armen. 'Bedankt dat jij naar ons toe gekomen bent,' zei Hermione. 'Ik hou ook van jou. En ga nu naar huis. Slaap lekker.'

Lieve Luke,

Het spijt me dat ik een week niet geschreven heb, maar we hebben ons schema gewijzigd voor een paar extra voorvertoningen in Melbourne en ik heb geen minuut de tijd gehad om aan iets anders te denken. We zijn nu in het Dramatheater voor drie dagen kostuumrepetities. Het is leuk om hier te zijn, met naast ons een repetitie in de kleine toneelzaal, op de bovenetage een opera die ingestudeerd wordt en daarnaast het repeterende symfonieorkest. Het lijkt wel een enorme bijenkorf waar wij kleine bijtjes in koortsachtig tempo woorden en muziek produceren. Het is een heerlijk gevoel om daar deel van uit te maken.

In ons kleine hoekje hebben we eindelijk het volledige decor en echte meubelen. Ik heb de draaischijven gekregen waar ik van droomde, zodat er tegelijkertijd twee appartementen zichtbaar zijn, en elke draaischijf bevat drie vertrekken. Ik weet dat jij je dit kunt voorstellen: door elke draaischijf te laten roteren kan de handeling zich telkens in een ander vertrek afspelen – zitkamer, slaapkamer en keuken – van elke appartement. Het is erg spannend om dat te zien. Woensdag gaan we voor tien dagen naar Melbourne en

komen dan hierheen terug voor een week van voorvertoningen. Ik
ben erg nerveus en zo gespannen dat ik me een beetje duizelig voel.
Het is een ander soort nervositeit dan ik al die jaren op het toneel
had, maar in zekere zin is het plankenkoorts – erg verrassend om
na al die jaren te ontdekken dat regisseurs er ook last van hebben –
maar het houdt me wakker en in de weer, niet met één rol, maar
met alle rollen en met al degenen die van mij afhankelijk zijn. En
ik denk steeds maar dat ik iets over het hoofd gezien heb – of heel
veel ietsen – dingen gedaan heb die ik niet had moeten doen en
dingen niet gedaan heb die ik wel had moeten doen... en dan vraag
ik me af waar ik de arrogantie vandaan haalde om te veronderstel-
len dat ik pardoes een toneelstuk kon regisseren alsof het geen jaren
van training en nadenken en studie vereiste... Maar op het moment
voel ik me niet arrogant, wel bang.

Ik zou hem dit niet moeten schrijven, peinsde Jessica, het is te intiem.
Maar er is niemand anders met wie ik erover kan praten – iedereen
hier, zelfs Hermione, zou denken dat ik vrees dat we er niet klaar
voor zijn en dat kan ik niet hebben. Luke weet wat voor gevoel dit is.
Hij begrijpt dat ik schrijf als de ene regisseur aan de andere. Hij begrijpt alles.

Het stuk is niet helemaal zoals ik zou wensen, maar waarschijnlijk
zal spelen voor een publiek wel helpen. De acteurs schijnen een pla-
teau bereikt te hebben... ze worden niet beter (of slechter, God zij
dank), maar ze schijnen niets op andere manieren te kunnen doen.
Misschien zijn we overgerepeteerd; ik weet dat zoiets kan voorko-
men.
Mijn grootste zorg is Angela. Zij moet zoveel stemmingen uitdruk-
ken – woede, schuldgevoel, angst om aan de kaak gesteld te wor-
den, de ontdekking dat zij medelevend kan zijn en de nog grotere
ontdekking dat zij kan liefhebben – en ze schijnt ze niet allemaal
tegelijk aan te kunnen. Het is alsof zij ze in vakjes opgeborgen
heeft en ze een voor een te voorschijn haalt als ze er een nodig
heeft. Haar emoties vloeien niet in elkaar over; ze lijkt meer bere-
kenend dan hartstochtelijk. Haar stand-in is jonger en schijnt over
meer hartstocht te beschikken, maar we zullen waarschijnlijk nooit
zekerheid krijgen, want ik kan me niet voorstellen dat Angela zal
uitvallen wegens ziekte: ze zou een virus of bacterie commanderen
op te hoepelen... en het zou niet in haar buurt komen.
Nora doet hard haar best en ik hoop dat een volle zaal haar zal sti-

muleren. De twee mannen zijn uitstekend, vooral onze 'vondst'
Edward Smith. Zoals je zult weten, is hij degene die we weghaal-
den uit zijn baan bij de universiteit. De afgelopen dagen is hij
steeds beter geworden en soms sleept het stuk hem bijna mee.

Sinds die keer dat ik hem vertelde dat ik het te druk heb voor hem,
dacht Jessica cynisch. Sindsdien heeft hij bijna geen woord meer tegen
me gezegd, behalve als het absoluut nodig is. Maar wat hindert dat nu
hij zo voortreffelijk is op het toneel? Als Angela even goed was...

Als Angela even goed was, zou ik me niet zo afschuwelijk gefrus-
treerd en bezorgd voelen. Ik wil niet zomaar een goede vertolking,
maar een uitstekende. Ik heb precies in mijn hoofd hoe die zou ver-
lopen en klinken, maar ik heb nog geen manier gevonden om An-
gela te helpen het zover te brengen. Jij zou het kunnen en dat is
misschien het verschil tussen een geboren regisseur en iemand die
regisseert als surrogaat voor iets anders.
Ik las zojuist deze zin nog eens over. Ik hoop dat hij geen waarheid
bevat.
Je hebt niets gezegd over Kents nieuwe toneelstuk. Ga je al begin-
nen met het te ensceneren? Ik heb het script ontvangen, maar nog
geen tijd gehad om het in te kijken. In Melbourne misschien. Wat
raar om het in zo korte tijd over een tweede vreemde stad te heb-
ben. Dat moet Australische onderdompeling genoemd worden.
Jessica

Liefste Jessica,
Dit zal jou onlogisch lijken, maar doe het toch. Als er een brief
komt uit New York, negeer die dan. Verbrand hem, gooi hem weg,
maar lees hem niet. Geloof me alsjeblieft op mijn woord. Er is hier
iets gebeurd, niet gevaarlijk, maar moeilijk en het zou jou kunnen
raken op een moment dat jij je op je voorvertoningen moet werpen.
Ik beloof je later alles te zullen vertellen, maar doe alsjeblieft wat
ik nu vraag. Heb vertrouwen in me. Elke minuut dat je in Mel-
bourne bent, zal ik aan je denken. Ik hou van je,
Luke

Ze las en herlas de brief tussen het koffers pakken en telefoneren met
Nora en Whit door, die nog allerlei ideeën hadden over van alles en
nog wat, van decorontwerpen af tot de timing toe van het moment
waarop het doek voor het laatst zou vallen.

Heb vertrouwen in me.
Waarvoor? Wat kon er gebeurd zijn dat haar zou kunnen raken?
Nu zij en Luke per fax correspondeerden, kreeg ze geen brieven meer. Niemand anders wist haar adres. Dus moest hij het aan iemand verteld hebben. Aan wie? En waarom zou hij het doen?
Heb vertrouwen in me.
Dat heb ik, dacht ze. Op vrijwel ieder gebied. Maar ik dien op zijn minst te gaan kijken of er buiten iets is.
En dus ging ze even na middernacht naar de voordeur en maakte haar brievenbus open. De brief lag er, glanzend wit onderin de zwarte brievenbus. Ze haalde hem eruit en bekeek hem bij het uit de foyer komende licht. Haar naam. Haar adres. Getypt. Geen afzender.
Ze nam hem aan één punt mee naar binnen alsof er vergif in zat. *Luke zou het aan niemand dan aan een vriend verteld hebben. Wat kon er zijn om bezorgd over te zijn?*
Hij maakt zich zorgen.
De brief lag op haar bureau terwijl ze haar laatste spullen inpakte. Om half twee maakte ze zich klaar om naar bed te gaan. Om kwart voor twee begon ze de envelop open te maken.
Heb vertrouwen in me.
Ik zal erover nadenken, besloot ze. Ze legde de brief op haar nachtkastje en ging naar bed. Om drie uur deed ze haar leeslampje aan en scheurde de envelop open voor ze er nog langer over kon nadenken. Het toneelstuk was totaal uit haar hoofd gebannen en ze kon aan niets anders denken dan aan deze brief. Wat er ook aan de hand was, het betrof Luke en op de een of andere manier ook haar, en ze moest weten wat het was.
In de envelop zat een ruw uitgescheurd krantenartikel.

ACHTER GESLOTEN DEUREN
door Tricia Delacorte

Welke o zo succesvolle regisseur van Broadway is letterlijk een kluizenaar geworden omdat hij smoorverliefd is op een Australische wallaby? Of is het een *wil-erbij*, beogend een comeback te maken in het kielzog van een uitblinker op Broadway die voor iedereen de weg kan effenen... zelfs voor een uitgedoofde komeet?

321

15

Op de eerste avond was het Centre Stage Theater in Melbourne uitverkocht. Door angst voortgedreven liep Edward te ijsberen. 'Ze hadden één stoel onverkocht moeten laten. Niemand moet de goden ver-
zoeken. De Amerikaanse Indianen weefden dekens met één weeffout
om te voorkomen dat ze volmaakt zouden zijn. De goden denken dat
volmaaktheid betekent dat wij proberen hen te evenaren en dan slaan
ze ons neer.'
'Goden komen nooit naar premières buiten de hoofdstad,' zei Hermione. 'Ze zullen ons in Sydney opwachten.' Ze grinnikte om Edwards verschrikte gezicht, maar toen ze Jessica even later uit de gri-
meerkamer zag komen, zei ze: 'Goden die ons neer zullen slaan, staan
bij mij onderaan de lijst van dingen waar ik me zorgen over maak.'
Jessica glimlachte flauwtjes. 'Ze zullen ons nauwelijks opmerken; wij
zijn zo ver van volmaaktheid verwijderd.'
'Niet zo heel erg ver. We zijn goed in vorm, dat weet je. Wat scheelt
eraan, Jessie? Sinds we uit Sydney vertrokken, zit je iets dwars en ik
kan me niet voorstellen dat jij je zorgen maakt over het stuk.'
Jessica deed een poging om te glimlachen en haar stem overtuigend te
laten klinken. 'Er is zoveel om aan te denken, ik heb nooit geweten
dat er zoveel haken en ogen aan een première zaten. Maar we komen
er best. Heel veel problemen verdwijnen met publiek in de zaal.'
'Jessica, de belichting in de derde akte...' zei de chef belichter en na een
korte bespreking besloten ze, in de laatste vijf minuten de lampen geleidelijk te dimmen tot de ene draaischijf in het donker gehuld was en
bij de andere één lamp aan te laten met Helen en Rex in de lichtkring.
'Waarom hebben we daar in Sydney niet aan gedacht?' vroeg Hermione. 'Het is prachtig... en zo voor de hand liggend.'
'Dat is het pas nadat je het bedacht hebt,' zei Jessica en toen kwam
Dan Clanagh met de boodschap 'Allemaal op uw plaatsen alstublieft.'
Automatisch wilde ze naar voren lopen om haar plaats op het toneel
in te nemen.
'Jessie.' Hermiones hand lag op haar arm en bijna met ingehouden
adem bleef Jessica staan, want dit was het moment waarop het pas
goed tot haar doordrong dat anderen het toneel zouden opgaan om
het stuk te spelen met elkaar en met het publiek, terwijl zij alleen

322

maar toeschouwer zou zijn. 'Het wordt er niet gemakkelijker op, hè?' vroeg Hermione.

'Nee. Maar het komt nog wel. Later.' Ze gaf Hermione een kus op de wang. 'Ik doe liever dit hier dan dat ik ergens anders iets anders doe. Over het geheel is het heerlijk terug te zijn.'

'Mooi zo. Daar reken ik op. En kom nu mee om een deel te worden van het publiek en een prachtig stuk te zien.'

Achter in de zaal leunde Jessica tegen de muur, te nerveus om op de voor haar gereserveerde stoel naast Hermione te gaan zitten. Zodra op het toneel de lichten aangingen, leunde ze naar voren, dreef de acteurs voort, zei zachtjes hun teksten op voor zij het deden en bewoog haar ogen naar de plaatsen waarheen zij zich zouden begeven. Ze had haar handen samengeklemd en haar lichaam stond stijf van de spanning, alsof ze haar cast wilde dwingen zich alles te herinneren wat zij tijdens de repetities geleerd hadden, maar het nu nog beter te doen, want ze wist dat dat vaak gebeurde in het vuur van het optreden.

Het publiek was vriendelijk. Het had geklapt voor het decor toen de lampen aangingen; het klapte voor de hun welbekende Angela Crown en lachte of luisterde aandachtig op de juiste momenten. Bij de derde akte begon Jessica ook enthousiast te worden. Ze had haar handen nog steeds samengeklemd en haar lichaam was nog steeds naar voren gebogen, maar ze was niet langer bang dat zij en Hermione het mis gehad hadden. Er waren zwakke plekken, maar ze hadden de tijd om die te herstellen. Angela was nog steeds te mechanisch, maar daar konden ze aan werken. Nora reageerde op het publiek en speelde beter dan tijdens de repetities. Whit stuntelde af en toe, maar meestal was hij een sterke en sympathieke minnaar. En dan was er Edward.

'Hij was ongelooflijk,' zei Hermione toen zij en Jessica de zaal verlieten terwijl het publiek nog klapte. 'Je had gelijk – goddank dat jij je niet door mij liet overtuigen – hij was absoluut ongelooflijk.'

'Ja.' Jessica voelde zich nauwer met hem verbonden dan op enig ander moment. Het leek mogelijk dat ze van hem zou kunnen houden. Hij had het publiek tot tranen ontroerd en diep in haar binnenste iets aangeroerd, een verlangen naar hevige gevoelens dat uitgesloten geweest was in haar jaren alleen. Met Luke waren ze fel opgelaaid, maar daarna weer gedoofd. Tot vanavond, nu Edward ze weer had aangewakkerd.

'Champagne?' vroeg Hermione. Zij arriveerden als eersten in haar hotelsuite waar acteurs en technici de recensies zouden afwachten. Ze schonk twee glazen in. 'De hapjes komen zo dadelijk.'

Toen de anderen binnenkwamen, bijgelovig bang om te zeggen dat het goed verlopen was, overzag Hermione het buffet. 'Scampi en Chinese pangsit. Mijn eigen privé-traditie na elke opening. Het is al te lang geleden om me te herinneren hoe het begon, maar het geeft me een geslaagd gevoel en dus dring ik het iedereen op.'

'Smaakt heerlijk,' zei Whitbread met zijn mond vol.

'Het smaakt nergens naar,' sprak Edward hem tegen. 'Hoe kan iemand van jullie dit eten, met deze afschuwelijke bediening?'

'Joost mag het weten,' zei Hermione opgewekt. 'Ik weet alleen maar dat ik honger heb.'

Uren later werden er verschillende exemplaren bezorgd van het ochtendblad van Melbournes voornaamste krant en het was stil toen iedereen zat te lezen.

Journeys End, dat gisteravond in het Centre Stage opgevoerd werd voorafgaande aan de vertoningen in het Dramatheater in Sydney, is een sterk, goed uitgewerkt stuk dat bijna de grens van zijn mogelijkheden bereikt. In haar debuut als regisseur legt de Amerikaanse actrice Jessica Fontaine op de juiste momenten het accent op emotie en spanning – ik dacht dat de toeschouwers bij meer dan een gelegenheid gezamenlijk hun adem inhielden, onzeker wat er daarna zou gebeuren – en het decor is een triomf: twee draaischijven die twee appartementen voorstellen waarvan de bewoners onenigheid hebben en elkaar altijd net mislopen, zoals de metafoor van de roterende draaischijven prachtig illustreert.

De zwakte is de interactie van de medespelers. Angela Crown is bijna sterk genoeg voor Helen en Nora Thomas bereikt haar doorbraak in de rol van Doris, maar de beide vrouwen botsen nooit op elkaar met de heftigheid waar het script om vraagt. Whitbread Castle is een sterke Rex, maar zelfs in hun bijzonder mooie liefdesscène aan het eind overtuigden hij en Angela Crown mij er niet van dat hun toenadering onvermijdelijk was. Ik dacht bij mijzelf: 'Wat een geluk dat dit iets geworden is,' maar dat zal niet de bedoeling geweest zijn van de tekstschrijver of van Miss Fontaine. De ware ster van de avond was Edward Smith, een docent dramaturgie die met wonderbaarlijk inzicht van Miss Fontaine voor onbekendheid behoed wordt. In een adembenemende vertolking van Stan is hij volkomen overtuigend, pathetisch en tegelijkertijd bewonderenswaardig – geen kleinigheid voor de meest ervaren acteur, laat staan voor iemand in zijn eerste grote rol.

Jessica keek de rest vluchtig door in de wetenschap dat de meeste lezers een recensie nooit helemaal lezen en alleen een algemene goed- of afkeuring verlangen. En dit was absoluut bijval. Het was geen grootse recensie, maar er stonden genoeg uitspraken in voor advertenties tijdens de opvoeringen in Melbourne en Sydney, en het artikel was positief en verlokkend genoeg voor de kaartverkoop gedurende de rest van de week. Ze zouden elke dag repeteren, ruwe kantjes wegslijpen, zinnen schrappen die het publiek niet opgepikt had en voor beweging zorgen waar het toneel statisch geleken had. Tijdens de week van voorvertoningen in Sydney zouden ze hetzelfde doen. En dan zouden ze klaar zijn voor de officiële première.

'Jessica!' Angela was op een stoel gaan staan met haar glas champagne hoog opgeheven. 'Een toast! En een welverdiend applaus!'

De anderen begonnen te klappen. 'Je bent geweldig, Jessica,' riep Whitbread. 'We houden van je.'

'Jullie zijn allemaal geweldig,' zei Jessica. 'Ik heb jullie al eerder gezegd, jullie zijn de beste cast die ik had kunnen treffen, en de beste ploeg medewerkers. Ik heb geen recensies nodig om me dat te vertellen. Het was een heerlijke première.' Ook dat had ze hun al eerder verteld. Alles wat ze nu zeiden en de komende dagen zouden blijven zeggen in de uitgelatenheid en opluchting over goede recensies zou een herhaling zijn van dingen die zij al eerder gezegd hadden. 'Bedankt, allemaal bedankt,' zei ze in een herhaling van iets anders dat zij die avond al talloze malen gezegd had. 'En vergeet niet dat we morgenochtend om tien uur repeteren.'

Er klonk gesteun en gelach, en toen zij weer onder elkaar begonnen te praten, vouwde Jessica de krant op en stopte die in de grote boodschappentas die zij bij zich had. Nu kon ze aan andere dingen denken. 'Ik ga naar bed,' fluisterde ze Hermione toe onder het gebabbel van de anderen.

'Maak jij aantekeningen voor de repetitie?'

'Daar zit ik al aan te denken. Voel jij je wel goed?'

'Ik moet alleen een poosje alleen zijn.'

'Heel verstandig. Over ongeveer een kwartier stuur ik iedereen hier weg. Goedenacht, Jessie. Op gevaar af in herhalingen te vervallen wil ik je zeggen dat je bijzonder knap werk geleverd hebt en dat we allemaal allemachtig trots op je zijn. En dankbaar.'

Even omhelsden ze elkaar en toen ging Jessica weg.

In de zitkamer van haar suite schopte ze haar schoen uit, trok haar jasje uit en ging op een zachte bank zitten die zich vormde naar haar lichaam en haar onmiddellijk deed verlangen te gaan slapen. Maar dat kon ze niet. Want ze moest Luke opbellen.

Met moeite ging ze rechtop zitten in de omklemming van de bank.

Hoe laat was het in New York? Ze probeerde het te berekenen, maar gaf het op en pakte een potlood. Vrijdagnacht 4 uur in Melbourne. Zaterdagmiddag 1 uur in New York.

Hij zal thuis zijn. Tenzij hij de stad uit is en ik waarschijnlijk Martin aan de lijn zal krijgen.

Haar hand beefde toen ze de telefoon pakte en het gesprek aanvroeg.

'Luke Cameron,' zei hij bij het tweede belsignaal en bij het horen van zijn stem kreeg Jessica tranen in de ogen.

'Hallo?' zei hij.

'Luke, met Jessica.'

Ze hoorde hem diep ademhalen. Na een korte stilte zei hij: 'Je hebt het artikel gezien.'

'Ik moest het lezen. Het betrof ons allebei.'

'Ik wilde niet dat je afgeleid werd van... Wacht eens even, dit was de eerste avond. Hoe ging het? Was het een succes?'

Ze lachte van pure blijdschap zijn stem te horen. 'Bijna. We moeten er nog wat aan werken.'

'En Angela?'

'Vrij goed. Een recensent schreef dat de liefdesverhouding niet onvermijdelijk leek. Ik schijn op dat punt gefaald te hebben.'

'Het moet een heksentoer geweest zijn om iemand in die rol te regisseren. Ik overwoog je erover te schrijven, maar wilde je het eerst laten zeggen.'

'Er was niets te zeggen.'

'Zelfs niet tegen mij?'

Ze huilde weer en zei niets. Ze had hem niet moeten opbellen. Ze maakte het goed zolang ze zijn stem maar niet hoorde.

'Jessica, lieveling, het spijt me. Ik wil de toestand niet steeds erger voor je maken. Maar we zijn zo ver van elkaar verwijderd en ik probeer je op de een of andere manier te bereiken...'

'Luke, vertel me over dat artikel.'

'Goed dan. In de eerste plaats is het mijn schuld. Ik had beter moeten weten; het maakt me razend dat ik jou ermee opscheepte. Claudia stuurde het. Ik heb geen gewag van haar gemaakt in mijn brieven omdat ik dacht dat jij erbuiten kon blijven, maar ze is de laatste tijd gemener geworden, altijd een beetje aangeschoten en aan de een of andere drug; altijd in de contramine als om anderen uit te dagen haar hard aan te pakken. Peruggia liet haar schieten en zelfs de Phelans willen haar niet meer laten gokken. Ik ben waarschijnlijk de enige die haar nog duld en ik geef haar geld omdat ik aanneem dat een deel ervan aan eten besteed wordt, hoewel het meeste vermoedelijk opgaat

326

aan drugs en drank. Ze komt op de onmogelijkste tijden, 's morgens vroeg en laat in de nacht hier om geld vragen, maar hoofdzakelijk uit verlangen naar gezelschap van iemand die haar zal vertellen dat morgen of volgende week of volgende maand alles mooi en goed zal zijn. Ik denk aan jou en aan wat jij van je leven gemaakt hebt, en dan kijk ik Claudia aan – niet al te sympathiek denk ik – en dat maakt haar nog nijdiger. Hoe het zij, een paar weken geleden kwam ze aan terwijl ik zat te ontbijten. Ze dwaalde in mijn appartement rond en vond jouw brieven op mijn bureau. Ik had er een kistje voor gekocht dat zij opende en begon te lezen. Op de enveloppen van je eerste brieven stond je adres en met een ervan in de hand kwam ze aanstormen en wilde het naadje van de kous weten. Ik heb met haar nooit over jou willen praten en begon over iets anders, hoewel ik had moeten weten dat het averechts zou uitpakken.'

'En dus belde ze die columniste, je vriendin.'

'Tricia. Die heb ik na mijn thuiskomst uit Lopez niet meer gezien. Ze is net zo min op mij gesteld als Claudia. En toen had je de poppen aan het dansen: twee nijdige vrouwen die een smerig artikeltje brouwden dat mij niet deert, maar wel iemand die zij geen van beiden kennen. Maar het is niet belangrijk, Jessica, niemand vindt zulk vuilnis de aandacht waard.'

'Toen ik daar nog woonde wel. Hoofdzakelijk om de prikkeling, maar ook om eruit op te maken hoe met bepaalde mensen om te gaan. Is de toestand dan zo veranderd sinds ik wegging?' Toen hij niets zei, vervolgde ze: 'Het mag een smerig stuk vuilnis zijn, maar er staat wat iedereen zal zeggen als ik naar New York zou terugkeren. Ik heb je dat al voorspeld toen ik zei dat ik niet met je mee wilde gaan.'

'Hoor eens, hier heb je twee vrouwen die willen kwetsen omdat ze denken dat zij gekwetst werden. Waarom denk je dat de rest van New York zoiets zal zeggen? Het publiek zal zich jou herinneren en je verwelkomen. En als sommige mensen wreed zijn, pakken wij hen samen aan. Liefste Jessica, wij zijn sterker dan zij.'

'Luke, hou alsjeblieft op.' Ze zat met opgetrokken knieën in de hoek van de bank als om zich te verweren tegen zijn argumenten en ze wist dat hij ditmaal de tranen in haar stem kon horen, maar ze was te vermoeid om zich daar iets van aan te trekken. 'Ik kan niet met je argumenteren, ik ben zo moe' – *en ik mis je, ik hou van je, ik wil je armen om mij heen voelen, ik wil met jou vrijen, ik wil samen met jou gaan paardrijden en zien hoe mooi de wereld is als wij samen zijn* – 'en ik heb dringend behoefte aan slaap. Morgenochtend repeteren we en daarna heb ik besprekingen... je kent dat allemaal, je weet wat ik te doen heb. Het spijt me dat jij met Claudia opgescheept zit; ik weet dat het moeilijk voor je is, maar ik kan je niet helpen... ik kan totaal niets doen. Ik zou het zelfs niet kunnen als ik in New York was; ik zou alleen maar mensen kunnen zien grinniken... het spijt me, ik geloof dat ik praat in mijn slaap. Er zijn heel veel dingen die me spijten...'

Er volgde een pauze. 'Ik zal je schrijven. Welterusten, mijn liefste. Slaap lekker.'

Ze hoorde de klik van de telefoon en daarna was er alleen maar kille leegte waar zijn stem geweest was. Ze legde de hoorn op de haak en nog steeds ineengedoken op de bank viel ze even later in slaap.

'Onze laatste avond van proefvertoningen,' zei Hermione. 'Ik zal Melbourne missen: zo'n fijn publiek, zulke gevoelige, begrijpende recensies. En onze voorverkoop in Sydney,' vervolgde ze terloops, 'dendert door; ik heb zelfs twee nieuwe theaterparty's voor later tijdens onze optredens.'

Jessica keek op van haar koffers pakken. 'Ik was de theaterparty's vergeten.'

'Dat moest je ook: ze vergeten. Ik had je gezegd dat ik alles zou opknappen. De voorvertoningen zijn nu al uitverkocht en de eerste drie weken na de officiële première ook. We waren vanavond uit onze kosten; in Sydney zullen we winst maken. Jij en ik zullen in de voorspelbare toekomst niet in portieken hoeven te slapen.'

Ze glimlachten allebei.

'Deze methode van samenwerkende vrouwen bevalt me wel,' zei Hermione. 'Ik heb plezier, ik verdien geld, en ik hoef geen seksspelletjes te spelen of een ego op te bouwen.'

'Je hebt het mijne opgebouwd,' zei Jessica.

'En daar heb ik goed aan gedaan. Ik doelde op mannelijke ego's; het jouwe was het opbouwen waard. Heb je kortelings nog van je New Yorkse regisseur gehoord?'

'Heb je het over mannelijke ego's?'

'Ik heb het over mannen.'

'Ik had vergeten hem op te geven in welk hotel ik hier was. Er zal in Sydney wel iets op me liggen te wachten.'

Er lagen tien brieven voor haar in Sydney, keurig op elkaar in de uitvoerbak van haar faxapparaat en ze struikelde bijna in haar haast om ze te pakken. De dienstbode, die tijdens Jessica's verblijf in Melbourne op het huis gepast had, was bezig de logeerkamer op te ruimen, terwijl Hope uitgelaten in de zitkamer rondsprong alsof ze die opnieuw ontdekte nu alles weer bij het oude was. Jessica had de hele dag voor zichzelf. Dan Clanagh en Augie Mack hielden in het Drama-theater toezicht op de plaatsing van de draaischijven, Hermione voer-de besprekingen en er zou pas de volgende morgen gerepeteerd wor-den met 's avonds de eerste voorvertoning. Jessica bracht koffie en een mandje appelen naar de zitkamer en ging zitten lezen.

Liefste, ik zit aan mijn bureau en zie slierten sneeuw langs mijn raam dwarrelen. Om de paar minuten klontert een groepje vlok-ken samen als politici die een campagne plannen en dan blaast een windvlaag ze weg uit het gezicht. Er wordt tot morgenochtend een halve meter sneeuw voorspeld, wat absurd is voor maart, maar de New Yorkers zullen zich er wel naar weten te schikken, net als de vorige keer toen een pak sneeuw ons een paar gezegende uren van bezinning bracht. Martin is uitgegaan om kruidenierswaren en cross-country ski's te kopen voor er een nieuwe run op ontstaat. Ik geloof dat hij heel blij is met het vooruitzicht van de naderende cri-sis die de huilende wind en de sneeuwstorm veroorzaken.

Niet-begrijpend las Jessica de brief door en pakte toen de volgende.

Liefste, ik heb zojuist over Fifth Avenue geskied, een inspirerende ervaring. Bij de vorige sneeuwstorm heb ik het niet gedaan, maar nu kon ik de verleiding niet weerstaan. Je zou de transformatie hier eens moeten zien: geen ander verkeer dan van voetgangers die bezit van de straten genomen hebben alsof we een paar eeuwen te-ruggegaan zijn in de tijd. Of nee, zelfs nog langer, want er zijn geen paarden en geen koetsen, niets dan het suizen van ski's over de sneeuw, het geklos van sneeuwschoenen en de uitgelaten kreten van kinderen (en nogal wat volwassenen) nu de stad veranderd is in een dorp – hún dorp. Het is bitter koud, maar de zon geeft de sneeuw een zilveren glans, onderbroken door de schaduw van ge-bouwen als lange blauwgrijze spijkers. Ik skiede helemaal tot...

Alle brieven waren eender: nonchalant, warm, vriendelijk en bijna onpersoonlijk met verhalen over de opera, een veiling bij Sotheby en een ballet in het Lincoln Center. Geen woord over Claudia of Tricia, geen toespeling op haar komst naar New York en zelfs geen vraag over haar toneelstuk gedurende de rest van de week in Melbourne. Hij heeft het opgegeven, dacht ze. Hij gelooft eindelijk dat ik geen deel van zijn leven zal gaan uitmaken, dat wat wij op Lopez hadden voorbij is en dat we alleen vriendschap overhielden. Misschien heeft hij al een ander gevonden en zal hij dus niets schrijven over zijn persoonlijke leven. Nooit meer.

Een gevoel van verlies beving haar. Ze legde de brieven op een stapeltje en liet ze op de bank liggen. Het scheen geen zin te hebben ze bij de andere in het kistje op te bergen.

Toen de telefoon ging, nam ze lusteloos op. 'Jessica, zijn we nog steeds in afwachting?' vroeg Edward. 'Zeg me van niet. Ik wil je vanavond mee uit eten nemen. We kunnen het succes van Melbourne vieren of over de voorvertoningen praten die morgen beginnen of helemaal niet over werk praten. Of over helemaal niets praten, maar alleen gezellig eten en drinken en samen gelukkig zijn.'

Dit was een andere Edward. Zijn juichende stem deed haar opveren. 'Maak jij je niet bezorgd over morgen?'

'Niet erg. Natuurlijk wel een beetje en dat wordt vanavond misschien erger – je weet uiteindelijk nooit zeker of de gespannenheid zal stijgen, dalen of afzwenken – maar Melbourne en die recensies... Ze waren als goede wijn, vind je niet? Ik voel me er helemaal bedwelmd door.'

'Het waren maar proefopvoeringen in Melbourne,' zei Jessica, geschrokken van zijn luchtigheid. 'Sydney zal moeilijker worden, want hier zullen we onze echte optredens hebben. En er is nog werk voor ons; we repeteren morgenochtend om negen uur.'

'Dan moeten we vroeg dineren. Zal ik je om zeven uur komen afhalen?'

Ze keek naar het stapeltje brieven op het kussen naast haar. Waarom ook niet? dacht ze. Hij geeft om me en het zal de avond korten. 'Goed. Dan sta ik klaar.'

Ze keek door het raam naar de wazige hemel van de nazomer en naar de bomen aan de overkant van de haven die al begonnen te verkleuren. Ik zal met Hermione moeten praten over een volgend stuk, dacht ze. Ik moet bezig blijven.

Misschien een van Lukes stukken.

Het idee scheen zo maar uit de lucht te komen vallen. Maar meteen wist ze dat ze er al een hele tijd aan had lopen denken. Het waren goede stukken en ze zouden beslist nog beter worden als hij klaar was met de bewerking. En als zij er een regisseerde, zou hij weten dat ze geen wrok koesterde.

Maar dat kon ze niet doen, want hij zou natuurlijk overkomen naar Sydney om aanwezig te zijn bij de repetities.

Wat een bespottelijk idee.

Ze hoorde een klik: de fax sprong aan. Ze keek op haar horloge. Drie uur. Middernacht in New York. Ze draaide zich om en zag het vel papier te voorschijn komen. Ze stelde zich Luke voor die in zijn werkkamer zijn brief zag verdwijnen in het faxapparaat. *En hem mij te lezen geeft.*

Vanaf de bank keek ze naar het witte vel papier met de regels handschrift die ze als dat van Luke herkende. *Ik heb geen behoefte aan weer een vriendelijke groet. Ik weet al hoe die er uitziet.*

Even later bracht ze het mandje appels terug naar de keuken, maar ontweek het faxapparaat. Ze liep naar haar slaapkamer en pakte een boek om te lezen. Ze zette de grammofoonplaat af waar ze naar had zitten luisteren en zette het klarinetkwintet van Mozart op, een van haar favorieten. Maar toen kon ze het niet langer uithouden. Ze haalde de brief uit de uitvoerbak en begon te lezen.

Mijn dierbare lieveling, je moet inmiddels terug zijn in Sydney. In een kiosk die alle belangrijke kranten uit de hele wereld schijnt te hebben, zag ik er een paar uit Melbourne en dus weet ik hoe goed je het ervan afgebracht hebt. Verbazen doet het me niet, maar ik ben enorm onder de indruk, want ik weet dat een briljante carrière als actrice geen garantie is voor een soepele overgang naar de regie waar je met iedereen te maken hebt en niet alleen met je eigen rol. Ik ben erg trots op je en hoop dat jij even trots bent op jezelf.

Ik moet je eerlijk bekennen, lieveling, dat ik niet weet hoe ik je verder nog moet schrijven. De brieven die bij je terugkeer uit Melbourne op je wachtten werden geschreven toen ik probeerde vast te stellen wat ik moest gaan doen. Ik hou van je. Ik wil met je trouwen, ik wil dat wij samen zijn en zoveel bereiken als wij maar kunnen, samen en ieder afzonderlijk. Maar ik weet niet of je dat uit mijn mond wilt horen. Ik weet niet wat je me wilt horen zeggen, maar ik weet zeker dat, als je me niet zegt op te houden, ik waarschijnlijk eindeloos zal blijven doorschrijven omdat ik mijn band met jou niet kan verbreken. Elke band tussen ons is beter dan helemaal geen.

Als je er nog niet aan toe bent mij te vertellen wat je wilt, kan ik wachten. Ik heb geen cross-country skiën meer om over te schrijven (de stad zij vervloekt die haar straten veel te vroeg sneeuwvrij maakt), maar er is altijd mijn werk nog en het jouwe, en als laatste redmiddel opera, ballet en Sotheby.

Ik hou van je,
Luke

In de stralende zonneschijn barstte de klarinet los in een vrolijk melodietje. Jessica keerde terug naar de bank, pakte het stapeltje eerdere brieven en borg het op bij de verzameling in het kistje. *Maar deze brief niet, nog niet. Ik wil hem een paar maal herlezen – enkele tientallen malen – voor ik hem opberg.*

En toen dacht ze aan Edward. Ze had geen zin meer om met hem te gaan dineren – hoe was het in haar hoofd opgekomen? *Ik zal hem opbellen,* besloot ze, *en hem zeggen dat ik me niet fit genoeg voel om vanavond uit te gaan.* Maar juist toen ze de telefoon wilde pakken, begon die te rinkelen.

'Ja?' zei ze met haar gedachten bij Edward.

'Met Jessica Fontaine?' Een vrouwenstem. Jessica fronste haar voorhoofd in een poging de stem thuis te brengen. Te luid, agressief, bijna vijandig, een beetje brabbelend, alsof de vrouw – ze klemde haar hand om de hoorn – alsof de vrouw dronken was.

'Ja, met wie?' vroeg ze, hoewel ze het al wist.

'Met Claudia Cameron. Je kent me niet, we hebben elkaar nooit ontmoet, maar je schijnt mijn man te kennen. Luke Cameron.'

'Je man?'

'Dat was hij. Maar we gaan nog steeds met elkaar om. Heel intiem. We geven om elkaar – we zijn erg intiem! – en ik wens te weten waarom je hem verdorie brieven schrijft.'

Ik hoef niet met haar te praten. Ik zou gewoon moeten ophangen.

Wat zou Luke willen dat ik doe?

Hij probeert haar te beschermen; hij zal willen dat ik hetzelfde doe.

Ze hoorde ijs klinken in een glas. 'Geef me verdomme antwoord! Ben je bang voor me? Dat zou je moeten zijn, weet je, ik kan je ruïneren, ik kan je besmeuren...'

Gestoken snauwde Jessica: 'Door leugens te verkondigen aan roddeltantes.'

'Aha, je hebt het dus gekregen. Dan weet je dat ik je in heel New York kan besmeuren als ik dat wil. En misschien wil ik dat. Geef antwoord op mijn vraag! Waarom schrijf je mijn man brieven?'

'Ik schrijf brieven aan je ex-man omdat we vrienden zijn.'

'De mensen zeggen "vrienden" als ze met elkaar naar bed gaan. Ik heb een paar van die brieven gelezen, allemaal over het theater en Australië. Wie denk je te belazeren? Ik durf te wedden dat je bij hem slaapt.'

'Dat zou erg moeilijk zijn, want hij is in New York en ik ben in Sydney.'

'O, wat slim. Jullie toneelspeelsters zijn allemaal eender; er is er niet een die ik zou durven vertrouwen. Jij probeert mij Luke af te pakken en hem over te halen naar Sydney te komen, zodat ik hem niet meer dichtbij me zal hebben. Ik heb het hem gevraagd en hij zei dat het zo was.'

'Wat?'

'Hij zei dat jullie met elkaar naar bed gingen.'

'Dat heeft hij nooit gezegd.'

'Dat heeft hij wel! Hij zei...'

'Hij zei dat wij vrienden zijn. Hij zei dat ik voor het eerst een toneelstuk regisseer en dat hij me helpt met problemen die ik heb.'

'Jij weet niet wat hij gezegd heeft!'

'Ik ken hem. Ik weet wat hij zou zeggen.'

'Als je denkt hem zo goed te kennen, slaap je bij hem.'

Het was zo onlogisch dat Jessica in lachen uitbarstte.

'Waag het niet me uit te lachen!' IJs rinkelde in haar glas. 'Je hebt afgedaan, versta je! Je zult Luke nooit krijgen – en geen werk hier in de stad krijgen. Nooit! Ik heb invloedrijke vrienden die je de voet dwars zullen zetten en als Luke hoort dat je me uitgelachen hebt, zal hij je nooit meer aankijken. Hij zal je brieven weggooien en als je opbelt en bidt en smeekt, zal hij ophangen. Ik weet hoe hij is als hij onder druk gezet wordt. Blijf daarom van hem af! Als je dat doet zal mijn vriendin die andere dingen niet publiceren die zij heeft.'

'Ze heeft niets. Je weet niet waar je het over hebt.' Ze kan barsten, dacht Jessica woedend. Ze zijn al meer dan elf jaar gescheiden en wat verbeeldt zij zich wel om mij te dicteren of ik bij Luke mag zijn of niet? En denkt zij werkelijk dat zij en haar roddelende vriendin mij weg kunnen houden als ik echt terug zou willen komen? 'Dit is krankzinnig...'

'Zeg me niet dat ik krankzinnig ben!'

'Je bent bespottelijk. Ik zit niet achter Luke aan en ik kom niet naar New York, maar neem van mij aan dat jij het me niet zult kunnen beletten als ik het zou willen.'

'O nee? Zodra jij uit dat vliegtuig stapt...'

'Er is geen vliegtuig, wat mankeer je? Ik zei je dat ik niet...'

'Je liegt! Luister, als jij Luke van me afpakt, maak ik me van kant. Dat meen ik! Hij is alles wat ik heb.'

'Je zei dat je invloedrijke vrienden had.'

'Dat is zo, die heb ik. Of die had ik. Ik weet niet precies wat er met hen gebeurd is, zie je; ik heb hen de laatste tijd niet meer gesproken. Misschien zijn ze de stad uit. Maar dat is niet belangrijk, want ik heb Luke; hij geeft om mij en als jij me hem ontneemt, maak ik me van kant. Mijn besluit staat vast, zie je, ik meen het in ernst. Dat dien je te weten voor je in dat vliegtuig stapt.'

'Claudia, luister even.' Jessica's woede was verdwenen; ze voelde alleen nog maar innig medelijden. 'Ik kom niet naar New York. Wat jij daar zegt is vreselijk en er is geen reden toe. Je hebt zoveel om voor te leven...'

'Wat dan wel?' Jessica hoorde haar ijs kapotbijten. 'Je weet er totaal niets van! Jij hebt altijd in de schijnwerpers gestaan, je hebt nooit geleden en nooit gefaald; je bent schrander en knap en het publiek juicht je toe en zegt hoe fantastisch je bent. Wat weet jij van falen? Wat weet jij van elke ochtend wakker worden en geen idee te hebben van wat je die dag doen zult omdat je nergens goed in bent! Ik heb Luke verloren en nu zie ik mijn vrienden niet meer, ik heb overal vrienden verloren, maar wat weet jij daarvan? Jij hebt niets verloren, jij víndt van alles, zoals de echtgenoten van andere vrouwen en die pak je af. Je neemt en neemt en neemt en krijgt er applaus voor, maar ik heb nergens succes mee, alles is een mislukking. Ik ben een mislukking. Luke vindt dat niet erg; hij houdt toch van mij. Van jou houdt hij niet! En als hij het wel doet... als hij het doet, maak ik me van kant.'

'Zeg dat niet. Je bent nog jong, je kunt hulp krijgen.'

'Van een zieleknijper bedoel je?'

'Van iemand die je kan helpen bezigheden te vinden om je dagen te vullen en je leven vorm te geven. Je hebt nog jaren gelegenheid om nieuwe mensen te leren kennen en nieuwe manieren van leven te vinden. Ik weet wat het is om wanhoop en eenzaamheid te voelen...'

'Nonsens.'

'Ik heb vreselijke tijden doorgemaakt, ik moest...'

'Nonsens, kletskoek en onzin. God, jullie toneelspelers liegen of het gedrukt staat. Ik haat jullie allemaal. Ik haat het theater. Ik haat New York. Ik haat Luke. Nee, dat is niet waar, Luke is alles wat ik heb. Ik hou van Luke. Hij zal me missen als ik dood ben. Hij zal huilen en zeggen dat het zijn schuld is. Nee, hij zal zeggen dat het jouw schuld is. En dan zal hij je haten. En pang! dan zal het afgelopen zijn met jou en Luke. Wat zou ik graag willen horen dat hij je vervloekt, maar dan zal ik er niet meer zijn, nietwaar?'

'Claudia, hou op. Je gaat geen eind aan je leven maken, je zult er geen eind aan wíllen maken. Je hebt hulp nodig.'

'Kom niet bij mij aan met je vervloekte raad, dame, die heb ik niet nodig! Blijf weg van hier. BLIJF WEG!' De telefoon werd neergesmeten. Jessica bleef even stil zitten met de hoorn in de hand, alsof Claudia's stem op een wonderbaarlijke manier opnieuw zou klinken. Maar ten slotte hing ze op. Ze beefde van de hevigheid van Claudia's woede en radeloosheid en van haar eigen hulpeloosheid. Er moesten woorden geweest zijn die ze had kunnen zeggen en die helpender, bemoedigender en minder confronterender geweest zouden zijn... En als Claudia werkelijk zelfmoord pleegde...

Maar dat zou ze niet, dacht Jessica. Mensen die over zelfmoord praatten, gingen er maar zelden toe over; praten scheen de drang te verminderen. Was dat zo? Had ze dat niet ergens gelezen?

In werkelijkheid wist ze bijna niets over zelfmoord en ook bijna niets over Claudia.

Ik zou Luke moeten opbellen. Hij behoort te weten dat ze zo praat.

Ze keek op haar horloge. Verdorie, dacht ze, waarom kunnen we niet in dezelfde tijdzone zitten? Bijna één uur in de nacht in New York. Hij zal slapen. Ik zal over een paar uur opbellen, dacht ze. Als hij zit te ontbijten.

De telefoon rinkelde. 'Jessica,' zei Edward, 'wat vind je van het Catalina voor het diner? Ik wil niet reserveren als jij er niet heen wilt.'

'Ik wil eigenlijk nergens heen, Edward. Ik ga vanavond liever niet uit. Ik heb nog wat werk af te maken, een telefoongesprek te voeren en ik maak me zenuwachtig over morgenavond. Ik zou geen prettig gezelschap zijn.'

'Jij bent het enige gezelschap dat ik wens, hoe je je ook voelt. Jessica, je kunt me niet teleurstellen; ik heb alleen aan jou gedacht sinds ons gesprek van vanmorgen.' Zijn luchtigheid was verdwenen, zijn stem was nu erg melancholiek met die zweem van hulpeloosheid die bij Jessica in het verleden de behoefte had opgewekt over zijn bol te strijken en hem te troosten. 'We zijn zo lang uit elkaar geweest en we hebben zo veel om over te praten – God, het lijkt wel jaren. Jessica, Jessica, sluit me alsjeblieft niet buiten.'

Ze fronste haar voorhoofd. Het was niet alleen dat zijn luchthartigheid verdwenen was, er was nu iets berekenends in zijn stem en zijn woorden, alsof hij al tientallen malen eerder hetzelfde gedaan had. *Als hij iemand leert kennen zoals ik, die gevoelig is voor een hulpbehoevend man.*

'Een paar uur maar,' zei hij. 'Wat je te doen hebt, kan zo lang toch wel wachten? Je kunt me een paar gelukkige uren schenken... ik heb zo lang gewacht; ik heb zo lang geduld gehad...'

Hij is egoïstisch, dacht ze. Hij geeft helemaal niets om mij, maar alleen om wat hij wil en wat hij nemen kan. Net als Claudia. Misschien trekken Luke en ik hen aan. Behalve wanneer wij elkaar aantrekken.

Maar ik kan Edward niet ondersteunen op de manier zoals Luke Claudia ondersteunt. Ik heb te veel te doen.

O, Edward, zei ze inwendig, wat jammer dat jij een valsaard bent. We hadden een fijne tijd kunnen hebben door als vrienden samen te werken. En wie weet hoe ver we het samen hadden kunnen brengen als we de kans gekregen hadden?

Maar ze kon niets daarvan hardop zeggen. Een week van voorvertoningen en de officiële première de volgende week betekenden dat ze een bereidwillige Edward moest hebben, geen vijandige.

'Ik wil je niet buitensluiten, je weet hoe fijn ik het vind met jou samen te zijn. Maar ik kan geen risico's nemen met dit stuk, Edward; alles wat ik in de toekomst wil doen, hangt ervan af. Dat geldt voor jou ook, is het niet? We hebben allebei een succes nodig. Probeer alsjeblieft te begrijpen dat ik op het ogenblik alleen moet zijn. Ik wil bij niemand zijn, alleen maar rustig op mezelf.'

'Wil je bij niemand zijn?'

'Dat zei ik je toch? Dacht je dat ik voor jou een uitzondering zou maken?'

'Nee, ik denk niet dat je dat doen zou. Maar dit is dwaasheid, Jessica. We zouden allebei benieuwd kunnen zijn, naar de opvoering en naar elkaar.'

Lieve help, hij is verdraaid goed. Waarom heb ik niet eerder doorzien hoe geroutineerd hij is?

Ze maakte een eind aan het gesprek en stond op. *Ik moet hier vandaan. Dit is te veel voor een dag.* Ze stopte haar blocnote en stiften in haar boodschappentas, reed naar Circular Quay en nam de eerste de beste veerpont naar Manly. Het was een trage pont, niet de Jetcat die zij en Edward genomen hadden, en op een beschut plekje op het dek pakte ze haar blocnote en maakte zich klaar om aan het werk te gaan. Maar werken deed ze niet. Ze keek naar de wal met in verschillende pastelkleuren gepleisterde hoge huizen, dicht beboste hellingen met zulke donkergroene bladeren aan de bomen dat ze bijna zwart waren, en kleine halvemaanvormige strandjes met privé-steigers waar zacht schommelende bootjes afgemeerd waren. De zon scheen wazig door een nevel die de lucht bijna wit maakte en het water was grijs en tamelijk ruw. Jessica kreeg heimwee naar Lopez en haar huis aan het strandje tussen de klippen dat voor haar altijd een symbool was geweest voor bescherming en veiligheid. Hier is geen bescherming, dacht ze. Er staat niets en niemand tussen mij en de voorvertoningen en de première volgende week dinsdag, zelfs Hermione niet, hoewel ze klaar zou staan als ze kon.

Maar het was Hermione tot wie ze haar toevlucht nam toen het bij de eerste voorvertoning mis begon te gaan. Het theater was zo goed als vol, maar het publiek was onrustig en toen na de eerste akte het doek viel en de zaallichten aangingen, liepen Jessica en Hermione snel de zaal uit. In de lobby gingen ze naast het stalletje staan waar een ouvreuse programma's verkocht en keken naar de naar buiten komende bezoekers. Enkele mensen liepen door en verlieten het theater.

'Wat is er met Angela?' vroeg Jessica. 'Ze is er met haar hoofd niet bij, alsof ze bezorgd of boos of gefrustreerd is... er zit haar iets dwars. Vanmiddag tijdens de repetitie deed ze het nog prima; heeft ze jou iets verteld?'

'Nee, maar toen ik hier aankwam hing ze aan de telefoon als een verliefde tiener. Misschien een echtelijke ruzie?'

'Dat weet ik niet. Ze is getrouwd, maar haar man is niet hier. Die is in Los Angeles op tournee met *The Phantom of the Opera*. Ik heb niets van een affaire gehoord.'

'Ik ook niet. Denk je dat het publiek er iets van merkt?'

'Ja. Maar misschien ook niet, ik weet het niet. Het leek mij erg onrustig en ik zag er zojuist een paar weglopen.'

'Hoogstwaarschijnlijk om buiten te gaan roken. Zal ik met Angela praten of wil jij het doen?'

'Ik ben totaal de kluts kwijt; mag ik het aan jou overlaten? Volgens mij worden de anderen door haar stemming beïnvloed, ze zijn niet zo goed als ze in Melbourne waren...' Haar stem zakte weg. Ze voelde zich misselijk en ging in de rij staan bij de bar aan het eind van de lobby voor een flesje spa. Ze nam het mee naar buiten naar het plein aan de waterkant dat door grote lampen verlicht werd.

Groepjes bezoekers van beide theaters dronken champagne en koffie en praatten en rookten. *Natuurlijk zijn ze niet weggelopen; ze gingen alleen maar hierheen omdat het een heerlijke avond is en zij kunnen roken.* Ze drentelde bij groepjes mensen rond om opmerkingen over het stuk te horen, maar voor zij iets kon opvangen werd ze door iemand geroepen.

'Jessica!' Ze draaide zich om en zag Alfonse Murre zich door het gedrang wringen. Zijn dunne snorretje trilde en zijn kale hoofd glom in het licht van de lantaarns. Hij schudde haar de hand, maar keek opzettelijk niet naar haar stok. 'Mijn waarde Jessica, het is veel te lang geleden. Je verdween volkomen na die dag op mijn kantoor. Maar je hebt het druk gehad, is het niet? En niet tevergeefs! Dit is een heel goed stuk. Natuurlijk spreekt een voorzichtig man geen oordeel uit op basis van maar één akte, maar tot dusver, beste Jessica, tot dusver heb ik een heel prettige avond.'

En zo wist Jessica dat *Journeys End* een hit zou worden.

En dat Alfonse Murre dolgraag met haar zou willen praten over toekomstige samenwerking.

En dat zij en Hermione als nauw betrokkenen bij het stuk de moeilijkheden overschat hadden die Angela Crown misschien...

'Er ís een probleem met Angela, is het niet?' vroeg Murre. 'Ze heeft haar tekst beslist niet helemaal onder de knie, en dat is niets voor haar. Ik heb met haar gewerkt, weet je, en ze is een heel competente actrice. Is ze misschien niet goed?'

'Ik weet het niet.' Het had geen zin er omheen te draaien; het publiek zou wel of niet merken dat er iets mis was, maar het kon oude rotten bij het toneel niet ontgaan. 'Hermione probeert erachter te komen.'

Met een kort knikje bevestigde hij haar eerlijkheid. 'Laten we hopen dat het van voorbijgaande aard is.'

'Dank u,' zei Jessica en voor het eerst kruisten hun blikken elkaar met belangstelling en een begin van respect.

Ze trof Hermione in de make-upkamer, aan het eind van een rij afgeschutte cabines voor elke acteur. Aan het andere eind was Angela bezig zich opnieuw te schminken.

'Wat is er gebeurd?'

'Haar man heeft longkanker en hij wordt volgende week geopereerd. Ze zegt dat ze bij hem moet zijn, en daar kan ik inkomen.' Ze keken elkaar aan. 'Jessie...'

'We hebben een stand-in,' zei Jessica. 'Die is niet zo goed als Angela, maar ze is jong en vlug van begrip en er valt met haar te werken. Ze zal het wel aan kunnen.'

'In één week?'

'In een week, desnoods dag en nacht. Ze zal goed zijn. Ze heeft geen repetitie gemist, ze kent haar teksten, de posities, alles. Ze zal nooit een Angela worden, maar ze is alles wat we hebben. Ik ga morgenochtend met haar aan de slag. Jij zult de repetities met de cast voor je rekening moeten nemen.'

'Dat kan ik doen als jij me na elke voorstelling je aantekeningen geeft.'

'Vanzelfsprekend.'

Dan Clanagh liep langs. 'Allemaal op uw plaatsen voor de tweede akte.'

'Wat werd er buiten gezegd?' vroeg Hermione.

'Ik heb niet veel opgevangen, maar men scheen tevreden. Alfonse Murre wilde weten waar ik gebleven was.'

338

'Rotzak. Maar dat betekent dat hij weet dat we iets goeds brengen. Waarschijnlijk heeft hij een of andere recensent gesproken die het ook goed vindt. Ik zou die hoofdredacteuren wel kunnen wurgen; ze dienen geen recensenten naar voorvertoningen te sturen, maar er duiken er altijd wel een of twee op die een vroege recensie publiceren en als die slecht is, komt er misschien niet eens een officiële première. Wie is er vanavond gekomen?'

'Ik heb het Dan gevraagd en die zei dat het Gregory Varden is. Die ken ik niet; jij wel?'

'Scherp, schrander en meedogenloos als hij het zijn wil. Misschien wel de meest deskundige en meest gevreesde recensent die er rondloopt. Hij recenseert voor de *Sydney Herald* en heeft een wekelijkse column. Hij houdt van nieuwe toneelschrijvers die voor vers bloed zorgen. Maar dat zijn zíjn woorden, niet de mijne.'

'Denk je dat Alfonse hem gesproken heeft?'

'Daar durf ik mijn kop onder te verwedden; Alfonse is erop gesteld te weten dat hij niet alleen staat in zijn opvattingen. Daarom voorspel ik een jubelende recensie in de krant van morgen. En dan komen we veilig thuis, weet je. Ik wil er de champagnekurken nog niet op laten knallen, maar ik weet uit ervaring dat een jubel in dit stadium lange rijen voor de kassa betekent.'

'Alfonse weet dat Angela moeilijkheden heeft.'

'Barst. Maar natuurlijk heeft hij dat gezien. Als hij het Varden vertelt, zou het een probleem kunnen opleveren. We zullen een persbericht moeten verspreiden dat Lucinda haar vervangt voor er zwart op wit komt te staan dat onze hoofdrolspeelster minder dan geweldig is. Varden zal trouwens zelf wel iets opgemerkt hebben. Spreek ik hem aan bij de tweede pauze? Nee, nee en nog eens nee, dat zou een enorme blunder zijn. We zullen hem zijn eigen boontjes laten doppen. En misschien is ze van nu af aan wel fantastisch. Duim daar maar voor.'

Angela was niet fantastisch, dacht Jessica achterin de zaal voor de tweede akte, maar ze was beter dan in de eerste. Als ze dat kon volhouden, zal de week van de voorvertoningen redelijk zijn. Niet geweldig, maar redelijk. En zo niet... *Welnu, Lucinda Tabor krijgt dan de kans van haar leven, en zo nodig zullen zij en ik twintig uur per dag werken, zodat zij op ieder moment klaar zal zijn om in te vallen.*

Bij de volgende pauze liep ze naar het achtertoneel en vond Lucinda in een hoek verdiept in de krant. 'Lucy, er is iets gebeurd. Angela moet ons in de steek laten en jij gaat volgende week de rol van Helen spelen bij de officiële première.'

Lucinda werd doodsbleek. 'Waarom?'

'Haar man is ernstig ziek en zij gaat naar Los Angeles om bij hem te zijn. Deze week blijft ze nog. Dat zegt ze tenminste. Jij en ik gaan de volgende vijf dagen harder werken dan we ooit gedaan hebben, zodat jij klaar zult zijn om de rol over te nemen als zij vertrekt.'

'Maar zoiets gebeurt nooit!' riep Lucinda geschrokken.

'Praat niet zo hard. We vertellen het de anderen pas na afloop van de derde akte.'

'De anderen vertellen... O God, dan is het waar. Maar dat kan niet. Jessica, overreed haar te blijven. Dat kun je toch wel? Zeg haar dat ze het doen moet, dat haar man vast wel beter wordt. Ze hoeft toch niet elke minuut bij hem te zijn? Ze moet hier blijven!'

'Ik zei je niet zo hard te praten,' snauwde Jessica. 'Wat mankeer je in vredesnaam? Dit is waar elke acteur van droomt; het is een fenomenale kans, Lucy.'

'Maar ik ben er niet klaar voor! Mijn God, Jessica, ik kan het niet!'

'Je hebt de aanstelling tot stand-in aangenomen.'

'Omdat ik wist dat het veilig was. Angela wordt nooit ziek, er overkomt haar nóóit iets. Ik had in de verste verte niet gedacht...'

'Je hebt de hele nacht om erover te denken voor we morgenochtend aan de slag gaan. Je kent de rol.'

'Ja, maar dat betekent niet...'

'En heb je aantekeningen gemaakt? Heb je alle suggesties opgeschreven die ik Angela aan de hand deed, alles wat we besproken hebben?'

'Ja, dat liet je me doen. Maar, Jessica...'

'Dit is geen debat, Lucy, dit is hoe het gaan zal. Ga nu naar huis en lees het stuk een paar maal door.'

'Het lézen?'

'Maak je een sterker gevoel voor alle karakters eigen en van hoe het verhaal verloopt. Beschouw het als een geheel, niet alleen de figuur van Helen. We beginnen morgenochtend vroeg. Kun je om half acht bij mij zijn?'

Hulpeloos keek Lucinda haar aan. Jessica hield haar blik vast. Ten slotte knikte ze flauwtjes. 'Ik denk van wel.'

'Weet je waar ik woon? Op de top van Point Piper. Dan zie ik je daar. En, Lucy...'

'Ja?'

'Je redt het best. We zullen heel hard werken en dan kom je er wel. Dat moet je geloven.'

'Ik weet niet waarom jíj het gelooft. Ik weet eerlijk gezegd niet waarom je mij uitkoos. Ik had geen auditie moeten doen. Ik had nee moeten zeggen. Maar ik dacht dat ik veel zou leren, zie je, door op jou en

Angela te letten en me dan geleidelijk op te werken voor een rol als deze. Alle andere rollen die ik vertolkt heb, waren kleiner, dat weet je.'

'Het waren mooie rollen en je hebt ze goed gespeeld. Je videobanden waren goed.'

'Maar het waren geen hoofdrollen. En ik hoefde niet iemand als Angela te volgen.'

'Niet over nadenken. Jij zult je eigen Helen zijn, totaal verschillend van die van Angela.'

'En ik ben te jong. Helen is veertig en ik ben achtentwintig.'

Jessica keek haar verbluft aan. 'Je ziet er ouder uit. Je zei ons dat je ouder was. Eenendertig, meen ik.'

'Omdat ik dacht dat ik dit wilde doen. Iedereen porde me op, mijn ouders en mijn vriend en mijn toneelleraar in Melbourne... Ze zeiden dat ik risico's moest durven nemen omdat ik anders nooit iets zou bereiken. Maar Helen maakt me bang, Jessica.'

'Waarom?'

'Ze doet me denken aan mijn moeder, ze is...' Jessica barstte in lachen uit en Lucinda zei: 'Doe dat alsjeblieft niet. Lach niet en wees niet ongeduldig, luister alleen maar. Ik heb je dit nooit verteld omdat ik er zo zeker van was... ik bedoel dat ik wist dat er niet de minste kans was dat ik ooit Helen zou spelen, maar ze doet me aan haar denken... ik bedoel dat ze zo zeker is van zichzelf, zo radicaal in de manier waarop ze door het leven gaat en door iedereen bewonderd wordt, en mijn moeder is ook zo en ze verwacht dat ik zal worden zo als zij, maar dat word ik niet! Iedereen zegt me altijd dit te doen en dat te doen en me zus of zo te gedragen, maar het is alsof ze me vragen tegen een berg op te hollen. Ik kán het niet! Misschien zal ik ooit klaar zijn voor Helen. Ik zou het heerlijk vinden om door jou geregisseerd te worden wanneer ik het ben – als ik het ben – maar tot zolang moet ik tot mijn spijt bekennen dat ik niet denk het aan te kunnen.'

'Spijt je dat? Je bent toneelspeelster, een beroepsactrice; we gaven je deze taak in goed vertrouwen, je hebt hier al die weken van repetities en proefvertoningen bij gezeten en dan zeg je nu dat het je spijt? Dat doe je in dit beroep niet. Je hebt een opdracht te vervullen en dat zul je hier-en-gunter doen!' Ze hield op. 'Dat had ik niet moeten zeggen. Laten we opnieuw beginnen. Alle acteurs zijn bang dat ze op een of ander moment een bepaalde rol niet aankunnen. Als dat gebeurt, bestuderen ze het stuk grondig om het zo goed te begrijpen dat het een deel van hen wordt en ze vragen anderen hen te helpen. Ik ben hier om jou te helpen. Jij gaat Helen spelen en ik voorspel dat je naam voor jezelf zult maken...'

'Ik zou mezelf bespottelijk maken en jouw stuk ruïneren.'

'Dat zul je geen van beide doen, daar zal ik voor zorgen. Ik zal je eens wat zeggen. Vanavond na de party kom ik naar jouw huis en dan lezen we het stuk samen door. Ik wil niet dat je er de hele nacht op gaat zitten blokken; we bijten vanavond het spits af en morgen zul jij je veel beter voelen. Je moet een beetje zelfvertrouwen krijgen, Lucy, anders zul je deze rol inderdaad niet kunnen spelen. Het is gewoon een kwestie van vertrouwen, dat geef ik je op een briefje.'

Met de ogen van een angstig kind keek Lucinda haar aan en Jessica's moed zonk haar in de schoenen. *Is het te laat om een bemiddelingsbureau op te bellen en iemand anders te zoeken? Natuurlijk. En het zou bekend worden dat de toestand erger is dan de ergste geruchten vertelden.*

'Ik geloof dat je een beetje geschokt bent, Lucy; gun jezelf de tijd om hieraan te wennen. Om hoe laat zal ik vanavond komen?'

'O, doe dat niet! Dan krijg ik het gevoel dat je bang bent me uit het oog te verliezen. Ik wil je behagen, Jessica; ik wil je niet teleurstellen omdat ik je geweldig vind. Ik vond het heerlijk te zien hoe je alle anderen regisseert en ik bleef hopen dat we samen zouden kunnen werken...'

'Dat zullen we. Met ingang van morgen. Je zult me niet teleurstellen, Lucy; je zult me trots op je maken.'

'Denk je dat echt? Geloof je dat echt?'

'Vast en zeker. Wacht maar eens af hoe goed we samenwerken.'

'God, ik hoop het. Maar de kwestie is dat ik zo bang ben. En me schaam. Want het is afschuwelijk, nietwaar, om zo bang te zijn?'

'Bang is niet erg. Doodsbenauwd zou een probleem zijn.' Ze kuste Lucinda's bleke wang. 'Lees het stuk vanavond door. En prent jezelf in dat je het gewoon goed zult doen.'

Maar ze is doodsbenauwd. En ze zal niet eens aanvaardbaar zijn als ze niet een beetje zelfvertrouwen krijgt. En dat zal mijn taak zijn: haar zelfvertrouwen inboezemen terwijl ik het hele stuk met haar repeteer. Denk ik dat ze het kan doen? Die vraag zullen we niet stellen. Ze móet het doen en ze zál het doen. Met een beetje geluk en een ongelooflijke hoeveelheid werk zal ze het klaar spelen. Meer niet, maar we zullen tenminste toch nog een toneelstuk hebben. Verdikkeme, waarom moest dit gebeuren terwijl alles zo goed ging?

'Wil je met me meerijden naar de party?' vroeg Edward na het tweede applaus toen Jessica achter de coulissen kwam om iedereen te feliciteren. Hermione praatte met de kostuumnaaister over het dupliceren van Angela's garderobe in een kleinere maat en Angela stond te telefoneren. 'Ik heb me afzijdig gehouden zoals je me gevraagd had, maar nu kunnen we samen wat tijd doorbrengen.'

'Ik ga niet naar de party, Edward. Ik heb veel te overdenken en ik ga rechtstreeks naar huis.'

'Dan sta ik erop je te rijden.'

'Nee, jij gaat naar de party om met de hele groep feest te vieren. Hermione zal een aankondiging doen en jij moet erbij zijn om die aan te horen. Je was geweldig vanavond, Edward. Ik hoop dat je weet hoe indrukwekkend je bent.'

'Als jij het zegt.'

'O...' Ze onderdrukte een uitroep van ergernis en ongeduld. 'Ik zeg het. Ik zie je morgen wel weer.'

Thuisgekomen overwoog ze Luke te schrijven om advies over het werken met een doodsbenauwde stand-in, maar zodra ze aan hem dacht herinnerde ze zich Claudia. Ze moest hem opbellen. Zelfs als Claudia het niet ernstig gemeend had en zelfs als het niet meer dan theater geweest was, dan nog moest ze het hem vertellen. Als ze het uitstelde zou ze geen tijd meer hebben; de komende week zou enkel en alleen voor Lucinda zijn.

Ze ging geen tijdverschillen zitten berekenen; dat was ze zat. Ik moet hem spreken, dacht ze, en als ik hem uit bed bel, is dat pech.

'Luke Cameron,' zei hij bij het eerste belsignaal, en weer voelde Jessica die golf van blijdschap bij het horen van zijn stem en een verlangen om dicht bij hem te zijn, in zijn armen.

'Luke, met Jessica; ik hoop dat ik je niet wakker gemaakt heb, het was me te veel moeite om de tijd te berekenen.'

'Maandagmorgen half acht. Bel je vanwege Claudia? Nee, dat kan niet; je kunt het onmogelijk weten.'

Ze hield haar adem in. 'Wat weten?'

'Dat ze dood is. Ergens in de afgelopen nacht, we weten niet precies om hoe laat.'

'O, nee! O, Luke, wat vreselijk. Ik had echt niet gedacht dat ze... Grote God, hoe heeft ze het gedaan?'

'We weten niet of het opzet was of niet. Wat bedoelde je dat je niet gedacht had dat ze... dat ze wat?'

'Kan het misschien geen zelfdoding geweest zijn?'

'Dat is niet duidelijk. Ze had genoeg drugs en alcohol in haar lichaam om twee of drie mensen te doden, maar ze werd verteerd door drugs en alcohol, daar leefde ze van. Ze had nooit over zelfmoord gesproken...'

343

'Toch wel, Luke, ze heeft me opgebeld. We hebben wel gepraat...'
'Heeft ze jou opgebeld? Wanneer? Waarom?'
'Gistermiddag. Om me te zeggen uit jouw buurt te blijven.'
'Allemachtig, alsof ze het flauwste... Ging het alleen daarom, of wilde ze praten?'
'Ze wilde praten en dus deed ik dat, want ik wist niet wat jij zou willen dat ik deed. Ik dacht dat jij zou willen dat ik zou proberen haar te beschermen, maar ik bracht het er niet erg goed vanaf, hè? O Luke, het spijt me zo. Het is zo onvoorstelbaar afschuwelijk het gevoel te hebben dat het leven níets te bieden heeft – hoe kan iemand dat gevoel hebben? En ik was niet aardig voor haar; ze maakte me boos en ik liet het blijken.'
'Daar was ze heel goed in; ze bleef mensen dwingen wreed tegen haar te zijn. En dat waren we.' Zijn stem beefde. 'Je hebt gelijk, het is afschuwelijk om je zo verlaten te voelen... Kun je me vertellen wat je haar gezegd hebt?'
'Dat ik niet naar New York kwam. Om de een of andere reden was ze ervan overtuigd dat ik het wel zou doen. Ik zei haar dat jij en ik niet samenwonen en alleen maar vrienden zijn. Ze bleef je haar man noemen en zei dat jij de enige was die om haar gaf. Ik zei dat ze hulp nodig had, dat ze veel had om voor te leven, maar dat ze hulp moest hebben om haar dagen in te delen en haar leven vorm te geven.'
Hij lachte kort en bitter. 'Jij en ik gaven haar dezelfde zedepreek. Geen wonder dat ze je niet geloofde.'
'Waaromtrent?'
'Dat wij niet samenwonen. Ik gebruikte dezelfde woorden – haar leven vorm te geven – telkens als ik haar de les las. God, ik heb haar de les gelezen terwijl ik haar had moeten helpen; ik had nog zoveel meer kunnen doen... we kunnen altijd meer doen.'
'Niet altijd, Luke, je hebt jarenlang voor haar gezorgd. En dat wist ze. Ze zei me dat je het deed. Ze zei me dat jullie elkaar erg na stonden.'
'Verdomme, ze wist bliksems goed dat het niet zo was. Ze was mijn welzijnsproject, het enige waar ik tijd voor vrij maakte, het enige waar ik geld in stak, want dat was gemakkelijker dan haar handje te pakken en de weg te wijzen door een paar oplossingen die succes hadden kunnen opleveren. Ik heb haar op honderd manieren teleurgesteld.'
'Ik ook. Ik lachte er zelfs om... O Luke, ik deed iets schandaligs: ik lachte erom.'
'Waar lachte je om?'
'Ze zei iets zo absurds dat ik... Nou ja, ik had het niet moeten doen. Ik wou dat ik het niet gedaan had.'

'Jessica, jij bent niet aansprakelijk voor Claudia's dood.'

'Jij evenmin, Luke. Op grond van wat ze zei dat heel veel mensen haar in de steek gelaten hadden, denk ik dat het een grote club geweest moet zijn: allemaal mensen die Claudia teleurgesteld hebben. En ik liet haar in de steek.'

'Misschien. En als je het deed, was het maar één keer. En jij was haar niets verplicht.'

'Ze was een mens. Ik had aandacht en sympathie voor haar moeten hebben.'

Even zwegen ze allebei. 'Weet je,' zei Luke ten slotte, 'ze bleef me ervan beschuldigen haar te behandelen als een personage in een toneelstuk, en in zekere zin had ze gelijk. Maar ze vroeg me steeds dat te doen: haar leven te regisseren. Totdat ze eindelijk een manier vond om zelf te regisseren: om haar zelfmoord te regisseren.'

'Als het opzet was.'

'Als het dat was.'

'Treur je om haar?' vroeg Jessica.

'Ik treur om een mislukt leven. Ze heeft zichzelf nooit een echte kans gegeven; dat is de echte tragedie van Claudia. Weet je, Constance en ik praatten veel over de manier waarop we ons leven leidden, alsof elk van ons meespeelde in een toneelstuk met een opening en een einde, met dramatische hoogtepunten en korte intimiteiten en elke paar maanden of jaren een nieuw scenario. Niet bijzonder bewonderenswaardig, maar zo leefden we nu eenmaal en voor ons was het genoeg. Nou ja, niet voor Constance. Zij had meer, zij had jouw vriendschap. En toen ontdekte ik jou en ik wist dat ik ook meer verlangde: een vol leven, hoe rommelig en onvoorspelbaar ook. Claudia – God, ik kan niet geloven dat ze dood is – kon niet tegen het leven op met alle rommeligheid en onvoorspelbaarheid van dien, en ik heb niets gedaan om haar die kunst bij te brengen. Misschien is dat waar ik echt om treur: haar weigering het leven te aanvaarden en tot het hare te maken, haar hardnekkigheid om vast te houden aan haar fantasieën, terwijl er overal om haar heen zoveel rijkdom en schoonheid was. Dat is een les, nietwaar? Voor ons allemaal.'

Jessica zweeg. Ze wist dat hij erop wachtte dat zij zou zeggen dat zij ook een volwaardig leven verlangde: een degelijker, duurzamer leven met meer diepte dan haar huidige bestaan. Ze wist dat ze naar hem verlangde. Maar er gebeurde te veel, te veel emoties wervelden in haar binnenste rond. Op een vreemdsoortige manier had Claudia hen nader dan ooit tot elkaar gebracht, maar daar kon ze zich nu niet op fixeren.

'Luke, Angela gaat bij ons weg; haar man moet volgende week geopereerd worden en ze wil bij hem zijn. Ik moet me nu helemaal op onze stand-in concentreren.'

'Is ze er klaar voor?'

'Nee, en ze schijnt helemaal overstuur te zijn. Kunnen we daar even over praten?'

'Zo lang als je maar wilt. Maar wordt het bij jou niet een beetje laat? We kunnen er morgen over praten als je dat liever wilt.'

'Ik ben niet moe. Kun je even aan de lijn blijven terwijl ik een kop koffie haal?'

'Ik schenk juist mijn kopje vol. We kunnen doen alsof we aan de ontbijttafel zitten. Ik weet dat het voor jou bijna middernacht is. Maar omdat we toch doen alsof...'

'Ja,' zei ze zacht. 'Ik kan me een ontbijttafel voorstellen.'

Toen ze terugkwam en weer op de bank ging zitten, praatten ze bijna twee uur door. 'Ja, je zit met een probleem,' zei Luke ten slotte. Je kunt haar een week lang inspireren en dan zal ze er misschien nog steeds van overtuigd zijn dat ze er niet klaar voor is. Misschien zou je kunnen proberen het accent een beetje van haar naar de andere drie te verschuiven, vooral naar die man... Hoe heet hij ook weer?'

'Whitbread.'

'Lieve help, wat zal hij het in zijn jeugd met die naam hard te verduren gehad hebben! Je zou kunnen overwegen tegemoet te komen aan Lucinda's zwakheid...'

'Helen kan niet zwak zijn.'

'Nee, maar misschien kun je het camoufleren. Probeer na te denken over wat de anderen zich eigen gemaakt hebben. Als je scène voor scène doorneemt...'

Jessica luisterde en prentte zich alles in wat hij zei. Ze stelde zich zijn gezicht voor en zijn glimlach, de manier waarop hij geamuseerd zijn wenkbrauwen optrok, en de gebaren die hij met zijn grote handen maakte. Ze liet zijn zware stem diep in haar doordringen en maakte die tot een deel van haar. Als zij haar eigen ideeën opperde, luisterde hij zwijgend zonder haar in de rede te vallen en wachtte met zijn opmerkingen tot zij uitgesproken was. Vaak prees hij haar en gaf haar voortdurend het gevoel dat zij voor hem op hetzelfde vlak verkeerde: twee regisseurs, twee vakkundigen.

'Het heeft een kans als je haar genoeg kunt opbouwen en meer nadruk legt op de andere rollen,' zei hij ten slotte. 'De ellende is dat je niet veel tijd hebt. Misschien zou je moeten proberen haar te hypnotiseren om haar te doen denken dat dit het beste is wat haar ooit is overkomen.'

'Hypnose werd op de toneelschool niet gedoceerd. Ik zal haar zonder hypnose moeten bewerken.'

'Maar daar gaat het om. Als ze geïntrigeerd wordt, zal ze werken als een bezetene en haar angsten de baas worden. Je zult haar iets moeten aanpraten, met haar repeteren en de anderen laten meehelpen door althans een paar van de scènes te dragen. Het zal een zware week worden.'

'Zacht uitgedrukt. Bedankt, Luke. Ik had de hulp en het peppraatje echt nodig.'

'Die zijn allebei beschikbaar wanneer je er ook maar behoefte aan hebt.'

'Ik vind het erg van Claudia. Ik weet dat het in veel opzichten hard voor je is. Ik wou dat ik behulpzamer had kunnen zijn.'

'Dat willen we altijd als iets ongunstig verloopt. Ik voel droefheid wat Claudia betreft, maar niet veel meer. Misschien is dat de echte tragedie van haar leven: ze maakte zo weinig indruk dat niemand haar dood als een echt verlies zal ervaren en dát is iets om over te treuren.'

'Vreselijk,' mompelde Jessica. Ze huiverde alsof het haar persoonlijk aanging.

'Je moet gaan slapen, lieveling.'

'Ja. Bedankt voor alles. Goedenacht Luke.'

'Goedenacht liefste. Slaap lekker. Laat me weten hoe Lucinda het ervan afbrengt.'

'Dat zal ik doen. Luke...'

'Ja?'

Kom naar Sydney, kom op mijn premièreavond. Kun je weg? Kun je gewoon als mijn vriend komen?

'Jessica?'

'Nee, niets. Goedenacht, ik zal je schrijven.' Ze hing op voor ze iets anders kon zeggen. Ze kon hem niet vragen naar haar toe te komen.

Hij had niet gevraagd naar haar plannen na afloop van de opvoeringen van *Journeys End* en eerlijk gezegd wist ze niet wat ze zou antwoorden als hij het deed. Ze wist al weken dat ze niet zou terugkeren naar haar kluizenaarsleven op Lopez. Of haar stuk nu een succes werd of een flop, ze zou een manier vinden om bij het theater te blijven, waarschijnlijk in Sydney, en vrijwel zeker alleen. Te eniger tijd zou ze misschien bereid zijn om haar leven aan dat van iemand anders te verbinden, maar voorlopig moest ze nog te veel over zichzelf leren als regisseur, misschien als docente aan een universiteit of een toneelschool, misschien als schrijfster over het toneel. Ze moest de herinneringen vergeten die haar door het hoofd spookten – ze vergeten, ze niet gewoon maar blijven wegduwen – en meer vrienden maken en meer werk doen, veel meer werk, tot ze ten slotte bij zichzelf zou kunnen zeggen dat ze zelfstandig weer een nieuw leven opgebouwd had en onafhankelijk was.

'Kolder,' zei Hermione de volgende dag onder de lunch in het Wharf-café toen Jessica haar vertelde over haar telefoongesprek met Luke. 'Sinds wanneer ben jij zo dom om te denken dat jij of iemand anders het erg lang zonder anderen kunt stellen? Dat je op een wit paard kunt rondrijden, mensen neermaaien, doen wat in je hoofd opkomt en: blijf uit mijn buurt, want ik maak het prima en ik wil geen hulp, zelfs niet van die verkeersagent daar die andere paarden belet met mij in botsing te komen... geen enkele hulp.'

Jessica lachte. 'Je bent uitzonderlijk begaafd om wat ik zeg absurd te doen klinken.'

'Alleen als het absurd ís. Hoe deed Lucinda het vanmorgen?'

'Niet best.' Afwezig scheurde Jessica haar papieren servet in snippers. 'Het is mijn schuld, weet je. Ik had haar niet moeten accepteren. Ik wist dat haar achtergrond zwak was, maar ik had zo'n haast om de rolverdeling af te ronden en met de repetities te beginnen...'

'Wacht even, dat heb je niet alleen gedaan. Haar auditie was goed, ben je dat vergeten? En haar video's waren goed, evenals de getuigschriften uit Melbourne. Daar mochten ze haar graag. We hadden redenen te over om haar aan te nemen.'

Jessica schudde haar hoofd. 'Ik had moeten inzien dat zij niet rijp was voor een hoofdrol. Ik had haar angst moeten zien.'

'Als je een tovenares was, ja. Niemand van ons zag het.'

'Het is mijn taak om zulke dingen te onderkennen.'

'Later zullen we je nog wel eens een pak rammel geven. Maar wat denk je op dit moment van haar?'

'Ik weet het niet. Ik probeer haar ervan te overtuigen dat ze goed is en dat Helen een geweldige rol voor haar is. Als dat me lukt, ben ik er vrij zeker van dat zij het talent heeft om het klaar te spelen.'

'Hypnotiseer haar.'

Jessica lachte. 'Jij en Luke zouden goed met elkaar kunnen opschieten. Hij dacht daar ook aan.'

'Grote geesten. Ik wou dat ik je kon helpen met Lucy. Is er iets dat ik doen kan?'

'Dat doe je al. Een luisterend oor en een vriendelijk gezicht: de voornaamste dingen waar ik nu behoefte aan heb.'

'Laten we dan op die voet doorgaan. Kom vanavond een aperitiefje drinken, om zeven uur of half acht als je klaar bent met Lucinda. Misschien maak ik zelfs wel eten klaar.'

'Vergeet niet de oven aan te zetten.'

'Ik zal het in gedachten houden.' Hermione keek Jessica na toen ze door de gang van het café naar de kleine repetitiekamer strompelde waar ze met Lucinda oefende. *Die verwenste stok; die zou een probleem zijn.*

Maar niet onoverkomelijk.

Ze dronk haar cappuccino op met een zo woedend gezicht, dat een vriendin die een praatje met haar wilde komen maken, terugdeinsde met de gedachte dat zij beter een andere keer terug kon komen. Hermione merkte haar niet eens op; ze was te diep in gedachten verzonken. De afgelopen nacht in bed was ze verteerd geweest van een plan dat te gek was om los te lopen en waar zelfs een gokker zoals zij verstandig aan zou doen het te laten schieten, maar dat absoluut onweerstaanbaar werd naarmate ze er langer over nadacht.

Neem het nog eens door: Waarom wil ik dit doen?

Omdat ik van haar houd. Ze is de dochter die ik altijd heb willen hebben, en mijn beste vriendin, en hoewel ze het niet wil toegeven, vreet ze zich inwendig op door andere vrouwen in die rol te regisseren in plaats van hem zelf te vertolken. En wie zou voor een dochter en een beste vriendin niet heel wat op het spel zetten?

Er is nog een reden. Ik wil Lucinda Tabor niet de rol van Helen laten spelen.

Dat is genoeg. Een serie redenen waar niemand iets tegenin kan brengen.

Ze grabbelde in haar grote, uitpuilende tas naar haar draagbare telefoon en liep naar een hoek van het lege café terwijl ze in alle richtingen rondspiedde als een geheim agent op jacht naar spionnen. Leunend tegen de muur vroeg ze bij een telefoniste het nummer op en voerde het gesprek.

Toen ze klaar was, schakelde ze de telefoon uit en beende het lege lokaal rond. *Hemeltjelief, als dit slaagt zal ik heel wat mensen verneukt hebben die zullen vinden dat een lynchpartij nog veel te goed voor me is.*

Ze klapte de telefoon in elkaar tot een klein pakje en borg hem weg, terwijl ze met nietsziende ogen naar de haven keek, naar de op het water dansende regendruppels en naar de met de wind meedeinende bomen. Toen knikte ze héél beslist. *Laat ik het goed doen. Ik zal dan de rest van mijn leven een paria zijn of de heldin van het Pacifische gebied.*

Ze reed naar huis en componeerde een brief op haar computer. Ze tikte de ene alinea uit en drukte die af. Toen belde ze de internationale inlichtingen. *Laat hij in vredesnaam een van die vooruitziende mensen zijn die hun faxnummer in het telefoonboek opnemen.* 'Allebei de nummers,' zei ze. 'Kantoor en fax.' De telefoniste gaf beide nummers op en Hermione slaakte een diepe zucht. *Zo hoorde het.* Ze liep met de brief naar haar faxapparaat, las hem nog een keer door en verzond hem.

Geachte Luke Cameron,
Er ligt aan de kassa een kaartje voor u voor de première van Journeys End aanstaande dinsdag: de stoel naast de mijne. Ik hoop dat u eerst bij mij thuis zult willen dineren; het wordt tijd dat wij elkaar leren kennen.
Met vriendelijke groeten,
Hermione Montaldi

16

'Je bent gek geworden.' Jessica slingerde de woorden de kamer in. Ze was Hermiones huis binnengekomen met een fles wijn, een brood en een boek waarvan ze wist dat Hermione het wilde lezen. Maar binnen een paar minuten waren haar geschenken en ook het diner vergeten. 'Je hebt Lucy laten gaan? Mijn God, Hermione. Wat heb je gedaan?' 'Kunnen we gaan zitten en dit bespreken? En misschien de fles uitstekende wijn opentrekken en op bedaarde, rustige toon met elkaar praten?'

'In één week tijd raken we de hoofdrolspeelster en haar stand-in kwijt en dan wil jij een bedaard gesprek? Ik wil weten wat er gebeurd is. Wat heb je haar verteld? Waar is ze? We moeten haar terug hebben, Hermione, waar is ze verdikkeme?'

'In Melbourne, maar...'

'Goddank dichtbij. Ik zal haar opbellen en...'

'Doe dat niet, Jessie, en kijk me niet zo woedend aan.' Hermione zuchtte diep en probeerde de angsten te onderdrukken die haar plotseling bevingen. *Ik had het niet moeten doen. Wat bezielde me? Jessie heeft gelijk: ik was gek. En wat doen we nu?* Ze stond te wankelen op haar benen. 'Hoor eens, ik ga zitten, zelfs als jij het niet doet.' Ze nam haar plaatsje in op het eind van de bank en reikte naar de koffietafel om de fles te openen die Jessica meegebracht had en twee glazen wijn in te schenken. 'Heel goed,' mompelde ze terwijl de wijn in haar glas ronddraaide en een slokje proefde. 'Penfold's Grange Syrah.' Elk woord kwam afgebeten uit haar mond door haar inspanning haar stem neutraal te houden. 'Je hebt heel wat geleerd over Australische wijnen.'

'Waarom zou ik haar niet opbellen?'

'Omdat ze een stuk beter af is waar ze nu is, dan dat ze zich door jou moest laten koeioneren Helen te spelen.'

'Koeioneren? Wie zegt dat?'

'Dat zei zij. Ze zei dat je haar aan haar moeder deed denken. Jij, en Helen ook. Ze zei dat hoe vaker je haar vertelde hoe goed ze was, hoe slechter ze zelf dacht dat ze was en ze kon de gedachte niet verdragen je teleur te stellen. Ze had ook de moed niet het je zelf te vertellen. Ze hoopt dat je het haar nog eens zult vergeven.'

'Ik sta paf. Wanneer heeft ze je dat allemaal verteld?'

'Jessie, ga zitten; zo kunnen we niet praten.'

'Wanneer heeft ze het je verteld?'

Hermione zuchtte. 'Vanmiddag om een uur of vijf toen jij er voor vandaag eindelijk mee stopte.'

'En kwam ze toen naar jou toe rennen omdat ze zich bij mij ongelukkig voelde?'

'Ik ben naar haar toe gegaan. Een kennis van mij in Melbourne heeft een rol waar ze voor geknipt is en ik vond dat ze dat moest weten.'

Jessies ogen vernauwden zich. 'Hoe dacht jouw kennis zo maar aan Lucy voor die rol?' Hermione gaf geen antwoord. 'Jíj dacht eraan. En jij belde hem op. Waarom? Waarom? Ik weet dat je nooit weg geweest bent van Lucy, maar waarom heb je dit gedaan? Hoe kon je ertoe komen?' Hermione zei nog steeds niets. 'Hoe kon zíj het doen? Hoe kon zij zo maar van ons weggaan, terwijl ze wist dat wij niemand anders hebben?'

'Dat wist ze niet. Ik vertelde dat we iemand anders hadden voor de rol van Helen. Dat gaf haar het gevoel...'

'Je zei wát? Dat was een leugen! Hermione, wat bezielde je? Ik had haar klaar kunnen stomen, dat geloof ik vast. Op de officiële première zou ze er klaar voor geweest zijn.'

Hermiones spanning ontplofte. 'Het kan me geen lor schelen of ze er wel of niet klaar voor geweest was. Ik wilde niet dat zij Helen speelde.'

'Jij had niet de zeggenschap om die beslissing te nemen.'

'Klopt. Je hebt volkomen gelijk. Ik zal het nooit meer doen.'

'Dit is geen grapje!'

'Dat weet ik. Het spijt me, Jessie.' *Het spijt me, het spijt me, ik had het niet moeten doen, het was krankzinnig, maar dat kan ik tegen jou niet zeggen, want ik moet je overtuigen...*

'Waarom deed je het dan? Waar heb je in godsnaam aan gedacht?'

'Je weet drommels goed waar ik aan dacht. Jessie, kom alsjeblieft hier bij me zitten. We hebben heel wat te bespreken en we komen geen stap verder als je me met bliksemende ogen woedend blijft staan aanstaren.'

Jessica verroerde zich niet. 'Je bent gek. Je denkt dat ik de rol van Helen zal spelen. Dat doe ik niet en dat kan ik niet. Dat wist je. Je hebt ons stuk kapotgemaakt ter wille van het belachelijke idee dat je me kunt dwingen op de planken te komen alsof...'

'Hou op, Jessie.' Ze haalde diep adem en stak van wal. 'Het is geen hersenschim en ik dwing je niet; ik effen de weg. Ik heb de hele nacht wakker gelegen en hierover nagedacht. Je snakt er zo naar om weer op te treden dat het op je gezicht te lezen staat; het vreet je inwendig op. Welnu, hier is je kans. Je kent het stuk woord voor woord, je kent Helen – je weet alles van haar, misschien wel vanaf de tijd dat ze op de kleuterschool was. Je speelt haar op de manier zoals ze uitgebeeld behoort te worden; je zult Helen zíjn. Angela kon dat niet en God weet dat Lucy het ook niet kon. Jij zult de Helen zijn waarvan de tekstschrijver, moge hij rusten in vrede, gedroomd heeft.'

'In mijn verbeelding. Niet op het toneel! Kun je dat niet begrijpen? Ik heb je uitentreuren verteld waarom ik het niet kan.'

'Dat ben ik vergeten. Vertel het me nog maar eens. Kom hier bij me zitten, neem een slokje wijn en vertel me je argumenten.'

Jessica bleef stokstijf staan, gespannen van woede en frustratie en de eerste symptomen van iets als paniek. 'Ben je niet goed bij je verstand?' riep ze. 'Je kent mijn argumenten, je kunt ze zien! Kijk maar naar me!' Leunend op haar stok strompelde ze de kamer door. 'Hoe slim moet je zijn om daarachter te komen? Hoe kan ik over een toneel lopen? Dit is waar de toeschouwers naar zullen kijken' – ze had de bank bereikt en gooide de stok erop – 'ze zullen dít zien en de manier waarop ik loop en hoe ik eruitzie en dan houdt alles op. Zie je dat niet in? Telkens als ik een paar stappen doe, kijkt iedereen naar de hinkepoot die doet alsof ze net is als ieder ander. Wij proberen ons publiek te betrekken in ons verhaal, zodat het erin gelooft. Wat zal het geloven als het me ziet?' Er viel een stilte. Ze ging op de rand van de bank zitten. 'Ik stelde een vraag!'

Hermione zat aan één stuk door hapjes naar binnen te werken om haar opstandige maag te kalmeren. 'Wat dacht je van...' begon ze met schorre stem.

Jessica keek haar scherp aan. 'Je hebt er geen antwoord op. Jij bent even bezorgd als ik. Mijn God, Hermione, wat moeten we doen?'

'Er is geen uitweg.' Hermione schraapte haar keel. 'Ik heb ons niet veel keus gelaten. Wacht eens. Gun me ogenblikje.' Ze nam een forse teug wijn, zette toen naar glas neer en schoof het opzij. Dit was niet het moment om zich weekhartig te voelen. 'Als lopen over het toneel jouw enige probleem is, hoef je het niet te doen. Waarom kunnen we de scènes niet iets omwerken, zodat Helen grotendeels op dezelfde plaats blijft? Ze kan opstaan, een paar stappen doen naar een bureau of een stoel of zo, maar in principe blijft ze op dezelfde plaats en laat de anderen naar haar toe komen. Voor een stel intelligente mensen moet het niet al te moeilijk zijn om daar in een paar uur iets op te vinden.'

'Nee.'

'Nee, zijn we niet intelligent? Nee, kunnen we er niets op vinden? Nee, kan het niet in een paar uur opgelost zijn? Proef je wijn eens, hij is uitstekend.'

'Hermione, maak er geen farce van. Toen ik het toneel opgaf, was het of ik ging sterven, maar ik heb me erbij neergelegd. Ik ben tevreden en als jij denkt...'

'Je bent even tevreden als een gekortwiekte arend of als een koala die niet in bomen kan klimmen. Wat zijn je andere argumenten?'

'Je kent ze.'

'Noem ze me op.'

'Helen is veertig en een schoonheid, ze is een indrukwekkende verschijning en erg trots op zichzelf. Ze is niet lelijk, ze loopt niet gebukt én ze is geen invalide.'

'Ben je me aan het vertellen waarom je niet in dit stuk of in enig ander stuk kunt spelen?'

'We hebben het nu over dit ene.'

'Dus als het over een grijze heks met een stok ging zou je het doen?' Jessica begon te lachen.

'O, neem me niet kwalijk.' Hermione trok haar mondhoeken omlaag. 'Heb ik je weer bespottelijk doen lijken?'

'Doe dat niet, Hermione. Het is niet grappig.'

'Daar ben ik me drommels goed van bewust. Goed, Jessie, jij je zin; jij hebt al die argumenten en ik zal niet met je redetwisten. We annuleren de première, zoeken een andere Helen en treden vanaf 1 april op. Dan verliezen we de maand maart, maar dat is minder erg dan alles verliezen. Ik zal de bemiddelingsbureaus opbellen, zodat we eind van de week audities kunnen hebben.' Ze stond op. 'Wat zou je ervan denken om te gaan eten? Ik héb eraan gedacht de oven aan te zetten, dus is voor de variatie alles klaar.'

De première annuleren. Voor iedereen in de theaterwereld klinkt dat als het luiden van de doodsklok. Langs Hermione heen keek Jessica door het raam. Buiten viel een miezerregentje dat het beeld van de haven en de tegenoverliggende oever wazig en dromerig maakte. Onwillekeurig legde ze haar hand op de stok naast haar en streek erover met haar hand. Hermione had gelijk: ze zouden een andere Helen vinden. Een geroutineerd actrice zou zich in twee weken van intensief repeteren in de cast kunnen inpassen en dan zouden ze een maand lang optreden, genoeg om haar een naam als regisseur te bezorgen. En dan...

Dan zou alles opnieuw beginnen.

Maar dat is nu mijn leven, dacht ze. De ene actrice of de andere, wat maakt dat uit?

Hermione boog zich naar voren, schonk Jessica's glas weer vol en nam het hare op. Ze begon zich al wat beter te voelen. 'Ik heb me altijd afgevraagd waarom jij je haar niet verft,' zei ze terloops. 'Hebben we het daar al niet eens eerder over gehad? Ik laat het mijne doen en vrijwel iedereen kiest voor kleurspoelingen, dus waarom jij niet? Niet overdadig, maar net genoeg om je blond, asblond of zoiets te maken in plaats van grijs.'

Jessica keerde zich afkeurend naar haar toe, alsof ze probeerde de logica in Hermiones woorden te ontdekken.

'Je haar,' zei Hermione. 'Blond in plaats van grijs. Maak je zo'n sexy zilveren blondine, misschien een beetje verbleekt alsof je in de zon gezeten hebt. Waarom heb je dat nooit gedaan?'

'Omdat het verder niets veranderd zou hebben. Mijn kromme rug, mijn been, mijn gezicht... We hebben het erover gehad en ik heb je gezegd dat ik pathetisch zou lijken, alsof ik zou proberen iets te zijn wat ik niet ben en jong en knap zou willen lijken. Alleen maar vanwege een andere kleur van mijn haar zou ik er niet anders uitzien.'

'Daar kunnen we over van mening verschillen. We zouden de proef op de som kunnen nemen. Het staat machtig mooi, vooral als je veertig bent zoals jij. En Helen.'

Jessica's gelaatsuitdrukking verhardde. 'Ik zal er nooit uitzien zoals Helen.'

'Maak dan verdomme dat zij eruitziet zoals jij!'

Even keek Jessica geschrokken. Natuurlijk. Dat deed ze altijd. Hoe kon ze het vergeten hebben? Je bent actrice, zei ze bij zichzelf. Laat haar er uitzien zoals jij. Je bent actrice, laat het publiek geloven dat ze er uitziet zoals jij. Doe het geloven dat je Helen bént. Dat kun je. Dat ben je niet vergeten. Want je bent actrice.

Een wilde spanning maakte zich van haar meester. *Ik keer terug. Ik keer terug.* Tranen druppelden over haar wangen. Ze was bang, ze was uitgelaten, ze was blij, ze was bezeten van angst. *Ik zal het proberen. Heer in de hemel, ik zal het proberen.*

O, Constance, ik wou dat jij nu hier was.

Ik wou dat Luke hier was.

Met bonzend hart haalde Hermione diep adem en liet de spieren in haar hals en borst zich langzaam ontspannen. Ze had barstende hoofdpijn – maar wat deed dat ertoe? Op het moment was niets zo belangrijk als de uitdrukking van hevige opwinding op Jessica's gezicht... en de bergen werk die er de paar komende dagen verzet moesten worden. Maar dat deed er ook niet toe. Ze zouden het gedaan krijgen. Ze zouden alles gedaan krijgen, dacht ze juichend. Maar het zwaarste karwei was achter de rug.

Ze gaf Jessica een tissue en nam haar in haar armen. 'Oké,' zei ze zacht. 'Maak je geen zorgen. We knappen dit samen op. We zijn een geweldig span, dat weet je toch?'

Jessica knikte. Ze veegde haar ogen af, maar de tranen bleven komen. 'Blijf alsjeblieft tegen me praten tot ik niet meer hoef te huilen.'

'Eens even kijken. Ik heb al met de costumière gesproken over verandering van Angela's garderobe voor Lucy, dus kunnen ze op de kostuumafdeling alles een paar maten kleiner maken; het zijn daar duivelskunstenaars en het zal voor hen een koud kunstje zijn. Morgen nemen ze je maten op. Wat verder nog? Je haar. Dat moet ook morgen, Sistie zal wel een gaatje voor ons vinden; zij is de beste haarcoloriste ter wereld. Grime... dat is gemakkelijk. Je bent vast een expert op dat gebied, maar je bent er al weer een poosje uit en dus zullen we voor de zekerheid een van onze plaatselijke experts te hulp roepen om ervoor te zorgen dat het past bij de belichting. We zullen de belichting misschien ook moeten wijzigen om het allerbeste voor jou te bereiken; dat kunnen we beter morgenochtend bespreken. Wat vind je ervan om morgenochtend om zeven uur met Dan in het theater te beginnen met het ombouwen van de opstelling? Ik zorg voor ontbijt. Angela vertelde me dat ze definitief tot het eind van de week blijft, dus zullen we de cast hier niet voor zaterdag mee lastig vallen. Dan hebben we het weekend plus maandag om alles te regelen – belichting, opstelling, drie repetities met de cast, kostuums, grime, misschien zul je een paar dingen willen veranderen als je begint ze te gebruiken. Hoe klinkt je dat in de oren?'

'Zes repetities. Misschien meer.'

'Wat?'

Jessica gaf Hermione een kus op de wang, maakte zich los uit haar omhelzing en ging rechtop zitten. 'Twee repetities per dag, misschien drie. We hebben heel wat te leren en we zullen het stuk zo vaak doornemen als nodig is om alles te leren. Verder zullen we de reclameontwerpers moeten vragen om nieuwe posters voor de lobby; ze zullen ze overmorgen ter goedkeuring moeten voorleggen om ze met het weekend klaar te hebben als de kaartverkoop aan de kassa begint. En vertel vooral de zaalchef wat er gaande is. En bel de drukkerij dat we een inlegvel in het programma voor maandag nodig hebben waarin we de gewijzigde rolbezetting bekendmaken, met een kort stukje over mij dat ik vanavond zal schrijven als ik thuis kom. En de afdeling publiciteit moet voor zondag een persbericht gereed hebben. Niet eerder, ik wil niet dat Angela of iemand anders denkt dat we proberen de week van voorvertoningen te kleineren. En de krantenadvertenties moeten ook veranderd worden; dat zou je met een telefoontje kunnen afdoen, maar iemand moet de drukproeven van de nieuwe advertentie corrigeren. Kun je verder nog iets bedenken?'

'Ik kan nauwelijks aan iets anders denken dan aan jou.' Hermione salueerde. 'Leve de dappere dame. Ik hou van je.'

'Wacht even, er is nog iets. Wat kletsen we eigenlijk, Hermione? Je weet dat ik in Australië niet mag optreden; ik ben geen lid van de kunstenaarsbond. Als regisseur hoef ik het niet te zijn, maar elke acteur of actrice moet het zijn. En het zijn altijd Australiërs, je weet hoe chauvinistisch ze hier zijn. Hoe kon het in ons hoofd opkomen dat ik hier zou kunnen optreden?'

'Als iemand beroemd genoeg is, kan hij hier werken. Glenn Close kon het. Bernadette Peters kon het. Jessica Fontaine kan het. Maar je hebt gelijk; het is veel gemakkelijker als je lid van de bond bent.' Hermione hief haar wijnglas op. 'Ik stel een toast voor. Vooruit, het wordt tijd dat je deze wijn proeft.' Toen Jessica haar glas ophief, vervolgde ze: 'Op mijn goede vriendin Jessica Fontaine die lid is van de kunstenaarsbond sinds ik het ruim een maand geleden op me nam haar in te schrijven.' Ze straalde weer. 'Klink je met me mee of niet?'

'Jij hebt me als lid ingeschreven?'

'Hoe kon ik voorspellen hoe de situatie zich zou ontwikkelen? Het was als het afsluiten van een brandverzekering. Nu plukken we de vruchten. Jessie? Klinken we daarop?'

Jessica tikte met haar glas dat van Hermione aan. 'Bedankt. Ik weet dat je het goed bedoelde, ondanks het feit...'

'Dat ik me met jouw zaken bemoeide. Daar heb je volkomen gelijk in. Maar ik wist dat jij het uit jezelf niet zou doen en dat ik het moest doen. En dat was maar goed ook, want kijk maar eens hoe we er nu voorstaan. Op het punt je nieuwste carrière te lanceren.'

Er viel een pauze. 'Weet je hoe doodsbenauwd ik ben?'

'Dat is niet erg, voor een poosje althans niet.'

'Ik zei Lucinda dat bang zijn niet erg is, maar dat doodsbenauwd zijn een probleem kan zijn.'

'Zij stond niet in jouw schoenen. Hoe het zij, zodra we aan het werk gaan, kom je er wel overheen.'

'Ik heb mijn plankenkoorts nooit kunnen overwinnen.'

'Dan vermoed ik dat je er weer last van zult hebben. Maar dat staat niet op mijn lijst van dingen waar ik me zorgen over moet maken.'

'Waarover dan wel?'

'Ik ben niet van plan je dat te vertellen; het zou je concentratie kunnen schaden. En dan wil ik nu voorstellen gauw te gaan eten om naar het theater te gaan en daarna hierheen terug te komen en over van alles en nog wat te praten, behalve over werk. Het zal een kleine rustpauze zijn tot de komende paar dagen als we met het stuk zullen opstaan en naar bed gaan. Wat vind jij?'

'Als we het kunnen.'

'Natuurlijk kunnen we het.'

Maar ze konden het niet. Ze gingen naar het theater, waar Angela voor een enthousiast publiek een van haar beste prestaties leverde, en keerden pratend over koetjes en kalfjes terug naar Hermiones huis tot ze de zitkamer binnenstapten en meteen over het stuk begonnen. Ze praatten urenlang tot Jessica zei dat ze naar huis moest. 'Ik weet niet of ik zal kunnen slapen, maar ik moet het proberen.'

'Doe alsof. Dat is bijna even goed als de werkelijkheid.'

Toen ze thuiskwam, rende Hope extatisch om haar heen, en omdat het niet meer regende, nam Jessica haar aan de lijn mee naar buiten in plaats van haar in de kleine tuin los te laten. Ze wandelden niet ver, maar het deed Jessica goed om buiten en in beweging te zijn, al was het langzaam en zelfs strompelend. De hemel was nog bedekt, de vreemde geeloranje hemel van steden bij nacht, en ze dacht aan de fluwelige duisternis van Lopez waar de hemel boven haar huis dicht bezaaid was met flonkerende sterren en waar de Melkweg een onregelmatig pad was van horizon tot horizon. Mijn veilige haven, dacht ze. En alles wat ik nu doe, verwijdert me er verder vandaan.

Jarenlang was ze ervan overtuigd geweest dat ze het beste gedaan had door de afzondering te kiezen en weg te blijven van het toneel. Hoe kon ze er zeker van zijn dat wat ze nu op het punt stond te gaan doen het beste was?

Met Hope aan haar voeten ging ze aan de eetkamertafel zitten en concipieerde het inlegvel voor het programma van maandagavond.

De rol van Helen wordt overgenomen door de Amerikaanse actrice Jessica Fontaine, die ook de regie voert.

Jessica Fontaine is in het verleden met het toneelgezelschap van Sydney opgetreden in *Eind goed al goed* en in *De Vuurproef.* In Amerika, Engeland en Canada speelde zij hoofdrollen in *Anna Christie, The Countrygirl, Hoe groen was mijn dal, De ernst van Ernst* en *Mrs. Warren's profes...*

Ze schreef niet verder en keek de opsomming van titels door. Allemaal triomfen. Plus nog twee dozijn andere. Stuk voor stuk triomfen voor haar of voor haar en Constance. Samen hadden zij het Amerikaanse toneel gedomineerd tot Constance zich terugtrok en Jessica het alleen gedomineerd had met het ene grote succes na het andere. Hoe kon ze zich als die actrice aan het publiek presenteren? 'Bedriegster!' zou het roepen. 'Zij is Jessica Fontaine niet. Ze is een bedriegster. Wie denkt zij voor de gek te houden?'

Met haar hoofd in haar handen bleef ze een hele poos zitten. Ten slotte liep ze naar de keuken om thee te zetten. Constance, ik heb je nodig, dacht ze terwijl ze wachtte tot het water zou koken. Ik heb behoefte aan wijze woorden van iemand die evenveel van het toneel weet als ik en die mij kent. Ik heb iemand nodig die weet wat ik vroeger gedaan heb en misschien weer zal doen.

Constance had geschreven over door angst heen werken, herinnerde ze zich. Ze had het kort voor haar dood geschreven. Het zou niet moeilijk te vinden zijn.

Toen het water kookte, schonk ze het op in de theepot en liep weg om het kistje met Constances brieven te halen. Op weg daarheen passeerde ze het faxapparaat. Er lag een brief op haar te wachten.

Liefste, dit wordt een kort briefje, maar ik schrijf gauw weer. Het is over drieën in de nacht. Ik heb in een bar zitten praten en whisky gedronken – ik drink alleen whisky als ik opgewonden over iets ben – met een acteur die misschien de mannelijke hoofdrolspeler wordt in Kents nieuwe stuk. Ik zag hem in een stuk in het Westside Theater en na vijf minuten was ik er vrij zeker van dat hij de man was waar Monte en ik naar zoeken. Ik had hem al eerder gezien, maar door Kents script bekeek ik hem met andere ogen. Hij zou jou wel bevallen; hij heeft een bedrieglijk vlotte stijl die maar nauwelijks een enorme hoeveelheid spanning maskeert. Het publiek (ik heb het stuk drie keer gezien) is dol op hem.

Gisteren hebben we Claudia begraven. Monte, Gladys en ik waren de enige aanwezigen behalve een dominee die wij ingeschakeld hadden en die haar natuurlijk niet gekend had en over haar praatte als over een naamloze vrouw die in een vacuüm gestorven was. Het was een van de naargeestigste dagen in mijn leven. Ik herinner me dat er jaren geleden een periode geweest is dat zij praatte over terugspringen – dat vond ze mooie beeldspraak, alsof ze een gummibal was zonder enige belemmeringen – en zichzelf of misschien een nieuwe persoonlijkheid zou vinden. Ik wou dat ik haar

had kunnen helpen dat te realiseren. Ik wou dat ze haar eigen manier had kunnen vinden om dat te doen.
De sneeuw is gesmolten en de tulpen komen op. Ik mis je.
Met al mijn liefde,
Luke

Ze keerde terug naar de eetkamertafel. Het was niet Constance naar wie ze verlangde of naar brieven. Het was Luke.

Luke, ik ga Helen spelen in Journeys End. *Ik zal later alles uitleggen, maar nu heb ik behalve Hermione iemand nodig om mee te praten; ik heb jou nodig. Zou je naar Sydney kunnen komen? Onmiddellijk?*
Jessica

De volgende morgen zat ze om zeven uur in het theater met Dan Clanagh en Hermione aan de schrijftafel in Helens zitkamer op de draaischijf die het dichtst bij het publiek was. Vrijwel zonder enige aandacht voor hun ontbijt van koffie met croissants begonnen ze het decor om te bouwen en ieders bewegingen opnieuw te diagrammeren zodat die van Helen tot een minimum beperkt werden en die van de anderen gewijzigd werden om hen in haar gezichtskring te brengen. Jessica was gespannen en nerveus toen zij de teksten begon voor te dragen die tot specifieke actie leidden. Dan en Hermione werkten vanaf het script, maar Jessica sprak haar teksten uit alsof ze Helen al was. 'Dit zou zelfs met Angela een goed idee geweest zijn,' mompelde Hermione toen ze zag hoe Dan, die Edwards rol waarnam, om Jessica heen liep. 'Het plaatst Helen veel centraler en versterkt haar eigen houding van zelfgenoegzaamheid. We hadden hier eerder aan moeten denken.'
'Angela zou het heerlijk gevonden hebben,' zei Jessica glimlachend.
'Het zou Lucinda afgeschrikt hebben,' zei Dan. 'Een te zware belasting.'
Hermione en Jessica staarden hem verbijsterd aan. 'Heb je ons allemaal geanalyseerd en in categorieën ingedeeld?' vroeg Hermione.
Hij glimlachte ondeugend. 'Je kunt als toneelmeester niet functioneren als de acteurs je voortdurend voor verrassingen plaatsen. Je moet iedereen voor zijn.'
'Maar je doet nooit suggesties,' zei Jessica.
'Je hebt me er nooit om gevraagd.'
Ze knikte. 'Akkoord. Hoe vind je mijn vertolking van Helen?'

'Fantastisch. Jij voelt je niet boven haar verheven zoals Angela, en je bent niet bang voor haar zoals Lucinda. Je zult groots zijn.'

Hermione en Jessica keken elkaar aan en schoten in de lach. 'Wat is alles toch simpel,' zei Jessica. 'Bedankt, Dan. Het betekent voor mij meer dan wat ook.' Ze gingen weer aan het werk. Om tien uur waren ze door de eerste twee akten heen en borgen hun diagrammen op toen de cast en de technici arriveerden voor de repetitie.

Edward liep naar Hermione toe en bleef vlak voor haar staan. 'Angela gaat weg en niemand kan Lucinda vinden.' Hij zag er een beetje verkreukeld uit en de rimpels in zijn gezicht schenen zich verdiept te hebben tot permanente depressiviteit. 'Alles stort in elkaar.'

'Maak een beetje ruimte voor me,' zei Hermione scherp en vervolgde toen iets vriendelijker: 'Ik zal met genoegen alle vragen beantwoorden, maar eerst heb ik een aankondiging. Angela blijft tot en met vrijdag bij ons, de laatste avond van de voorvertoningen. Lucinda is gevraagd voor een belangrijke rol in een nieuwe productie in Melbourne. Daar wil ze nu het liefst zijn en ik wil haar niet in de weg staan.'

'Is ze weg?' riep Edward.

'Allemachtig,' vloekte Whitbread. 'Allemachtig!'

'Ze heeft het me verteld,' zei Angela. 'Betekent het dat je de première annuleert?'

'Dat kan niet,' jammerde Nora. 'We moeten doorgaan. We kunnen de opening niet afstellen, niet na al dit werk.'

Hermione bleef bedaard wachten. 'We openen dinsdagavond, dat is niet veranderd. Wat wel verandert is de persoon die de rol van Helen speelt. Dat zal Jessica zijn, die welwillend toegestemd heeft om...'

'Jessica!' Edward wierp een wilde blik op haar. Zijn ogen dwaalden naar de stok die tegen het bureau stond. 'Hoe?' vroeg hij kortweg.

'Ondersteunende uitroepen stellen we altijd op prijs,' zei Hermione droogjes. Edward negerend richtte ze zich tot de anderen. 'Wat we gaan doen is...'

'Hermione, dit moet uit mijn mond komen,' zei Jessica. Ze kwam naast het bureau staan. 'Zes jaar geleden verliet ik het toneel. Ik had een ernstig ongeluk gehad en daarna zag ik er zo anders uit en voelde ik me zo anders dat ik dacht nooit meer te zullen acteren. Maar het is niet gemakkelijk het theater te verlaten als het zoveel jaren je hele leven geweest is, en dus kwam ik terug om *Journeys End* te regisseren.'

'En dat deed je briljant,' zei Hermione. 'Maar Jessica Fontaine behoort op het toneel. Ik wist dat alleen een groot actrice Angela zou kunnen vervangen en dus smeekte ik Jessica het te doen. En goddank zei ze dat ze ertoe bereid was. Heeft iemand daar enig probleem mee?'

'Ik denk dat het absoluut heerlijk is,' zei Angela en omhelsde Jessica uitbundig. 'Ik maakte me zorgen over Lucinda... niet bijzonder krachtig, weet je... geen echt zelfbewustzijn... Maar nu... welnu, Hermione, jij begrijpt hoeveel Jessica en ik met elkaar overeenkomen. Het is een heel verstandige keus.'

Hermione knikte bescheiden.

'En hoe moet het met de stok?' vroeg Edward.

Nora hield haar adem in, geen van hen had erover durven reppen.

Hermione deed haar mond open om te antwoorden, maar Jessica stak haar hand op. 'We bouwen het decor om. Helen blijft op dit kleine stukje en jullie bewegen je in en uit haar gezichtsveld. Anders gezegd kunnen jullie er niet meer van uitgaan dat zij jullie tegemoet zal komen met een inleidende zin of dat zij de weg zal effenen voor een scène. Dat zullen jullie zelf moeten doen. We gaan nu bedenken hoe en repeteren het in het weekend.'

'Morgen al,' zei Edward. 'We hebben alle tijd nodig die we maar krijgen kunnen.'

'Jullie zijn allemaal beroepsacteurs,' zei Hermione. 'We hebben het hele weekend, plus maandag, maandagavond en zo nodig dinsdagmorgen. Dat is heel wat repeteren voor drie mensen die het stuk dan meer dan twee weken gespeeld zullen hebben.'

'Jullie zijn allemaal heel goed,' Jessica en bedacht even dat zij en Hermione een soort komisch duo waren met een aangever en een uitwerker. 'Jullie zijn allemaal steeds beter geworden – ik heb nog nooit in twee weken tijd zoveel vooruitgang gezien – en ik ben er zeker van dat we dinsdagavond klaar zullen zijn. Ik hoop jullie niveau te bereiken; jullie zijn alle drie erg goed.'

'Gossiemikkie,' zei Nora. 'Jij bent degene... Ik herinner me die keer dat je al onze rollen doornam... Jessica, dit is érg spannend. Het zal een eer zijn om met jou te werken.'

'We zullen ons uiterste best doen,' mompelde Whitbread en bracht Jessica's hand aan zijn lippen. 'Goede acteurs zijn altijd bereid het onverwachte te boven te komen.'

Allemaal keken ze Edward aan.

'Edward, ben jij bereid het onverwachte te boven te komen?' vroeg Hermione.

'Ik houd niet van risico's – dat is ongelooflijk onbezonnen – maar ik zie voor ons geen alternatieven. Ik hoop alleen dat degenen van ons die zoveel te verliezen hebben...'

'Het niet zullen verliezen,' zei Jessica op effen toon en vroeg zich af wat ze ooit in hem gezien had. 'Ik geloof dat er voor ons allemaal veel op het spel staat en ik dank jullie voor je steun. En nu het werkrooster. Tijdens de voorvertoningen repeteren we elke dag om tien uur. In het weekend en maandag beginnen we om acht uur. De nieuwe decoropzet zal morgen klaar zijn; jullie krijgen diagrammen mee naar huis om voor zaterdag te bestuderen. Als jullie vragen hebben of problemen met mijn werk of met iets dat de regie betreft en er liever niet mee bij mij mee aan willen komen, praat dan met Hermione. We willen allemaal succes hebben.'

Het gezelschap repeteerde tot een uur en ging toen naar huis. Hermione en Jessica gebruikten een haastige lunch op het benedenterras van de opera. Zonder veel te praten keken ze uit over het water. Het was koel weer en ze bleven niet talmen. 'Tijd voor je haar,' zei Hermione en bracht haar naar Sisties salon.

'Mooi haar, goed van structuur,' zei Sistie, terwijl ze lokken van Jessica's haar optilde en liet vallen. 'Hermione zei dat u blond wilde hebben. Heel licht met strepen van een andere kleur?'

'Ja,' zei Jessica.

Met een brede kwast verfde Sistie Jessica's haarlokken een voor een. Ze stonden overeind als waaierende zonnestralen tot Sistie ze glad kamde, plat op haar hoofd. In de spiegel bekeek Jessica haar smalle, ingevallen gezicht met de diepe groeven die nog dieper leken zonder de omlijsting van zacht krullend haar. In het felle, meedogenloze licht was haar gezicht strak en lelijk. 'Wacht even,' zei ze en probeerde op te staan. 'Hermione, ik kan niet...'

'Wat dacht je van een manicure?' zei Hermione luid.

'Dat zouden we kunnen doen,' zei Sistie. 'U moet hier sowieso twintig minuten blijven zitten en Angie is op het moment vrij.' Ze nam Jessica's handen in de hare en inspecteerde ze. 'Beslist een goed idee.'

Toen ze een uur later weggingen, was Hermione in een jubelstemming. 'Ik wist het wel, ik wist het! Wat vind je zelf? Je was erg beleefd tegen Sistie, maar ben je echt tevreden? Het staat je goed, Jessie.'

'Erg veel verschil maakt het niet, hè?' Bij haar auto aangekomen bekeek ze zichzelf in de achteruitkijkspiegel. Veel beter dan op dat vreselijke moment toen haar haren tegen haar hoofd geplakt zaten, maar toch... 'Het is een mooie kleur, maar ik zie er echt niet zoveel anders uit.'

'Je lijkt jonger, geloof me. En wacht nu maar eens tot je gegrimeerd bent.'

'Dan zal ik er zo jong uitzien dat ik weer teruggestuurd word naar de kleuterschool.'

Hermione aarzelde toen Jessica wegreed van hun parkeerplaats. 'Ben je er niet gelukkig mee?'

'Ik voel me best. Het zal alleen een tijdje duren om eraan te wennen.'

'Ik schat dat het een tijdje van ongeveer een kwartier zal zijn. Wil je soms ergens koffie gaan drinken?'

Jessica schudde haar hoofd. 'Ik ga naar huis om te studeren. Ik dacht dat ik het stuk kende, maar ik ontdek allerlei kleinigheden waar ik nooit aan gedacht heb.'

Na de voorstelling van die avond repte ze zich naar huis en struikelde bijna over Hope in haar haast om de brief te lezen die in de fax zou liggen. Maar er was geen brief; de uitvoerbak was leeg. En de twee volgende avonden evenmin. Hij heeft mijn brief niet ontvangen, dacht Jessica met een strakke blik op het stilstaande apparaat alsof ze het kon dwingen in actie te komen. De huishoudster zal het verplaatst hebben toen ze de bibliotheek schoonmaakte. Of de brief is achter een stoel op de grond gevallen. Of zijn fax doet het niet. Of misschien is hij de stad uit.

Of misschien heeft hij niet geschreven omdat hij niet wilde. Hij zal besloten hebben niet aan te komen rennen nu ik eindelijk de moed had hem te vragen te komen. Waarom zou hij ook na al die keren dat ik hem gezegd heb mijn eigen weg te willen gaan zonder me aan hem vast te klampen?

Nee, dacht ze. Dat geloof ik niet. Niet na zijn laatste brief. Ze pakte de telefoon en belde hem op.

Er werd niet opgenomen. Er kwam zelfs geen antwoordapparaat waarop ze een boodschap kon inspreken. *Ze zijn allemaal weg. Luke en Martin en de werkster.*

Ze smeet de hoorn op de haak. Mijn verdiende loon, dacht ze. Ze zou het toch alleen moeten opknappen.

Ze liet Hope uit en strompelde achter haar aan terwijl het dier snuffelend heen en weer liep over straat. Toen ze terugkeerden, deed het huis zo hol aan als een lege huls. Het was alsof ze het met Luke bevolkt had toen ze haar brief schreef en nu hij niet kwam leek het leger en stiller dan ooit. Maar ik heb Constances brieven nog, dacht ze terwijl ze zich verkleedde en naar de keuken ging om thee te zetten. En Hermione. Manipulerend, dominerend, vakkundig, intrigerend en absoluut geweldig. En ze houdt van me. Dat is meer dan de meeste mensen hebben en het is alles wat ik nodig heb.

Op zaterdagmorgen begonnen de spelers in *Journeys End* te repeteren voor de officiële première. De vorige avonden hadden ze een party georganiseerd om afscheid te nemen van Angela en een week van uitverkochte voorvertoningen te vieren met een indrukwekkend goede recensie van Gregory Varden die lange rijen aan de kassa opgeleverd had. Maar ze konden nog niet bogen op succes, want nog niemand had het stuk gezien zoals het op dinsdagavond opgevoerd zou worden. Met Jessica in de hoofdrol zou alles anders worden en de recensenten zouden alles vergeten wat zij eerder geschreven hadden en opnieuw beginnen, bereid om te smalen, niet alleen omdat zij beroemd was, maar ook omdat zij een Amerikaanse was.

Zaterdagmiddag daalde een deken van angst over hen neer toen Jessica het er niet goed van afbracht. Ze struikelde over zinnen die ze heel goed kende en die ze thuis de hele week geoefend had. Ze vergat clausen, ze vergat de nieuwe opstelling van de decors en ze strompelde rond over het toneel omdat ze dacht dat ze de anderen ophield. Na elke twee of drie gesproken zinnen moesten ze afbreken en opnieuw beginnen.

'Een ramp,' gromde Edward na de eerste repetitie. 'Mijn hele leven hangt van dit stuk af; ik heb mijn toekomst in haar handen gelegd en zij vernielt hem. Ik voel hem al verpulveren; er zal niets overblijven.'

Jessica hoorde hem door de dunne wand van de dameskleedkamer waar haar maten opgenomen werden voor aanpassingen van haar garderobe. Ze keek omlaag en ving de blik op van de kleermaker die haar rok afspeldde.

'Laat hem barsten,' zei de kleermaker zonder een poging te doen zachter te praten. 'Ik heb u gezien in *De Vuurproef* en u was fantastisch. Er is niets dat u niet kunt. U zult hem er doen uitzien als een ezel. Iedereen weet trouwens dat hij dat is.' Jessica schoot in de lach. 'Dat is beter,' zei hij. 'Als u hem weer hoort kankeren, komt u maar bij mij. Alles heeft zijn goede kant die u niet uit het oog moet verliezen.'

'Dank u,' zei Jessica ernstig. 'Ik vind u erg verstandig en ik ben blij dat u hier bent.'

De moeilijkheid was dat ze er niet aan kon wennen stil te staan op het toneel en anderen naar haar toe te laten komen. De hele morgen was ze instinctief overeind gesprongen of had ze, onder invloed van de emoties van de dialoog, een stap naar voren gedaan om dan abrupt te blijven staan als het haar te binnen schoot. Ze voelde zich als een houten staak die net als haar stok tegen het bureau stond, of vastgeprikt op de bank, of vastgeroest tussen twee meubelen.

En ze dacht dat de anderen zich steeds bewust waren van de verschillen tussen haar en Angela, te beleefd om iets te zeggen en veinzend niet te merken dat zij mager en krom was terwijl Angela groot en assertief was, dat zij ouder leek dan ze was terwijl Angela precies van de juiste leeftijd geleken had, dat zij geen raad wist met de decoropstelling die ze zelf uitgewerkt had terwijl Angela er geen moeite mee gehad had.

Ze waren echter bijzonder aardig. Nora had gezegd: 'O, ik vind je kapsel mooi. Wat een goed idee.' Whitbread Castle had gezegd: 'Erg leuk. Je lijkt jonger, als ik zo vrij mag zijn dat te zeggen.' Edward was verrast geweest. 'Ik hield van je vroegere uiterlijk.'

Want in Edwards zwartgallige wereld behoorde niemand knap te zijn.

'Je kijkt somber,' zei Hermione. 'Ontspan je. Het komt wel.'

'Het zou er nog steeds moeten zijn. Net als fietsen: als je het eenmaal kunt, verleer je het nooit meer.'

'Je bent het ontwend, meer niet. Ontspan je, Jessie, je maakt iedereen zo nerveus als soldaten die ten strijde trekken.'

'Zo begin ik me te voelen.'

Maar toen ze die middag terugkeerde om te repeteren, maskeerde ze haar angst en frustratie en concentreerde zich op haar teksten. Ze struikelde minder over haar woorden en zinnen, maar ze miste de vitaliteit en de anderen reageerden door zich als robots door hun teksten heen te werken.

'Niet groots,' zei Hermione toen ze zich door alle drie de akten heen geworsteld hadden. 'Maar het is pas zaterdag; tijd zat. Komen we vanavond terug?'

Jessica schudde haar hoofd. 'Iedereen heeft een pauze nodig. Morgenochtend om acht uur.'

'Ik zal het doorgeven. Zin om vanavond te komen eten en te lachen of te huilen of gewoon maar te babbelen?'

'Nee, dank je Hermione, ik wil het rustig houden.' Ze reed zonder zich te haasten naar huis omdat ze niet verwachtte een brief te vinden. Ze deed haar deur open en keek nauwelijks naar het lege faxapparaat. Ze nam Hope aan de lijn en ging met haar uit wandelen. Toen ze terugkwam, keek ze automatisch weer naar de fax, hoewel ze zichzelf voorgehouden had het niet te doen. Ten slotte ging ze op de bank zitten met Hope naast zich, knabbelde restjes op uit de koelkast, dronk koffie en nam iedere regel van het toneelstuk door.

Wat mankeerde ze? Het was meer dan gedwongen te zijn op één plek te blijven, meer dan haar onbehagen over haar uiterlijk. Ze kende haar teksten, haar emoties, haar gelaatsuitdrukkingen en ze kende de weinige bewegingen die zij moest maken. Maar de opgetogenheid die zij zich zo duidelijk herinnerde – dat moment als een rimpel in de tijd waarop zij plotseling een barrière zou doorbreken en haar toneelfiguur zou worden – die opgetogenheid was er niet. Die ben ik kwijt, dacht ze. Ik ben als een danseres wier lichaam de pirouettes en glissades van weleer niet langer kan opbrengen. Ik had talent, maar heb het niet op peil gehouden, zodat het verwelkte en afstierf.

De telefoon rinkelde. *Luke. Eindelijk.*

'Jessica?' Het was Nora. 'Ik hoop dat je me niet kwalijk neemt dat ik opbel, maar ik wilde je alleen maar zeggen dat ik weet wat het is om te voelen dat je het er niet goed van afbrengt, ik bedoel, beneden je kunnen te presteren, maar je moet er niet over piekeren, want het zal beslist beter gaan en wij zijn er allemaal van overtuigd dat je absoluut geweldig zult worden.'

'Dank je,' zei Jessica. 'Erg lief van je.'

Ze glimlachte toen ze ophing. De heerlijke ironie sneed door haar zelfbeklag en frustratie. Nora, dacht ze, Nora die vrijwel geen toneelervaring heeft, troost Jessica Fontaine, bemoedigt haar en zegt dat ze absoluut geweldig zal zijn.

Welnu, dan zal ik het zijn.

Ze herinnerde zich iets dat Constance geschreven had bij het begin van hun repetities van *Mrs. Warren's Profession*. Ze nam het kistje met brieven op haar schoot en begon te zoeken tot ze de bewuste brief gevonden had.

'Er zijn geen geheime sluipweggetjes, geen formules en geen regels; er is niets dan jij zelf, je talent en je smaak en je keuzes.'

De volgende morgen – *zondag, nog maar twee dagen* – was ze voor alle anderen in het theater. Ze liep over de flauw verlichte draaischijven tot ze bij de plek bij het bureau kwam waar ze het grootste deel van de eerste akte zou zijn. Bijna een uur bleef ze daar staan en liet haar gedachten de vrije loop: ze was een deel van het toneel, een deel van de locatie, een deel van het theater. Toen de anderen aankwamen en Dan de lampen aandraaide, knipperde ze met haar oogleden alsof ze net wakker werd. 'We gaan achter elkaar door,' zei ze toen ze hun plaatsen innamen, 'maar we stoppen wanneer iemand een vraag of een opmerking heeft.'

Er waren geen vragen of opmerkingen. Het ging soepeler, dat voelde iedereen en een paar maal schenen ze zich te ontspannen. Jessica had de nieuwe diagrammen op kardinale punten op beide draaischijven gelegd en de simpele wetenschap dat ze er waren droeg ertoe bij dat ze zich hun bewegingen herinnerden. En naarmate die natuurlijker werden, konden ze zich concentreren op hun eigen teksten en op de manier waarop Jessica de hare uitsprak. Ze struikelde nog over woor-

den en vergat clausen, maar minder dan voordien en ze waren allemaal zo geconcentreerd dat ze het nauwelijks merkten. Wat ze wel
merkten, was dat zij anders op Jessica reageerden dan ze op Angela
gedaan hadden en dat ze nieuwe manieren van contact met elkaar ontdekten. Hoewel ze nog steeds problemen hadden, wisten ze na afloop
van de tweede volledige repetitie dat het stuk rijker en intrigerender
werd dan het geweest was.

'Ik zou het graag vanmiddag en na het diner nog eens doornemen,'
zei Jessica. 'Heeft iemand daar bezwaar tegen?'

'Nee,' zei Edward tot ieders verrassing. 'Het begint erg interessant te
worden.'

En maandag – *de dag voor de première* – verliep de ochtendrepetitie
bijna zonder hapering. 'We komen waar we zijn willen,' zei Whitbread voldaan. 'Ik geloof dat we het definitief onder de knie hebben.'

'Jessica is niet goed,' zei Edward met wanhoop in zijn stem. 'Ze
belééft het niet. Ze lijkt afwezig en – God, ik kan het niet geloven –
bang.'

Opnieuw ving Jessica de blik op van de kleermaker die een laatste
verandering aanbracht aan de mouwen van de avondjapon die ze in de
derde akte zou dragen.

'Ezels leren het nooit,' zei de kleermaker bedroefd. 'Grootsheid komt
langzaam tot ontwikkeling. Als ik in een half uur tijd een japon zou
moeten ontwerpen, waar zou die dan op lijken? Op een plunjezak
met een knoopsgat. Weten ze niet dat u tijd nodig hebt?'

We hebben vanmiddag, vanavond en morgenochtend.

'Vergeet dat jij de regisseur bent,' zei Hermione na afloop van hun
lunch. 'Ik zal de regisseur zijn. Ik zal op de vierde rij gaan zitten en
tellen hoeveel keer je met je ogen knippert.'

'Doe ik dat vaak?'

'Niet vaker dan normaal. Als je het doet, geef ik je een seintje. Maar
luister nu goed. Ik wil dat je alles vergeet, behalve Helen. Dat deed je
toch vroeger ook, is het niet? Aan niets anders denken dan je rol?
Hoe deed je dat? Jij en Constance, hoe kwamen jullie tot de transformatie waar je me altijd over vertelt?'

'Ik weet het niet. Op een gegeven moment gebeurde het gewoon.'

'Doe dat dan nu ook.'

'Wat?'

'Het laten gebeuren.'

'Maar...'

'Je houdt iets tegen. Misschien ben je nog steeds geobsedeerd door
hoe je eruitziet. Misschien ben je bang dat je geweldig zult zijn, om-

dat je je dan het hoofd zult breken over de vraag waarom je al die jaren verspild hebt. Maar die jaren zijn verleden tijd, Jessie, en dit is het heden en jij zult Helen zijn. Laat het gebeuren; laat het verleden los.'
'Maar we komen nooit helemaal los van het verleden. Dat is het thema van dit stuk.'
'Gebruik het dan. Gebruik je verleden om ons in Helen te doen geloven. Daar moet je verdomme toe in staat zijn. Dat is je opgave en daar ben je goed in.'
's Middags even voor tweeën begonnen ze op nieuw. Het was een volledige kostuumrepetitie met make-up, belichting en rekwisieten. In de derde akte droeg Jessica een nauwsluitende avondjapon van donkerrode satijn met een uitwaaierende zoom en lange mouwen met kanten boorden die juist de rug van haar hand bedekten. Toen ze haar plaats innam, schoot Whitbread op haar af. 'Allemachtig, Jessica, ik sta versteld. Die make-up, de japon, je haar... ik sta versteld. Geen wonder dat Helen iedereen imponeert. Wat een imponerende vrouw!'
'Niet gek,' zei Hermione zelfgenoegzaam. Voor ze haar plaats in de zaal innam, fluisterde ze Jessica toe: 'Als je net zo vrij van je angsten bent als je eruitziet, hoeven we ons nergens zorgen over te maken.'
Jessica zag de anderen hun plaatsen innemen. *Vrij.* Daar ging het om op het toneel. De vrijheid om nieuwe werelden te verkennen, meer te leren over de menselijke natuur en de wondere verscheidenheid van het leven te ontdekken en te herontdekken.
De vrijheid om uit het verleden naar het heden te groeien.
En voor het eerst wist ze dat ze zich zó voelde: vrij.
De beginregels van de derde akte werden door Edward en Nora gesproken op de draaischijf van hun appartement. Daarna begon Jessica, naast de bank in haar appartement staande, met Whitbread te praten. En toen kreeg ze plotseling de bezieling en werd de Jessica die ze geweest was. En ze werd Helen.
Het gebeurde zo moeiteloos dat het een paar seconden duurde voor de anderen reageerden. Maar toen hijgde Nora 'O!' en Edward holde van zijn plaats naar Jessica om haar gezicht te zien.
'Op uw plaatsen!' zei Hermione streng vanaf de vierde rij.
Edward draaide zich half naar haar toe. 'Ik wilde alleen maar...'
'We zijn aan het repeteren,' bitste Hermione. 'Jessica, wil jij je laatste zin herhalen zodra Edward klaar is?'
Gefrustreerd achterom kijkend keerde Edward naar de andere set terug. Jessica had zich niet bewogen; ze stond nog steeds tegenover Whitbread en haar lichaam drukte nog steeds de drang uit die het bij het begin van de scène gehad had. En Hermione merkte als eerste dat

ze bijna niet meer krom was. Ze had haar schouders net genoeg bewogen om de indruk te wekken dat ze rechtop stond met opgeheven hoofd.

Goddank, zuchtte Hermione. Ze had willen dansen, ze had willen schreeuwen, maar ze bleef stil zitten met haar klembord op haar schoot en krabbelde HALLELUJA dwars over het bovenste vel papier. In de coulissen grinnikten Dan Clanagh en de kleermaker tegen elkaar. Hoog in de achterwand van het theater knikte de belichter alsof hij de hele tijd wel geweten had dat op het toneel alles op zijn pootjes terecht zou komen. En vanaf dat moment kwam het bij niemand in het theater meer op dat de vrouw die bij het bureau stond een kromme rug en een mank been had, dat haar gezicht smal en gegroefd was en haar lichaam tenger. Toen het stuk voortging naar de slotscène toe, zagen zij niemand anders dan Helen. En ze geloofden in haar.

Op dinsdagmorgen wilde de laatste kostuumrepetitie niet vlotten en na de eerste volledige doorloop maakte Jessica er een eind aan. 'We hebben de repetities overdreven; we moeten hier vandaan. Ga naar huis om je te ontspannen. Ga een boottochtje maken. Ga yoga doen in het park of mediteren in de Chinese Tuinen. Denk aan van alles behalve aan het stuk. Om zes uur zie ik jullie hier terug. Ik vind dat jullie allemaal geweldig zijn en denk dat wij vanavond een prachtige premièrevoorstelling zullen geven.'

'Wij vinden jóu geweldig,' zei Nora. 'Het is opwindend om jou te zien, Jessica: zoals jouw stem verandert, hoe je staat en zit, en zelfs de manier waarop jij je hand opheft – zó – en je haar wegduwt... dat heb ik je nog nooit zien doen.'

'Omdat het iets is dat Helen doet,' zei Edward. Hij raakte Jessica's arm aan. 'Lieve Jessica, we hebben heel veel in te halen. Ik bel je morgenochtend op en dan nemen we het er de hele dag van om naar een knus plekje te gaan en elkaar weer te leren kennen. We zijn veel te lang uit elkaar geweest.'

Ze keek hem niet-begrijpend aan. Waar had hij het over? Maar toen de stilte voortduurde en ze zag dat de lijnen in zijn gezicht dieper werden, dat hij zijn lippen op elkaar perste en zijn mondhoeken omlaagtrok, wist ze dat ze de première niet op het spel kon zetten. Morgen zou hij op zichzelf zijn, maar vanavond kon ze dat niet riskeren. Vanavond moest Edward op zijn best zijn.

'Daar zullen we het morgen over hebben,' zei ze zacht. 'Nadat Sydney vanavond zijn nieuwste ster ontdekt heeft.'

'We zouden eerst samen kunnen gaan dineren.' Hij pakte haar hand. 'We hebben erg lang gewacht.'

'Ik eet nooit voor een voorstelling en ik zou je willen aanraden het ook niet te doen. Tenzij jij voor een optreden niet zenuwachtig wordt.'

'Dat word ik wel.'

'Dan is het beter een lege maag te hebben.' Ze lachte hem toe en voegde zich bij Hermione die achter de coulissen stond te wachten. 'Ik hoop dat je het niet erg vindt dat ik hen allemaal naar huis gestuurd heb. We waren...'

'Te gespannen. Ik weet het. Je hebt precies het juiste gedaan. Wat ga jij vanmiddag doen?'

'Ik denk een bioscoopje te pikken.'

'Een goed idee. Vind je het erg als ik meega?'

'Dat zou ik gezellig vinden.'

'Apropos, ik ben om zes uur hier niet terug. Vind je dat erg?'

'Nee, er is geen noodzaak voor.'

'Je hebt het niet gevraagd, maar ik heb een afspraak.'

'Op de premièreavond?'

'Ik heb een kaartje voor hem.'

'Leuk,' zei Jessica afwezig. 'We zijn uitverkocht, is het niet?'

'We zijn vier weken uitverkocht. Na Vardens recensie en de theaterparty's zitten we in april en dat maakt ons investeerders erg blij. Naar welke film gaan we?'

'Laten we een krant pakken en pijltjes gooien. Dan gaan we naar de bioscoop die het pijltje raakt.'

Het bleek een Amerikaanse film te zijn, een bloedig geval met veel geknetter van machinegeweren, lichamen die door ramen gesmeten werden en af en toe een pauze voor de twee hoofdrolspelers om met elkaar in bed te duiken. 'Goeie seks en een waardeloos verhaal,' zei Hermione toen ze naar huis reden. 'Doet me denken aan een affaire die ik ooit gehad heb. Waarom zouden filmmakers denken dat het publiek al die herrie en bonje leuk vindt?'

'Omdat heel veel mensen ervan houden.'

'Misschien doet het hen aan hun privé-leven denken. Ben je zenuwachtig?'

'Ja.'

'Je bent geweldig, weet je. Heb ik je dat verteld? Er is iets fascinerends aan de manier waarop jij in Helen verandert; het zal je een staande ovatie opleveren, toejuichingen, applaus, de hele mikmak.'

'Het brengt ongeluk om dat vóór een voorstelling te zeggen.'

'Ze zullen roerloos blijven zitten, niet applaudisseren en zelfs niet beleefd klappen.'

371

Jessica lachte. 'Ik ben dol op je, Hermione. Zonder jou had ik de afgelopen maanden geen steek kunnen uitvoeren. Ga naar huis naar je afspraak; ik hoop dat je een erg sexy diner zult hebben.'

Hermione stopte voor Jessica's huis. 'Je bent een lieve dame. Ik heb nog nooit een zo goede vriendin gehad of iemand met wie het zo fijn was om samen te werken. Dit wordt jouw avond, niet de mijne...'

'Onze avond.'

'... en dat verdien je. Je verdient al het goede ter wereld. Jij bent de beste persoon die ik ken en een groot actrice.' Ze kuste Jessica op beide wangen. 'En nu wens ik je veel geluk. Of brengt dat ook ongeluk?'

'Als het uit jouw mond komt niet.' Ze keek Hermione na en ging haar huis binnen. Ze keek naar het lege faxapparaat en voelde een felle pijnscheut. Ze wenste dat Luke er was. Het enthousiasme van gisteren was niet volmaakt geweest omdat hij er niet was om het met haar te delen. *O, verdomme en nog eens verdomme, Luke. Waarom kon je hier niet zijn?*

Een kop thee, dacht ze. Een heet bad en dan een boek of een tijdschrift of alleen maar naar buiten staren om krachten te verzamelen. En dan het theater.

Ik heb het zo vaak gedaan. Het is nu gewoon routine.

Maar toen ze heel vroeg bij het Opera House aankwam en haar auto parkeerde in de ondergrondse parkeergarage, beefde ze zo hevig dat ze amper kon lopen. De volgende twee uur waren vaag. Met hulp van de expert die Hermione aangetrokken had, grimeerde ze zich; ze kleedde zich en legde haar andere kleren klaar om ze voor het grijpen te hebben als zij ze nodig had; ze controleerde de rekwisieten om zich te overtuigen dat alles in orde was en ze praatte met de acteurs, bemoedigde hen en hielp hen met een zin of een uitspraak die zij zich met de beste wil van de wereld niet konden herinneren omdat zij allemaal ten prooi waren aan angst. Maar ze was zich er nauwelijks van bewust tot Dan aankondigde: 'Allemaal op uw plaatsen alstublieft voor de eerste akte.'

Ze stond in de coulissen te wachten tot de zaallichten zouden uitgaan en zij in het donker konden opkomen en op hun plaatsen zouden staan als de lampen op het podium aangingen. Haar ademhaling ging snel en gejaagd en ze had kramp in haar maag. Voor de afleiding tuurde ze door het kijkgaatje in het gordijn om te zien of de zaal inderdaad uitverkocht was en of het publiek al was gaan zitten.

En ze zag Luke.

Hij zat op de zesde rij parterre in geanimeerd gesprek met Hermione. Ze zag hem van opzij, zijn vertrouwde maar zo vreemde profiel: zijn

372

strakke gelaatstrekken en zware wenkbrauwen, zijn diepliggende ogen en prachtige ogen. In zijn ene hand had hij het programma en in de andere het inlegvel dat Jessica als hoofdrolspeelster aankondigde. Gespannen keek ze naar hem. Ze kon niet geloven dat hij er was. Waarom was hij gekomen zonder het haar te melden? Ik heb hem één week gekend, dacht ze, en ik bemin hem met mijn hele wezen. Maar misschien ken ik hem helemaal niet. Waarom is hij hier? Waarom heeft hij mijn brief niet beantwoord?

Maar Hermione wist het.

Je hebt het niet gevraagd, maar ik heb een afspraak.

O, Hermione toch, dacht Jessica. Weer een intrige. Je hebt Luke geschreven of opgebeld en gezegd dat je een kaartje voor hem had. Maar ik heb hem ook geschreven. En hij heeft niet geantwoord.

'Klaar?' vroeg Dan haar. 'Zijn de zaallichten uit?'

'Ja.' Haar mond was droog en ze leunde tegen de muur voor steun. De opwinding van de repetitie van maandagavond was verdwenen. Het succes van de ene dag was nooit een garantie voor de volgende. Elke acteur en schilder en schrijver wist dat. Elke nieuwe dag en elk nieuw project waren als een begin van voren af aan. En vandaag, dacht Jessica, is er publiek, er zijn recensenten... en Luke. En ik herinner me mijn beginregel niet.

Maar dat gebeurde altijd; daar kon ze zich niet druk om maken. Ze ging naar het donkere toneel en stapte de draaischijf op, waarbij ze haar stok behoedzaam en zachtjes neerzette met elke stap die ze deed en de kleine reflectors in de vloer volgde die naar het bureau leidden. Ze ging zitten, legde de stok op de vloer achter het bureau en nam de telefoon op. Whitbread zat op de andere draaischijf aan zijn eetkamertafel met Edward en Nora. De schijnwerpers gingen aan en belichtten de dubbele set en de vier acteurs.

De scène werd met applaus begroet. Toen werd het stil in de zaal en Jessica sprak haar eerste zin in de telefoon. Ze herinnerde zich hem woordelijk, zoals ze wel geweten had.

Luke leunde naar voren en omklemde de armleuningen van zijn stoel. Het was Jessica... maar Jessica niet. Dit was niet de vrouw die hij op Lopez had leren kennen en ook niet de wereldberoemde actrice van vroeger. Ze was Helen – trots, arrogant en zelfvoldaan – en Luke wist dat als iemand zou opmerken dat haar gezicht smal en getekend was, hij gedacht zou hebben dat het precies was zoals Helen er uitzag. Luke zag dat ze blond haar had, langer dan hij het zich herinnerde, en hij vroeg zich af waarom ze dat niet eerder gedaan had – en ze was knap gegrimeerd. Ze bewoog zich nauwelijks en bleef op een plaats of deed een paar stapjes door zich aan een stoelleuning of de rand van het bureau vast te houden, maar de opstelling was zo doordacht dat de wijze waarop de anderen zich bewogen haar onbeweeglijkheid vanzelfsprekend schenen te maken. Haar lichaam leek frêle en krom...nee, ze was niet krom... ja, natuurlijk was ze dat wel, maar de houding van haar schouders wekte de illusie dat ze rechtop stond. Weinig mensen zouden het opmerken – regisseurs, dansers en gymnasten zouden het zien – maar de meeste toeschouwers, dacht Luke, zouden nooit beseffen hoeveel inspanning er aan die beheerste houding voorafgegaan was. Ze zouden een vrouw zien die geen schoonheid was, maar die hen boeide met de kracht van haar wil, met de kunst om met heel eenvoudige bewegingen en gebaren een gecompliceerd karakter te creëren, en met haar stem.

Het was vooral haar stem die Luke de adem deed inhouden: die vibrerende, muzikale stem die hij op Lopez gehoord had, maar in geen jaren op het toneel: hartstochtelijk, gevoelig, moeiteloos de achterste rijen bereikend en in elk woord en elke zin liefde of haat, angst, verlangen, woede, of de melancholie van een droom uitdrukkend.

Gedurende de eerste akte bleef hij roerloos zitten, wachtend op het moment waarop Jessica zijn kant zou uitkijken zodat hun blikken elkaar zouden kruisen. Maar dat zou ze natuurlijk niet doen. Ze maakte het publiek deelgenoot van het stuk, maar tegelijkertijd was ze Helen die het verhaal deelde met de andere leden van de cast, en Helen kende Luke Cameron niet en gaf er niet om dat hij er was.

Zodra de zaallichten aangingen, sprong hij op van zijn stoel, gedreven door het verlangen naar achter het toneel te gaan. Hermione pakte zijn hand en hield die stevig vast. 'Je moet beter weten,' zei ze resoluut. 'Wat doe jij met mensen die in de pauze van een van je stukken naar de kleedkamers komen?'

Hij grinnikte. 'Die trap ik eruit. Je hebt gelijk.'

'En?' zei Hermione toen ze de zaal uit liepen, 'had ik gelijk?'

'Dat weet je heel goed.' Ze stonden aan het eind van de lobby, ver van de stampvolle koffiekamer aan het andere eind. Een paar mensen trotseerden de miezerregen om buiten te gaan roken, maar de meesten bleven binnen staan praten over Jessica. Luke ving flarden van gesprekken op en voelde zich trots als een pauw, alsof hij persoonlijk belang had bij de avond. 'Ze is buitengewoon,' zei hij tegen Hermione. 'Het is zoveel jaren geleden dat ik haar heb zien optreden, dat ik vergeten was hoe dominerend ze is. Het is alsof ze zich omringt door het toneel en het met zich meedraagt... en dat zonder zich te bewegen! Mijn God, al die jaren had ze in New York, Londen of waar ook kunnen zijn.'

'Zeg haar dat niet.'

'Natuurlijk niet. En misschien vergis ik me. Misschien had ze die jaren nodig om gereed te zijn voor vanavond.'

'Incubatie?' vroeg Hermione.

'Iets dergelijks. Ik denk dat als mensen iets echt vreselijks overkomt, diegenen die uiteindelijk het sterkst voor den dag komen degenen zijn die het feit accepteren dat zij niet meer precies dezelfden kunnen zijn als voordien en dat zij misschien zelfs een nieuwe persoon en een nieuw leven zullen moeten creëren. In feite is het volgens mij dus herboren of herschapen worden.'

'Daar heb jij haar bij geholpen.'

'Tegen de tijd dat ik haar vond, had zij het meeste zelf gedaan. Waarschijnlijk heb jij haar meer geholpen dan ik.'

'Het is geen wedstrijd,' zei Hermione droogjes. 'Allebei houden we van haar en bewonderen haar. Ze heeft inderdaad uitgekiend wat ze met haar leven kon doen en hoe ze het kon doen.'

'Zelf heb je dat niet gedaan.'

'Nou en of. Dit is mijn leven; het zal niet veranderen. Ik heb je er onder het diner alles over verteld. Je bent een goed luisteraar en dus heb ik veel gepraat.'

'Misschien hertrouw je nog eens.'

'Niks hoor. Dat gebeurt niet. Echt goede mannen zijn hier niet veel, Luke, vooral niet als je op mijn leeftijd komt, en de man die ik had was een lot uit de loterij. Hoe groot is de kans om er in één leven twee van zulken te vinden? Nul komma nul. Ik heb een paar fijne verhoudingen gehad, maar het waren geen laaiende hartstochten en als ik mezelf kan onderhouden, waarom zou ik dan met iets minders genoegen nemen? Overweeg je Jessie mee terug te nemen naar New York?'

'Als ze mee wil.'

Hermione knikte.

'Neem me niet kwalijk,' zei Luke. 'Ik weet hoeveel ze voor je betekent.'

'We betekenen veel voor elkaar. En ze heeft hier een geweldige toekomst, zie je. Niet alleen bij mij; er zijn hier plenty andere producers... maar na vanavond zal dat je wel duidelijk zijn. Ze zal haar eigen eisen kunnen stellen. Zonder al de vuiligheid die ze in New York te verwerken zal krijgen.'

'Ze vertelde me dat ze er hier ook haar portie van gekregen heeft. Geruchten en roddelpraat.'

'Daar is ze overheen. Ze heeft hier geen last van een roddeljournaliste die haar niet kan zien of luchten.'

'Laat ik je iets mogen vertellen over roddeljournalisten. Ze denken bij machte te zijn carrières te maken of te breken, maar het enige waartoe ze bij machte zijn is afbreuk te doen aan verhoudingen. Ze creëren niet, ze beschadigen of verwoesten alleen maar en het is geen mooie manier om je brood te verdienen, maar niets ervan is belangrijk als je het over carrières hebt. Niemand zal zich laten weerhouden naar een toneelstuk te gaan vanwege iets dat zij schrijven.'

'Niemand?'

'Niemand. Je weet waarom mensen naar het theater gaan: omdat ze gehoord hebben dat een stuk geweldig is, of omdat ze de ster willen zien, of allebei. Roddel kan daar niets aan veranderen. Als Jessica naar New York komt, zal men zeggen dat zij er anders uitziet – ouder, niet langer een schoonheid – maar zodra ze op het toneel verschijnt, is dat vergeten. Haar spel zal haar weer aan de top brengen, bijna alsof ze niet weg geweest is. Ik geloof dat dat is wat jij voor haar zou wensen.'

'Ik wens het beste voor haar. Maar New York is niet het middelpunt van de wereld, weet je; ze zou in Australië aan de top kunnen staan en af en toe naar Londen en Amerika op tournee gaan en het beste van alles hebben.'

'Voor Jessica is New York het middelpunt van de wereld. Dat is het voor iedereen die daar aan het toneel geweest is.'

'Dat kan alleen Jessie zelf beslissen, nietwaar?'

Luke stak haar de hand toe. 'Kalm maar. Ik wil niet kibbelen.'

'Doen we dat?'

'Kom nou!'

'Goed dan, dat deden we.' Ze schudde hem de hand en gaf hem een kus op zijn wang. 'Het is dwaasheid om ruzie te maken over Jessie, nietwaar, terwijl we weten dat ze zelf haar beslissingen neemt. Sorry, Luke. Ik mag je graag, maar ik vind het spijtig dat we niet lang en gelukkig allemaal in dezelfde stad zullen wonen.'

Hij keek haar lang aan. 'Dat kun je niet zeker weten.'

'Een gefundeerde veronderstelling. Ik weet hoeveel ze van je houdt.'

De tweede en derde akte schenen voorbij te vliegen. Luke onderkende de krachtige hand van een regisseur die de actie nog sneller scheen te laten verlopen dan in werkelijkheid. De acteurs namen elkaars dialogen bijna overlappend over; hun handelingen waren scherp gedefinieerd en de belichting veranderde onopvallend door de periferie in het duister te zetten en het centrum helderder en dwingender te maken. Toen de laatste liefdesscène met Helen en Rex gespeeld werd, kon je een speld in de zaal horen vallen: iedereen was doodstil door de spanning. En toen vertraagde de actie en het licht begon zo geleidelijk te verflauwen dat Luke even nodig had om zich te realiseren wat er gebeurde: heel langzaam doofde het licht op het toneel totdat in de laatste minuten van het stuk nog slechts één lamp een zachte kring van licht om de geliefden wierp. En toen ging ook die uit.

Er klonk een zwak geluid, bijna een gezamenlijke zucht en toen klonk het applaus op als een enorme zwerm opvliegende vogels. Het donderde door het gebouw en even later was iedereen opgestaan. 'Heel terecht,' zei Hermione die ook opstond en luid applaudisseerde. Ze had tranen in de ogen. 'Een verstandig publiek, vind je niet? Heel verstandig en heel kritisch. Gunst, Luke, was het niet geweldig?'

'Geweldig,' beaamde hij. Hij stond naast haar en spande zich in om op het donkere toneel iets te zien. *Kijk me aan. Zeg me dat je weet dat ik hier ben. Laat mij dit met jou delen.* De toneellampen gingen weer aan en toonden Jessica en Whitbread nog steeds in dezelfde houding op de bank in Helens appartement. Het leek niet mogelijk dat het applaus nog daverender zou worden, maar dat was wel zo en het hield aan toen Nora en Edward uit de coulissen kwamen en buigend voor het voetlicht gingen staan. Ze stapten van elkaar weg en Whitbread en Jessica stelden zich tussen hen in op. Jessica leunde op haar stok voor de twintig stappen die zij nemen moest en toen zij hen bereikt had, stapten de andere drie terug en klapten met het publiek mee. En toen klonk er een koor van hoera's, een langgerekte diepe bastoon die door het applaus heen opklonk en het bijna overstemde. Jessica's ogen glinsterden en haar gezicht straalde. Een toneelknecht bracht bloemen: twee dozijn rozen van Luke, boeketten van Hermione, Edward, Nora, Whitbread, Dan Clanagh, Alfonse Murre – te veel voor haar om vast te houden en ze stapelden zich op tot ze in een veld met bloemen scheen te staan. Ze boog haar hoofd toen het applaus en het gejuich voortduurden. En toen ze het ophief, keek ze Luke recht in de ogen.

Het applaus hield aan en zelfs de recensenten op de vijfde rij liepen niet weg. Maar toen stak Jessica haar hand uit naar Luke en Hermione. Onzeker van wat er ging gebeuren begon het publiek langzamer te klappen. Jessica gebaarde om stilte; er was nog steeds te veel lawaai om verstaan te worden.

'Ze bedoelt ons,' zei Hermione. 'Ik weet niet wat ze van plan is, maar wat drommel, op dit moment zou ik haar overal volgen. Kom mee.' Ze nam Luke bij de hand en ging hem voor naar een onopvallende deur naast het toneel. Die leidde naar een smal gangetje en toen de deur achter hen dichtviel, verzwakte het applaus tot een flauw gesis. Ze volgden het gangetje naar een trapje naar een gesloten deur. Luke ging vooropt, opende de deur en wachtte op Hermione. Ze waren in de coulissen en zagen op het toneel de acteurs van opzij met Jessica voorop buigend het opnieuw losgebarsten applaus in ontvangst nemen.

Jessica draaide zich om, zag hen en stak haar beide handen uit. 'Wat denk je?' vroeg Hermione aan Luke.

'Ze wil ons bij haar hebben.' Hij en Jessica keken elkaar aan en bleven het doen toen hij Hermione naar het toneel leidde en naast Jessica liet gaan staan. Edward begon boos te kijken, maar toen hij aan het publiek dacht, trok hij een strak gezicht en liet alleen zijn ogen blijk geven van verbijstering en daarna van toenemende woede toen zijn blik zich op Luke richtte.

Nog steeds Luke aankijkend hief Jessica haar hand op in een verzoek om stilte. 'Ik hou van je,' zei Luke onder het applaus door. 'Je was geweldig. Als altijd.'

Het applaus bedaarde en Jessica wendde zich tot het publiek. 'Ik wil u twee mensen voorstellen. Dit is Hermione Montaldi, de producer van *Journeys End*, die mijn goede engel geweest is sinds mijn aankomst in Sydney en die het met mij waagde toen niemand anders het wilde, die mij hulp en raad gaf, die mij uitschold toen ik mijn zelfvertrouwen begon te verliezen en die ten slotte – toen Angela Crown ons gezelschap moest verlaten – mij dwong mezelf een kans te geven en de rol van Helen te spelen.'

Het applaus begon weer en overspoelde hen. Luke had nog nooit op het toneel gestaan voor het slotapplaus of voor terugroepingen, nooit de kracht gevoeld van die aanzwellende golf en hij haalde verwonderd adem om wat die golf meevoerde: bewieroking, dankbaarheid, liefde... en macht. Geen wonder dat het opgeven hiervan zoiets is als sterven, dacht hij.

Jessica's hand ging weer omhoog en opnieuw werd het publiek stil. 'Wat Hermione Montaldi mij bovenal schonk was innige vriendschap. Zonder dat had ik *Journeys End* niet kunnen regisseren of er een rol in spelen. Zonder dat zou ik lang geleden heel wat verwachtingen en dromen opgegeven hebben. Ze weet dat ze mijn liefde en mijn dank heeft en ik hoop ook de uwe.'

Weer barstte een stormachtig applaus los. Precies op het juiste moment, dacht Luke met bewondering voor Jessica's timing. Hij zag Hermione een gebaar maken als om uit te drukken dat ze niet wist wat ze zeggen moest en dus niets zeggen zou. Ze boog dankend haar hoofd, sloeg toen haar armen om Jessica heen en kuste haar op beide wangen. Met haar mond tegen Jessica's oor zei ze: 'Je verzuimde te vertellen dat je je eigen geld in dit stuk gestoken had.'

'Niet belangrijk.' Haar opnieuw opgeheven hand bracht weer stilte in de zaal.

'En ik wil u voorstellen aan Luke Cameron, een regisseur uit Amerika, die het mij als eerste mogelijk maakte terug te keren naar het toneel. Een paar jaar geleden heb ik een ernstig ongeluk gehad waarvan ik dacht dat het het einde betekende van mijn toneelloopbaan. Luke bleef in mij geloven toen ik niet meer in mezelf geloofde. Hij had vertrouwen in mijn innerlijke kwaliteiten toen ik de moed verloren had om ze te beoordelen. Hij schonk me liefde toen ik dacht geen liefde meer waard te zijn.' Ze ving Lukes blik op, pakte zijn hand en keek naar de opgeheven verrukte gezichten. 'Hij weet dat hij mijn liefde en dankbaarheid heeft. Ik hoop ook de uwe.'

Het staande publiek klapte en lachte en Jessica wenkte Nora, Whitbread en Edward naar voren te komen. Hermione en Luke stapten terug – net een menuet, dacht Luke, zo dadelijk draaien we nog om elkaar heen – en lieten de aanhoudend buigende cast in de schijnwerpers staan. De recensenten vertrokken, een paar mensen stapten het gangpad op en Jessica draaide zich om en strompelde de coulissen in. Nora en Whitbread volgden met Luke en Hermione vlak achter hen. Nog steeds verbijsterd door Lukes verschijning bleef Edward dralen en kreeg zodoende zijn eigen ovatie voor het applaus wegstierf en het publiek jassen en mantels begon aan te trekken en pratend onder elkaar de zaal verliet. De officiële première was achter de rug.

Maar de party in Bennelong nog niet, het restaurant vlak boven hen, naast de foyer van de Opera. 'Ga jij maar vooruit,' zei Jessica tegen Hermione op het achtertoneel toen zij allemaal hun avondkleding aangetrokken hadden. Nora en Whit waren na een kort, euforisch praatje met Jessica naar het restaurant gegaan en Edward beende rond, onzeker of hij zijn boosheid op Jessica en Luke al dan niet de triomf van zijn vertolking zou laten bederven.

'Maar jij komt ook,' zei Hermione. Ze keek Luke aan en daarna Jessica. 'Je mag niet wegblijven. Ik moet een rustig ogenblikje hebben om je te bedanken. Verdikkeme, Jessica, ik zat bijna te janken. Doe dat niet weer.'

Jessica lachte en drukte haar wang tegen die van Hermione. 'Volgens mij was dit een eenmalige gebeurtenis.'

'En jullie komen naar de party.'

'Ja.'

'Niet te laat.'

'Hermione!'

'Sorry. Ik weet dat jullie veel te bepraten hebben. Ik zie jullie boven wel. Luke, ik ben blij dat je er bent en blij dat we vrienden zijn.'

'Ik ook. Bedankt voor het diner. En vooral voor het kaartje.'

De toneelknechts waren bezig het toneel te ontruimen. Meubelen werden weer op hun plaats gezet en rekwisieten teruggebracht naar het depot. Een voor een maakten ze hun werk af en vertrokken. De naakte lampen van de beveiliginginstallatie beschenen het achtertoneel waar strakke schaduwen elkaar kruisten, doorliepen tegen de wanden en in de duisternis boven oplosten. Het toneel was donker op één lamp na hoog boven de bank. 'Ik heb geen eigen kleedkamer,' zei Jessica. Luke nam haar hand en ze liepen het toneel op, waar ze op de bank gingen zitten. Hij sloeg zijn armen om haar heen en ze omhelsden elkaar. Instinctief voegden hun lichamen zich weer naar elkaar. 'Ik heb je geschreven,' zei Jessica en trok zich terug. 'Je hebt niet geantwoord.'

'Mij geschreven? Wanneer?'

'Verleden week dinsdag. Ik vroeg je naar Sydney te komen. Ik schreef dat ik je nodig had.'

'Mijn God, die brief heeft me niet bereikt. Jessica, lieveling, je weet dat ik anders het eerste het beste vliegtuig genomen zou hebben. Ik was de stad uit en had Martin een paar weken vrij gegeven omdat Hermione geschreven had en ik wist dat ik hier zou zijn.'

'Ik vroeg me al af of zij geschreven of opgebeld had. Wat zei ze?'

'Dat er een kaartje voor de première voor me klaar lag en dat ze vooraf met me wilde dineren. Geen redenen en geen verklaring. Maar die had ik niet nodig. Ik ging een paar dagen naar Montes villa op het eiland. Hij en Gladys waren er niet en ik wilde een poosje de stad uit om een van mijn bewerkingen af te maken. Daarna ben ik naar Sydney gegaan. Ik had nog even thuis langs willen gaan om te zien of jij geschreven had, maar ik kwam erg krap in de tijd te zitten en ben dus niet meer naar de stad gegaan. Verdomme, je zult gedacht hebben... Sorry, liefste, vergeef het me. Ik had verdorie de hele week bij je moeten zijn.'

'Nee, het hinderde niet. Het hinderde echt niet. Ik denk dat Hermione je komst daarom geheim gehouden had. Ze wist niet dat ik je geschreven had en ze dacht waarschijnlijk dat ik me zelfstandig naar de première toe moest werken – lieve help, daar heb ik zeker tegen iedereen op gehamerd, hè – zodat ik me niet aan jou of iemand anders zou vastklampen. En ik was niet echt alleen: ik had Constance in haar brieven, en Hermione. Twee onvoorstelbare vrouwen. Heeft iemand niet eens gezegd dat je niet meer nodig hebt om de wereld te verheffen?'

'Drie onvoorstelbare vrouwen. En hier zit de derde. Weet je dat je vanavond briljanter was dan in een van mijn herinneringen van jou? Je bent een andere actrice geworden, volkomen hypnotiserend. Liefste, we moeten...'

'Waarin ben ik verschillend?'

Hij grinnikte. Voor toneelspelers gaat het bespreken van hun vertolking boven alles. 'Je hebt meer diepte, denk ik; een onderliggende droefheid, misschien zelfs verdriet. Ik weet niet of dat voor andere rollen ook goed zal zijn, maar het was perfect voor Helen.' Hij gaf haar een vluchtige kus. 'Vind je het erg als we die discussie uitstellen tot een volgende keer?'

Ze lachte, een zacht, gelukkig lachje, en kuste hem. 'Ik houd ervan jouw mond op de mijne te voelen. Ik houd ervan je dicht bij me te hebben. Ik houd ervan als onze handen elkaar zo stevig omvatten dat we geen van beiden los van elkaar kunnen komen.'

'Als we dat zouden willen, wat niet het geval is. Liefste Jessica, ik hou van je. Ik heb je op ondraaglijke manieren gemist, want alles wat ik deed was onvolledig zonder jou. Ik bleef me steeds omdraaien om je iets te vertellen of om je te vragen hoe jij over iets dacht, of om samen om iets vermakelijks te lachen. Ik hield mezelf voor dat het na slechts één week van samenzijn onmogelijk was zulke gevoelens te hebben, maar het was zo. Ik denk dat jij hetzelfde gevoeld hebt. Je brieven waren erg omzichtig, maar ik meende het tussen de regels door te lezen omdat ik het zo dolgraag wilde geloven. En als jij kon schrijven dat je me nodig had, moet jij er net zo tegenover staan.'

'Ja.' Ze kuste hem, eerst zacht en toen met de hartstocht die zij al die maanden in Sydney ingehouden had. 'Ik hou van je, ik heb je nodig, ik verlang naar je. Ik houd op aan jou te denken en dan opeens...'

'Houd je op aan mij te denken? Hoe kan dat?'

Ze glimlachten, zo ingelukkig dat het onbestaanbaar scheen. 'Als ik werk. En ik wed dat het jou net zo vergaat. Dat hoop ik tenminste.'

'Dan wel en alleen dan.' Hij leunde achterover en bestudeerde haar gezicht. 'Liefste, heb je alles gedaan wat je moest doen? Na vanavond met de ongelooflijkste triomf, een dubbele triomf, moet je het gevoel hebben vrijwel alles bewezen te hebben wat je moest bewijzen.'

'Om wat te doen?'

'Met mij te trouwen. Mijn wederhelft te zijn, mijn vriendin, mijn vrouw. Deel te worden van mijn leven en mij een deel van het jouwe te laten worden. Je op mij te verlaten en toe te staan dat ik me op jou verlaat. Een leven op te bouwen... Mijn God, om alles te zijn wat Constance hoopte dat wij zijn zouden.'

Jessica lachte. 'De doorslaggevende reden.'

Hij grinnikte weer. 'Zullen we het voor haar doen? Of omdat we eindelijk even schrander geworden zijn als zij was en elkaar gevonden hebben en elkaar beminnen. En omdat we net als zij weten dat we samen groter zullen zijn dan ieder afzonderlijk. Om al die redenen en waarschijnlijk nog honderd andere. Genoeg voor een heel leven.'

'In New York?'

'Ja. En in Sydney als je dat wilt. En in Londen of Kaapstad of Papua-Nieuw-Guinea als dat tot je fantasie spreekt. En Lopez voor vakanties om op verhaal te komen. Liefste, we zullen alles kunnen wat we willen. Ik kan New York niet helemaal opgeven en ik vind dat jij terug behoort te komen en het opnieuw veroveren. Maar we zijn er niet aan gebonden. Jij en Hermione zullen samen willen werken aan een ander stuk; misschien doen we het met ons drieën. Waarom niet? Ik wil dat jij schittert in Kents stuk; dat kunnen we in New York realiseren en dan overwegen hier iets samen met Hermione te doen.'

'Een van jouw stukken,' zei Jessica.

Hij trok zijn wenkbrauwen op. 'Dank je. We zullen het bespreken. Betekent het ja? Dat je met mij terugkeert? Dat je echt gelooft dat we dat alles kunnen doen en nog veel meer?'

Er volgde een lange stilte. Het theater scheen na te galmen van echo's van alles wat er die avond gebeurd was: het geschuifel van voeten en het geritsel van programma's, het ademen van honderden mensen, de op het toneel gesproken woorden, het werk achter de coulissen, het applaus. Mijn leven, dacht Jessica. Mijn plaats.

Maar het was niet genoeg. Ze legde haar hand op Lukes gezicht, zijn innig geliefde gezicht, en haar vingertoppen herkenden de warmte en structuur van zijn huid, de beenderen die zijn gelaatstrekken kenmerkten, de zware wenkbrauwen boven zijn strak op haar gevestigde ogen. *Ik heb dit ook nodig. Luke is evenzeer mijn leven en mijn plaats als het theater. Ik zou nooit volwaardig zijn zonder hém.*

Ze glimlachte en Luke vroeg: 'Wat is er?'

'Ik heb ooit gezegd dat ik nooit volwaardig zou zijn zonder het theater, maar nu dacht ik nooit volwaardig te zullen zijn zonder jou.'

Hij nam haar in zijn armen. 'Dank je voor die woorden. Ik geloof dat ik er mijn hele leven op gewacht heb om ze te horen en heel erg lang om ze van jou te horen.' Met hun armen omstrengelden ze elkaar en hun lippen beroerden elkaar. 'Ik hou van je, lieveling,' zei hij en nu openden hun lippen zich en al de hartstocht die zij op Lopez gekend hadden, overspoelde hen zoals voordien het applaus in de zaal; verlangen schreeuwde in hun binnenste, na zoveel maanden van onthouding overweldigde het hen nu.

'Hier is het er niet de plaats voor,' mompelde Luke.

Jessica lachte zacht. 'Voor Helen en Rex was het dat wel.'

'Helen en Rex bedreven de liefde alleen maar in de verbeelding van het publiek. Wij gaan de liefde bedrijven in het echte leven in een echt bed, als we er een vinden kunnen.'

Ze kuste hem. 'Ik heb een huis. Je kunt altijd naar mijn huis komen. Luke, lieveling, we moeten naar boven naar de party. Maar straks...'

'Straks gaan we naar jouw huis om de liefde te bedrijven en we laten er de hele nacht, de hele dag en avond niets tussen komen... nou ja, jij moet optreden. Daar maken we een uitzondering voor.' Dicht tegen elkaar stonden ze op, hoewel hun lichamen schroomden om te scheiden. 'Zodra we kunnen gaan we naar New York en bedrijven de liefde in mijn huis. Dit is een huwelijk van gelijke kansen. Apropos...' Hij bukte zich, raapte haar stok op en gaf haar die. 'Ik zou graag meteen trouwen. In Sydney. We maken er een kleine, intieme plechtigheid van en ter afsluiting een reisje naar een kleine, heel intieme plek. Kun je daarmee akkoord gaan? Of dacht je aan bruidsmeisjes en een cast van duizenden figuranten?'

'Daar heb ik niet over nagedacht.' Ze glimlachte ondeugend. 'Maar jij bent de beroemde regisseur; weet je zeker dat je geen drommen mensen wilt die vechten om vrijkaartjes voor je bruiloft? Alle New Yorkse verslaggevers en producers en acteurs en recensenten en...' Ze zweeg.

'... en roddeljournalisten. Nee. Geen van allen. Ik wil jou. En heel kort vrienden die voor ons getuigen. In elk geval Hermione. En misschien Whitbread. Uit zijn dreigende blikken heb ik opgemaakt dat Edward niet toeschietelijk zou zijn. En daarna, mijn lieveling, jij en jij alleen. Voor nu en altijd. Wanneer kunnen we dat doen?'

'Er is op maandag geen voorstelling.'

Hij lachte en de blijdschap van zijn lach galmde door het lege theater. 'Maandag. Onze trouwdag.'

Ze wendden zich af van de rijen lege stoelen in de schaduw van de zaal en Luke paste zijn schreden aan de hare aan terwijl zij over het achtertoneel strompelde langs de kleedkamer en de lange rij grimeerhokjes, langs de tafels met rekwisieten en Dan Clanaghs kantoortje, langs de voedingskabels die zich over de vloer slingerden en langs de magazijnen naar de buitendeur. Luke hield die voor haar open, maar ze bleef een ogenblik staan. Achter haar lag het podium in gereedheid voor morgen. Voor haar lag de wereld met al zijn schakeringen en uitdagingen, zijn tegenslagen en triomfen te wachten op haar terugkeer. Want gezamenlijk konden zij en Luke alles. Dat geloofde zij nu.

Luke sloeg zijn arm om haar schouders en ze keek naar hem op in zijn ogen. Ze stonden nog steeds in de deuropening; ze waren nog steeds achter de coulissen. Alles samen, dacht Jessica. En ze wist dat ze eindelijk thuis was.